HET
OMAHA
CONFLICT

D0682821

Het Omaha Conflict

Van Robert Ludlum zijn verschenen:

De Scarlatti erfenis*
Het Osterman weekend*
Het Matlock document*
Het Rhinemann spel*
De Fontini strijders*
Het Parsifal mozaïek*
Het Trevayne verraad*
Het Hoover archief*
Het Holcroft pact*
Het Matarese mysterie
Het Bourne bedrog*
Het Shepherd commando
De Aquitaine samenzwering*
Het Jason dubbelspel*
Het Medusa ultimatum*
Het Omaha conflict*
De Scorpio obsessie
De Icarus intrige*
De Daedalus dreiging*
Het Halidon komplot
De Matarese finale

*(Ook) in POEMA-POCKET verschenen

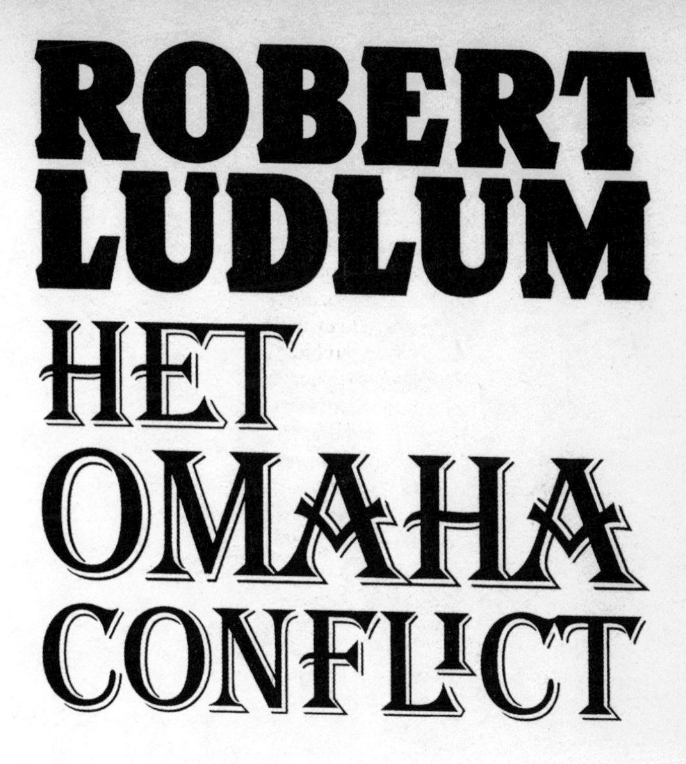
ROBERT
LUDLUM
HET
OMAHA
CONFLICT

POEMA
POCKET

POEMA-POCKET is een onderdeel van Luitingh ~ Sijthoff

Zesde druk

Oorspronkelijke titel: *The Road to Omaha*
Vertaling: Frans & Joyce Bruning
Omslagontwerp: Pete Teboskins
Omslagfotografie: Gerhard Jaeger

CIP/ISBN 90 245 3709 6

Voor Henry Sutton

Peetvader, fantastisch acteur,
onze beste vriend
en een geweldig mens

Voorwoord

Een aantal jaren geleden schreef ondergetekende een boek met als titel *Het Shepherd commando*. Het was gebaseerd op een onthutsend uitgangspunt, een wereldschokkend idee dat iets in zich moest hebben van het Laatste Oordeel... en dat soort dingen kom je tegenwoordig haast niet meer tegen. Het moest een verhaal worden, opgetekend uit de mond van demonen, de legioenen van Satan die dreunend de hel uitmarcheerden om een gruwelijke misdaad te plegen die de hele wereld op z'n kop zou zetten, een dodelijke slag voor alle gelovige mannen en vrouwen, van welke religie ook, want het zou aantonen hoe kwetsbaar de geestelijke leiders van onze tijd eigenlijk zijn. Het kwam erop neer dat het verhaal zou gaan over het ontvoeren van de paus, de geliefde *compagnuolo*, een ware man van God en van de gewone mensen op de gehele wereld, paus Francesco de Eerste.

Volgt u me nog? Ik bedoel maar, dit is echt iets bijzonders, voelt u wel? Dat had het moeten zijn, maar het was het niet. ... Er gebeurde iets. Die arme malloot van een schrijver kwam om de hoek kijken, zag heel even de keerzijde van de medaille en schoot, tot zijn eeuwige verdoemenis, in de lach. Zo kun je niet omgaan met een onthutsend uitgangspunt, een verbijsterende obsessie! (Geen slechte titel trouwens.) Helaas, de arme malloot kon het niet helpen; hij begon na te denken, altijd gevaarlijk voor een verteller. Het *als-nu-eens*-syndroom begon te werken.

Als de aanstichter van deze afgrijselijke misdaad nu eigenlijk helemaal geen kwaaie kerel was, maar in de verzonnen werkelijkheid een echte legendarische soldaat die door de politici de grond in was geboord omdat hij al te luid en al te duidelijk bezwaar maakte tegen hun schijnheiligheid... en als de geliefde paus in werkelijkheid nu eens weinig tegensputterde bij zijn ontvoering, zolang zijn neef die op hem leek, een niet bijster intelligente figurant van de Opera La Scala, zijn plaats innam en de ware paus via afstandsbediening de immense taken van de Apostolische Stoel kon laten uitvoeren, zonder de ondermijnende plannen van de Vaticaanse politiek en de eindeloze processie van zegeningen, uitgedeeld aan smekelingen die verwachtten hun weg naar de hemel te kunnen kopen via het collectezakje. Dát is heel andere koek!

Ik hoor u wel, ik hoor u écht! *Hij heeft zichzelf in de boot genomen.* (Ik heb me vaak afgevraagd op welke rivier die veelbesproken boot eigenlijk vaart. De Styx, de Nijl, de Amazone? Zeker niet de Colorado want daar zou ze al heel gauw op de rotsen lopen.)

Nou ja, misschien heb ik het gedaan, misschien ook niet. Ik weet alleen dat in de jaren sinds *Shepherd* een aantal lezers me heeft gevraagd, per brief, over de telefoon en via regelrechte bedreigingen met lichamelijk letsel: '*Wat is er in hemelsnaam met die clowns gebeurd?*' (De daders, niet het gewillige slachtoffer.)

Eerlijk is eerlijk, die idioten zaten te wachten op een ander onthutsend uitgangspunt. En een jaar geleden, laat op een avond, krijste de meest knotse van mijn onbetekenende muzen ineens: '*Eureka, je hebt het!*' (Ik weet zeker dat ze dat zinnetje ergens heeft gestolen.)

Hoe dan ook, waar de arme malloot zich in *Het Shepherd commando* bepaalde vrijheden veroorloofde op het gebied van de godsdienst en de economie, geeft hij hierbij eerlijk toe dat hij zich, in dit onderhavige, geleerde boekwerk, dezelfde vrijheden heeft veroorloofd met de wetten en de gerechtshoven in het land.

Maar wie doet dat nu niet? Míjn advocaat natuurlijk niet, en de úwe ook niet, maar die van ieder ander heel zeker wel!

Het accuraat te boek stellen van authentieke, ongedocumenteerde geschiedenis van bedenkelijk allooi, vereist dat de muze een aantal ingeroeste procedures bij het zoeken naar onwaarschijnlijke waarheden moet laten varen. En zeker waar het Blackstone betreft.

Maar vrees niet, er is wel degelijk een moraal:

Blijf weg uit een rechtszaal, tenzij u de rechter kunt omkopen. Of tenzij u, maar dat is heel onwaarschijnlijk, mijn advocaat kunt nemen, en dat kunt u niet omdat die zijn handen vol heeft met mij uit de bak te houden.

Mijn vele vrienden die advocaat zijn (ze zijn ofwel advocaat, acteur of bekkesnijder – zou er soms verband tussen bestaan?), moeten dus de fijnere puntjes van de wet maar overslaan, die noch erg fijn, noch helemaal puntgaaf zijn. Ze kunnen echter wel onnauwkeurig juist zijn.

ROBERT LUDLUM

Robert Ludlum is te bescheiden om het te zeggen, maar toen *Het Shepherd commando* onder zijn eigen naam werd gepubliceerd, werd het onmiddellijk in achttien landen een internationale bestseller.

Lezers ontdekten tot hun grote genoegen dat zijn gave voor humor even groot was als die voor het schrijven van boeiende en toch betekenisvolle thrillers.

DE UITGEVER

Dramatis personae

MacKenzie Lochinvar Hawkins – Voormalig generaal, voormalig op verzoek van het Witte Huis, het Pentagon, het ministerie van buitenlandse zaken en het grootste deel van Washington. Tweemaal gedecoreerd met de Eremedaille van het Congres. Alias Dolle Mac de Havik.

Samuel Lansing Devereaux – Briljante jonge advocaat, afgestudeerd aan Harvard, militair in het Amerikaanse leger (met tegenzin), advocaat voor de Havik in China (met rampzalige gevolgen).

Zonsopgang Jennifer Redwing – Ook advocaat, ook briljant, betoverend knap, en een door en door trouwe dochter van de indianenstam der Wopotami's.

Aaron Pinkus – Vriendelijke, legendarische figuur in Bostons juridische kringen, de perfecte jurist-staatsman die toevallig de werkgever is van Sam Devereaux (helaas).

Desi Arnaz I – Een tot armoe vervallen misbaksel uit Portorico, dat wég is van de Havik en dat op een dag misschien nog weleens directeur wordt van de CIA.

Desi Arnaz II – Zie boven. Niet zozeer een leider maar een genie met zijn handen, zoals in het starten van auto's zonder contactsleuteltje, het forceren van sloten, het repareren van skiliften en het gebruiken van cayennesaus voor narcose.

Vincent Mangecavallo – De échte directeur van de CIA, met de zegen van de mafia-bazen van Palermo tot Brooklyn. Het geheime wapen van elke regering.

Warren Pease – Minister van buitenlandse zaken. Het defecte wapen van elke regering, maar vroeger op kostschool een 'slapie' van de president.

Cyrus M – Een zwarte huursoldaat die doctor is in de chemie. Door Washington belazerd en geleidelijk bekeerd tot het gevoel van gerechtigheid van de Havik.

Roman Z – Een Servokroatische zigeuner die samen met bovengenoemde in één cel zat. Hij is dol op chaos, zolang hij daarbij maar een oneerlijk voordeel heeft.

Sir Henry Irving Sutton – Een van de beste karakterspelers van de hele toneelwereld en toevallig een held van de veldtocht in Noord-Afrika in de Tweede Wereldoorlog omdat 'er geen rottige regisseurs waren die mijn optreden verziekten'.

Hyman Goldfarb – De grootste vleugelverdediger die ooit de velden van de *National Football League* opluisterde. Toen zijn proftijd voorbij was werd hij met noodlottige gevolgen gerekruteerd door de Havik.

'Het knettergekke zestal'

Duke	)	Beroepsacteurs die in
Dustin	)	dienst zijn gegaan en beschouwd
Marlon	)	worden als de beste antiterroristen-
Sir Larry	)	eenheid die daar ooit is gevormd.
Sly	)	Ze hebben nog nooit
Telly	)	één schot afgevuurd.

Leden van de Fawning Hill Country Club

Bricky	)	Keurige kerels die op de juiste
Doozie	)	scholen hebben gezeten, tot de juiste clubs
Froggie	)	behoren en die hartstochtelijk de belangen van
Moose	)	het land dienen – zolang hun eigen belangen
Smythie	)	voorop staan, helemaal voorop.

Johnny Kalfsneus – pr-man van de Wopotami-stam; als hij een telefoon oppakt liegt hij meestal. Hij is ook nog geld voor een borgsom schuldig aan Zonsopgang Jennifer. Wat valt er nog meer te zeggen?

Arnold Subagaloo – Chef-staf van het Witte Huis. Steeds wanneer iemand zegt dat hij geen president is vliegt hij op (voor niks in regeringstoestellen). Heeft iemand daar nog iets op te zeggen?

De rest van de *personae* zijn misschien wat minder belangrijk, maar u mag nooit vergeten dat er geen slechte rollen zijn, alleen maar slechte acteurs, en dat geen van de onzen tot die infame categorie behoort. Iedereen speelt volgens de grote traditie van Thespis, iedereen geeft alles wat hij of zij te geven heeft, hoe onbetekenend de gave ook is. 'The play 's the thing wherein (we'll) catch the conscience of the king!' (Het gaat om het spel waarmee we het geweten van de koning raken!) Of zo iemand.

Proloog

De vlammen laaiden hoog op tegen de nachtelijke hemel en wierpen reusachtige, flakkerende schaduwen op de beschilderde gezichten van de indianen rond het kampvuur. Toen verhief het stamhoofd, uitgedost in de ceremoniële kleding van zijn ambt, met zijn gevederde hoofdtooi die langs zijn reusachtige gestalte omlaag tot op de grond golfde, zijn stem met vorstelijke majesteit.

'Ik sta hier voor u om u te zeggen dat de misdaden van de bleekgezichten hen enkel oog in oog hebben gebracht met de boze geesten! Zij zullen hen verslinden en hen het vuur van de eeuwige verdoemenis inslingeren! Geloof mij, broeders, zonen, zusters en dochters, de dag des oordeels is aangebroken en wij zullen *triomferen*!'

Het enige probleem voor velen onder het gehoor van het stamhoofd was dat hij een blanke was.

'Waar komt die in hemelsnaam vandaan?' fluisterde een ouder lid van de Wopotami-stam tegen de squaw naast hem.

'*Ssstt*!' zei de vrouw, 'hij heeft ons een hele vrachtwagen vol met souvenirs uit China en Japan bezorgd. Gooi nou geen roet in het eten, Arendsoog!'

1

Het sjofele kantoortje op de bovenste verdieping van het regeringsgebouw stamde uit een andere eeuw, wat erop neerkwam dat er nu, voor het eerst sinds vierenzestig jaar en acht maanden, weer iemand werkte. Het was geen kwestie dat er in de muren kwalijke geheimen huisden of dat er kwaadaardige geesten zweefden tegen het smerige plafond, er *wilde* gewoon niemand werken. Er moet trouwens nog iets over worden gezegd. Het lag eigenlijk niet op de bovenste verdieping, het lag *daarboven*, en je kwam er via een smalle houten trap van het soort dat de vrouwen van walvisvaarders uit New Bedford beklommen naar hun balkonnetjes, meestal hopend vertrouwde schepen te zien die de terugkeer aankondigden van hun eigen Achabs van de woelige baren.

In de zomermaanden was het in het kantoortje om te stikken, want er was maar één klein raam. In de winter bevroor je er, omdat de houten wanden niet geïsoleerd waren, en de koude wind rammelde aan het raam en gierde snerpend naar binnen door kieren waaruit de stopverf allang verdwenen was. Dit kamertje, dit ouderwetse bovenkamertje, spaarzaam gemeubileerd met spulletjes die rond de eeuwwisseling waren gekocht, was in feite het Siberië van het regeringsbureau waarin het lag. De laatste employé die er officieel in zwoegde was een in ongenade gevallen Amerikaanse indiaan die zo onbezonnen was geweest Engels te leren lezen en die zijn meerderen, die nauwelijks Engels konden lezen, had ingefluisterd dat bepaalde restricties die waren toegepast op een reservaat van de Navajo-stam te streng waren. Naar verluidt was de man gestorven in dat bovenkamertje in de koude januarimaand van 1927 en was hij pas ontdekt in de maand mei van het volgende jaar, toen het warmer begon te worden en het er ineens begon te stinken. Het regeringsbureau was natuurlijk het Amerikaanse Bureau voor Indiaanse Zaken.

De huidige bewoner werd door het bovengenoemde niet afgeschrikt, eerder aangemoedigd. De eenzame figuur in het onopvallende grijze pak, die gebogen zat over het cilinderbureau, dat nauwelijks die naam mocht hebben omdat alle laatjes eruit gehaald waren en de ronde kap halverwege was blijven steken, was generaal MacKenzie Hawkins, legendarisch soldaat, held van drie oorlogen en tweemaal gedecoreerd met de Eremedaille van het Congres. Deze reus van een man, wiens pezige gestalte niet paste bij zijn gevorderde jaren en wiens staalharde ogen en getaande gelaatstrekken misschien toch iets verrieden van die leeftijd, was opnieuw ten strijde getrokken. Voor het eerst in zijn leven echter voerde hij geen strijd tegen de vijanden van zijn geliefde Verenigde Staten van Amerika, maar tegen de regering van de Verenigde Staten zelf. Wegens iets dat honderdtwaalf jaar eerder was gebeurd.

Wanneer precies deed er niet veel toe, bedacht hij terwijl hij zich piepend bewoog in zijn oude draaistoel en zich voortduwde naar een nabijgelegen tafel waarop hele stapels oude, in leer gebonden registers en landkaarten lagen. Het waren dezélfde zakkenwassers die hém een loer hadden gedraaid, hem zijn uniform hadden afgenomen en aan de kant hadden gezet! Het waren allemaal dezelfde mierenneukers, of ze nu rondliepen in hun geklede jassen met tierelantijntjes van een eeuw geleden, of in hun deftige streepjespakken met nauwe broeken van tegenwoordig. Het waren allemaal zakkenwassers. De tijd deed er niet toe, hen te grazen nemen wel.

De generaal trok aan het kettinkje van een bureaulamp met groene kap – ongeveer uit begin twintig – en bestudeerde door een vergrootglas in zijn rechterhand een kaart. Vervolgens draaide hij zich om naar zijn gammele bureau en herlas de alinea die hij had onderstreept in het register waarvan de rug van ouderdom gebarsten was. Zijn ogen, die tot spleetjes waren dichtgeknepen, verwijdden zich plotseling, met een felle, geïnteresseerde blik. Hij pakte het enige communicatie-instrument dat tot zijn beschikking stond, aangezien het installeren van een telefoon zijn meer dan wetenschappelijk verantwoorde aanwezigheid in het Bureau zou kunnen verraden. Het was een hoorntje dat vastzat aan een slang; hij blies er twee keer in, het teken voor noodgevallen. Hij wachtte op antwoord; achtendertig seconden later kreeg hij dat via het primitieve instrument.

'Mac?' zei de schorre stem via de voorwereldlijke verbinding.

'Heseltine, ik héb het!'

'Wil je in hemelsnaam wat zachter in dit ding blazen? Mijn secretaresse was hier en volgens mij dacht ze dat mijn kunstgebit piepte.'

'Is ze weg?'

'Ze is weg,' bevestigde Heseltine Brokemichael, directeur van het Bureau voor Indiaanse Zaken. 'Wat is er?'

'Dat heb ik je net gezegd, ik héb het!'

'Wat heb je?'

'De grootste nepstreek die de zakkenwassers ooit hebben uitgehaald, diezelfde zakkenwassers die ons weer in een burgerkloffie hebben gestopt, ouwe jongen!'

'O, wat zou ik die rotzakken graag te grazen nemen. Waar is het gebeurd en wanneer?'

'In Nebraska, honderdtwaalf jaar geleden.'

Stilte. Vervolgens:

'Mac, toen waren wij er helemaal nog niet! Zelfs jij niet!'

'Dat doet er niet toe, Heseltine. Het is hetzelfde gesodemieter. Dezelfde rotzakken die hún dat hebben geflikt, hebben het mij en jou honderd jaar later geflikt.'

'Wie zijn "hun"?'

'Een zijtak van de mohikanen, de Wopotami-stam. Ze zijn halverwege de negentiende eeuw naar Nebraska verhuisd.'

'Wat dan nog?'

'Het wordt tijd voor het verzegeld archief, generaal Brokemichael.'

'Hou daarover op! Daar mag niemand aankomen!'

'Jij wel, generaal. Ik moet een definitieve bevestiging hebben, een paar losse eindjes die aan elkaar moeten worden geknoopt.'

'Waarvóór? Waaróm?'

'Omdat de Wopotami's misschien nog de wettige eigenaars zijn van alle land- en luchtrechten in en om Omaha, Nebraska.'

'Je bent geschift, Mac! Dat is het Strategic Air Command!'

'Ik mis nog maar een paar zaken, verborgen fragmenten, en dan heb ik de feiten bij elkaar... Ik zie je wel in de kelder, in het gewelf naar het archief, generaal Brokemichael. ... Of moet ik je soms medevoorzitter van de Gezamenlijke Chefs van Staven noemen, samen met mij, Heseltine? Als ik gelijk heb, en ik ben er verdomd zeker van dat ik dat heb, hebben we die hele dierentuin van het Witte Huis en het Pentagon zo in de houdgreep dat ze hun staarten pas los kunnen knopen wanneer wij zeggen dat het mag.'

Stilte. Vervolgens:

'Ik zal je binnenlaten, Mac, maar dan druk ik mijn snor tot jij me vertelt dat ik mijn uniform terug heb.'

'Kan ik inkomen. Overigens, ik pak alles wat ik hier heb in en neem het mee naar mijn huis in Arlington. Die arme klootzak die hier in dit rattennest gecrepeerd is en die pas werd gevonden toen de stank naar de benedenverdieping zakte, is niet voor niks gestorven!'

De twee generaals scharrelden tussen de metalen schappen van het bedompte verzegelde archief, waar de zwakke lampen achter draadkappen zo flauw brandden dat ze hun zaklantaarns moesten gebruiken. In de zevende gang bleef MacKenzie Hawkins staan, met de straal van zijn lantaarn op een oeroud boek met gebarsten leren band gericht. 'Volgens mij is dit het, Heseltine.'

'Oké, en je kunt het hieruit niet meenemen!'

'Dat snap ik, generaal, daarom zal ik alleen maar een paar foto's maken en het terugzetten.' Hawkins haalde een piepkleine spionnencamera met een 110-film uit zijn grijze pak.

'Hoeveel rolletjes heb je?' vroeg ex-generaal Heseltine Brokemichael, terwijl MacKenzie het reusachtige boek naar een metalen tafel aan het einde van het looppad droeg.

'Acht,' antwoordde Hawkins terwijl hij de oude, vergeelde pagina's opsloeg totdat hij vond wat hij zocht.

'Ik heb er nog een paar, als je ze nodig hebt,' zei Heseltine. 'Niet dat ik zo enthousiast ben over wat jij denkt gevonden te hebben, maar als er een kans is om het Ethelred betaald te zetten, dan grijp ik die.'

'Ik dacht dat jullie het hadden bijgelegd,' zei MacKenzie terwijl hij de pagina's omklapte en erop los fotografeerde.

'Nóóit!'

'Het was niet de schuld van Ethelred, het was die verdomde advocaat op het kantoor van de Inspecteur-Generaal, een halfgare jongen van Harvard, Devereaux, Sam Devereaux. Híj heeft de vergissing begaan, níet Brokey II. Twee Brokemichaels; hij haalde ze door elkaar, meer niet.'

'Gelul! Brokey II heeft mij verlinkt!'

'Volgens mij heb jij het mis, maar daarvoor ben ik niet hier, en jij ook niet. ... Brokey, ik moet het boek hebben naast dit hier of in de buurt. Ik geloof dat er CXII op de rug staat. Wil je dat even voor me pakken?' Terwijl het hoofd van Indiaanse Zaken terugliep tussen de metalen rekken, haalde de Havik een scheermesje uit zijn zak en sneed vijftien achtereenvolgende pagina's uit het archiefregister. Zonder de kostbare papieren te vouwen stopte hij ze onder zijn colbertje.

'Ik kan het niet vinden,' zei Brokemichael.

'Laat maar zitten, ik heb hier wat ik hebben wil.'

'Wat nu, Mac?'

'Een hele tijd, Heseltine, misschien wel een heel lange tijd, het kan wel een jaar of zo duren, maar ik moet de zaak waterdicht hebben – zo waterdicht dat er niet één gaatje meer in zit.'

'Waarin?'

'In een proces dat ik de regering van de Verenigde Staten aan ga doen,' antwoordde Hawkins. Hij trok een verminkte sigaar uit zijn zak en stak die op met een Zippo-aansteker uit de Tweede Wereldoorlog. 'Wacht maar 's af, Brokey, en let maar 's op.'

'Wáárop, in hemelsnaam? ... Niet roken! Je mág hier helemaal niet roken!'

'Och, Brokey, jij en je neef Ethelred, jullie hebben altijd te veel volgens het boekje gewerkt, en wanneer je in het boekje niet kon vinden wat je zocht, heb je nog meer boeken gepakt. Dit staat niet in de boeken, Heseltine, niet in boeken die je kunt lezen. Het zit diep in je, in je binnenste. Sommige dingen zijn goed en andere zijn verkeerd, zo eenvoudig is dat. Dat voel je met je klompen aan.'

'Waar heb je het, verdomme, over?'

'Je voelt aan dat je moet gaan zoeken naar boeken die je niet mag lezen. Op plaatsen waar ze geheimen bewaren, zoals hier.'

'Mac, ik kan er geen touw aan vastknopen!'

'Geef me een jaar, misschien twee, Brokey, en dan begrijp je het wel. Ik moet het perfect voor elkaar hebben. Helemaal perfect.' Generaal MacKenzie Hawkins beende tussen de metalen rekken van het archief door naar de uitgang. 'Verdómme,' zei hij bij zichzelf. 'Nu moet ik echt aan het werk. Maak je borst maar nat, geweldige Wopotami's die jullie zijn. Ik hoor helemaal bij *jullie*!'

Eenentwintig maanden gingen voorbij en *niemand* was klaar voor Donderkop, opperhoofd van de Wopotami's.

2

Met vastberaden kaken en nijdige ogen die onverstoorbaar en doordringend vooruitblikten, versnelde de president van de Verenigde Staten zijn pas in de metaalgrijze gang van de kelderverdieping van het Witte Huis. Weldra liep hij voor zijn gevolg uit, met zijn rijzige, slanke gestalte voorovergebogen, alsof hij tegen een stormwind optornde, een ongeduldige gedaante die ernaar snakte de door de wind geteisterde tinnen te bereiken en de bloedige oorlogsverliezen te overzien, zodat hij een plan kon ontwerpen om de binnengevallen horden te verdrijven die zijn rijk bedreigden. Hij was Jean d'Arc, die in zijn dolgedraaide hoofd een tegenaanval in Orléans bedacht, een Hendrik V die wist dat de beslissing bij Agincourt elk moment kon vallen.

Op dit moment echter was zijn directe doel de in grote ongerustheid verkerende Situatiezaal, die verborgen lag in de laagste gewelven van het Witte Huis. Hij kwam bij een deur, rukte die open en stapte naar binnen, terwijl zijn ondergeschikten, nu op een drafje en buiten adem, hem als één man volgden.

'Oké, jongens!' brulde hij. 'De beuk erin!'

Even heerste er stilte, onderbroken door het beverige piepstemmetje van een assistente. 'Hier niet, denk ik, meneer de president.'

'Wat? Waarom niet?'

'Dit is het herentoilet, meneer.'
'O? ... Wat doet ú dan hier?'
'Ik volg u, meneer.'
'Potverdrie. Verkeerde deur. Spijt me. Kom op! D'ruit!'

De grote ronde tafel in de Situatiezaal glom onder het schijnsel van de indirecte verlichting en gaf de lichamen eromheen als zwarte vlekken weer op het blad. Die schaduwbeelden op het gepolitoerde hout bleven, net als de lichamen zelf, onbeweeglijk terwijl de verbijsterde gezichten die bij die lichamen hoorden stomverbaasd naar de broodmagere, bebrilde man keken die achter de president voor een draagbaar schoolbord stond, waarop hij in vier verschillende kleuren een groot aantal grafieken had getekend. Die visuele hulpmiddelen waren niet bijster effectief aangezien twee leden van het crisisteam kleurenblind waren. De verbaasde uitdrukking op het gezicht van de jeugdig uitziende vice-president was niets nieuws en kon daarom worden genegeerd, maar aan de toenemende agitatie bij de voorzitter van de Gezamenlijke Chefs van Staven kon niet zo gemakkelijk voorbijgezien worden.
'Verdómme, Washbum, ik snap niet...'
'Het is Washburn, generaal.'
'Prima. Ik kan de juridische lijn niet volgen.'
'Dat is de oranje lijn, meneer.'
'Welke is dat dan?'
'Dat heb ik net gezegd, de *oranje* krijtlijn.'
'Wijs eens aan.'
Hoofden werden omgedraaid; de president sprak. 'Verdorie, Zack, zie je dat dan niet?'
'Het is hier donker, meneer de president.'
'Zo donker is het niet, Zack. *Ik* zie hem duidelijk.'
'Nou ja, ik heb een visueel probleempje,' zei de generaal, ineens met zachtere stem, '... met het onderscheiden van bepaalde kleuren.'
'Wát zeg je, Zack?'
'*Ik* heb hem gehoord,' riep de vlasblonde vice-president uit, die naast de voorzitter van de GCS zat. 'Hij is *kleurenblind*.'
'Verroest, Zack, maar jij bent in het leger!'
'Heb ik later gekregen, meneer de president.'
'Ik heb het *vroeg* gekregen,' vervolgde de snel opgewonden erfgenaam van de Ovalen Kamer. 'Daardoor heb ik eigenlijk nooit in het échte leger gekund. Ik had er alles voor gegeven als ik dat probleem had kunnen oplossen!'
'Bek dicht, natnek,' zei de donkergekleurde directeur van de CIA,

met zachte stem maar een dreigende blik in zijn half dichtgeknepen, donkere ogen. 'De verkiezingscampagne is voorbij.'

'Toe nou, Vincent, zo'n taal hoef je niet uit te slaan,' kwam de president tussenbeide. 'Er is een dame aanwezig.'

'Daarover valt te praten, prez. De betreffende dame is best op de hoogte van de *lingua franca*, zogezegd.' De directeur grimlachte tegen de woedend kijkende assistente en richtte zich weer tot de man bij het draagbare schoolbord die Washburn heette. 'Jij daar, jij bent onze juridische deskundige, in wat voor str... moeilijkheden zitten we?'

'Zó is het beter, Vinnie,' zei de president. 'Dat waardeer ik.'

'Graag gedaan. ... Ga door, meneer de advocaat. In wat voor kak zitten we nu echt?'

'Heel goed, Vinnie.'

'Toe nou, grote baas, we zijn hier allemaal wat gespannen.' De directeur boog zich voorover en zijn ongeruste ogen waren gericht op de juridische assistent van het Witte Huis. 'Jij daar,' vervolgde hij, 'leg dat krijtje nou eens weg en vertel ons het nieuws. En doe me een lol, doe er nou geen week over om terzake te komen, oké?'

'Zoals u wilt, meneer Mangecavallo,' zei de jurist van het Witte Huis en hij legde het gekleurde krijtje op de richel van het bord. 'Ik probeerde alleen maar een schets te maken van de historische precedenten die betrekking hebben op de veranderde wetten wat betreft de indiaanse volkeren.'

'Wat voor *volkeren*?' vroeg de vice-president, met iets van arrogantie in zijn stem. 'Het zijn stammen, geen landen.'

'Ga door,' zei de directeur. 'Let maar niet op hem.'

'Welnu, ik weet zeker dat u allen op de hoogte bent van de informatie die we hebben gekregen van onze spion bij het Hooggerechtshof over een obscure, verarmde indianen*stam* die bij het Hof een petitie heeft ingediend over een zogenaamd verdrag met de federale regering, dat zogenaamd verloren is geraakt of gestolen door federale agenten. Een verdrag dat, als het ooit gevonden zou worden, hun opnieuw de rechten zou verschaffen op bepaalde gebieden waarop momenteel vitale militaire installaties zijn gevestigd.'

'O ja,' zei de president. 'Wat hebben we daarom gelachen. Ze stuurden zelfs een eindeloze conclusie van eis naar het Hof die niemand wilde lezen.'

'Wat sommige arme mensen niet allemaal willen doen om aan een baantje te komen!' voegde de V.P. eraan toe. 'Dat is écht om te lachen!'

'Onze jurist lacht anders niet,' merkte de directeur op.

'Nee, zeker niet, meneer. Onze spion laat weten dat er in de wandelgangen wat wordt gefluisterd, geruchten die waarschijnlijk absoluut ongegrond zijn natuurlijk, maar kennelijk waren vijf of zes rechters van het Hof zo onder de indruk van de conclusie dat ze in de raadkamer hebben overlegd wat het eigenlijk voorstelde. Een paar van hen zijn van mening dat het verloren gegane verdrag van 1878, dat werd afgesloten tussen de Wopotami-stam en het veertiende Congres, uiteindelijk kracht van wet kan hebben voor de regering van de Verenigde Staten.'

'Ben jij helemaal van de ratten besnuffeld!' brulde Mangecavallo. 'Dat kunnen ze niet máken!'

'Volledig onacceptabel,' snauwde de zuur kijkende minister van buitenlandse zaken in zijn streepjespak. 'Die juridische mafkezen overleven nooit de verkiezingen!'

'Volgens mij hoeven ze dat niet, Warren.' De president schudde langzaam zijn hoofd. 'Maar ik begrijp wat je bedoelt. Zoals de jongens van de pers me vaak hebben gezegd: "Die piegems zouden nog geen figurantenrol krijgen in Ben Hur, niet eens in de scènes in het Colosseum."'

'Heel diepzinnig,' zei de vice-president en hij knikte. 'Zo is het maar net. Wie is Benjamin Hurr?'

'Laat maar,' antwoordde de kalende, gezette minister van justitie, die nog steeds nahijgde van de snelle tocht door de keldergangen. 'Waar het om gaat is dat ze geen bijbaantje meer nodig hebben. Ze zijn benoemd voor het leven en daaraan kunnen we niets veranderen!'

'Tenzij ze allemaal worden aangeklaagd wegens een politiek misdrijf,' opperde de nasaal sprekende minister van buitenlandse zaken, Warren Pease, met een zure glimlach waaruit geen enkele jovialiteit sprak.

'Dat kun je ook wel vergeten,' wierp de minister van justitie tegen. 'Ze zijn maagdelijk wit en onberispelijk zwart, zelfs de rokken. Ik heb het hele zootje nagelopen toen die stommelingen die negatieve beslissing over de hoofdelijke belasting door onze strot wurmden.'

'Dat was écht een lachertje!' riep de vice-president uit en hij zocht met wijd opengesperde ogen om bijval. 'Wat is nou helemaal vijfhonderd dollar voor het recht om te mogen *stemmen*?'

'Maar al te waar,' stemde de bewoner van de Ovalen Kamer in. 'De brave borsten hadden het kunnen afschrijven van hun kapitaalwinst. Zo was er, bijvoorbeeld, dat artikel van een prima econoom, afgestudeerd op dezelfde universiteit als ik, tussen haakjes, in *The Bank Street Journal*, waarin hij uitlegde dat je, door je activa in subsectie C te converteren in de geprojecteerde verliezen in...'

'Prez, toe nou!' viel de directeur van de CIA hem zacht in de rede. 'Die gozer zit in de lik, zes tot tien jaar wegens fraude, zelfs... Klep dicht graag, grote baas, oké?'

'Natuurlijk, Vincent. Zit hij echt...?'

'Denk erom, niemand van ons denkt nog aan hem,' antwoordde de directeur, zacht fluisterend. 'Bent u zijn procedures met geprojecteerde verliezen vergeten toen we hem op Financiën hadden? Hij stopte de helft van het Defensie-geld in Onderwijs, maar niemand kreeg er meer scholen door.'

'Het was geweldige pr...'

'Gooi het maar over de muur, natnek...'

'"Gooi het over de muur", Vincent? Heb jij bij de marine gezeten? "Over de muur gooien" is een marine-uitdrukking.'

'Laten we zeggen dat ik op een heleboel kleine, snelle boten heb gediend, prez. Het oorlogsgebied in de Caribische Zee, oké?'

'*Schepen*, Vincent. Het zijn altijd "schepen". Heb je ook op Annapolis gezeten?'

'Er was een Griekse smokkelaar uit de Egeïsche Zee die in het pikkedonker een patrouilleboot kon *ruiken*.'

'Schip, Vincent. *Schip*. ... Of misschien ook niet, wanneer het slaat op patrouilles...'

'Toe nou, grote baas.' Directeur Mangecavallo staarde de minister van justitie aan. 'Misschien heb je niet diep genoeg in dat zootje van jou gekeken, hé? Wat die juridische stommelingen betreft, zoals onze deftige minister van buitenlandse zaken ze noemde. Misschien ben je wel wat vergeten, oké?'

'Ik heb alle middelen van de FBI ingezet,' antwoordde de gezette minister van justitie terwijl hij in de smalle stoel ging verzitten en zijn voorhoofd afveegde met een vuile zakdoek. 'We konden niemand van onrechtmatigheden beschuldigen. Ze zijn allemaal op de zondagsschool geweest vanaf de dag van hun geboorte.'

'Wat weten die klunzen van de FBI daar nou van? Ze hebben mij zelfs goedgekeurd, waar of niet? Ik was de heiligste der heiligen in de hele stad, waar of niet?'

'En zowel het Huis als de Senaat heeft je bevestigd met een behoorlijke meerderheid, Vincent. Dat zegt toch wel wat over onze middelen om het constitutionele evenwicht te bewaren, of niet soms?'

'Meer over de middelen om een cheque te innen dan over evenwicht, prez, maar daarover hebben we het nu niet, oké? ... Brillejood hier zegt dat vijf of zes van die hoge heren van de verkeerde kant zijn, oké?'

'Dat zijn misschien maar onbevestigde geruchten,' zei de man die Washburn heette. 'En volledig *in camera*.'

'Wie neemt er nou foto's?'

'U begrijpt me verkeerd, meneer. Ik bedoel dat de besprekingen geheim blijven, dat er niet één woord is uitgelekt naar de pers of het publiek. Die geheimhouding hadden ze in feite zichzelf opgelegd, op grond van de nationale veiligheid, *in extremis*.'

'In wie?'

'Goeie genade!' riep Washburn uit. 'Dit prachtige land, deze natie waar we van houden, zou in de meest kwetsbare positie in onze geschiedenis gebracht kunnen worden als vijf van die verrekte stommelingen volgens hun geweten stemmen. Dat zou onze *ondergang* zijn!'

'Oké, oké, rustig maar,' zei Mangecavallo en hij keek naar de anderen rond de tafel, waarbij hij snel voorbijging aan de ogen van de president en zijn troonopvolger. 'We hebben dus wat ruimte gekregen door die hoogst geheime status. En we hebben ook vijf of zes juridische lamzakken aan wie we iets kunnen doen, oké? ... Dus zeg ik, als de inlichtingendeskundige hier aan de tafel, dat we ervoor moeten zorgen dat twee of drie van die grafzeikers op het kerkhof moeten blijven liggen, waar of niet? En aangezien zoiets binnen mijn gebied van deskundigheid valt, zal ik eens aan het werk gaan, *capisce*?'

'U zult snel moeten werken, meneer de directeur,' zei de bebrilde Washburn. 'Volgens onze spion heeft hij van de opperrechter zelf gehoord dat hij de geheimhouding van het debat over achtenveertig uur gaat opheffen. Opperrechter Reebock heeft gezegd... "Zij zijn niet het enige halfgeschifte stelletje dat we hier hebben"... Dat heb ik van hemzelf, meneer de president. Persoonlijk gebruik ik zulke taal niet.'

'Heel lofwaardig, Washbum...'

'Het is *Washburn*, meneer.'

'Dat geldt ook voor hem. Laten we *opschieten*, mannen... en u ook, juffrouw... juffrouw...'

'Trueheart, meneer de president. Teresa Trueheart.'

'Wat doet u eigenlijk?'

'Ik ben de persoonlijke secretaresse van uw chef-staf, meneer.'

'En nog het een en ander,' mompelde de directeur van de CIA.

'Klep dicht, Vinnie.'

'Mijn chef-staf...? Gosjemijne nogantoe, waar zít Arnold eigenlijk? Ik bedoel maar, dit is een crisis, een echte knaller van een crisis!'

'Hij wordt elke middag rond dit uur gemasseerd, meneer,' antwoordde juffrouw Trueheart opgewekt.

'Nou ja, ik wil geen kritiek uitoefenen, maar...'

'U hebt alle recht om kritiek uit te oefenen, meneer de president,' zei de troonopvolger met wijd opengesperde ogen.

'Van de andere kant staat Subagaloo de laatste tijd nogal onder spanning. Hij wordt uitgescholden door de pers en hij is nogal gevoelig.'

'En er is niets wat de spanning zo wegneemt als een massage,' voegde de vice-president eraan toe. 'Geloof mij maar, ik kan ervan meepraten!'

'Hoe is de stand van zaken nu, heren? Laten we maar eens een kruispeiling doen en de vallen aanhalen.'

'Aye, aye, sir!'

'Meneer de vice-president, even rustig aan, hè ... Het kompas waarop we varen, grote baas, kan beter een peiling nemen op de volle maan want we zijn met z'n allen bezig in een op hol geslagen lunapark.'

'Sprekend als uw minister van defensie, *meneer de president*,' zei een heel kleine man, wiens schriele gezicht nauwelijks boven de tafel uitkwam en die woedend en afkeurend de directeur van de CIA aankeek. 'De situatie is volkomen belachelijk. We mogen die idioten aan het Hof niet eens laten dénken aan het ruïneren van de veiligheid van het land wegens een obscuur, langvergeten, zogenaamd verdrag met een indianenstam waarvan niemand zelfs maar ooit heeft *gehoord*!'

'O, maar ik heb wel over de Wopotami's gehoord,' viel de vicepresident opnieuw in de rede. 'Amerikaanse geschiedenis was natuurlijk niet mijn sterkste vak, maar ik weet nog dat ik dacht dat het een gekke naam was, zoiets als de Choppywaws. Ik dacht dat ze waren afgeslacht of verhongerd of zoiets stoms.'

Het korte stilzwijgen werd verbroken door directeur Vincent Mangecavallo's fel gefluisterde woorden terwijl hij de jongeman aanstaarde die slechts een hartslag verwijderd was van de post van oppercommandant van het land. 'Als je nog één ding zegt, luizebos, dan lig je zó in een betonnen badjas op de bodem van de Potomac, is dat duidelijk?'

'*Toe nou*, Vincent!'

'Luister eens, prez, ik ben jouw hoofdbobo voor de veiligheid van het hele land, waar of niet? Nou, dan wil ik je wel vertellen dat er niemand in de hele staat zijn mond zo voorbij praat als deze jongeheer. Ik kan hem zonder enig voorbehoud laten opruimen wegens het zeggen en doen van dingen waarvan hij niet eens weet dat hij ze gezegd of gedaan heeft. De aanslag in het geheim natuurlijk.'

'Dat is niet eerlijk!'

'De wereld is nu eenmaal niet eerlijk, jongen,' merkte de transpirerende minister van justitie op en hij richtte zijn aandacht weer op de jurist van het Witte Huis bij het schoolbord. 'Goed dan, Blackburn...'

'*Wash*burn...'

'Het is dat je het zegt. ... Laten we ons eens concentreren op dit fiasco, en ik bedoel ook echt concentreren! Om te beginnen, wie is verdomme eigenlijk die rotzak, die *verrader*, die achter dit volkomen onvaderlandslievende, on-Amerikaanse beroep aan het Hof zit?'

'Hij noemt zich opperhoofd Donderkop, autochtoon Amerikaan,' antwoordde Washburn. 'En de conclusie van eis die zijn advocaat indiende wordt beschouwd als de meest briljante die ooit door de gerechtelijke macht in ontvangst is genomen, zo horen we van onze spion. Ze zeggen – vertrouwelijk – dat ze zal worden bijgeschreven in de annalen van de jurisprudentie als een schoolvoorbeeld van juridische analyse.'

'Annalen, m'n reet!' explodeerde de minister van justitie en hij haalde zijn vuile zakdoek nogmaals over zijn voorhoofd. 'Ik zal die juridische banaan wel eens laten villen! Het is afgelopen met hem, totaal. Tegen de tijd dat mijn departement klaar is met hem kan hij niet eens meer een baantje krijgen om in Beiroet verzekeringspolissen te verkopen, om van de wet nog niet te spreken! Geen bedrijf zal hem aannemen en hij zal niet eens meer een cliënt vinden in de dodencel van Leavenworth. Hoe heet die klootzak eigenlijk?'

'Tja,' begon Washburn aarzelend en zijn stem sloeg even over, '... daar hebben we zogezegd een probleempje.'

'Probleempje... wat voor probleempje?' Warren Pease met zijn neusstem, wiens linkeroog de ongelukkige afwijking vertoonde te loensen wanneer hij opgewonden was, stak zijn hoofd naar voren als een beledigde kip. 'Noem gewoon die naam, idioot!'

'Er valt geen naam te noemen,' zei Washburn met verstikte stem.

'De hemel zij dank dat die malloot niet voor het Pentagon werkt,' snauwde de miniatuurminister van defensie. 'We zouden de helft van onze raketten niet eens meer kunnen terugvinden.'

'Volgens mij zijn die in Teheran, Oliver,' opperde de president. 'Of niet soms?'

'Mijn suggestie was *retorisch*, meneer.' Het schriele hoofd van het Pentagon, dat nauwelijks boven de tafel uitkwam, schokte heen en weer, met korte rukjes naar links en rechts. 'Bovendien was dat lang geleden en u was er nog niet en ik evenmin. Weet u nog, *meneer*?'

'Ja, ja, natuurlijk weet ik dat niet meer.'

'Verdomme, Blackboard, waarom is er geen naam?'

'Juridisch precedent, meneer, en mijn naam is... och, laat maar...'

'Wat bedoel je met "laat maar", beisponem? Ik wil de náám weten!'

'Dat bedoelde ik niet...'

'Wat bedoel je dan, verdomme, wél?'

'*Non nomen amicus curiae,*' mompelde de bebrilde jurist van het Witte Huis, nauwelijks harder dan fluisteren.

'Waar ben je mee bezig, een weesgegroetje?' vroeg de directeur van de CIA zacht en zijn donkere, zuidelijke ogen puilden uit van ongeloof.

'Het stamt uit achttienhonderdzesentwintig toen het Hof toestond dat een conclusie anoniem werd ingediend door een "vriend van het Hof", namens een eiser.'

'Die maak ik nog eens af,' mompelde de dikke minister van justitie, terwijl er een hoorbare wind opsteeg van de zitting van zijn stoel.

'Wacht 's even!' schreeuwde de minister van buitenlandse zaken, terwijl zijn linkeroog wild heen en weer zwaaide. 'Wil je ons wijsmaken dat die conclusie van eis voor de Wopotami-stam werd ingediend door een anonieme advocaat of advocaten?'

'Zeker, meneer. Opperhoofd Donderkop stuurde zijn vertegenwoordiger, een jonge krijger die onlangs geslaagd is voor zijn rechtenstudie, om *in camera* voor de rechters te verschijnen en op te treden als tijdelijke verdediger, vooruitlopend op de noodzaak van de oorspronkelijke anonieme advocaat indien de conclusie als ondeugdelijk zou worden beschouwd. ... Dat werd ze niet. De meerderheid van het Hof beoordeelde ze als afdoende onder de richtlijnen van *non nomen amicus curiae.*'

'We weten dus niet eens wie voor de donder dat verdomde ding heeft opgesteld?' schreeuwde de minister van justitie, terwijl zijn winden om de rotsen bleven waaien.

'Mijn vrouw en ik noemen dat "broekboertjes",' giechelde de vice-president zacht tegen zijn enige meerdere.

'Wíj noemden ze altijd "stoomfluitjes",' antwoordde de president, met een samenzweerderige grijns.

'In hemelsnaam!' brulde de minister van justitie. 'Nee, nee, niet ú, meneer, of die jongen daar... ik heb het over meneer Backwash...'

'Het is... laat maar.'

'Wil je ons vertellen dat we niet mogen weten wie die onzin heeft geschreven, dat vullis, dat vijf leeghoofden van rechters in het Hof ervan kan overtuigen dat ze het als wet moeten bekrachtigen – en daarbij, niet toevallig – de operationele kern van onze nationale defensie *vernietigen*?'

'Opperhoofd Donderkop heeft het Hof doen weten dat hij, als het zover is, nadat de beslissing is uitgesproken en openbaar gemaakt en zijn volk bevrijd is, de naam van het juridisch genie achter het beroep van zijn stam bekend zal maken.'

'Dat is mooi,' zei de voorzitter van de Gezamenlijke Chefs van Staven. 'Dan zetten we die klootzak in het reservaat met al zijn roodhuidenvriendjes en sodemieteren er een atoombom op.'

'Als u dat wilt doen, generaal, moet u heel Omaha, Nebraska, platgooien.'

De vergadering over de noodtoestand in de Situatiezaal was voorbij, alleen de president en zijn minister van buitenlandse zaken zaten nog aan de tafel.

'Gossie, Warren,' zei de hoogste baas. 'Ik wilde dat je even bleef omdat ik soms die mensen helemaal niet begrijp.'

'Nou ja, ze zijn zeker nooit op *onze* school geweest, ouwe makker.'

'Tsjonge, ik geloof van niet, maar dat bedoel ik niet. Ze raken allemaal zo opgewonden, ze schreeuwen en vloeken en zo meer.'

'Onopgevoede mensen raken nu eenmaal gauw geëmotioneerd, dat weten we. Ze hebben geen ingeboren zelfbeheersing. Weet je nog toen de vrouw van de rector zat was en achter in de kapel "One-Ball Reilly" begon te zingen? Alleen de jongens met een beurs draaiden zich om.'

'Niet echt,' zei de president schaapachtig. 'Ik heb het ook gedaan.'

'Néé, dat kan ik niet geloven!'

'Nou ja, ik heb zo'n beetje gegluurd. Ik geloof dat ik verliefd op haar was; het begon op dansles, met de foxtrot eigenlijk.'

'Dat deed die trut bij ons allemaal. Daar kreeg ze een kick van.'

'Dat geloof ik ook, maar om op deze vergadering terug te komen. Je denkt toch niet dat dit iets wordt, dat indianengedoe?'

'Natuurlijk niet! Opperrechter Reebock is weer met zijn ouwe trucjes bezig, hij probeert jou kwaad te krijgen omdat hij denkt dat je tegen hem hebt gestemd toen hij lid wilde worden van onze Vereniging van Eervolle Afgestudeerden.'

'Gossiemijne, ik zweer je dat ik dat niet heb gedaan!'

'Dat weet ik, ik heb het gedaan. Zijn politiek is best acceptabel maar hij is een erg onaantrekkelijke man en hij draagt verschrikkelijke kleren. Hij ziet er gewoon belachelijk uit in een smoking. En volgens mij kwijlt hij... niet naar ons, makker. Je hoorde wat die

Washboard zei... hij zei dat Reebock tegen onze spion had gezegd dat wij "niet het enige halfgeschifte stelletje zijn dat we hier hebben". Wat heb je nog meer nodig?'

'Maar toch, iedereen werd zo kwaad, vooral Vincent Manja... Manju... Mango, wie dan ook.'

'Zo zijn de Italianen nu eenmaal. Het zit in hun bloed.'

'Misschien wel, Warren, maar toch zit het me dwars. Ik weet zeker dat Vincent een prima marineofficier is geweest maar hij is soms ook een stier in een porseleinwinkel... net als je-weet-wel-wie.'

'*Alsjeblieft*, meneer de president, laten we nou geen nachtmerries krijgen!'

'Ik probeer alleen maar ze te voorkomen, ouwe reus. Luister, Warren, Vincent kan niet al te best opschieten met onze minister van justitie of met de Gezamenlijke Chefs van Staven, en zeker niet met het hele ministerie van defensie, daarom wil ik dat jij hem wat in de watten legt, goed contact met hem houdt over dit probleem – zijn vertrouwelijke vriend wordt.'

'Met een *Mangecavallo*?'

'Het valt onder jou, Warty, ouwe jongen. Buitenlandse zaken moet bij zoiets betrokken blijven.'

'Maar we schieten er niets mee op!'

'Nee, zeker niet, maar denk eens aan de reacties van de hele wereld wanneer het betoog van het Hof openbaar wordt. Wij zijn een volk van wetten, niet van kuren, en je kunt het Hooggerechtshof nu eenmaal geen proces wegens overlast aandoen. Jij bent de man om onze internationale brandjes te blussen, slapie.'

'Maar waarom ík?'

'Gossiemijnemijne, dat heb ik je net vertéld, Warty!'

'Waarom de vice-president niet? Hij kan al het nieuws aan mij doorgeven.'

'Wie?'

'De vice-president!'

'Hoe héét die jongen trouwens ook al weer?'

3

Aaron Pinkus, onbetwistbaar de beste advocaat in Boston, Massachusetts, en zeker een van de vriendelijkste en voornaamste van alle machtige mannen, stapte op een heldere zomermiddag in de deftige voorstad Weston uit zijn limousine en glimlachte tegen de geüniformeerde chauffeur die het portier openhield. 'Ik heb tegen

Shirley gezegd dat deze enorme wagen opzichtig genoeg was, Paddy, maar door die gekke pet met die glimmende klep op jouw hoofd lijkt het verdacht veel op de zonde van ongerechtvaardigde trots.'

'Niet in het Zuiden, meneer Pinkus, en we hebben daar meer zonden dan votiefkaarsen,' zei de lange chauffeur van middelbare leeftijd wiens gedeeltelijke grijze haardos een eens volle, helderrode pruik verried. 'Dat zegt u bovendien al jaren en veel helpt het niet. Mevrouw Pinkus is een zeer vasthoudende dame.'

'De hersenen van mevrouw Pinkus zijn te vaak gebraden onder de haardroger van een schoonheidssalon. ... Vergeet dat ik dat gezegd heb, Paddy.'

'Natuurlijk, meneer.'

'Ik weet niet hoe lang het zal duren, rijd dus maar een paar straatjes om, misschien om de hoek, uit het zicht...'

'En blijf in contact via de pieper,' maakte de Ier grijnzend de zin af, kennelijk met plezier om het trucje. 'Als ik de auto van meneer Devereaux zie geef ik u een teken en dan kunt u via de achterdeur vertrekken.'

'Weet je, Paddy, als onze woorden ergens in een geschreven rapport stonden, wat voor rapport dan ook, dan zouden we de zaak verliezen, wat voor zaak dan ook.'

'Niet als uw firma ons zou verdedigen, meneer.'

'Dat is ook ongerechtvaardigde trots, beste vriend. Bovendien is strafrecht maar een klein onderdeel van onze firma en niet echt voortreffelijk.'

'Hé, u gaat toch geen misdaad bedrijven!'

'Laten we dan het rapport maar kwijtmaken. ... Zie ik er presentabel uit voor de deftige dame, Paddy?'

'Ik zal even uw das rechttrekken, meneer, die is wat afgezakt.'

'Dank je,' zei Pinkus terwijl de chauffeur zijn das schikte. Zijn ogen dwaalden af naar het imposante, blauwgrijze Victoriaanse huis, met een hek van wit latwerk ervoor en veel wit langs de ramen en onder de hoge gevelspits. Daar woonde de matrone van deze opvallende residentie, de formidabele mevrouw Lansing Devereaux III, moeder van Samuel Devereaux, snel stijgende ster op het advocatenkantoor van zijn werkgever, voor wie hij op dit moment een raadsel vormde, een zekere Aaron Pinkus.

'Zo is het goed, meneer.' De chauffeur zette een stap achteruit en knikte goedkeurend. 'Het andere geslacht gaat door de knieën als ze u zien.'

'Toe nou, Paddy, ik ga niet op vrijersvoeten, dit onderzoek is een werk van barmhartigheid.'

'Ja, dat weet ik, baas. Sam doet de laatste tijd nu en dan een beetje vreemd.'

'Dat heb jij dus ook gemerkt?'

'Verrek, ik heb hem dit jaar van u zowat een dozijn keer moeten ophalen op Logan Airport. Zoals ik al zei leek hij nu en dan een beetje excentriek en dat kwam niet alleen van de drank. Hij maakt zich zorgen, meneer Pinkus. Die jongen heeft iets aan zijn hoofd.'

'En in dat hoofd zit een briljant stel juridische hersenen, Paddy. Eens zien of we kunnen ontdekken wat de moeilijkheden zijn.'

'Veel succes, meneer. Ik zal uit het zicht zijn, maar wel ín het zicht, als u begrijpt wat ik bedoel. En als u mij hoort piepen maakt u dat u als de donder daar wegkomt.'

'Waarom heb ik zo'n gevoel als van een magere, overjarige joodse Casanova die niet over een hek zou kunnen klimmen al zit er een hele meute pitbulls achter hem aan?' Pinkus merkte dat hij die vraag aan zichzelf stelde, want zijn chauffeur was om de motorkap van de limousine gerend om in te stappen en te verdwijnen – in het zicht, maar toch uit het zicht.

In al die jaren dat hij haar zoon kende had Aaron Eleanor Devereaux pas twee keer ontmoet. De eerste keer was geweest op de dag waarop Sam voor de firma begon te werken, enkele weken nadat hij op Harvard was afgestudeerd en toen, vermoedde Aaron, was dat omdat zijn moeder de dagelijkse werkomgeving van haar zoon wilde inspecteren, zoals ze de leiders en de faciliteiten van een zomerkamp zou willen inspecteren. De tweede en laatste keer was op het feestje ter ere van Sams terugkeer uit dienst, een terugkeer die een van de vreemdste was in de annalen van met groot verlof gaan. Hij vond plaats meer dan vijf maanden na de dag dat luitenant Devereaux in Boston had moeten arriveren als eervol ontslagen burger. Vijf maanden waarvoor geen enkele verklaring bestond.

Vijf maanden, peinsde Aaron terwijl hij op het poortje in het witte hek afliep, bijna een half jaar waarover Sam niet wilde praten – niets wilde zeggen, alleen dat hij er niets over mócht zeggen, waarmee hij een of andere hoogst geheime regeringsopdracht suggereerde. Nou ja, had Pinkus in die tijd gedacht, hij kon zeker *luitenant* Devereaux niet gaan vragen een eed te breken, maar hij was nieuwsgierig, zowel als vriend en beroepsmatig voor wat internationale juridische onderhandelingen betreft, en hij had nogal wat connecties in Washington.

Daarom belde hij de president op het privé-nummer van het Witte Huis, in het woongedeelte op de bovenverdieping en legde zijn raadselachtige kwestie voor aan de hoogste baas.

'Denk je dat hij betrokken is geweest bij een geheime opdracht, Aaron?' had de president gevraagd.

'Eerlijk gezegd is hij volgens mij daar het type niet voor.'

'Soms moeten ze zo iemand juist hebben, Pinky. Je weet wel, soms blijken verkeerd gekozen acteurs juist de beste te zijn. En als ik ook iets eerlijk mag zeggen, dan verpesten een boel van die luizebollen van langharige regisseurs het witte doek met zoiets. Ik hoor dat ze een paar jaar geleden Myrna schunnige woorden wilden laten zeggen, is dat niet ongelooflijk?'

'Het is moeilijk, meneer de president. Maar ik weet dat u het druk hebt...'

'Welnee, Pinky. Mammie en ik kijken juist naar *Wheel of Fortune*. Weet je, ik verlies vaak van haar, maar dat kan me niets schelen. Ik ben president en zij niet.'

'Heel verstandig. Zou u misschien voor mij eens naar die zaak willen informeren?'

'Ja, natuurlijk. Ik heb het opgeschreven. Devereaux – D-e-v-e-r-o, oké?'

'Dat is voldoende, meneer.'

Twintig minuten later had de president hem teruggebeld. 'O jeetje, Pinky! Je hebt daar wel in een mierennest getrapt!'

'Waarin, meneer de president?'

'Ik hoor van mijn mensen dat "buiten China" – dat zeiden ze letterlijk – wat die Devereaux ook heeft gedaan "absoluut niets te maken had met de Amerikaanse regering" – ook dat zeiden ze letterlijk, ik heb het opgeschreven. Toen ik bleef aandringen zeiden ze me dat ik "*het niet wilde weten*"...'

'Ja, natuurlijk, letterlijk. Ze noemen dat ontkenbaarheid, meneer de president.'

'Daar stikt het van, nietwaar?'

Aaron bleef staan op het pad en keek op naar het grote oude huis, met zijn gedachten bij Sam Devereaux en de vrij vreemde, zelfs wat ontroerende manier waarop hij was opgegroeid in dit elegant gerestaureerde overblijfsel van een veel gracieuzer tijdperk. Eigenlijk, bedacht de beroemde jurist, was de schitterende restauratie niet altijd zo in het oog gevallen; jarenlang had het huis meer iets uitgestraald van keurige maar sjofele voornaamheid in plaats van de huidige voorgevel die pas was geschilderd en het keurig onderhouden voorgazon. Tegenwoordig werd er voortdurend veel zorg aan besteed, er werd niet op kosten gekeken – dat wil zeggen, vanaf het moment dat Sam in het burgerleven was teruggekeerd na vijf maanden verdwenen te zijn geweest. Pinkus bekeek, als normale gang van zaken, van elke potentiële employé van zijn kantoor altijd de privé- en academische voorgeschiedenis, om teleurstelling of een vergissing te voorkomen. Het resumé van de jonge Devereaux had zowel zijn aandacht getrokken als zijn nieuwsgierigheid gewekt en hij was vaak voorbij het oude huis in Weston gereden, zich afvragend wat voor geheimen schuilgingen achter die Victoriaanse muren.

De vader, Lansing Devereaux III, was een telg geweest uit de hoogste kringen van Boston, te vergelijken met de Cabots en de Lodges, maar hij vertoonde één opvallende afwijking. Hij nam grote risico's in de wereld van de *haute finance*, en was veel bekwamer in het verliezen van geld dan in het bewaren ervan. Hij was een goede kerel geweest, alleen wat wild en onstuimig, een harde werker die vele mensen ongekende kansen had bezorgd maar die zelf maar weinig initiatieven zag slagen. Hij was aan een hersenbloeding gestorven terwijl hij een beursrapport bestudeerde, toen Sam pas negen jaar was. Zijn weduwe en zijn zoon had hij een beroemde naam nagelaten, een deftige residentie en onvoldoende zekerheden om de levensstijl op te houden waaraan ze gewend waren en waarvan Eleanor weigerde de schijn op te geven.

Het gevolg was geweest dat Samuel Lansing Devereaux die tegenstrijdigheid onder de welgestelden werd, een jongen met een beurs die bij Phillips Andover kelner speelde. Terwijl zijn klasgenoten de feestjes afliepen, stond hij bij die gelegenheden achter de bar; en wanneer zijn steeds afstandelijker kennissen in het sociale verkeer gingen deelnemen aan zeilwedstrijden aan de Kaap, werkte hij aan de wegen die zij bereden naar Dennis en Hyannis. Hij werkte ook als een bezetene aan zijn studie, omdat hij heel goed begreep dat de academische wereld de enige weg terug was naar de welvarende wereld van de voorouderlijke Devereauxs. Bovendien had hij er schoon genoeg van alleen maar toeschouwer te zijn bij het goede leven in plaats van eraan deel te nemen.

Zijn rechtenstudie op Harvard werd nog wat rijkelijker bedeeld met beurzen en zijn toelagen werden er aardig aangevuld door een druk programma van bijlessen aan zijn broeders en zusters studenten, met de nadruk op laatstgenoemden, omdat daaraan vaak een bonus vastzat die niets te maken had met financiën. Er volgde een voorspoedig begin bij Aaron Pinkus Associates, dreigend onderbroken door het Amerikaanse leger. In het tijdperk waarin het Pentagon enorm uitbreidde, had het leger dringend behoefte aan alle juristen die het kon losweken, om te voorkomen dat zijn inkooppersoneel op binnenlandse en buitenlandse bases massaal in staat van beschuldiging werd gesteld. De verraderlijke militaire computers ontdekten een langvergeten uitstel van dienst, verleend aan ene Samuel Lansing Devereaux, en de krijgsmacht won een knappe, zij het wat armzalige soldaat, overigens wel een met een stel briljante juridische hersenen, dat ze gebruikten en kennelijk ook misbruikten.

Wat was er met hem gebeurd? vroeg Pinkus zich af. *Wat voor afschuwelijke dingen hadden er jaren geleden plaatsgevonden die hem nu achtervolgden? Om dat buitengewone stel hersenen te verwringen en soms kort te sluiten, hersenen die legalistische abstracties doorbraken en van de onbegrijpelijkste diepzinnige interpretaties een gewone zaak maakten zodat zowel rechters als jury's stonden te kijken van zijn eruditie en zijn diep gravende analyses.*

Er was *iets* gebeurd, concludeerde Aaron, terwijl hij op de enorme voordeur afliep waarvan het bovenpaneel was voorzien van antieke glasplaten met afgeschuinde randen. Bovendien, hoe kwam Sam eigenlijk aan het geld om dat huis te laten restaureren? Pinkus was inderdaad heel gul voor zijn voortreffelijke en zelfs favoriete employé, maar niet zó gul dat hij minstens honderdduizend dollar kon uitgeven aan de renovatie van de familieresidentie. Waar kwamen die inkomsten vandaan? Drugs? Witwassen van geld? Effectenhandel met voorkennis? Het illegaal verkopen van wapens in het buitenland? Niets daarvan klopte waar het Sam Devereaux betrof. Bij dat soort avonturen had hij twee linkerhanden; hij was een klungel als het om achterbaksheid ging. Hij was – God zij geprezen – een waarachtig eerlijk mens in een wereld van dweilen. Dat oordeel gaf echter geen verklaring voor het kennelijk onverklaarbare – het *geld*. Enkele jaren geleden, toen Aaron tussen neus en lippen had gesproken over de prachtige restauratie aan de woning waar hij op weg naar huis vaak voorbijkwam, had Samuel al even terloops verteld dat een welgesteld familielid was overleden en zijn moeder een aardig sommetje had nagelaten.

Pinkus had alle geverifieerde afschriften van testamenten doorgesnuffeld en de lijsten van successierechten en had alleen maar ontdekt dat zo'n familielid en zo'n legaat niet bestonden. En diep in zijn hart wist hij dat wat Sam nu dwarszat iets te maken had met zijn onverklaarbare rijkdom. Wat wás het toch? Misschien lag het antwoord verborgen in dit deftige oude huis. Hij belde aan en hoorde de – natuurlijk – diepe, welluidende klokkenklanken.

Een volle minuut ging voorbij voordat de deur werd geopend door een wat gezette dienstbode van middelbare leeftijd in een gesteven groen met wit uniform. 'Meneer?' vroeg ze, wat killer, dacht Aaron, dan nodig was.

'Mevrouw Devereaux,' antwoordde Pinkus. 'Ik denk dat ze mij verwacht.'

'O, ben jíj dat,' antwoordde de dienstbode, misschien nog killer volgens Aaron. 'Nou, ik hoop dat je van die verrekte kamillethee houdt, makker, van mij mag ze die houden. Kom maar binnen.'

'Dank u.' De beroemde, maar fysiek niet zo imponerende jurist kwam in een hal van roze Noors marmer terwijl zijn mentale computer de exorbitante prijs ervan schatte. 'En wat is wel uw lievelingsthee, juffrouw?' vroeg hij zomaar.

'Een kop met een flinke scheut whisky!' riep de vrouw uit met een schorre lach en ze ramde haar elleboog tegen de tengere schouder van Pinkus.

'Daar zal ik aan denken wanneer we op een middag thee gaan drinken in de Ritz.'

'Als dát zou kunnen, onderdeurtje!'

'Pardon?'

'Loop daar maar door die dubbele deuren,' vervolgde de dienstbode met een armzwaai naar links. 'De kakmadam zit op je te wachten. Ik moet weer aan het werk.' Met dat bevel en die uitleg draaide de vrouw zich om, liep, niet al te recht, over de dure vloer en verdween achter de trap die met een elegante balustrade in een bocht naar boven liep.

Aaron liep op de gesloten dubbele deuren af, opende de rechterhelft en keek naar binnen. Achterin de fraaie Victoriaanse kamer zat Eleanor Devereaux op een sofa van wit brokaat, met een zilveren theeservies op een salontafeltje voor zich. Ze was nog precies zoals hij zich haar herinnerde, een kaarsrechte vrouw met ondanks haar ouderdom nog delicate gelaatstrekken in een gezicht dat op zijn hoogtepunt ontelbare mannen het hoofd op hol moest hebben gebracht en met grote blauwe ogen die veel meer zeiden dan ze ooit zou prijsgeven.

'Mevrouw Devereaux, wat prettig u weer te ontmoeten.'

'Meneer Pinkus, wat fijn ú weer eens te ontmoeten. Komt u binnen en ga zitten.'

'Dank u.' Aaron liep de kamer in en was zich bewust van het reusachtige, onbetaalbare oosterse tapijt onder zijn voeten. Hij liet zich zakken in de leunstoel van wit brokaat, rechts van de sofa, een plaats die werd aangewezen met een knikje van het aristocratische hoofd van mevrouw Devereaux.

'Te oordelen naar het nogal wilde lachen dat ik in de gang hoorde,' zei de deftige dame, 'maak ik op dat u nicht Cora hebt ontmoet, onze gedienstige.'

‘Uw nicht...?’

‘Denkt u dat ik haar vijf minuten in dit huis zou dulden als ze dat niet was? Vanuit een familieoogpunt geeft het bepaalde verplichtingen als je wat welgestelder bent, nietwaar?’

‘*Noblesse oblige*, mevrouw. En heel mooi uitgedrukt.’

‘Ja, dat geloof ik ook, maar ik wilde maar dat niemand dat ooit had hoeven zeggen. Ze stikt nog eens in de whisky die ze steelt en dan houdt de verplichting op, nietwaar?’

‘Een logische conclusie.’

‘Maar u bent hier vast niet gekomen om over Cora te praten. ... Thee, meneer Pinkus? Room of citroen, wel of geen suiker?’

‘Neem me niet kwalijk, mevrouw Devereaux, maar ik moet het afslaan. Deze oude man heeft een aversie van looizuur.’

‘Prima! Deze oude vrouw heeft die ook. Dat vierde kopje ga ik zelf inschenken.’ Eleanor pakte een theepot van Limoges-porselein die links van het zilveren servies stond. ‘Een prima dertig jaar oude cognac, meneer Pinkus, en niemand kan last krijgen van het soort zuur dat hierin zit. Ik was die pot zelf ook uit, om Cora niet op ideeën te brengen.’

‘Mijn absoluut favoriete drankje, mevrouw Devereaux,’ zei Aaron. ‘En ik zal het niet tegen mijn dokter zeggen om hém niet op een idee te brengen.’

‘*Lechajem*, meneer Pinkus,’ toostte Eleanor Devereaux, terwijl ze voor ieder een flinke slok inschonk en haar kopje ophief.

‘*A votre santé*, mevrouw Devereaux,’ zei Aaron.

‘Nee, nee, meneer Pinkus. De naam Devereaux is dan misschien Frans, maar de voorouders van mijn man verhuisden in de vijftiende eeuw naar Engeland – ze werden in feite gevangengenomen tijdens de slag bij Crécy, maar bleven lang genoeg om hun eigen legers op de been te brengen en door de kroon te worden geridderd. Wij behoren tot de High Church.’

‘Wat moet ik dan zeggen?’

‘Wat dacht u van “Santjes”?’

‘Is dat religieus?’

‘Volgens mij wel, als u vindt dat Hij aan uw kant staat.’ Beiden namen ze een slokje en beiden zetten ze hun kopjes terug op het frêle schoteltje. ‘Dat is een goed begin, meneer Pinkus. En zullen we nu maar eens meteen in die raadselachtige onderhavige kwestie, mijn zoon duiken?’

‘Ik geloof dat dat verstandig zou zijn,’ knikte Aaron en hij keek op zijn horloge. ‘Op dit moment staat hij op het punt een bespreking te beginnen over een uiterst ingewikkeld proces, die minstens een paar uur zal duren. We waren het er echter beiden over eens, toen we met elkaar telefoneerden, dat hij de laatste maanden zich vaak erg onvoorspelbaar heeft gedragen; hij zou die bespreking weleens midden in een zin kunnen verlaten en naar huis kunnen rijden.'

'Of naar een museum gaan of een film of, de hemel beware me, naar het vliegveld en hij zou een vliegtuig kunnen nemen naar God weet waar naartoe,' viel Eleanor Devereaux hem in de rede. 'Ik ben me maar al te zeer bewust van Sams heetgebakerde beheptheden. Nog pas twee zondagen geleden kwam ik terug uit de kerk en vond een briefje dat hij voor me op de keukentafel had achtergelaten. Daarin schreef hij dat hij weg was en me later zou bellen. Dat deed hij tijdens het diner. Vanuit Zwitserland.'

'Onze ervaringen zijn maar al te pijnlijk gelijk, daarom zal ik maar geen tijd besteden aan het vertellen van de variaties die ik en mijn firma hebben meegemaakt.'

'Loopt mijn zoon gevaar zijn baan te verliezen, meneer Pinkus?'

'Niet als het aan mij ligt, mevrouw Devereaux. Ik heb te lang en met te veel moeite gezocht naar een opvolger om het zo gauw op te geven. Maar ik zou niet helemaal eerlijk zijn als ik zei dat de toestand acceptabel is. Dat is ze niet. Het is niet eerlijk voor Sam en voor de firma.'

'Daar ben ik het helemaal mee eens. Wat kunnen we doen – wat kan ík doen?'

'Op gevaar af inbreuk te plegen op het privilege van privacy, en ik doe dit alleen uit genegenheid en uit de allerhoogste beroepsmatige bezorgdheid, wat kunt u mij over uw zoon vertellen dat licht zou kunnen werpen op zijn toenemend raadselachtig gedrag? Ik verzeker u dat alles wat tussen ons wordt gezegd uiterst vertrouwelijk zal blijven – zoals bij een relatie tussen advocaat en cliënt, al zou ik nooit durven beweren dat u mij als advocaat zou kiezen.'

'Mijn beste meneer Pinkus, een aantal jaren geleden zou ík u nooit hebben durven benaderen om mijn advocaat te worden. Als ik gedacht had uw honorarium te kunnen betalen dan had ik misschien grote geldbedragen kunnen redden die na de dood van mijn man nog verschuldigd waren aan zijn nalatenschap.'

'O...?'

'Lansing Devereaux heeft een groot aantal van zijn collega's in uiterst lucratieve situaties gebracht, met de afspraak dat hij op redelijke wijze zou deelnemen nadat ze hun risico-kapitaal hadden terugverdiend. Toen hij eenmaal dood was hebben maar enkelen voldaan aan die overeenkomst, maar heel weinigen.'

'Overeenkomsten? *Schriftelijke* overeenkomsten?'

'Lansing was niet al te secuur waar het details betrof. Maar er waren wel notulen van vergaderingen, samenvattingen van zakelijke gesprekken, dat soort zaken.'

'Daar hebt u kopieën van?'

'Natuurlijk. Men zei me dat ze waardeloos waren.'

'Heeft uw zoon Samuel die mening bevestigd?'

'Ik heb hem die papieren nooit laten zien en dat zal ik ook nooit doen. ... In bepaalde opzichten had hij een vrij pijnlijke jeugd. Dat heeft ongetwijfeld zijn karakter gevormd, maar waarom zou ik genezen wonden openrijten?'

'Op een dag kunnen we die "waardeloze" papieren wel weer eens ter hand nemen, mevrouw Devereaux, maar laten we nu terugkeren naar het heden. Wat is er in het leger met uw zoon gebeurd? Hebt u daarvan enig idee?'

'Hij had het er best naar zijn zin. Hij was juridisch officier, zowel hier als in het buitenland en naar ik gehoord heb heeft hij in het Verre Oosten uitstekend werk verricht. Toen hij met groot verlof ging was hij adjudant op het kantoor van de Inspecteur-Generaal met de tijdelijke rang van majoor. Veel hoger kun je niet komen.'

'Het Verre Oosten?' vroeg Aaron wiens antenne een bepaalde nuance oppikte. 'Wat heeft hij in het Verre Oosten gedaan?'

'China natuurlijk. U zult zich dat waarschijnlijk niet meer herinneren omdat zijn bijdrage verdoezeld werd, zoals ze dat in de politiek noemen, maar hij onderhandelde over de vrijlating van die krankzinnige Amerikaanse generaal in Beijing, de man die ... de geslachtsdelen... van een vereerd standbeeld schoot in de Verboden Stad.'

' "Dolle" *MacKenzie Hawkins?*'

'Ja, zo heette hij, geloof ik.'

'De meest mallotige malloot in dat mallotige gezelschap? De guerrillero van de gorilla's die bijna de hele planeet in een *Derde* Wereldoorlog stortte? Heeft Sam hém verdedigd?'

'Ja. In China. Hij heeft het blijkbaar uitstekend gedaan.'

Aaron moest een paar keer slikken voordat hij weer kon praten. 'Daar heeft uw zoon mij nooit iets over verteld,' zei hij, nauwelijks hoorbaar.

'Nou ja, meneer Pinkus, u weet hoe het leger is. Zoveel van dat alles is vertrouwelijk heb ik begrepen.'

'Vertrouwelijk en vrouwelijk,' mompelde Bostons beroemde jurist, in zijn stem de klank als van een talmoedisch gebed. 'Vertelt u me eens, mevrouw Devereaux, heeft Sammy...'

'Sam of Samuel, meneer Pinkus.'

'Ja, natuurlijk. ... Heeft Sam het met u ooit over die generaal Hawkins gehad nadat hij uit dienst was?'

'Niet met die rang of die naam en nooit wanneer hij helemaal nuchter was. ... Ik moet zeggen, voordat hij uit dienst kwam en terugkeerde naar Boston, iets later dan we verwachtten moet ik eraan toevoegen...'

'U hoeft voor mij niets toe te voegen, mevrouw Devereaux. Vertel de delicatessenzaak die vijftig pond gerookte zalm leverde maar waarom hij nooit kwam opdagen.'

'Pardon?'

'Het doet er niet toe. Wat was u aan het vertellen?'

'Nou ja, een kolonel van het kantoor van de Inspecteur-Generaal belde me op en zei me dat Sam in China "doòr de allerzwaarste molen was gehaald". Toen ik hem vroeg wat dat betekende werd hij nogal grof en zei dat ik "als fatsoenlijke legerechtgenote" zoiets hoorde te begrijpen. En toen ik zei dat ik niet Sams vrouw maar zijn moeder was, zei die uiterst grove man iets in de geest van "ik heb altijd al gedacht dat die clown een beetje geschift was" en verder dat ik een paar maanden van wispelturige stemmingen kon verwachten en waarschijnlijk ook wat zwaar drinken.'

'Wat hebt u daarop gezegd?'

'Ik ben niet met Lansing Devereaux getrouwd geweest zonder het een en ander te leren, meneer Pinkus. Als een man bezopen raakt omdat de spanningen te groot worden, dan weet ik verdomde goed dat zoiets een redelijke veiligheidsklep is. Die nieuwbakken vrijgevochten wijven horen daarin een beetje toegeeflijker te zijn. De man moet nog steeds verhinderen dat de leeuw de woongrot binnendringt; daarin is niets veranderd en biologisch gezien moet dat ook niet. Hij is de arme donder die alles op zijn dak krijgt – fysiek, moreel en juridisch.'

'Ik begin te begrijpen waar Sam zijn scherpzinnigheid vandaan heeft.'

'Dan zou je het bij het verkeerde eind hebben, Aaron – mag ik je Aaron noemen?'

'Met het allergrootste genoegen... Eleanor.'

'Kijk eens, "scherpzinnigheid" of inzicht of hoe je het ook wilt noemen, kan alleen van pas komen als er eerst fantasie is. Dat had mijn Lansing, alleen kon ik door de macho-tijd van toen niet voor het nodige evenwicht zorgen, tot voorzichtigheid manen, als je wilt.'

'Je bent een bewonderenswaardige vrouw... Eleanor.'

'Nog wat cognac, Aaron?'

'Waarom ook niet? Ik ben een student in de aanwezigheid van een leraar van zaken waarover ik nooit echt heb nagedacht. Misschien ga ik wel naar huis naar mijn vrouw en val ik voor haar op de knieën.'

'Niet overdrijven. Wij denken graag dat we de touwtjes in handen hebben.'

'Om naar je zoon terug te keren,' zei Pinkus en hij nam twee slokken cognac in plaats van een. 'Je zegt dat hij generaal Hawkins niet bij naam of rang noemde, maar je impliceerde dat hij het wel over hem had... wanneer hij nu niet direct nuchter was, wat volkomen begrijpelijk is. Wat zei hij?'

'Hij kletste maar wat over "de Havik", zo noemde hij hem,' mijmerde Eleanor zacht, met haar hoofd achterovergeleund op de rug van de brokaten sofa. 'Sam zei dat hij een echte held was, een militair genie dat in de steek werd gelaten door dezelfde mensen die hem ooit prezen als hun woordvoerder, hun idool, maar die hun handen van hem terugtrokken op het moment dat hij hen in verlegenheid bracht. Hij bracht hen in verlegenheid, ondanks het feit dat hij door zijn daden hun fantasieën, hun dromen vervulde. Alleen deed hij het echt en daarvoor waren ze doodsbenauwd, omdat ze wisten dat hun fantasieën, wanneer ze ten uitvoer werden gebracht, tot een ramp zouden kunnen leiden. Zoals de meeste fanatiekelingen die nooit een echte oorlog hebben meegemaakt zich niet voelen aangetrokken tot dood en onbehagen.'

'En Sam?'

'Hij beweerde dat hij het nooit eens was met de Havik, niets met hem te maken wilde hebben, maar dat hij op de een of andere manier ertoe werd gedwongen – hoe weet ik niet. Soms, wanneer hij alleen maar wat wilde praten, verzon hij ongelooflijke verhalen, je reinste onzin, zoals een ontmoeting met huurmoordenaars in het donker op een golfbaan – hij noemde zelfs een country club op Long Island.'

'Long Island, in New York?'

'Ja. En hoe hij onderhandelde over contracten die heel veel geld waard waren met Engelse verraders op Belgravia Square in Londen en met ex-nazi's op kippenboerderijen in Duitsland... zelfs met Arabische sjeiks in de woestijn die in werkelijkheid huisjesmelkers waren in de krottenwijken van Tel Aviv en die het Egyptische leger niet toestonden tijdens de Jom Kippoer-oorlog hun eigendommen te bombarderen. *Waanzinnige* verhalen, Aaron, ik zal je zeggen dat waren – *zijn* – ze, volkomen geschift.'

'Volkomen geschift,' herhaalde Pinkus zacht, onzeker, en hij begon een steen te voelen in zijn maag. 'Je zegt "zijn"? Vertelt hij die gekke verhalen nog steeds?'

'Niet zo vaak meer als vroeger, maar ja, wanneer hij heel erg ontdaan is of die extra borrel heeft gedronken die hij niet nodig had en naar beneden komt uit zijn hol.'

'Zijn hol, hetzelfde als grot misschien?'

'Zo noemt hij het, het "hol van zijn château".'

'"Château", zoiets als een heel groot huis of een kasteel?'

'Ja, hij heeft het nu en dan zelfs over een groot château in Zermatt, Zwitserland, en over zijn "Lady Anne" en "Oom Zio" – je reinste fantasieën! Volgens mij noem je dat mesjogge.'

'Ik hoop het van harte,' mompelde Pinkus.

'Pardon?'

'O, niets. Brengt Samuel veel tijd door in zijn "hol", Eleanor?'

'Hij komt er nooit uit, alleen zo nu en dan om met mij te dineren. Het ligt in de oostelijke vleugel van het huis, helemaal afgesloten van de rest van ons, met een eigen ingang en faciliteiten – twee slaapkamers, kantoor, keuken – het gebruikelijk gerief. Zelfs zijn eigen schoonmaakdienst – vreemd genoeg zijn dat moslims.'

'Zijn eigen appartement dus.'

'Ja, en hij denkt dat hij de enige sleutel heeft...'

'Maar dat is niet zo?' vroeg Aaron snel.

'Lieve hemel, nee. De mensen van de verzekering stonden erop dat Cora en ik toegang moesten hebben. Cora heeft op een morgen zijn sleutelbos gestolen en heeft er duplicaten van laten maken. ... Aaron *Pinkus*!' Eleanor Devereaux keek in de diepliggende ogen van de advocaat en zag er een boodschap in. 'Denk je echt dat we iets te weten zouden komen door... door het hol van het château te doorzoeken? Is dat niet onwettig?'

'Jij bent zijn moeder, lieve mevrouw, en je maakt je terecht zorgen over zijn huidige geestestoestand. Daar kan de wet niets tegen doen. Maar voordat je die beslissing neemt nog een paar vragen. ... Dit huis, dit deftige oude huis, daar heeft hij in de afgelopen jaren heel wat moois aan laten veranderen. Alleen al naar de buitenkant te oordelen zou ik zeggen dat er in de buurt van honderdduizend dollar aan is gespendeerd. Nu ik de binnenkant zie moet ik dat bedrag vele malen verhogen. Waar kwam het geld vandaan? Heeft Sam je dat verteld?'

'Nou ja, niet in zoveel woorden, dat wil zeggen niet precies. ... Hij zei dat hij, toen hij in Europa was na zijn zeer geheime opdracht, in een paar kunstwerken had geïnvesteerd, pas ontdekte religieuze voorwerpen in feite en dat na een paar maanden de markt omhoog schoot en hij enorm veel geld heeft verdiend.'

'Ik snap het,' zei Pinkus en de steen in zijn maag werd zwaarder, maar in zijn hoofd was het nog allesbehalve helder, hij hoorde het alleen in de verte wat donderen. 'Religieuze voorwerpen. ... En die "Lady Anne" over wie hij volgens jou sprak. Wat zei hij eigenlijk?'

'Het was allemaal je reinste onzin. In de hersenschimmen van mijn zoon, of zijn delirium als je wilt, heeft die Lady Anne, dat waandenkbeeld van hem dat hij de eeuwige liefde noemt van zijn bestaan op aarde, hem in de steek gelaten en is ze ervandoor gegaan met een paus.'

'O, dierbare God van Abraham,' fluisterde Pinkus en pakte zijn theekopje op.

'Wij die tot de High Church van Engeland behoren kunnen dat verband niet echt accepteren, Aaron. Afgezien van Henry de Achtste, is de geloofsverzaking van de onfeilbaarheid van welke paus dan ook je reinste nonsens. Hij is een redelijk, zei het wat pretentieus symbool, maar meer ook niet.'

'Volgens mij wordt het tijd dat je je besluit neemt, beste Eleanor,' zei Pinkus terwijl hij de rest van zijn cognac opdronk en wilde dat de toenemende pijn in zijn maag wegtrok. 'Om het hol van het château eens te bekijken bedoel ik.'

'Denk je echt dat we daar wijzer van worden?'

'Ik weet niet meer wat ik denk, maar ik weet wél dat we maar beter kunnen gaan kijken.'

'Kom dan maar mee.' Mevrouw Devereaux rees op van de sofa, een pietsie onzeker, en gebaarde naar de dubbele deuren. 'De sleutels liggen in een blauwe bloempot in de hal. "Blauwe bloempot in de hal" dat is een hele bakkes vol, nietwaar? Probeer het eens achterstevoren, Aaron.'

'Lauwe, waule, ploembot, bal,' probeerde Pinkus terwijl hij opstond, niet helemaal wetend waar ze waren.

Ze liepen op de dikke, zware deur af van het château-hol van Samuel Lansing Devereaux en Sams moeder stak de sleutel in het slot met de beheerste assistentie van de man die nu haar advocaat was. Ze gingen het heilige der heiligen binnen, liepen door een smalle gang die toegang gaf tot een wijdere hal, waar de stralen van de middagzon vielen door een imposante, schijnbaar ondoordringbare deur links, met glaspanelen, de eigen toegang tot het appartement. Ze sloegen rechtsaf en de eerste deur die ze tegenkwamen liet een verduisterde kamer zien; de rolluiken waren helemaal dicht.

'Wat is dit hier?' vroeg Aaron.

'Ik geloof dat dit zijn kantoor is,' antwoordde Eleanor en ze knipperde met haar ogen. 'Ik kan me niet meer herinneren wanneer ik hier voor het laatst was – waarschijnlijk toen de inrichting klaar was en Sam me de zaak liet zien.'

'Laten we maar eens kijken. Weet je waar het licht zit?'

'De schakelaar zit meestal aan de muur.' Dat was zo en drie staande lampen verlichtten de drie zichtbare muren van een groot gelambrizeerd kantoor. De muren zelf waren echter nauwelijks zichtbaar omdat ze bedekt waren met ingelijste foto's en, in tegenstelling daarmee, met opgeplakte kranteartikelen, waarvan er veel scheef zaten alsof ze haastig, misschien kwaad, waren aangebracht tussen de overdaad aan foto's. 'Dit is hier een zwijnestal!' riep de moeder van de bewoner uit. 'Ik zal erop staan dat hij dat opruimt!'

'Ik zou er niet eens aan denken,' merkte Pinkus op terwijl hij op de dichtstbijzijnde knipsels aan de linkermuur afliep. De meeste vertoonden een non in een wit habijt die voedsel en kleren uitdeelde aan arme mensen – blank, zwart en donkergekleurd – in verschillende delen van de wereld. *Zuster Anna de Liefdadige brengt haar boodschap naar alle delen van de aardbol*, schreeuwde een kop boven een foto van een achterbuurt in Rio de Janeiro, met het Christusbeeld op de berg duidelijk zichtbaar in de verte. De andere knipsels vormden varianten op hetzelfde thema – foto's van een opvallend knappe non in Afrika, Azië, Midden-Amerika en de melaatseneilanden in de Stille Oceaan. *Zuster Anna, Zuster van liefdadigheid, Zuster van hoop* en ten slotte: *Anna de Liefdadige, een kandidate voor heiligverklaring?*

Aaron zette zijn stalen brilletje op en bekeek de foto's. Ze waren alle genomen in een of ander extravagant buitenverblijf dat rook naar edelweiss, met de Alpen als algemene achtergrond; de gefotografeerde mensen stonden er gelukkig en onbezorgd bij en aan hun gezichten was te zien dat ze genoten van het leven. Enkelen waren direct herkenbaar: een wat jongere Sam Devereaux; de lange, militante gedaante van de dolle generaal MacKenzie Hawkins; een asblonde dame in korte broek en topje – heel erg voluptueus en onmiskenbaar Anna-de-Liefdadige; en een vierde gestalte, een gezette, glimlachende, joviale man met het korte schortje van een chef-kok voor dat zijn *Lederhosen* nauwelijks bedekte. Wie wàs die man toch? Zijn gezicht was bekend maar – nee, *nee, NEE!*

'De God van Abraham heeft ons in de steek gelaten,' fluisterde Aaron Pinkus bevend.

'Waar heb je het in hemelsnaam nú weer over?' vroeg Eleanor Devereaux.

'Jij zult het je waarschijnlijk niet meer herinneren omdat het jou niets zei,' antwoordde Aaron snel en onzeker, met een hoorbare trilling in zijn zachte stem. 'Maar een aantal jaren geleden heerste er chaos in het Vaticaan – financiële chaos. Het geld stroomde met bakken vol de schatkist uit, ter ondersteuning van onwaarschijnlijke zaken als derderangs operagezelschappen en kermissen en instellingen in heel Europa voor de heropvoeding van prostituées, allerlei *waanzinnigheden*. Men dacht dat de paus gek was geworden, dat hij, zoals ze dat daar zeggen *pazzo* was! Vervolgens, vlak voordat de Eeuwige Stad voor goed in elkaar zou donderen, wat tot paniek in de hele beleggingswereld zou hebben geleid, werd alles ineens weer normaal. De paus had de zaken weer in de hand, net als vroeger. De media zeiden overal dat het net was alsof hij *twee mensen* was geweest – de ene een *pazzo*, de andere de oprechte, brave man die ze allen kenden en liefhadden.'

'Mijn beste meneer Pinkus, ik kan er geen touw aan vastknopen.'

'Kijk dan, *kijk dan!*' riep Aaron en hij wees op een glimlachend, wat bol gezicht op een van de foto's. 'Dat is hij!'

'Wie?'

'De paus! Dáár kwam dat geld vandaan. Het losgeld! De pers had gelijk, er waren inderdaad twee mensen! Generaal Hawkins en jouw zoon hebben de *paus ontvoerd!* ... Eleanor, *Eleanor?*' Aaron keerde zich om van de muur.

Mevrouw Devereaux lag languit op de vloer, bewusteloos.

4

'*Niemand* kan zo onschuldig zijn,' zei directeur Mangecavallo zacht en het ongeloof droop van zijn stem, terwijl hij sprak tegen de twee mannen in donkere pakken die in zijn schemerig verlichte keuken in McLean, Virginia, tegenover hem aan tafel zaten. 'Het is niet normaal, of wel soms? Misschien heb je niet genoeg rondgesnuffeld, hè, Fingers?'

'Ik zal je zeggen, Vinnie, ik wist niet hoe ik het had,' antwoordde de kleine dikke man die luisterde naar de naam Fingers en hij raakte even de knoop van zijn witte zijden das op zijn zwarte hemd aan. 'Je zei het al, het is niet normaal – het is niet eens *menselijk*. In wat voor wereld leven die hoge heren van rechters eigenlijk? Hebben ze daar soms geen bacillen?'

'Je hebt geen antwoord gegeven op mijn vraag,' zei Vincent zacht, met opgetrokken wenkbrauwen, en hij richtte snel zijn doordringende ogen op zijn tweede bezoeker. 'Wat zeg jij ervan, Meat? Jullie gooien er toch niet met de pet naar?'

'Hé, *Vin*,' protesteerde de kleerkast van een man, met zijn zware handen uitgespreid voor zijn borst, zodat de rode das op het roze overhemd er gedeeltelijk onder schuilging. 'We hebben een eersteklas job geleverd, eentje van *wereld*klasse, hoe zal ik dat zeggen? De hoge pieten hebben erom gevraagd, nietwaar? We hebben zelfs de jongens van Hymie Goldfarb in Atlanta ingeschakeld en die vinden nog belastend materiaal over heiligen, zeg nou zelf.'

'Jazeker, Hymies jongens weten waar ze moeten graven, geen twijfel mogelijk,' stemde de CIA-directeur in, terwijl hij zich nog een glas chianti inschonk en een Monte Cristo-sigaar uit de borstzak van zijn hemd haalde. 'Heel wat beter dan al die FBI-agenten in Hooverville. Ze hebben voor ons rottigheid opgegraven over honderdzevenendertig congresleden en zesentwintig senatoren, waardoor mijn bekrachtiging gegarandeerd werd, samen natuurlijk met wat rondgestrooide milde gaven.'

'Wat gaven ze dan, Vinnie?' vroeg Fingers.

'*Giften* – vergeet het maar. ... Ik snap er geen bal van. Heeft géén van die zes knotse rechters dan niets dat we kunnen opgraven? Dat kan gewoon niet!' Mangecavallo stond op en stak zijn sigaar aan. Hij beende heen en weer voor een donkere muur waarop door elkaar reprodukties hingen van heiligen, pausen en groenten en bleef ineens staan, waarbij een dikke rookwolk als een krans om zijn hoofd hing. 'Laten we eens teruggaan naar de basis,' zei hij en hij bleef roerloos staan. 'Laten we eens écht kijken.'

'Waarnaar, Vinnie?'

'Misschien naar die vier of vijf liberale clowns die hun gedachten niet op een rijtje hebben. Wat hebben die dat Goldfarbs mensen niet konden vinden? ... Hoe zit het met die grote zwarte? Misschien heeft die als jongetje wel met illegale loten geleurd, heeft iemand daaraan gedacht? Misschien is niemand ver genoeg teruggegaan. Dat zou weleens de vergissing kunnen zijn!'

'Hij was misdienaar en hij zong in het koor, Vin. Van vóór tot achter een echte engel, plus een stel hersens om u tegen te zeggen.'

'Hoe zit het met die vrouwelijke rechter? Zij is een hoge piet, nietwaar? Dat betekent dat manlief zijn bek moet houden en net moet doen alsof hij *blij* is dat zij een hoge piet is – en dat kan hij godsonmogelijk omdat hij een mán is. Misschien geeft ze hem niets te vreten en is hij pisnijdig maar kan hij niets zeggen. Dat soort zaken hou je onder je pet.'

'Klopt ook geen zak van, Vin,' zei Meat en hij schudde triest zijn hoofd. 'Hij stuurt haar elke dag bloemen op haar kantoor en vertelt iedereen hoe trots hij op haar is. Dat kon weleens kloppen, want hij is zelf een bekende avvocato en hij kan zich niet veroorloven bij het Hof vijanden te maken, ook al is het zijn eigen vrouw.'

'Shít! ... Hé, dat Ierse lammetje botermelk, misschien drinkt die wel iets te veel, zoals een hoop Ieren doen na hun grote parade. Hoe zit het daarmee? We zouden een dossiertje kunnen aanleggen – hoogst geheim, nationale veiligheid, zoiets dergelijks. We kopen een paar getuigen die verklaren dat ze hem ladderzat en straalbezopen hebben gezien na kantoortijd. Dat zou weleens kunnen werken. Met een naam als de zijne kunnen we er ook nog wat grietjes bij doen. Zoiets is normáál!'

'Vergéét het maar, Vin,' wierp Meat met een zucht tegen en hij schudde opnieuw zijn hoofd. 'Die Ierse vent zit zo vol stijfsel dat zijn lakens ervan piepen. Ze hebben hem nog nooit meer zien drinken dan een glas witte wijn en van grietjes moet hij helemáál niets hebben.'

'Misschien zit dáár dan wat in?'

'Spijkers op laag water, Vin. Hij is padvinder geweest.'

'Och verrek! ... Goed dan, *goed* dan. We blijven van die twee burgerzakken af, want onze mensen schieten lekker op met de bankjongens in het deftige deel van de stad. De jongens van de golfclub moeten met rust worden gelaten hebben ze gezegd. Ik vind het niet leuk, maar ik accepteer het. ... Dan krijgen we nu dus onze eigen spaghettivreter.'

'Geen beste knaap, Vinnie!' riep Fingers kwaad uit. 'Hij heeft een boel van onze jongens het vuur na aan de schenen gelegd – alsof hij ons niet eens kénde, snap je wat ik bedoel?'

'Nou ja, misschien moeten we hem eens laten weten dat wíj weten wie híj is, wat denk je daarvan?'

'Oké, Vin, wat moeten we daarvan denken?'

'Verdomme, hoe weet ík dat nou! Die jongens van Goldfarb hadden wat moeten vinden, wát dan ook! Misschien heeft hij op de bewaarschool een paar nonnen geslagen, of heeft hij na de mis het collectezakje afgeroomd om een Harley te kopen en zich aan te sluiten bij een motorbende, wat dan ook! Moet ik dan álles bedenken? Hij heeft een zwakheid, dat moet gewoon. Alle vette spaghettivreters hebben die!'

'Meat is nogal vet...'

'Klep dicht, Fingers, jij bent ook niet bepaald een bonestaak.'

'Die spaghettivreter is onkwetsbaar, Vin,' zei de in roze hemd gestoken Meat. 'Hij is een echte bolleboos, een man met zoveel geleerde woorden dat hij zelfs de grootste bollebozen in de war brengt en hij is even blank als die gebleekte Ier, niets op hem aan te merken, behalve misschien dat hij mensen irriteert door veel aria's te zingen, met een niet al te beste stem. Goldfarbs jongens zijn het eerst achter hem aan gegaan omdat ze, zoals de meeste smouzen, zichzelf liberalen noemen en die zware jongen is dat niet. Ze waren zogezegd politiek gemotiveerd.'

'Verrek, wat heeft politiek hier nou mee te maken? We zitten in de nesten, de grootste nesten waarin dit land ooit heeft gezeten, en wij zitten hier een beetje te ouwehoeren over *politiek*?'

'Hé, Vinnie, jij was toch die vent die rottigheid wilde hebben over die hoge rechters?'

'Oké, *oké!*' zei Mangecavallo, driftig aan zijn sigaar trekkend terwijl hij weer op zijn stoel aan de keukentafel ging zitten. 'Ik weet wanneer je met de boem-boems niets kunt bereiken, waar of niet? Waar staan we dus? We moeten het land waarvan we houden beschermen omdat we zonder dat land waarvan we houden failliet zijn! Is dat duidelijk?'

'O, jazeker,' zei Fingers. 'Ik wil nergens anders wonen.'

'Ik zou het niet kunnen,' voegde Meat eraan toe. 'Niet met Angelina en de zeven kinderen, waar zou ik naartoe moeten? Palermo is te warm, en ik zweet, dat weten jullie. Angie is nog erger dan ik – tsjonge, wat kan die zweten! De hele kamer stinkt ernaar.'

'Dat is walgelijk,' zei Mangecavallo zacht terwijl hij met zijn donkere ogen zijn makker in het roze hemd strak aankeek. 'Ik bedoel maar, écht walgelijk. Hoe kun je zo praten over de moeder van je kinderen?'

'Zij kan er niks aan doen, Vinnie. Het zijn haar klieren.'

'Jij slaat werkelijk álles, Meat, weet je dat? ... *Basta*, hiermee schieten we niks op.' De CIA-directeur stond opnieuw van de stoel op en ijsbeerde kwaad door de keuken; hij pafte aan zijn sigaar en bleef lang genoeg staan om heel even het deksel van een walmende pan op het fornuis te tillen en die direct weer te laten vallen omdat het metaal zo heet was. 'Wat is ze, verdomme, nou weer aan het koken? Het ziet eruit als apeharses.' Hij schudde bedroefd zijn hoofd.

'Je dienstbode, Vinnie?'

'Dienstbode? Wat voor dienstbode? Je bedoelt de *contessa* die de hele dag met Rosa zit te breien en te kletsen, kletsen en breien, net als twee oude wijven uit Sicilië die zich proberen te herinneren wie veertig jaar geleden wie koud maakte! Ze kookt niet – ze kookt niet en ze lapt de ramen niet of maakt de plee niet schoon en samen met Rosa waggelen ze door de supermarkten en kopen rotzooi die ik niet eens aan de katten zou geven.'

'Zie dat je haar kwijtraakt, Vin.'

'Nou, jij bent me ook een mooie! Rosa zegt dat ze net een zus van haar is, alleen aardiger en niet zo lelijk. ... Nee, ze kunnen die derrie zelf opeten, wij gaan uit eten. Noodtoestand betreffende de nationale veiligheid, snap je wat ik bedoel?'

'Ik snap het, Vinnie,' bevestigde Fingers en hij knikte met zijn grote hoofd met de wat onregelmatige neus. 'Zoiets als wanneer ze zeggen "de inboorlingen zijn onrustig vanavond", of niet?'

'Verrek, wat hebben de inboorlingen daar nou mee te maken – wacht 's even... *Wacht 's even!* Inboorlingen. "Amerikaanse inboorlingen." Dat is het! ... Misschien, zoiets.'

'Misschien zoiets wat, Vin?'

'We kunnen de rechters niet te grazen nemen, waar of niet?'

'Klopt, Vinnie.'

'Het Hooggerechtshof zou ons dus allemaal in de stront kunnen duwen, of niet soms?'

'Klopt, Vinnie.'

'Hoeft niet. ... Stel, stél nou eens dat die gehaktbal van een indianenopperhoofd, die heel misschien onze grootste nationale veiligheidscrisis in de hele geschiedenis zou kunnen veroorzaken, een heel kwaaie kerel is, een verknipte vent met een hart van steen, alleen maar kwade bedoelingen, snap je wat ik bedoel? Stel dat hij geen sodemieter om zijn indiaanse broeders in het Wilde Westen geeft, maar alleen maar een goudmijntje voor zichzelf wil met alle publiciteit die daaraan vastzit? Als we zijn engelachtig karakter in de zeik zetten, dan is zijn hele zaak in de soep. Zo gebeurt het altijd!'

'Ik weet het niet, Vin,' opperde Meat aarzelend. 'Toen je die juridische vent van het Witte Huis ondervroeg – die met dat gekleurde krijtje – heb je zelf gezegd dat vijf of zes van die rechters toegaven dat ze tranen met tuiten hebben gehuild toen ze de zaak van die Sitting Bull lazen. Hoe er een hele litanie is – je zei "litanie", Vin, ik heb het moeten opzoeken – van bedrog en oneerlijkheid, zelfs het vermoorden en uithongeren van hele stammen in de vroegere V. S. van A. Neem nou jou en mij en Fingers hier – jij bent natuurlijk de slimste en ik lig misschien vrij ver achter en Fingers telt niet eens mee – maar kan iemand van ons zich voorstellen dat een luizige patser de hersenen van die hoge pieten van rechters plat kan krijgen met je reinste lariekoek? Dat klopt niet.'

'Het hoeft ook niet te kloppen, *amico*, we zijn op zoek naar een oplossing voor een nationale noodtoestand, laat dat eens tot je botte hersenen doordringen. En op dit moment heet die oplossing Donderkop. Stuur de jongens van Goldfarb naar Nebraska!'

'Nebraska... *Nebraska*... Nebraska,' dreunde Hyman Goldfarb in de telefoon, alsof de naam van de staat deel uitmaakte van de tekst van een psalm uit het Oude Testament. Gezeten achter zijn deftige bureau in zijn elegante kantoor aan de uiterst deftige Phipps Plaza in Atlanta, liet hij zijn ogen naar boven rollen en weer zakken om teder te staren naar het slanke, goed geklede echtpaar van middelbare leeftijd – een middelbare leeftijd van midden veertig, maar enkele jaren jonger dan de gespierde, gebruinde Goldfarb zelf, die gekleed was in een wit linnen pak dat nauw sloot om zijn nog opvallend atletische gestalte. 'Ik moet dus opnieuw mijn beste mensen uitsturen naar dit – om het zacht uit te drukken – dit met kranten dichtgeplakte Nebraska om daar te gaan jagen achter een nevel, een mist... een dampwolk die zich Donderkop, opperhoofd van de Wopotami's, noemt? Wil je dat zeggen? Want als dat zo is, dan had ik de rabbi moeten worden waarvoor ik heb gestudeerd, in plaats van footballspeler waar heel weinig kennis voor nodig was.' Hyman Goldfarb zweeg even, luisterde, haalde nu en dan zuchtend de hoorn van zijn oor en viel ten slotte degene die belde onverbloemd in de rede.

'Wil je nou eens naar mij luisteren en mij jou wat geld laten besparen, wil je dat doen? ... Dank je, nou, luister dan. Als er een opperhoofd Donderkop bestáát, is hij nergens te vinden. Mijn mensen kunnen niet zeggen dat hij *niet* bestaat, want telkens wanneer ze de naam noemden bij wat er nog over is van de Wopotami's in hun zielige reservaat, werd er in alle talen gezwegen en alleen nu en dan wat onbegrijpelijks gefluisterd in de Wopotami-taal. Zoals ik het van hen hoor denk je in een of andere kathedraal te zijn, die gehakt is uit een mager oerbos en waar veel te veel alcohol beschikbaar is, en je gaat geloven dat die Donderkop meer een mythe dan werkelijkheid is. Een icoon misschien, de gesneden kop van een stamgod op een totempaal aan wie zijn gelovigen onderdanigheid betuigen, maar geen menselijk wezen. Ronduit gezegd geloof ik niet dat zo iemand bestaat. ... Wat denk ik dán, is dat je vraag – en ik hoef niet zo te schreeuwen? Eerlijk gezegd, mijn snel op de teentjes getrapte vriend, geloof ik dat opperhoofd Donderkop een symbolisch mengelmoesje is – nee, daarmee wil ik niets zeggen over zijn seksuele voorkeur – met een eng begrensde speciale belangstelling, ongetwijfeld welwillend en gericht op de onheuse bejegening door onze regering van de Amerikaanse indiaan. Misschien een kleine groep rechtsgeleerden van Berkeley of N.Y.U. die voldoende precedenten heeft opgegraven om de lagere gerechtshoven in verlegenheid te brengen. Een zwendelzaakje, beste vriend, je reinste zwendelzaakje, maar wel een *briljante* zwendelzaak.'

Goldfarb trok de hoorn weg van zijn oor en sloot even zijn ogen terwijl de stem via de telefoonlijn het deftige kantoor vulde met een metaalachtige klank. *'Wat lul je me nou?'* brulde de man aan de telefoon. *'Dit geweldige land kan in een grote nationale crisis verkeren en jij hebt niks anders te bieden dan "presenten" die nergens op slaan? Nou, ik zal jou eens wat vertellen, meneer de geweldige vleugelspeler, de man in Langley met wie jij in geen geval mag praten, zegt dat je maar beter iets vindt over die Donderkop en dat nog heel gauw ook! Ik bedoel maar, niemand van ons heeft zin om in Palermo te wonen, snap je wat ik bedoel?'*

'Afgezien van al dat overbodige geschreeuw, *per cento anno, signore*,' zei Goldfarb. 'Je hoort nog van ons.' De consulent van de CIA legde de hoorn op de haak, leunde achterover in zijn draaistoel en zuchtte hoorbaar terwijl hij het aardige echtpaar aansprak dat voor zijn bureau zat. 'Waarom ik, in 's hemelsnaam, waarom ik?' vroeg hij en hij schudde zijn hoofd. 'Jullie weten zeker dat je het bij het rechte eind hebt?'

'Zo sterk zou ik het niet willen uitdrukken, Hyman,' antwoordde de vrouw met een afgemeten Engels accent dat wees op verschillende generaties dure opvoeding. 'Nee, helemaal *zeker* zijn we niet, volgens mij kan niemand dat zijn, maar als er een Donderkop *bestaat*, is hij gewoon nergens te vinden, zoals jij aan die heer aan de telefoon zo overduidelijk uitlegde.'

'Ik heb jullie woorden natuurlijk gebruikt,' voegde Goldfarb eraan toe. 'En ik ben niet zeker over de aanspreektitel van "heer".'

'Met goede redenen, vermoed ik,' zei de mannelijke metgezel van de vrouw, ook duidelijk Engels. 'We hebben Plan C uitgevoerd. We waren antropologen van Cambridge die een beroemde, zij het wat kleine stam bestudeerden waarvan de voorouders in het begin van de zeventiende eeuw door Walter Raleigh werden meegenomen naar het koninklijk paleis. Als er werkelijk een Donderkop bestond zou hij snel naar voren zijn gekomen om de erkenning van de Kroon te claimen en ook het langbegraven geldbedrag, in die tijd ongetwijfeld onbelangrijk, maar tegenwoordig in elk geval een enorme som. Dat deed hij niet; daarom luidt onze conclusie dat hij niet bestaat.'

'Maar die conclusie van eis aan het Hooggerechtshof bestaat wél,' hield de consulent vol. 'Het is *krankzinnig*.'

'Gewoonweg ongelooflijk,' stemde de Engelsman in. 'Wat gaan we nu doen, Hyman? Ik neem aan dat je "onder druk staat", zoals we vroeger zeiden bij de Geheime Dienst van Hare Majesteit, ofschoon ik altijd heb gedacht dat het een nogal banale uitdrukking was die meer melodrama uitdrukte dan nodig was.'

'Dat is waar en niet waar,' zei Goldfarb. 'We hebben te maken met een of andere arme donder, maar de situatie is toch uiterst gevaarlijk... Waaraan dénken die rechters eigenlijk?'

'Ongetwijfeld aan de wet en de gerechtigheid,' zei de vrouw. 'Tegen een prijs die we allemaal zien als meer dan uitzonderlijk. Toch, mijn beste Hy, en vergeef me dat ik het zeg, in de grond genomen is het juist dat die man aan de telefoon volgens jou geen heer is. Het gaat erom wie zich verbergt achter de mantel van die Donderkop – of wie ze dan ook zijn.'

'Maar Daphne, je zegt zelf dat je hem niet kunt vínden.'

'Dan hebben we misschien niet goed genoeg gezocht, Hyman. Hè, Reggie?'

'Lieve meid! Ik herinner je eraan dat we door heel dat afgelegen moeras gezworven hebben met de meest afgrijselijke accommodaties en géén geciviliseerde faciliteiten, en we hebben absoluut niets bereikt. Niemand heeft ook maar íets verstandigs gezegd!'

'Ja, ik weet het, lieverd, maar er was er één die niets verstandigs *wilde* zeggen, herinner je je nog dat ik dat zei?'

'O, die,' antwoordde de Engelsman en uit zijn toon bleek dat hij er absoluut geen waarde aan hechtte. 'Vervelende jonge vent, heel stuurs.'

'Wíe?' Goldfarb ging direct op het puntje van zijn stoel zitten.

'Niet stuurs, Reggie, niet erg mededeelzaam, onsamenhangend in feite, maar hij verstond alles wat we zeiden. Dat kon je aan zijn ogen zien.'

'Wie wás dat?' drong de CIA-consulent aan.

'Een indiaanse krijger – zo heet zo iemand, geloof ik – begin twintig zou ik zeggen. Hij beweerde dat hij niet zo goed Engels verstond en hij haalde zijn schouders op en schudde zijn hoofd wanneer ik hem een paar vragen stelde. Op dat moment hechtte ik daar niet zoveel waarde aan – de jeugd is tegenwoordig zo vijandig, waar of niet?'

'Hij was onfatsoenlijk gekleed als ik het zeggen mag,' zei Reginald. 'Niet veel meer dan een lendendoekje eigenlijk. Nogal walgelijk. En toen hij op dat paard sprong kon je zien dat hij duidelijk weinig van paarden wist.'

'Waar hebben jullie het eigenlijk over,' vroeg een verbaasde Goldfarb.

'Hij viel eraf,' antwoordde Daphne. 'Van dressuur heeft hij niet veel kaas gegeten.'

'Wacht nou 's even, wácht 's even!' Goldfarbs brede borst hing halverwege over zijn bureau. 'Je zegt dat je op dat moment daar niet zoveel waarde aan hechtte, aan die jonge indiaan, maar dat doe je nu wel. Waarom?'

'Nou ja, in het licht van de omstandigheden, beste Hy, probeer ik aan álles te denken.'

'Je bedoelt dat hij misschien iets weet wat hij jullie niet wilde vertellen?'

'De kans is klein...'

'Denk je dat je hem weer kunt terugvinden?'

'O ja. Ik zag de wigwam waar hij uit kwam, die was van hem.'

'Wigwam? Wonen ze in *wigwams*?'

'Natuurlijk, Hyman,' antwoordde Reginald. 'Het zijn indianen, ouwe jongen. Roodhuiden zoals ze in jullie films zeggen.'

'Het stinkt ook ergens naar witvis,' zei Goldfarb terwijl hij de hoorn van de haak pakte en een nummer draaide. '*Wigwams*! Niemand slaapt tegenwoordig nog in wigwams! ... Laat je koffers nog maar gepakt,' voegde hij eraan toe en besteedde vervolgens al zijn aandacht weer aan de telefoon. 'Manny? ... Zie dat je "de Schop" te pakken krijgt en ga naar het vliegveld. Je vliegt met de Lear naar de staat Nebraska.'

De jonge indiaanse krijger, naakt op een vreemd uitziend leren schortje na, stond voor de grote, beschilderde wigwam en riep: 'Ik wil mijn kleren terug, Mác! Dit kun je niet maken. Ik heb er genoeg van – we hebben er allemaal genoeg van! We willen nu eenmaal niet in die stomme tenten slapen en we willen onze handen niet verbranden wanneer we proberen boven een kampvuur te koken en we willen toiletten gebruiken, niet die verdomde bossen! En nu ik het er toch over heb, je kunt die ellendige gestoorde knol terugsturen naar Geronimo! Ik heb de pest aan paarden en ik kan niet rijden – dat kunnen we geen van allen, verdomme. We rijden in Chevrolets en Fords en een paar oude Cadillacs, maar *niet op paarden*! ... Mac, luister je wel naar me? Schiet op, Mac, geef antwoord! ... Luister, we waarderen het geld en je goede bedoelingen – zelfs die geschifte kleren van die kostuumfabriek in Hollywood, maar nu is het echt te ver gegaan, zie je dat dan niet in?'

'Heb jij ooit de film gezien die ze over mij hebben gemaakt?' klonk het daverende gebrul uit de gesloten wigwam. 'Ik heb nog nooit iemand zo horen slissen als die klootzak die mij speelde! Gênant, echt gênant!'

'Mac, daar heb ik het nou net over. Die verdomde poppenkast die we van jou moeten spelen is gênant voor óns. We komen in ons hemd te staan en alle reservaten zullen ons uitlachen!'

'Zover is het nog niet – zijn we nog niet! Ofschoon de uitdrukking "in je hemd staan" wel interessant is.'

'Dat is ze niet, luizebol die je bent! Het is nu al meer dan drie maanden geleden en we hebben nog geen wóórd gehoord. Drie maanden vol waanzin, waarin we halfnaakt hebben rondgelopen of in kostuums met kraaltjes waarvan je jeuk krijgt aan je kont en we branden onze vingers en steken ons aan brandnetels op plaatsen die óók gênant zijn, steeds wanneer we de bossen inlopen...'

'Latrines hebben altijd een acceptabel deel uitgemaakt van het leven in dienst, jongen. En de scheiding van de seksen is nu eenmaal een feit – in het leger zou het precies zo gebeuren.'

'Dit ís het leger niet en ik bén geen soldaat en ik wil mijn kléren terug...'

'Kan elke dag gebeuren, beste jongen!' viel de schorre harde stem in de wigwam hem in de rede. 'Wacht maar af!'

'Nee, malloot die je bent, niet elke dág of elke maand of elk jáár! Die ouwe zakken van het Hooggerechtshof zitten zich waarschijnlijk in hun kamers rot te lachen en ik krijg niet eens de kans meer om in het meest achteraf gelegen gerechtshof in Amerikaans Samoa te praktizeren. ... Toe nou, Mac! Geef het nou toe, het is voorbij – het was een geweldig idee en ik moet zeggen dat er een greintje, misschien een *greintje* waarheid in stak, maar nu is het belachelijk geworden.'

'Onze brave mensen hebben honderdtwaalf jaar geleden, jongen. Geleden onder de handen van de wrede, inhalige blanke en we zullen terecht vergoeding krijgen en *bevrijd* worden! ... Wat maken die paar dagen nu uit?'

'Mac, je bent niet eens in de verte familie!'

'In dit oude soldatenhart zijn wij verbónden, beste jongen, en ik zal jullie niet in de steek laten.'

'Ons in de steek laten, hoor ik dat goed? Laat míj maar liever los en geef me mijn kleren terug en zeg tegen die twee idioten die achter me aan lopen dat ze me met rust moeten laten!'

'Je hebt geen geduld, jonkie en ik kan niet toestaan dat je je tegen onze stambroeders keert...'

'*Onze...*? Mac, je bent knettergek, daarom zal ik jou eens wat vertellen, broeder krijger. Het gaat om een kleinigheid van een voorlopige gerechtelijke bevoegdheid, iets wat jij misschien niet weet, maar wat je wel degelijk hoort te weten. Vier maanden geleden, toen we met deze mesjogge krijgsdans begonnen, vroeg je me of ik voor mijn laatste examen rechten was geslaagd. Ik ben er nog steeds zeker van dat ik geslaagd ben, maar als je me zou vragen mijn bul te laten zien zou ik dat niet kunnen. Want weet je, ik heb nog geen officieel bericht gekregen van de orde van advocaten in Nebraska, en dat kan nog wel een maand of twee duren, iets wat voor de orde volkomen toelaatbaar is maar absoluut ontoelaatbaar waar het jouw juridische palaver met het Hooggerechtshof betreft.'

'Wát...?' klonk het langgerekte, bloeddorstige gebrul vanachter de gesloten voorflap van de wigwam.

'Die jongens hebben het daar druk, *broeder*, en behalve onder heel bijzondere omstandigheden die uitvoerig toegelicht en goedgekeurd moeten worden, mag geen enkele jurist zonder geloofsbrieven een petitie indienen bij het Hooggerechtshof, zelfs niet als tijdelijke raadsheer. Dat heb ik je gezégd. Je hebt bij verstek verloren, ook al kreeg je een positieve beslissing, en dat is ongeveer even waarschijnlijk als dat deze indiaanse krijger ooit leert paardrijden!'

De aangrijpende kreet die opklonk uit de kegel van beschilderde namaakdierenhuiden was langer dan voorheen en veel hartverscheurender. 'Hoe kun je mij zoiets áándoen?'

'Dat heb ík niet gedaan, Mac, dat heb je zelf gedaan! Ik heb je gezegd dat je jouw eigen raadsman officieel moest opgeven, maar jij zei dat je dat niet kon omdat hij dood was en je zou later wel wat bedenken en inmiddels zouden we het *non-nomen*-precedent uit 1826 toepassen.'

'Dat heb jíj uitgevonden!' klonk het onzichtbare gebrul.

'Ja, inderdaad en jij was me er dankbaar voor en nu stel ik voor dat je je overleden rechtsadviseur weer opgraaft.'

'Dat kan ik niet.' Het gebrul veranderde plotseling in het gemiauw van een angstig poesje.

'Waarom niet?'

'Hij wil niet meer met me praten.'

'Dat mag ik verdomme hopen! Verrek, ik bedoel niet zijn lijk, ik bedoel zijn documenten, zijn bevindingen, ondervragingen – zijn *onderzoek*. Dat is allemaal acceptabel.'

'Dat zou hij niet leuk vinden.' Het poesje was nu een piepende muis.

'Hij zou het niet eens wéten! ... Mac, luister naar me. Vroeg of laat komt een van die gerechtsdienaren van het Hof in Washington erachter dat ik een kwajongen ben die nauwelijks geslaagd is voor zijn laatste examen en met nog geen zes maanden stage achter de kiezen en dan zal hij alarm slaan. Ook al had je maar een schijn van kans dan zou de oppergod van het Hof, opperrechter Reebock, die met een bliksemflits vernietigen omdat je zijn heilig instituut hebt bedonderd. Erger nog, omdat je hen in hun hemd hebt gezet, ook al zouden een of twee van die stoethaspels ten gunste van jou willen beslissen en dat is, zoals ik zeg, volkomen onmogelijk. Vergéét het maar, Mac! Het is allemaal voorbij. Geef me mijn kleren terug, oké? en laat me dan alsjeblieft maken dat ik hier wegkom...'

'Waar zou je naartoe willen, jongen?' De onzichtbare piepende muis begon zijn vocale ladder weer te beklimmen tot een crescendo. 'Ik bedoel maar, *waarheen*, jongen?'

'Misschien Amerikaans Samoa, met een nagezonden bul van de orde van advocaten in Nebraska, wie weet?'

'Ik had niet gedacht dat ik dit ooit nog zou zeggen, jongen,' riep de opnieuw krachtige stem vanuit de wigwam, 'omdat ik dacht dat je gesneden was uit het juiste hout, maar nu zie ik het in: ik had het fout!'

'Bedankt voor het rijmpje, Mac. Hoe zit het nu met mijn kleren?'

'Die krijg je, jij laffe coyote!' De flap van namaakhuid ging open en een verzameling yuppiekleren werd uit het donker naar buiten geslingerd.

De jonge krijger met zijn lendendoekje viel op het rondvliegende ondergoed, de hemden, grijs flanellen broek en marineblauwe blazer aan. 'Bedankt, Mac, heel erg bedankt!'

'Nu nog niet, jongen, maar dat komt nog wel. Een goede officier vergeet zijn rekruten nooit, hoe onwaardig ze ook kunnen lijken in het heetst van de strijd. ... Je hebt geholpen, dat moet ik toegeven, bij de strategiebesprekingen in het hoofdkwartier. Laat je adres achter bij die zatladder die jullie Arendskont noemen!'

'Arendsóóg,' verbeterde de krijger terwijl hij zijn lendendoek afdeed en zijn onderbroek aantrok. Hij pakte zijn blauwe overhemd. 'En jij hebt hem de drank gegeven – jij hebt iedereen hele kisten drank gegeven – zoveel had ik nooit toegestaan.'

'Hoed u voor de schijnheilige indiaan die zich tegen zijn stam keert!' riep de onzichtbare manipulator van de Wopotami's.

'Krijg de kolere, Mac!' schreeuwde de krijger en hij schoof zijn voeten in zijn Bally-schoenen, stopte zijn gestreepte stropdas in zijn zak en trok zijn blazer aan. 'Waar is mijn Camaro ergens?'

'Die staat gecamoufleerd achter de oostelijke wei, zestig passen van een rennend hert rechts van de pijnboom waarin de ransuil nestelt.'

'Zestig wát? Wélke verdomde uil?'

'Jij hebt nooit zo goed de weg geweten in het terrein; dat heeft Arendskont me zelf gezegd.'

'Arends*oog* en hij is mijn oom en hij heeft nog niet één keer nuchter ademgehaald of recht kunnen kijken sinds jij hier bent verschenen! ... De oostelijke wei? Waar is die?'

'Kijk maar naar de zon, jongen. Dat kompas laat je nooit in de steek, maar zorg er wel voor dat je je wapens camoufleert zodat het glinsteren van het zonlicht je niet verraadt.'

'*Knotsgek!*' schreeuwde de jonge krijger van de Wopotami's terwijl hij recht naar het westen vluchtte.

Op dat moment stapte, onder het uiten van een oerkreet van opstandigheid, een lange gedaante uit de wigwam; de toegangsflap werd teruggeslagen en op de buitenkant van de wigwam vastgezet. Die reus van een man, schitterend gekleed met volle indiaanse verentooi en in bukskin met kralen, knipperde tegen het zonlicht, stak een verminkte sigaar in zijn mond en begon er verwoed op te kauwen. Zijn gebronsde, getaande gezicht en half dichtgeknepen ogen verrieden een uitdrukking van totale frustratie – en misschien ook wel iets van angst.

'Verdómme!' vloekte MacKenzie Hawkins bij zichzelf. 'Ik had nooit gedacht dat ik dit zou moeten doen.' De Havik stak zijn hand in zijn beschilderde bukskin wambuis met de in kralen geborduurde gele bliksemflitsen dwars over zijn borst en trok een zaktelefoon te voorschijn. 'Informatie Boston? Ik wil het nummer van de Devereaux-residentie, voornaam Sam...'

5

Samuel Lansing Devereaux reed oplettend over de weg van Waltham naar Weston, op het hoogtepunt van het spitsuur, de uittocht uit Boston op vrijdagavond. Zoals gewoonlijk koerste hij voorzichtig, alsof hij op een driewielertje manoeuvreerde over een terrein waar een genadeloze tankslag woedde, maar vanavond was het erger dan anders. Het kwam niet door het verkeer; dat was even krankzinnig als altijd. Het kwam door de kloppende pijn achter zijn ogen en het bonken in zijn borst en het zweverige lege gevoel in zijn maag, alles het resultaat van een acute aanval van depressie. Hij vond het bijna onmogelijk zijn gedachten bij het onregelmatige doorrijden en stoppen van het verkeer om hem heen te houden, maar dwong zich te concentreren op de dichtstbijzijnde auto's en hoopte in 's hemelsnaam dat hij op tijd kon remmen. Hij hield het raampje open en wuifde onophoudelijk met zijn hand, totdat een vrachtwagen zo vlak langs hem heen scheerde dat hij de zijspiegel ervan raakte; hij gilde en greep die instinctmatig beet. Even had hij het idee dat hij zijn hele arm over de motorkap zag verdwijnen.

Veel anders viel er niet te doen, of, zoals de beroemde Franse toneelschrijver het had gezegd – hij kon zich de naam van de man niet meer herinneren of hoe de uitdrukking precies was in het Frans, maar hij wist dat met die woorden alles werd gezegd. Och, verrék, hij moest thuis zien te komen in zijn hol en de muziek laten aanzwellen en de herinneringen opnieuw ophalen totdat de crisis voorbij was! ... Anouilh, zó heette die vent – en de uitdrukking... *Il n'y a rien* – verdomme, het klonk beter in het Engels dan in dat verrekte Frans dat hij zich niet meer kon herinneren: *Er zat niets anders op dan te schreeuwen*, zo liep dat! Eigenlijk was het vrij stom, dacht Sam. Dus schreeuwde hij en reed rechts de afrit naar Weston op, zich nauwelijks bewust van de bestuurders en passagiers het dichtst bij zijn auto die hem door de raampjes aanstaarden alsof ze een man sodomie zagen bedrijven. Die lang aangehouden kreet moest ophouden; ze werd vervangen door een brede grijnslach, de man op de omslag van 'Mad' waardig, terwijl Devereaux het gaspedaal indrukte en drie auto's achter hem op elkaar botsten.

Het was allemaal begonnen binnen enkele minuten nadat hij het kantoor had verlaten na een middagvergadering met een stelletje snaterende directieleden van wie het familiebedrijf flink in de puree zou komen als ze zijn advies niet opvolgden. De moeilijkheid was niet dat ze iets misdadigs deden, het was meer hun domheid, gekoppeld aan hun koppigheid, totdat Sam het duidelijk had gemaakt dat ze allemaal op zoek konden gaan naar een andere advocaat, als ze zijn instructies niet opvolgden en dat hij ieder van hen zou opzoeken in zijn of haar gevangenis, maar alleen uit maatschappelijke overwegingen. Ofschoon de wet in deze een beetje vaag was, maakte ze het overduidelijk dat grootvaders en grootmoeders hun kleinkinderen – vooral die tussen zes maanden en twaalf jaar – niet konden benoemen in de directie van het bedrijf, tegen salarissen van meer dan zeven cijfers. Hij had de aanval van de verontwaardigde Ieren afgeslagen, had de mogelijkheid geaccepteerd voor eeuwig verdoemd te worden vanwege het ontregelen van de stambomen van de Dongallen-clan en was naar zijn favoriete bar gevlucht, twee straten van het kantoor van Aaron Pinkus Associates vandaan.

'Aha, Sammy boyo,' had de eigenaar-barkeeper gezegd toen Devereaux op de kruk het verst van de ingang plofte. 'Het is weer een dag met een gaatje geweest, dat kan ik zien. Ik weet altijd wanneer een of twee vloeibare geneesmiddelen kunnen leiden tot een paar meer – dan ga je aan het eind van de bar zitten.'

'Doe me een lol, O'Toole, en leg dat accent er niet zo dik bovenop. Ik heb zowat drie uur doorgebracht met jouw volkje.'

'O, ze zijn onverbeterlijk, Sam, dat kan ik je wel vertellen! Vooral die met twee wc's, de enigen die zich mensen als jullie kunnen veroorloven. Kom op, het is nog vroeg, daarom zal ik je je eigen drankje maar eens inschenken en de televisie aanzetten, dan kun je de zaken even vergeten. ... Er is vanmiddag geen wedstrijd daarom zet ik het nieuws maar aan.'

'Bedankt, Tooley.' Devereaux had zijn borrel met een dankbaar knikje in ontvangst genomen terwijl de bezorgde eigenaar het nieuws aanzette, waar ze kennelijk midden in een *human interest*-reportage zaten, in dit geval een documentaire over het goede werk van een zogenaamd onbekend iemand.

'*... een vrouw wier onbaatzuchtige liefdadigheid en goedheid haar eeuwig jong houdt, een gezicht dat de engelen kussen met de gave van de jeugd en met intelligent doorzettingsvermogen,*' verzekerde de omroeper sonoor terwijl de camera gericht werd op een non in een wit habijt die gaven uitdeelde in een kinderziekenhuis in een of ander door oorlog geteisterd Derde-Wereldland '*Zuster Anna, de Liefdadige, zo wordt ze genoemd,*' vervolgde de welluidende stem van de omroeper, '*maar meer weet de wereld niet over haar... of zal ze ooit van haar eigen lippen vernemen, zo horen wij. Wat haar ware naam is of waar ze vandaan komt blijft een mysterie, een mysterie dat gehuld is in een raadsel en misschien gevuld is met ondraaglijke pijn en offers...*'

'Mysterie, ammehoela!' had Samuel Lansing Devereaux gegild en hij was meer van zijn barkruk gevallen dan gesprongen terwijl hij tegen de buis schreeuwde. 'En de enige ondraaglijke pijn is die van míj, trut die je bent!'

'Sammy, *Sammy!*' riep Gavin O'Toole, terwijl hij langs de mahoniehouten bar aan kwam snellen in een oprechte poging om zijn vriend en klant tot bedaren te brengen. 'Hou in godsnaam je bek dicht! Die vrouw is verdomd een heilige en mijn verdomde klantenkring is nou niet direct helemaal protestant, als je begrijpt wat ik bedoel!' O'Toole was zachter gaan praten, terwijl hij Devereaux half over de bar trok – en vervolgens om zich heen keek. 'Jézus, een paar van mijn vaste dagklanten ergeren zich aan wat jij zegt, Sammy! Maak je geen zorgen, Hogan kan ze wel de baas. Ga zitten en hou je kop dicht!'

'Tooley, jij begrijpt het niet!' riep de gewiekste jurist uit Boston bijna in tranen uit. 'Zij is de altijddurende liefde van mijn leven op aarde...'

'Zo mag ik het horen, zo mag ik het graag horen,' fluisterde O'Toole. 'Houden zo.'

'Weet je, ze was een *hoer* en ik heb haar gered.'

'Hou maar weer stil.'

'Ze is er met oom Zio vandoor gegaan! *Onze* oom Zio – hij heeft haar door en door bedorven!'

'Oom *wie*? Over wie heb je het in godsnaam, boyo?'

'In feite was hij *de paus* en hij heeft haar suf geluld en meegenomen naar Rome, naar het Vaticaan...'

'*Hogan!* Spring over de bar en hou die klootzakken tegen! ... Kom op, Sammy, je gaat door de keuken naar buiten, de voordeur haal je nóóit!'

Die onschuldige episode had zijn acute depressie veroorzaakt, dacht Devereaux, terwijl hij snel naar het noorden reed over de minder drukke weg naar Weston. Kon die onwetende *wereld* dan niet begrijpen dat het *mysterie* wel bekend was aan een smoorverliefde, aanbiddende Sam-de-advocaat, die Annie-de-vaak-getrouwde-hoer uit Detroit haar zelfrespect had teruggegeven, maar dat zij het was geweest die de poort naar hun huwelijk had dichtgeklapt en de voetstappen was gevolgd van die geschifte Zio? ... Nou ja, oom Zio was nu niet bepaald geschift geweest, hij was alleen slecht op de hoogte van het leven van Samuel-mijn-zoon-de-prima-jurist. Hij was ook paus Francesco I, de meest geliefde paus van de twintigste eeuw, die zelf had toegestaan dat hij werd ontvoerd op de Via Appia Antica in Rome, omdat men hem had gezegd dat hij stervende was, en het was beter dat zijn neef, die erg op hem leek, ene Guido Frescobaldi van de La Scala Minuscolo, op de troon van de heilige Petrus werd gezet en per radio zijn instructies door kreeg van de ware paus ergens in de Alpen. Het had allemaal gewerkt! Een tijdje tenminste. Mac Hawkins en Zio waren weken achtereen op de tinnen geklommen van Zermatts Château Machenfeld en hadden over de kortegolfradio uitgelegd aan de niet bijster snuggere Frescobaldi, zonder muzikaal gehoor, wat er nu weer moest gebeuren ten behoeve van de Heilige Stoel.

Toen was alles ineengeploft – met een klap die sonisch alleen werd geëvenaard door de schepping van de planeet aarde. De Alpenlucht maakte oom Zio – paus Francesco, natuurlijk – weer helemaal gezond en het was minder gezond dat Guido Frescobaldi per ongeluk op de kortegolfradio viel en die onder zijn gewicht verpletterde en het Vaticaan economisch gezien in een vrille raakte. Het geneesmiddel was pijnlijk, maar lag voor de hand; maar veel pijnlijker voor Sam Devereaux – oneindig pijnlijker – was het verlies van zijn enige ware liefde, de gerehabiliteerde Annie, die had geluisterd naar al dat geouwehoer dat oom Zio haar aan één stuk zachtjes in haar oor fluisterde terwijl ze 's morgens een potje schaakten. In plaats van ene Samuel Lansing Devereaux te trouwen, had ze gekozen te 'trouwen' met ene Jezus Christus, wiens geloofsbrieven, dat moest Sam toegeven, aanzienlijk imposanter waren dan die van hem, ofschoon de meer aardse geneugten wat minder waren – oneindig veel minder als je dacht aan het leven dat de betoverende gerehabiliteerde Annie voor zichzelf had gekozen. Mijn Gód, Boston op zijn ergst was nog beter dan melaatsenkolonies! Nou ja, in elk geval meestal.

Het leven gaat door, Sam. Het is aan één stuk strijden, laat je dus niet in de luren leggen als je een paar schermutselingen verliest. Kom van je luie krent en val aan!

Woorden van de grootste schooier in het heelal, het laatste, onweerlegbare argument voor seksuele onthouding of strenge geboortenbeperking. Generaal MacKenzie Hawkins, de dolle Mac de Havik, gesel van het gezond verstand en verwoester van alle goede en fatsoenlijke dingen. Die stompzinnige woorden, dat militaire turbogelul vol clichés, was alles wat die klloothommel te bieden had in Sams momenten van vertwijfelde zielepijn.

Ze gaat bij me weg, Mac. Ze gaat echt met hem mee!

Zio is een verdomd fijne kerel, jongen. Hij is een prima commandant van zijn legioenen en wij die weten hoe eenzaam het is aan de top respecteren elkaar.

Maar hij is priester, Mac, de hoogste hotemetoot van een priester die er bestaat, de paus! Ze zullen helemaal niet kunnen dansen, of vrijen, of kindjes krijgen of zoiets!

Nou ja, wat dat laatste betreft heb je misschien wel gelijk, maar Zio danst een verdomd goeie tarantella, of ben je dat vergeten?

Niemand raakt elkaar aan bij een tarantella. Ze draaien om elkaar heen en gooien hun benen op maar ze komen niet aan elkaar!

Komt waarschijnlijk door de knoflook. Of misschien door de benen.

Je luistert niet naar me. Dit is de vergissing van haar leven – dat hoor jij te weten! Mozes nogantoe, je bent met haar getrouwd geweest, en dat heeft me de laatste weken behoorlijk dwarsgezeten.

Rustig aan, jongen. Ik ben met al die meisjes getrouwd geweest en ze zijn er geen van allen slechter van geworden. Annie was de hardste – en gezien haar achtergrond was dat misschien te verwachten – maar ze begon te snappen wat ik probeerde haar te vertellen.

En wat was dat, verdomme, dan wel, Mac?

Dat ze beter kon zijn dan ze was maar toch zichzelf kon zijn.

Kloothommel! Devereaux gooide het stuur naar links om een wat opdringerige vangrail aan de rechterkant te ontwijken. *Al die meisjes*, mijn god, hoe speelde hij dat klaar? Vier van de meest betoverende en begaafde vrouwen op de wereld waren met die maniak van een militaire delinquent getrouwd geweest en nadat elk huwelijk – niet alleen vriendschappelijk, maar vol liefde – was beëindigd, hadden de vier gescheidenen weloverwogen en enthousiast een eigen, unieke club opgericht die ze 'Hawkins Harem' noemden. Hawkins hoefde maar op een knopje te drukken of ze schaarden zich als één vrouw achter hun vroegere echtgenoot, hoe laat het ook was of waar ook ter wereld. Jaloezie? Nóóit van gehoord, want Mac had hen vrijgelaten, vrij van de wrede banden waarmee ze geketend waren voordat hij in hun leven kwam. Dat alles kon Sam accepteren, want bij alle gebeurtenissen die geleid hadden tot Château Machenfeld, had iedere vroegere echtgenote hem gesteund in zijn momenten van hysterische crisis. Ieder van hen was niet alleen erbarmend – zelfs hartstochtelijk – hartelijk geweest in haar pogingen om hem uit de onmogelijke situaties te halen waarin de Havik hem had geplaatst, maar had hem ook deskundig de weg gewezen om te ontsnappen.

Allen hadden ze hun onuitwisbaar stempel gedrukt, zowel op zijn ziel als zijn lichaam, aan allen dacht hij met groot genoegen terug, maar de magnifiekste van allen was de asblonde, statige Annie geweest, in wier grote blauwe kijkers een veel reëlere onschuld te lezen was dan de realiteit van haar verleden. Haar nooit ophoudende stroom van aarzelende vragen over elk denkbaar onderwerp was even verrassend als haar gulzige honger naar leesvoer, waarvan ze zoveel met geen mogelijkheid kon begrijpen maar wat ze op de duur absoluut zou begrijpen al moest ze een maand doen over vijf pagina's. Ze was een echte dame, die haar verloren jaren probeerde in te halen maar ze toonde nooit ook maar enig zelfmedelijden en was altijd goedgeefs, ondanks alles wat haar in het verleden zo wreed was afgenomen. En, mijn gód, wat kon ze lachen, met ogen die oplichtten met ondeugende humor, maar nooit gemeen, nooit ten koste van een ander. Wat hield hij toch veel van haar!

En die stomme trut had voor oom Zio gekozen en voor die verdomde melaatsenkolonies, in plaats van voor het geweldige leven als vrouw van Sam Devereaux, advocaat, in de toekomst en onvermijdelijk rechter Samuel Lansing Devereaux, die mee kon doen aan elke stomme zeilwedstrijd bij Cape Cod die hij wilde. Ze was hartstikke gek!

Schiet op! Zie dat je thuiskomt en in je hol, waar je troost kunt vinden in de herinneringen aan onbeantwoorde liefde. *Het is beter te hebben liefgehad en verloren dan nooit te hebben liefgehad.* Welke zak had dát ook al weer gezegd?

Hij reed snel Weston door en draaide de hoek om naar zijn straat. Nog maar een paar minuten nu en hij kon met behulp van drank en de aanzwellende klanken van de enige plaat van de Alpenjodelers, zich terugtrekken in het rijk van zijn dromen, zijn verloren gegane dromen.

Sodemieter! Daarginds, voor zijn huis... was dat – was het echt? Verrek, het was inderdaad! De limousine van Aaron Pinkus! Was er iets gebeurd met zijn moeder waarvan hij niet op de hoogte was? Was er een ongeluk gebeurd terwijl hij stond te schreeuwen tegen het televisietoestel van O'Toole? Dat zou hij zichzelf nóóit kunnen vergeven!

Met gillende banden stopte Sam achter Aarons reuzenvoertuig, sprong uit zijn wagen en rende naar voren terwijl de chauffeur van Pinkus te voorschijn kwam vanachter de motorkap van de limousine. 'Paddy, wat is er gebeurd?' schreeuwde Devereaux. 'Is er iets met mijn moeder?'

'Niet voor ik weet, Sammy, alleen misschien de taal die ze uitslaat, iets wat ik sinds Omaha Beach niet meer heb gehoord.'

'Wat?'

'Ik zou maar gauw naar binnen gaan als ik jou was, boyo.'

Devereaux rende naar het poortje, sprong eroverheen en vloog op de deur af, terwijl hij in zijn zak naar zijn sleutelbos tastte. Die was niet nodig, want de deur werd geopend door nicht Cora die het allemaal niet zo helder meer zag. 'Wat is er gebeurd?' herhaalde Sam.

'De kakmadam en dat onderdeurtje zijn ofwel hartstikke bezopen of ze staan onder de vloek van een volle maan terwijl de zon nog aan de hemel staat.' Cora hikte en liet een boer.

'Waar heb je het verdomme over? Waar zíjn ze?'

'In jouw appartement, makker.'

'Míjn appartement? Bedoel je...?'

'Dat bedoel ik, grote jongen.'

'Niemand mag in dat hol komen! Dat hadden we allemaal afgesproken...'

'Ik denk dat er iemand gelogen heeft.'

'O, mijn Gód!' krijste Samuel Lansing Devereaux terwijl hij rennend de enorme hal van roze Noors marmer overstak en met twee treden tegelijk de ronde trap opvloog naar de oostelijke vleugel van het huis.

'Neem gas terug voor de definitieve nadering,' zei de piloot rustig, terwijl hij uit het linker zijraampje keek en zich even afvroeg of zijn vrouw de haché had gemaakt die ze hem had beloofd. 'Klaar om remkleppen neer te laten, alstublieft.'

'Kolonel Gibson?' de radioman onderbrak abrupt zijn gedachten.

'Hoeter op je toeter, sergeant. Wat is er?'

'U hebt geen verbinding met de toren, meneer!'

'Och, sorry, ik heb ze juist uitgeschakeld. Hoe dan ook, het is een mooie zonsondergang en we hebben onze instructies en ik heb alle vertrouwen in mijn co-piloot en in jou, grote communicatiedeskundige.'

'Schakel óver, Hoeter! ... Ik bedoel kolonel.'

De piloot draaide zich met een ruk om naar zijn co-piloot, stomverbaasd toen hij de open mond en de uitpuilende ogen van zijn ondergeschikte zag.

'Dat kunnen ze niet máken!' mompelde de co-piloot voor zich uit.

'Wát kunnen ze niet maken, in godsnaam?' Gibson haalde direct het hendeltje over van de torenfrequentie. 'Herhaal de informatie, alstublieft. In de cockpit waren ze net aan het pokeren.'

'Heel leuk, kolonel, en u kunt die meneer rechts van u zeggen dat we het wel degelijk kunnen maken, want het is een rechtstreeks bevel van het hoofdkwartier van het verkenningssquadron, menéér.'

'Ik herhaal, wilt u het alstublieft herhalen. Die meneer rechts van me is in shock.'

'Wij ook, Hoeter!' klonk een tweede bekende stem van de toren, een collega-officier met dezelfde rang als Gibson. 'We zullen je bijpraten zo gauw we kunnen, maar op dit moment moet je de instructies van de sergeant volgen naar de plaats om bij te tanken.'

'*Bijtanken...*? Waar heb je het in godsnaam over? We hebben onze acht uur erop zitten! We zijn zó dicht bij de Aleoeten geweest en in de Beringstraat, dat we de *borsjt* van Moedertje konden ruiken. Het is tijd om te gaan eten, om haché te gaan eten om precies te zijn!'

'Het spijt me, meer kan ik niet zeggen. We zullen je terughalen zo gauw we kunnen.'

'Is er alarm?'

'Niet van Moedertje Borsjt, zoveel kan ik je wel zeggen.'

'Zóveel is niet genoeg, zeker niet zó veel. Zijn de kleine groene mannetjes van Mars op weg hierheen?'

'We staan onder rechtstreeks bevel van CINCSAC, met de SCD als controle, is dat genoeg voor jou, Hoeter?'

'Het is genoeg om mijn haché naar de knoppen te helpen,' antwoordde een berustende Gibson. 'Wil je mijn vrouw even bellen?'

'Jazeker. Alle vrouwen en/of inwonende familieleden zullen op de hoogte worden gebracht van de wijziging in de opdrachten.'

'Hé, kolonel!' viel de co-piloot hem in de rede. 'Er is een kroegje in het centrum van Omaha, in Farnam Street, dat Doogies heet. Rond acht uur zal er een roodharige aan de bar zitten – afmetingen ruwweg achtendertig, achtentwintig, vierendertig, en ze luistert naar de naam Scarlet O. Zou u misschien willen...'

'Zo is het wel *genoeg* kapitein, u gaat buiten uw boekje! ... Zei je Doogies?'

Het mammoetstraalvliegtuig EC-135, bekend onder de naam 'Spiegel' vanwege het onophoudelijk afzoeken van de hemelen voor het Strategic Air Command, stak zijn neus omhoog en verhoogde zijn snelheid tot ze op achttienduizend voet waren, waar het naar het noordoosten draaide boven de rivier Missouri, Nebraska verliet en de staat Iowa binnenvloog. Op de grond instrueerde de toren van de luchtmachtbasis Offutt, het controlecentrum voor het SAC over de hele wereld, kolonel Gibson over te schakelen naar een gecodeerde noordwestelijke koers om daar in de nog heldere westerse hemel, zijn tankvliegtuig te ontmoeten.

Er kon niets tegen worden ingebracht. Het 55ste Strategische Verkenningssquadron was de moedereenheid in Offutt die over de hele wereld verkenningsvluchten uitvoerde, maar moedereenheid of niet, net als haar aanverwante 544ste Strategische Informatiesquadron was ze ondergeschikt aan de behoeften van de Cray X-MP-supercomputer die toevallig behoorde tot de AFGWC, ook bekend als de Air Force Global Weather Control, die volgens een paar erudiete studenten van het SAC alles te maken had met meteorologie.

'Wat is er daar beneden aan de hand?' vroeg kolonel Gibson, voornamelijk aan zichzelf maar ook aan zijn co-piloot.

'Wat zal er verdomme gaan gebeuren in Doogies, dat zou ik weleens willen weten,' zei de boze jonge kapitein. 'Shít!'

In het Pentagon, in het kantoor vol vlaggen van de almachtige minister van defensie, zat een klein mannetje met een schriel gezicht en een wat scheef hangende pruik op drie kussens achter een reusachtig bureau praktisch in zijn telefoon te spugen.

'Ik zál ze te grazen nemen! Mijn god, ik zal die ondankbare barbaren *villen* totdat ze smeken om vergif en dat zal ik ze niet eens geven! Ik laat me door niemand belazeren... Ik hou al die 135'ers in de lucht, ook al moet ik ze dag en nacht laten bijtanken!'

'Ik sta aan jouw kant, Felix,' zei de lichtelijk verbijsterde voorzitter van de Gezamenlijke Chefs van Staven, 'maar ik ben geen luchtmacht. Moeten we ze zo nu en dan niet eens naar beneden laten komen? Tegen morgenmiddag heb je vier 135'ers in de lucht, allemaal van Offutt, en dan loopt de tijd af. Kunnen we de taak niet delen met andere SAC-bases?'

'Vergéét het maar, Corky. Omaha is het controlecentrum en dat geven we niet op! Kijk jij nooit naar Wild-Westfilms? Als je die bloeddorstige zakken van roodhuiden ook maar één vinger geeft, besluipen ze je van achteren en pakken je je scalp af!'

'Maar hoe zit dat met de vliegtuigen, de bemanningen?'

'Jij weet ook werkelijk niets, Corky! Heb je nooit gehoord van "Lazerstraal me op, Scotty", en "Lazerstraal me neer, Scotty"?'

'Misschien zat ik toen in Vietnam.'

'Hou je kop erbij, Corky!' De minister van defensie klapte de hoorn op de haak.

Brigade-generaal Owen Richards, opperbevelhebber van het Strategic Air Command, staarde zwijgend de twee mannen uit Washington aan, beiden gekleed in zwarte trenchcoats en met donkere zonnebrillen op onder donkerbruine hoeden die ze niet hadden afgezet toen ze in gezelschap waren van de vrouwelijke luchtmachtmajoor die hen naar zijn kantoor had gebracht. Die onbeleefdheid had Richards toegeschreven aan het feit dat het leger non-seksistisch was, iets wat hij nooit had geaccepteerd; gewoonlijk opende hij de deur voor zijn secretaresse en zij was maar een gewone sergeant, maar ze was ook een vrouw en bepaalde dingen dééd je nu eenmaal. Nee, het was niet het gebrek aan beleefdheid van de kant van de mannen uit Washington, het was het feit dat ze knettergek waren en dat was waarschijnlijk de reden waarom ze zware trenchcoats en donkere hoeden droegen op een warme zomerdag en hun donkere zonnebrillen niet afzetten in het beslist schemerachtige licht in het kantoor van de generaal; alle jaloezieën waren dicht om de verblindende stralen van de ondergaande zon buiten te houden. Nee, dacht Owen, ze waren gewoon gek, *knettergek*!

'Heren,' begon hij rustig, ondanks zijn bange voorgevoelens die hem ertoe hadden gebracht ongemerkt de onderste la van zijn bureau open te trekken waar een wapen in lag. 'U bent hier binnengekomen op uw identiteitspapieren, maar misschien kunt u ze maar beter nog even aan mij laten zien zodat ik ze persoonlijk kan verifiëren. ... Géén handen onder uw jassen of ik schiet jullie alle twee voor je raap!' brulde Richards ineens en hij rukte zijn legerrevolver uit de lade.

'U vroeg om onze identiteitskaarten,' zei de man links.

'Hoe verwacht u dan dat we ze laten zien?' vroeg de man rechts.

'Twéé vingers!' beval de generaal. 'Als ik een hele hand zie, plak ik jullie alle twee achter het behang.'

'Uw oorlogservaring maakt u wel heel erg achterdochtig.'

'Dat zeg je goed, ik heb twee jaar in Washington gezeten. ... Leg ze op het bureau.' Dat deden beiden. 'Verdomme, dat zijn geen identiteitskaarten. Dat zijn met de hand geschreven briefjes!'

'Met een handtekening die u zeker zult herkennen,' zei de agent links. 'En een telefoonnummer – dat u zeker ook kent – als u misschien uzelf voor gek wilt zetten door het te verifiëren.'

'Gezien wat u me zojuist beval te doen zou ik zelfs de stoelgang van de president nog controleren voordat ik het nakwam.' Richards pakte zijn eigen rode telefoon, drukte vier knoppen in en kromp enkele ogenblikken later ineen bij het horen van de stem van de minister van defensie. 'Jawel, meneer, zéker meneer. Bevelen ontvangen, meneer.' De generaal legde de hoorn met glazige ogen op de haak en keek naar de twee indringers. 'Heel Washington is gek geworden,' fluisterde hij.

'Nee, Richards, niet héél Washington, alleen een paar mensen in Washington,' zei de man rechts met gedempte stem. 'En alles moet met de allerhoogste geheimhouding worden behandeld – de aller-, allerhoogste. Uw bevelen zijn om net te doen alsof de dienst stilligt, vanaf achttien nul nul uur morgen – voor zover bekend moet het controlecentrum van het SAC gesloten zijn.'

'Waarom in 's hemelsnaam?'

'Uit echt geveinsd respect voor een debat over een beslissing die zou kunnen uitlopen in een nieuwe wet die we niet kunnen toestaan,' antwoordde de agent links terwijl zijn ogen mysterieus schuilgingen achter zijn zonnebril.

'Wát voor wet?' schreeuwde de generaal.

'Waarschijnlijk uit de koker van de communisten,' antwoordde de andere afgezant uit het capitool van het land. 'Ze hebben spionnen in het Hooggerechtshof.'

'Commun... ? Waar hebben jullie het in godsnaam over? We zijn bezig met *glasnost* en *perestroika* en dat verdomde Hof is zo rechts dat het de kleur rood niet eens meer kent!'

'Een vrome wens, soldaat. Eén ding moet je goed onthouden. Deze basis geven we nooit over! Het is ons zenuwcentrum!'

'Aan wie zouden we die overgeven?'

'Zoveel kan ik je wel vertellen. Codenaam SPAGHAAN, meer hoef je niet te weten. Hou dat maar onder je sombrero.'

'Spagh... *aanval?* Valt het Italiaanse léger *Omaha* binnen?'

'Dat heb ik niet gezegd. Wij beledigen geen andere rassen.'

'Wat heb je verdomme dan wél gezegd?'

'Hoogst geheim, generaal. Dat kunt ú begrijpen.'

'Misschien wel en misschien ook niet, maar hoe zit het met mijn vier vliegtuigen die in de lucht hangen?'

' "Lazerstraal ze neer, Scotty", en vervolgens "Lazerstraal ze op".'

'Wát?' schreeuwde Owen Richards en hij sprong op uit zijn stoel.

'Wij gehoorzamen onze meerderen, generaal en dat hoort u ook te doen.'

Eleanor Devereaux en Aaron Pinkus zaten naast elkaar, met doodsbleke gezichten, monden open en uitpuilende ogen, op Sam Devereauxs leren tweezitsbank in het verboden privé-kantoor dat hij voor zichzelf had laten inrichten in het gerestaureerde Victoriaanse huis in Weston, Massachusetts. Geen van beide zei een woord en kon ook geen woord uitbrengen; het wauwelende, kreunende, onsamenhangende gemurmel dat opsteeg uit Sams keelgat had in wezen de bevestiging gevormd van de beginvragen die beiden hadden gesteld. Het hielp de zaak niet dat Samuel Lansing Devereaux, verbijsterd door de aanval op het hol van zijn château, zichzelf tegen de muur had gedrukt, met beide armen en handpalmen uitgestrekt, om zoveel mogelijk van de incriminerende foto's en krantenknipsels te bedekken als hij maar kon.

'Samuel, mijn jongen,' begon de oudere Pinkus toen hij weer wat kon uitbrengen, al was het niet meer dan een schor gefluister.

'Zég dat alsjeblieft niet!' protesteerde Devereaux. 'Dat zei híj ook altijd.'

'Wie zei wat?' mompelde Eleanor, nauwelijks bij haar positieven.

'Oom Zio...'

'Jij hebt geen oom die Zie Oh heet, tenzij je Seymour Devereaux bedoelt, die met een Cubaanse trouwde en naar Miami moest verhuizen.'

'Ik geloof niet dat hij die bedoelt, beste Eleanor. Als de herinnering van een oude man me niet bedriegt, vooral tijdens bepaalde onderhandelingen in Milaan, betekent "zio" "oom" en er waren meer "zio's" dan deze advocaat de baas kon. Je zoon zegt letterlijk "oom Oom", begrijp je?'

'Totaal niet...'

'Hij heeft het over...'

'Zeg dat *niet*!' krijste lady Devereaux en ze hield haar handen voor haar aristocratische oortjes.

'Paus Francesco de Eerste,' zei de meest vooraanstaande advocaat van Boston, Massachusetts, met wegstervende stem. Zijn gezicht was nu zo vaal als een lijk dat zes weken buiten de koelkast had gelegen. '*Sammy*... Samuel Sám. Hoe kon je zoiets doen?'

'Het is moeilijk, Aaron...'

'Het is ongelóóflijk!' bulderde Pinkus, dit keer met zijn volle, zij het wat onbeheerste, stemvolume. 'Jij bent niet van deze wereld!'

'Dat zou je wel kunnen zeggen,' stemde Devereaux in. Hij haalde zijn armen van de muur, liet zich op zijn knieën vallen en begon zo, centimeter voor centimeter, naar een ovalen tafeltje te kruipen dat voor de kleine sofa stond. 'Maar weet je, ik kón niet anders. Ik moest doen wat die klootthommel me zei...'

'En dat hield in het ontvoeren van de *paus*!' piepte Aaron Pinkus, die zijn stem weer eens kwijt was.

'Hou óp!' gilde Eleanor Devereaux. 'Ik wil er níets meer over horen!'

'Volgens mij kunnen we maar beter wel luisteren, beste Eleanor, en vergeef me mijn onbehoorlijke taal, maar hou je alsjeblieft gedeisd. Ga door, Sammy. Ik wil het ook niet horen, maar, bij de God van Abraham die heerst over het heelal en die me nu het een en ander moet uitleggen, hoe is het *gebeurd?* En het ligt zo voor de hand dat het inderdaad ís gebeurd. De pers had gelijk, de media overal hadden gelijk! Er wáren twee mensen – dat blijkt wel op jouw muren hier! Er waren twéé pausen en jij hebt de *echte* ontvoerd!'

'Niet helemaal,' verdedigde Devereaux zich, terwijl hij steeds moeizamer ademhaalde. 'Want weet je, Zio dacht dat het prima was...'

'Prima?' Aarons kin kwam gevaarlijk dicht bij het blad van het salontafeltje.

'Nou ja, inderdaad. Hij was niet gezond en... och, maar dat is een ander verhaal, maar Zio was slimmer dan wie dan ook van ons. Ik bedoel maar, hij was helemaal bij de pinken.'

'Hoe is het gebeurd, Sam? Het kwam door die krankzinnige generaal MacKenzie Hawkins, nietwaar? Hij staat op al die foto's. Hij was de man die van jou de meest beruchte ontvoerder van de hele wereld heeft gemaakt! Klopt het een beetje wat ik zeg?'

'Dat kun je wel zeggen. Maar eigenlijk ook weer niet.'

'Hoe, Sam? Hoe?' smeekte de oudere jurist, terwijl hij een nummer van *Penthouse* oppakte en ermee voor het vale gezicht van Eleanor Devereaux begon te zwaaien.

'Er staan een paar uitstekende artikelen in dat tijdschrift... heel academisch.'

'Sam, ik smeek je, doe mij dit niet aan, en ook je geliefde moeder hier niet, die jou in pijn heeft gebaard en die op dit moment misschien verpleging nodig heeft die wij haar niet kunnen geven. In naam van de Heer der Heerscharen, tegen wie ik morgen op de sabbat heftig zal protesteren in de synagoge, wat *bezielde* je om deel te nemen aan deze monsterlijke actie?'

'Nu je het zegt, Aaron, is "bezield" een vrij juiste beschrijving van de zogenaamde – ik herhaal, de *zogenaamde* – misdadige actie waaraan jij refereert.'

'Ik hoef niet te "refereren", Sam, ik hoef alleen maar te wijzen naar die heel duidelijke bewijzen hier op jouw muren!'

'Ja, maar Aaron, in feite zijn ze niet helemaal afdoend...'

'Wil je soms dat ik de paus als getuige oproep?'

'De onschendbaarheid van het Vaticaan zou zoiets niet toestaan.'

'Deze foto's alleen al zouden de regels van onschendbaarheid opheffen! Heb je dan níets geleerd van mij?'

'Leg moeders hoofd eens recht, alsjeblieft.'

'Ze kan maar beter bewusteloos blijven, Sam. Hoe zit het met dat "bezield"?'

'Nou ja, Aaron, zonder dat ik er iets aan kon doen ben ik vierentwintig uur voordat ik uit dienst ging uit het computergebouw van de legerinlichtingendienst weggelopen met kopieën van hoogst geheime dossiers met een ketting om mijn pols.'

'En toen?'

'Nou, zie je, Aaron, als juridische vertegenwoordiger van MacKenzie Hawkins, moest ik hem helpen bij het definitief opruimen van alle geheime inlichtingenrapporten die betrekking hadden op zijn militaire loopbaan, vanaf de Tweede Wereldoorlog tot en met Zuidoost-Azië.'

'En toen?'

'Nou, zie je, Aaron, toen gingen Macs legervriendjes zich ermee bemoeien. Ik had een foutje gemaakt in de Gouden Driehoek en beschuldigingen uitgebracht tegen een zekere generaal Ethelred Brokemichael wegens drugshandel, terwijl het in feite zijn neef Heseltine Brokemichael was, en Ethelreds vriendjes waren pisnijdig, en aangezien ze allemaal vrienden waren van Mac Hawkins schaarden ze zich om de Havik en deden ze mee met zijn spelletje.'

'Wat voor spelletje? Heseltine... Ethelred! Drugs, Gouden Driehoek! Je maakte dus een fout en trok de beschuldiging in. Wat dan nog?'

'Het was te laat. Het leger is nog erger dan het Congres. Ethelred kreeg zijn drie sterren niet en zijn vriendjes gaven mij de schuld en hielpen Mac.'

'En toen?'

'Een van die rotzakken maakte een aktentas met een kettinkje vast om mijn pols, plakte er een etiket "Hoogst Geheim" op en ik tekende bij mijn vertrek voor tweeduizend zeshonderdeenenveertig exemplaren van zeer geheime documenten die ik bij me had, waarvan de meeste niets te maken hadden met Mac Hawkins, die onschuldig naast me stond.'

Aaron Pinkus sloot zijn ogen en liet zich terugzakken op de kleine sofa, met zijn schouder tegen de volledig uitgetelde Eleanor Devereaux. 'Hij had jou dus voor de onmiddellijke toekomst volkomen in de hand – ongeveer vijf maanden.' Aaron opende voorzichtig zijn ogen.

'Daar kwam het op neer, anders zou mijn ontslag uit dienst voor onbepaalde tijd worden uitgesteld... of ik zou twintig jaar in Leavenworth kunnen zitten.'

'Dan kwamen de centen dus van het losgeld...'

'Welke centen?' vroeg Sam.

'Het geld dat je zo royaal aan dit huis hebt besteed... honderdduizenden dollars! Het was jouw aandeel van het losgeld, nietwaar?'

'Wat voor losgeld?'

'Voor paus Francesco, natuurlijk. Toen jullie hem vrijlieten.'

'We hebben geen losgeld gekregen. Kardinaal Ignatio Quartz weigerde te betalen.'

'Kardinaal *wie*?'

'Dat is een ander verhaal. Quartz zag het wel zitten met Guido.'

'*Guido*?'

'Je schreeuwt, Aaron,' mompelde Eleanor.

'Guido Frescobaldi,' antwoordde Devereaux. 'Zio's neef die op hem lijkt; hij speelde nu en dan bijrolletjes in het derde operagezelschap van La Scala.'

'*Genoeg*!' De beroemde advocaat haalde een paar keer diep adem en deed zijn best zijn zelfbeheersing terug te krijgen. Met zachte stem zei hij zo rustig mogelijk: 'Sam, je bent thuisgekomen met heel veel geld dat niet afkomstig was van een overleden, rijke Devereaux. Waar kwam dat vandaan, Sam?'

'Nou ja, zie je, Aaron, als compagnon was het mijn aandeel naar verhouding van de resterende kapitalisatie die oorspronkelijk voor de onderneming was opgebracht.'

'Wat voor onderneming?' vroeg Pinkus, zijn rustige stem zweverig en nauwelijks hoorbaar.

'De firma Herder.'

'Herder...?'

'Net als de Goede Herder.'

'Net als de Goede Herder,' herhaalde Aaron, als in trance. 'Er werd geld bijeengebracht voor die onderneming...'

'In feite in bedragen van tien miljoen dollar per investeerder, genoemde investeerders beperkt tot vier die als compagnon een naamloze vennootschap vormden, hun individuele risico's natuurlijk beperkt tot het ingebrachte risicokapitaal en gebaseerd op projecties waardoor een winst van tien op één werd verwacht op hun investeringen. ... In feite had geen van de vier investeerders behoefte aan juridische erkenning en gaven ze er de voorkeur aan hun investeringen te beschouwen als liefdadige bijdragen in ruil voor anonimiteit.'

'Anonimiteit...? Veertig miljoen dollar voor *anonimiteit*?'

'Die was eigenlijk vrijwel gegarandeerd. Ik bedoel maar, bij welke rechtbank zou ik nu de oprichtingsstatuten kunnen vastleggen, Aaron?'

'Jíj? Was jij de advocaat voor deze travestie van een zakelijke onderneming?'

'Niet uit vrije wil,' protesteerde Devereaux. 'Nóóit uit vrije wil.'

'O ja, die meer dan tweeduizend inlichtingendossiers waarmee je was gaan fietsen. Geen ontslag. Leavenworth.'

'Of nog erger, Aaron. Mac zei dat er minder openlijke manieren waren dan een executiepeloton als de pr-mensen van het Pentagon tegen een executie waren.'

'Ja, ja, ik begrijp het. ... Sam, je lieve moeder hier, die gelukkig in shocktoestand verkeert, had het erover dat jij haar had gezegd dat je geld afkomstig was van de verkoop van religieuze kunstvoorwerpen...'

'Eigenlijk stond het duidelijk in het huishoudelijk reglement van de naamloze vennootschap dat het voornaamste doel van de onderneming was het "als makelaar optreden voor *verkregen* religieuze kunstvoorwerpen". Ik geloof dat ik dat zo vrij aardig had uitgedrukt.'

'Lieve hemel,' riep Pinkus uit en hij slikte moeilijk. 'En het "verkregen" religieuze kunstvoorwerp in kwestie was natuurlijk de persoon van paus Francesco de Eerste die jij *ontvoerde*.'

'Nou ja, Aaron, juridisch is dat eigenlijk niet juist, laat staan beslissend. De beschuldiging op zich zou je zelfs als lasterlijk kunnen beschouwen.'

'Wat zeg je me nou? Kijk eens naar je muren, de foto's!'

'Ik zou eigenlijk willen voorstellen, Aaron, dat *jij* er eens goed naar kijkt. Juridisch gesproken wordt kidnapping gedefinieerd als ontvoering met geweld of dwang en het tegen hun wil vasthouden van een persoon of personen, waarbij hun vrijlating afhankelijk is van het betalen van een geldbedrag. Ofschoon, zoals ik heb toegegeven, er tevoren een plan was beraamd en degelijk was gefinancierd om een dergelijk doel te bereiken, mislukte het plan en zou het zijn opgegeven als het slachtoffer niet vrijwillig – en ik mag wel zeggen enthousiast – had meegewerkt. En uit die foto's blijkt nauwelijks dat het betreffende slachtoffer onder wat voor dwang dan ook staat. Hij is eigenlijk duidelijk in een opperbest humeur.'

'Sam, jij hoort in een kamer thuis die met dik sponsrubber is bekleed! Heeft de enormiteit van wat je gedaan hebt niet eens een deuk in je morele pantser gemaakt?'

'De kruisen die ik moet dragen zijn inderdaad zwaar, Aaron.'

'Je zou best een geschiktere toespeling kunnen gebruiken. ... Ik wil het eigenlijk niet weten, maar hoe hebben jullie – hém – ooit in Rome teruggekregen?'

'Dat hebben Mac en Zio bedacht. De Havik noemde het een "actie via de achterdeur" en Zio begon aria's te zingen.'

'Ik kán niet meer,' fluisterde Pinkus. 'Ik kan alleen maar wensen dat ik deze dag nooit had beleefd, dat ik geen woord had gehoord dat er in deze kamer is gesproken en dat mijn ogen me bedrogen hadden.'

'Hoe denk je dan dat ik me voel, elke dag van mijn leven? De eeuwige liefde van mijn leven is verdwenen, maar ik heb wel iets geleerd, Aaron. Het leven *moet* verdergaan!'

'Dat heb ik nog nooit zo gehoord.'

'Ik meen het, het is *voorbij*. Het is allemaal verleden tijd en op een bepaalde manier ben ik nu blij dat het inderdaad gebeurd is. Op een bepaalde manier heeft het me vrijgemaakt. Nu moet ik van mijn luie krent komen en aanvallen, in de wetenschap dat die kloothommel me nooit meer kan raken!'

En natuurlijk rinkelde toen de telefoon.

'Als dat het kantoor is dan ben ik in de synagoge,' zei Pinkus. 'Ik kan de buitenwereld niet aan.'

'Ik neem hem wel,' zei Sam. Hij stond op en liep naar het bureau terwijl de telefoon opnieuw overging. 'Moeder is hier – zogezegd – en het is beter dat Cora niet opneemt. Weet je, Aaron, nu alles van mijn lever is voel ik me echt beter. Ik wéét dat ik met jouw steun kan aanvallen en nieuwe uitdagingen onder ogen kan zien, nieuwe horizonten kan verkennen...'

'Neem die verdomde telefoon aan, Sam. Mijn hoofd splijt zowat.'

'O ja, natuurlijk, sorry.' Devereaux pakte de hoorn op, begroette wie het dan ook was aan de lijn, zweeg even om antwoord te krijgen en begon toen hysterisch te schreeuwen, met zo'n tomeloze razernij dat zijn moeder van de sofa opsprong, over het ovalen salontafeltje vloog en languit op de vloer terechtkwam.

6

'Sammy!' schreeuwde Aaron Pinkus, terwijl hij op en neer rende tussen de bewusteloze Eleanor en haar zoon die nu, in een aanval van paniek, bezig was alle ingelijste foto's waar hij bij kon van de muur te graaien en ze op de vloer te smijten. 'Sam, behéérs je toch!'

'Klloothommel!' schreeuwde Devereaux. 'Allergrootste kotshommel die er bestaat, walgelijkste vent op de hele aardbol! Hij heeft het recht niet...'

'Je moeder, Sammy. Misschien is ze wel dóód!'

'Vergeet het maar, ze zou niet weten hoe ze dat moest aanpakken,' antwoordde Devereaux terwijl hij naar de muur achter zijn bureau rende en zijn aanval bleef uitvoeren op de ontelbare foto's en kranteknipsels. 'Hij is ziek, gek, geschíft.'

'Ik zei niet ziek, Sam, ik zei dóód,' vervolgde Aaron. Hij knielde moeizaam neer en hield het bevende hoofd van de moeder vast, in de hoop dat zijn list enige uitwerking zou hebben op de zoon. 'Je mag weleens wat bezorgdheid tonen.'

'*Bezorgdheid*? Heeft hij zich ooit bezorgd getoond over míj? Hij ruïneert mijn leven, trapt op de scherven en stampt die de grond in! Hij rukt mijn hart uit en blaast het op als een ballon...'

'Ik zei niet *hij*, Sam, ik zei *zij*! Je *moeder*.'

'Hoi mams, sorry, ik heb het druk.'

Pinkus trok de pieper uit zijn zak en drukte met zijn vinger op de oproepknop; die hield hij met regelmatige tussenpozen ingedrukt. Zijn chauffeur, Paddy Lafferty, zou op de een of andere manier het noodsignaal opvangen. Dat *moest* hij wel.

Dat deed hij ook. Even later kon men Paddy door de ingang van de oostelijke vleugel horen stormen en nicht Cora met zijn indrukwekkendste sergeantenstem uit de weg horen commanderen anders gooide hij haar voor een stelletje oorlogsmoede, dronken infanteristen die op zoek waren naar wat vrouwelijk amusement.

'Laat ze maar zachtjes komen, Mick!'

Sam Devereaux zat aan zijn bureaustoel gebonden, zijn armen en benen vastgesjord met lakens die van zijn bed waren getrokken en vol enthousiasme in repen gescheurd door de voormalige sergeant Patrick Lafferty van Omaha Beach, Tweede Wereldoorlog. In repen gescheurd, dat wil zeggen nadat hij Sam k.o. had geslagen en de slaapkamer had gevonden. Devereaux knipperde met zijn ogen, schudde zijn hoofd en probeerde zijn stem terug te vinden. 'Ik ben aangevallen door vijf drugsverslaafden,' opperde hij.

'Dat niet precies, Sam boyo,' zei Paddy, terwijl hij een glas water aan de lippen van de jurist hield. 'Tenzij je denkt dat het van clandestien gestookte whisky komt, en die zou ik je bij ons in het Zuiden niet aanraden, of zelfs niet in de tent van O'Toole.'

'Heb jíj me dit aangedaan?'

'Ik kon niet anders, Sam. Wanneer een man door de rooie gaat door oorlogsmoeheid moet je hem op welke manier dan ook weer terughalen. Het is geen schande, boyo.'

'Heb jij in het leger gezeten? Echt aan het front... ? Heb je onder MacKenzie Hawkins gediend?'

'Ken jij die naam, Sam?'

'Héb je dat?'

'Ik heb nooit het voorrecht gehad de beroemde generaal persoonlijk te ontmoeten, maar ik heb hem gezien! In Frankrijk heeft hij tien dagen onze divisie overgenomen en dat ik wil je wel vertellen, jongen, Mac de Havik was de beste commandant die het leger ooit heeft gehad. Vergeleken met hem was Patton een balletdanser en eerlijk gezegd mocht ik die ouwe George wel, maar hij kon niet tippen aan de Havik.'

'Ik ben belázerd!' schreeuwde Devereaux en hij probeerde zich los te wringen uit de lakenstroken. 'Waar is mijn moeder... waar is Aaron?' vroeg hij ineens terwijl hij in de lege kamer rondkeek.

'Bij je moeder, jongen. Ik heb haar naar haar slaapkamer gedragen. Meneer Pinkus dient haar wat cognac toe om haar te helpen slapen.'

'Aaron en mijn *moeder*?'

'Wees eens wat soepel, jongen. Je kent Shirley met haar houten kapsel toch wel. ... Hier, drink nou wat water – ik zou je wel whisky geven maar ik geloof niet dat je daar tegen kunt. Je ogen hebben weinig menselijks, meer zoiets als een kat die geschrokken is van een hard geluid.'

'Hou óp! Mijn hele wereld valt aan duigen!'

'Hou je kop erbij, Sam, meneer Pinkus zal je wel helpen. Niemand kan dat beter dan hij... Daar komt hij al terug. Ik hoor wat er nog over is van de deur.'

De uitgeputte, tengere gestalte van Aaron Pinkus schuifelde het verboden kantoor binnen alsof hij juist was teruggekeerd van een poging de Matterhorn te beklimmen. 'We moeten eens praten, Sam,' zei hij terwijl hij zich buiten adem in een stoel voor het bureau liet zakken. 'Zou je alsjeblieft even weg willen gaan, Paddy? Nicht Cora dacht dat ze je in de keuken wel een plezier kon doen met een gegrild lendestuk.'

'Een lendestuk?'

'Met Ierse ale, Paddy.'

'Nou ja... u begrijpt dat eerste indrukken niet altijd in steen gebeiteld zijn, klopt dat, meneer Pinkus?'

'Ook dat staat in steen gebeiteld, ouwe makker.'

'Hoe zit het met mij?' schreeuwde Devereaux. 'Wil iemand me misschien even losmaken?'

'Je blijft precies waar je bent en zoals je bent, Samuel, tot wij met elkaar hebben gesproken.'

'Jij noemt me altijd "Samuel" wanneer je kwaad op me bent.'

'Kwaad? Waarom zou ik kwaad zijn? Je hebt mij en de firma alleen maar betrokken bij de meest snode en geniepige misdaad sinds het Middenrijk in Egypte vierduizend jaar geleden. Kwáád? Nee, Sammy, ik ben alleen maar hysterisch.'

'Ik geloof dat ik maar beter weg kan gaan, baas.'

'Ik piep je later wel op, Paddy. En geniet van je lendestuk alsof het je laatste maaltijd in dit leven was.'

'Och, wat kunt u overdrijven, meneer Pinkus.'

'Draag me dan maar naar de synagoge als ik je binnen een uur geen teken geef.' Lafferty verliet snel het vertrek, wat te horen was aan het krijsende geluid van de vernielde buitendeur die werd dichtgetrokken. Met zijn handen in zijn schoot gevouwen begon Aaron te spreken. 'Ik moet aannemen,' begon hij kalm, 'dat degene die telefonisch contact met jou opnam niemand anders was dan generaal MacKenzie Hawkins, klopt dat?'

'Jij weet verdomde goed dat dat zo is en die rioolrat kan me dit niet aandoen!'

'Wat heeft hij precies gedaan?'

'Hij heeft met me gepráát!'

'Is er een wet die dat verbiedt?'

'Tussen ons tweeën zeer zeker wel. Hij heeft op het handboek voor de soldaat gezworen dat hij nooit meer tegen me zou praten voor de rest van zijn ellendige, waardeloze bestaan!'

'Toch bestond hij het die plechtige eed te breken, wat betekent dat hij je iets heel belangrijks te vertellen had. Wat was dat?'

'Hoe kan ik dat nou weten?' riep Devereaux en hij verzette zich opnieuw tegen de knellende witte banden die hem aan de stoel kluisterden. 'Ik hoorde hem alleen maar zeggen dat hij per vliegtuig naar Boston kwam om met mij te praten en toen werd het een gekkenhuis.'

'Jij werd gek, Sam. ... Wanneer komt hij hierheen?'

'Hoe weet ík dat nou?'

'Dat klopt. Je zette je oren buiten werking en ging volledig door het lint. ... Maar, aangenomen dat hij je iets heel belangrijks te vertellen had, anders had hij zijn afspraak niet gebroken om nooit meer contact met jou op te nemen, mogen we veronderstellen dat hij snel in Boston zal zijn.'

'En ik vertrek even snel naar Tasmanië,' zei Devereaux met nadruk.

'Dat is nu het enige dat je *niet* moet doen,' viel Pinkus hem even vastberaden in de rede. 'Je kunt niet weglopen en je kunt hem ook niet uit de weg gaan...'

'Noem me één reden!' schreeuwde Sam. 'Eén reden, behalve om de klootzak te vermoorden, waarom ik hem juist niet uit de weg zou gaan? Hij is een rondwandelend noodsignaal van de Titanic!'

'Omdat hij jou zal blijven bedreigen – en daarom ook mij als je enige werkgever sinds je rechtenstudie – met je deelname aan deze misdaad van de eeuw.'

'Jíj bent het computergebouw niet uitgelopen met meer dan tweeduizend hoogst geheime inlichtingendossiers, dat heb ík gedaan.'

'Die schijnbaar rampzalige daad zinkt volledig in het niet bij het bewijsmateriaal dat je geprobeerd hebt van je muren te trekken. ... Maar nu je het erover hebt, had het enige zin die dossiers te stelen?'

'Een zin van veertig miljoen ballen,' antwoordde Devereaux. 'Hoe denk je anders dat die duivelse generaal van de rivier de Styx aan zijn kapitaal kwam?'

'Afpersing...?'

'Van de Cosa Nostra tot een paar Engelsen die nu niet direct in aanmerking kwamen voor het Victoria Cross; van vroegere nazi's die zo respectabel waren als de kippestront waar ze inzaten, tot Arabische sjeiks die geld verdienden door hun investeringen in Israël te beschermen. Hij heeft dat hele kolerezootje geraffineerd in elkaar gestoken en mij achter hen aan gestuurd.'

'Lieve god, je moeder zei dat dat allemaal waandenkbeelden van je waren! Moordenaars op een golfbaan, Duitsers op een kippenfokkerij... Arabieren in de woestijn. Ze waren dus écht.'

'Soms, niet vaak, drink ik weleens een borreltje te veel.'

'Daar had ze het ook over. ... En Hawkins groef die boeven op uit de inlichtingendossiers en dwong hen toe te geven aan zijn eisen?'

'Laaghartiger kun je het niet maken...'

'Ingenieuzer kun je niet zijn!'

'Waar is jouw morele pantser, Aaron?'

'Dat is er zeker niet ten gunste van boeven, Sam.'

'Wel soms ten gunste van het bewijsmateriaal dat je aan mijn muren hebt gezien?'

'Zeer zeker niet!'

'Aan welke kant sta je dus?'

'Het ene heeft niets te maken met het andere. Er is geen verband.'

'Niet als je in mijn schoenen stond, edelachtbare.'

Aaron Pinkus haalde een paar maal met gebogen hoofd diep adem, terwijl hij zijn tien vingers tegen zijn voorhoofd drukte. 'Voor elk onmogelijk probleem moet er op de duur een oplossing zijn, ofwel in dit leven of in het hiernamaals.'

'Ik geef de voorkeur aan het eerste, als je het niet erg vindt, Aaron.'

'Ik geloof dat ik het daarmee eens ben,' stemde de oudere jurist in. 'Daarom zullen we, zoals jij het zo kernachtig uitdrukte "van onze luie krent komen en aanvallen".'

'Waarop?'

'Op onze gezamenlijke confrontatie met generaal MacKenzie Hawkins.'

'Zou jij dat *doen*?'

'Ik heb gevestigde belangen, Sammy. Je zou zelfs kunnen zeggen een mogelijk rampzalig belang. Verder zou ik onder je aandacht willen brengen een waarheid als een koe van ons beroep, waar omdat ze steekhoudend is. ... Een advocaat die zichzelf verdedigt heeft een dwaas als cliënt. Jouw generaal Hawkins kan dan een uitzonderlijk militair stel hersens hebben, met alle briljante excentriciteiten die daarbij horen, maar naar mijn bescheiden mening heeft hij zijn krachten nog niet gemeten met die van Aaron Pinkus.'

Het gevederde opperhoofd Donderkop van de Wopotami's spuugde zijn verminkte sigaar uit en ging zijn enorme wigwam weer binnen waar, behalve de verwachte Amerikaans-Indiaanse voorwerpen zoals namaakscalpen langs de wanden, een waterbed geïnstalleerd was en waar allerlei elektronische apparatuur stond waar het Pentagon trots op zou zijn geweest – waarop het Pentagon trots wás, voordat het gestolen werd. Met een diepe zucht, zowel van verdriet als van woede, zette Donderkop voorzichtig zijn indrukwekkende hoofdtooi af en liet die op de lemen vloer vallen. Hij pakte uit een tasje van bukskin een verse sigaar van een onbekend merk en niet al te beste kwaliteit; die stak hij in zijn mond en begon op de eerste vijf centimeter aan het uiteinde te kauwen totdat zijn tanden bruin zagen. Hij liep naar het waterbed, liet zich zakken op de golven die daarbij ontstonden, verloor onmiddellijk zijn evenwicht en viel achterover, terwijl de zaktelefoon in zijn stamtuniek met kraaltjes ging toeteren. Het toeteren bleef doorgaan terwijl hij worstelde om de woelige wateren onder hem tot bedaren te brengen, waarin hij uiteindelijk slaagde door zich naar voren te duwen en zijn laarzen stevig op de vloer van de wigwam te plaatsen. Kwaad rukte hij de telefoon te voorschijn en zei schor: 'Wat is er? Ik ben met een palaver bezig.'

'Toe nou, opperhoofd, de enige palavers hier zijn wanneer de kinderen hun honden horen blaffen.'

'Je weet maar nooit wie er belt, jongen.'

'Ik wist niet dat iemand anders ook dit nummer had.'

'Je moet altijd uitgaan van de veronderstelling dat de vijand je frequentie kan ontdekken en afluisteren.'

'Wat...?'

'Blijf op je hoede, jongen. Nou, wat is er?'

'Je kent dat Engelse echtpaar dat hier gisteren naar jou vroeg, die lui waarvoor wij zo stom indiaantje speelden?'

'Wat is er met hen?'

'Ze zijn er weer, maar ze hebben een paar compagnons bij zich. De ene ziet eruit alsof zijn oppasser nog niet weet dat hij ontsnapt is uit zijn kooi, de andere snuift aan één stuk door – hij is ofwel snipverkouden of hij heeft een paar stevig ontstoken neusvleugels.'

'Misschien hebben ze wat geroken.'

'Niet met zo'n toeter als de zijne...'

'Ik bedoel niet de ondersteunende troepen, ik bedoel die Engelse types. Die juridische idioot van jullie, Charlie Redwing, heeft hun misschien een tip gegeven.'

'Hé, toe nou, D.K., hij was geweldig, hij bleef alleen maar van dat rottige paard vallen. Ze hebben niets over jou te horen gekregen en die deftige dame bleef maar kijken naar zijn suspensoir...'

'*Lenden*doek, jongen, lendendoek. Misschien keek ze naar het paard.'

'Misschien keek ze naar de lendendoek,' opperde degene die belde, terwijl Donderkop opnieuw werd gepakt door een golf van vinyl en achterover op het waterbed tuimelde.

'Au!'

'Hé, misschien heeft onze juridische adelaar wel gelijk, is 't niet? Ik neem aan dat je het ermee eens bent.'

'Ik ben het nergens mee eens! Er klopt geen zak van mijn oorlogsuitrusting hier...'

'Die heb je zelf ontworpen, D.K..'

'En ik raad je aan niet zo familiair te doen, *jongen*! Je bent een gewone zandhaas en je zult me aanspreken met *opperhoofd*!'

'Prima, opperhooffie, rij dan zelf maar naar de stad om je eigen smerige sigaren te kopen...'

'Zo stevig heb ik je nou ook weer niet berispt, jongen, ik wil alleen maar behoorlijk de tucht erin houden. Wat ik wil zeggen is dat de ondersteuningstroepen niet worden opgeroepen om voor hun plezier naar "lendendoeken" te kijken, is dat duidelijk?'

'Misschien. ... Wat denk je dan? Wat denk je dat ze geroken hebben, bedoel ik.'

'Niet wat zíj geroken hebben, jongen, maar wat iemand ánders rook en daarop de ondersteuningstroepen erbij haalde. Die Engelsen hebben niet uit zichzelf de aanval hervat, ze zijn weer uitgestuurd door een hogere officier die de zaak opnieuw wilde laten bekijken. Waar zitten ze nu, jongen?'

'In de souvenirschuur. Ze kopen een boel spullen en ze zijn heel vriendelijk, zelfs die os. Overigens, de meisjes – neem me niet kwalijk, de *squaws* – zijn heel blij. We hebben net nieuwe voorraad uit Taiwan gekregen.'

Donderkop fronste zijn wenkbrauwen, stak zijn sigaar op en zei: 'Blijf aan de lijn, ik moet even nadenken.' Dichte rookwolken verduisterden de wigwam toen de Havik eindelijk weer begon te praten. 'Die Engelsen zullen wel gauw mijn naam noemen.'

'Dat denk ik ook.'

'Laat een van je onderdrukte broeders hun dan maar vertellen dat mijn wigwam op ruwweg tweehonderd passen van een rennende antilope boven de noordelijke wei ligt, langs het paargebied van de buffalo's bij de grote eiken waar de adelaars hun kostbare eieren leggen. Het is een geïsoleerde plek zodat ik kan communiceren met de goden van het woud en mediteren. Gesnopen?'

'Daar snap ik geen woord van. We hebben een paar koeien maar geen buffalo's en ik heb nog nooit een adelaar gezien, behalve in de dierentuin van Omaha.'

'Je moet toch toegeven dat er een woud is.'

'Nou ja, wat bosjes misschien, maar ik herinner me geen hoge bomen.'

'Verdomme, jongen, zie nou maar dat je ze in die bosjes krijgt, oké?'

'Welke paden moeten ze nemen? Ze zijn allemaal te belopen maar sommige zijn beter dan andere. Het is een slecht toeristenseizoen geweest...'

'Koppie koppie, jongen!' riep Donderkop uit. 'Prima tactiek. Zeg hun maar dat ze me sneller zullen vinden wanneer ze gescheiden zoeken. Degene die mij bereikt kan de anderen roepen; zo ver zijn ze niet uit elkaar.'

'Gezien het feit dat jij helemaal niet in die bosjes zult zitten is het geen "prima tactiek", het is gewoon stom. Ze zullen verdwalen.'

'Laten we het hopen, jongen, laten we het hopen.'

'Wat?'

'Gezien de aard van deze actie past de vijand een onconventionele strategie toe. Daar is niets fouts aan – verrek, ik ben in mijn loopbaan meestal onconventioneel te werk gegaan – maar het heeft geen enkele zin als het je vorderingen belemmert. In deze situatie is een frontale aanval de meest produktieve methode – zijn enige methode in feite – maar in plaats daarvan trekt hij om onze flanken heen en vuurt mortiergranaten af vol paardevijgen.'

'Ik kan je weer niet volgen, opperhoofd.'

'Antropologen die op zoek zijn naar de overblijfselen van een beroemde stam?' spotte Donderkop. 'Een stam uit de Shenandoahs, wilden die door Walter Raleigh naar het paleis van de Engelse koningin werden gehaald, gelóóf jij al dat geouwehoer?'

'Nou ja, het zou best kunnen. De Wopotami's kwamen ergens uit het oosten.'

'Uit de vallei van de Hudson, *niet* de Shenandoahs. In feite zijn ze door de Mohikanen verdreven omdat ze niets aan landbouw deden en geen vee konden fokken en omdat ze niet uit hun wigwams wilden komen wanneer het sneeuwde. Ze waren geen beroemde stam, ze waren vanaf de eerste dag verliezers totdat ze de rivier de Missouri bereikten, in het midden van achttienhonderd, waar ze hun ware roeping vonden. Eerst belazerden ze de blanke kolonisten, en vervolgens kochten ze hen om!'

'Weet jij dat allemaal?'

'Er is heel weinig over de geschiedenis van jullie stam wat ik niet weet. ... Nee, jongen, er zit iemand achter deze geheime operatie en ik ga uitvinden wie dat is. Aan het werk nu. Stuur ze de bosjes in!'

Drieëntwintig minuten verstreken en één voor één namen de leden van Hyman Goldfarbs verkenningspatrouille een van de vier paden in het lage, dichte struikgewas. Ze hadden besloten gescheiden te gaan omdat de nauwkeurige instructies die ze in de souvenirschuur hadden gekregen totaal onnauwkeurig en tegengesteld waren. De groep gillende squaws maakte oorverdovend ruzie over welk pad nu eigenlijk naar de wigwam van de grote Donderkop leidde, een residentie die kennelijk als een soort heiligdom werd beschouwd.

Zesenveertig minuten later waren alle leden één voor één in een hinderlaag gelokt en met armen en benen aan een fatsoenlijke boom gebonden, met proppen in de mond van namaakbeverhuiden; ze kregen allen de verzekering dat de redding nabij was zolang ze geen kans zagen de proppen te verwijderen en te gaan gillen. Als dat zou gebeuren zou de wraak van een onderdrukt en geëxploiteerd volk op hun hoofden neerdalen, met name hun scalpen zouden niet langer meer vastzitten aan hun hoofden. En ieder kreeg, natuurlijk, de behandeling die paste bij zijn en haar status en kunne. De Engelse dame was veel lastiger dan haar mannelijke compagnon die een of andere gecompliceerde oosterse verdedigingsmethode probeerde, waarbij prompt zijn linkerarm uit de kom werd gedraaid. De kleinere, snotterende Amerikaan probeerde het op een akkoordje te gooien terwijl hij langzaam een automatisch pistool met korte loop onder zijn riem uithaalde en moest daarom worden geteisterd met een paar gebroken ribben. De moeilijkste echter bewaarde opperhoofd Donderkop – geboren MacKenzie Lochinvar Hawkins (zijn middelste naam kwam in geen enkel dossier voor) – voor het laatst. De Havik meende altijd dat het gepast was zijn grootste uitdaging de eer te gunnen de laatste hindernis te vormen. Je versloeg immers Rommel ook niet met de eerste aanval tegen het *Afrika Korps* – zoiets hoorde nu eenmaal niet.

De omvang van de betreffende uitdaging was buitenproportioneel groot, maar wat zijn hersenen betreft was hij nog maar een baby. Na een fiks robbertje vechten met een man niet half zo oud als hij, overwon de Havik door twee keer snel achter elkaar te bukken en strak uitgestoken vingers in het midden van de maag van de vijandelijke verkenner te steken; hij wist dat het zou werken toen hij de adem van de vijand rook. Er kwam een overvloed aan indiaans eten naar boven uit de keel van de verkenner; een houdgreep die het enorme hoofd van de vijand omlaagdwong in de richting van het gênante ongelukje deed de rest.

'Je naam, rang en legernummer, soldáát!'

'Waar heb je het over?' boerde de vijand die door de veiligheidsman van Donderkop Os werd genoemd.

'Ik heb genoeg aan je naam en voor wie je werkt. Nú!'

'Ik heb geen naam en ik werk voor niemand.'

'Omláág met jou!'

'Shit, maak het een beetje!'

'Waarom? Jij probeerde mij het hart uit het lijf te rukken. Je gaat de rotzooi in, soldaat.'

'Het stinkt zo verschrikkelijk!'

'Niet zo verschrikkelijk als wat ik ruik rond al die clowns van jou. Geef me wat ik hebben wil, gevangene!'

'Het is nát! ... Oké, *oké*, ze noemen me de Schop.'

'Die schuilnaam zal ik accepteren. Wie is je commandant?'

'Waar heb je het toch over?'

'Voor wie werk je?'

'Ben je helemaal geschift?'

'Goed dan, soldaat, verlies dan de rest van je maag ook maar! Vind je ons eten lekker? Eet het dan nog maar een keer op, ouwe roodhuidenliefhebber!'

'Verrek, je hebt het zelf al! Ik hoefde niks te zeggen. Roodhuiden!'

'Wat zeg je, zandhaas?'

'Hij heeft voor ze gespeeld! De *Redskins*. ... Laat me in godsnaam los!'

'Gespeeld voor...? Ik moet meer hebben, pleeborstel! Wat voor onzin probeer je me nu weer wijs te maken?'

'Je bent wármer, heel warm! Ze konden geen bal de lucht in krijgen wanneer hij in de buurt was. Hij had geen kleerkasten van verdedigers nodig, hij brak gewoon door en haalde de quarterbacks neer, te beginnen met Namath! De joodse Hercules, misschien...?'

'"Quarterbacks"...? Namath? *Redskins*? ... Je zuster op een houtvlot, fóótball! En Hercules? ... Er was maar één zo'n vleugelverdediger in de geschiedenis van de National Football League. Hymie de Orkaan!'

'Ik heb niks gezegd. Jíj hebt het gezegd.'

'Je hebt niet het vaagste idee van wat ik zei, soldaat.' De Havik sprak zacht en snel, terwijl hij die beer van een man losliet en hem handig met een paar touwen aan de boom bond. 'De Gouden Goldfarb,' vervolgde hij schor binnensmonds. 'Die rotzak heb ík nog gerekruteerd toen ik in het Pentagon werkte!'

'Wát heb jij?'

'Dat heb je nooit gehoord, Schop... Geloof me maar, dat heb je nooit gehoord! ... Ik moet hier weg zien te komen, pronto. Ik zal wel iemand sturen voor jullie idioten, maar jij, jij hebt me nooit iets verteld, begrepen?'

'Dat heb ik echt niet. Maar ik zal je graag van dienst zijn, meneer het grote indianenopperhoofd.'

'Dat is maar een kleine dienst, jongen, wij zijn met grotere zaken bezig. We hebben net de spijker op de kop geslagen door het grootste geheim van Washington te ontsluieren! ... De Gouden Goldfarb, wie had dat gedacht? Wat ik nou nodig heb is een privé-raadsheer en ik weet precies waar die ondankbare klootzak zit!'

Vincent Mangecavallo, directeur van de CIA, staarde naar de cryptofoon in zijn uitgestrekte hand alsof het apparaat de onbezielde incarnatie was van een besmettelijke ziekte. Toen de hysterische stem aan de lijn even zweeg om adem te halen, rukte de directeur de telefoon tegen zijn oor en zijn mond sprak zacht maar grimmig. 'Luister naar me, jij dubbelgeklapte kwallebal. Ik doe mijn best met talent waarvoor die club van jullie alleen maar betaalt maar waarmee jullie niet zouden willen praten, laat staan ze als lid toelaten in die mietjesclubs van jullie. Wil je het soms overnemen? Je bent welkom en ik zal me rot lachen wanneer je verzuipt in een ton met minestrone. ... Zal ik je nog eens wat zeggen, schele beisponum?' Mangecavallo hield ineens even stil en begon toen weer te praten met een veel zachtere, vriendelijker stem. 'Wie houdt er wie eigenlijk voor de gek? Misschien verzuipen we allemaal wel in die ton met soep. Tot dusver hebben we geen zak bereikt. Dat Hof is zo onschuldig als de gedachten van mijn moeder... en ik hoef daar van jullie geen commentaar op te horen.'

'Het spijt me dat ik kwaad werd, ouwe jongen,' zei de minister van buitenlandse zaken met zijn neusstem aan het andere eind van de lijn. 'Maar je kunt toch zeker wel begrijpen hoe uitzonderlijk nadelig het voor ons zal zijn bij de aanstaande topbespreking. Mijn Gód, we staan gewoon in ons hemd! Hoe kan de president onderhandelen vanuit een machtspositie, met de volle autoriteit van zijn ambt, als het Hof er zelfs maar aan dénkt onze eerste defensielinie te laten ruïneren door een totaal onbekende, nietige indianenstam? Dan kun je het wel schudden, snap je, ouwe jongen?'

'Ja, dat dacht ik al, *bambino vecchio.*'

'Pardon?'

'Dat is Italiaans voor iets wat ik van jullie nooit goed heb begrepen. Hoe kon een jongen nu oud zijn?'

'Nou ja, de stropdas, weet je. De oude scholen, de oude banden, de symbolen, geloof ik. Vandaar de "ouwe jongens". Eigenlijk heel eenvoudig.'

'Misschien zoiets als *famiglia antica maledizione*, hè?'

'Dat stuk van "familiair" heb ik verstaan en ik vermoed dat het er in brede zin iets mee te maken heeft. Het is best een aardige buitenlandse uitdrukking.'

'Wij vinden van niet. Je gaat er de pijp van uit.'

'Párdon?'

'Doet er niet toe. Ik wilde alleen maar even nadenken.'

'Dat doe ík de hele tijd al. Bijgedachten.'

'Ja, natuurlijk, laten we onze gedachten dan maar eens houden bij dit probleem van de topbespreking. Als eerste, kan de Grote Baas het afgelasten omdat hij de griep heeft – of misschien gordelroos of zoiets?'

'Uitgesloten, Vincent. Vergeet het maar.'

'Zijn vrouw heeft een hersenbloeding? Daar kan ik voor zorgen.'

'Ook dat niet, ouwe jongen. Hij zou boven zijn privé-tragedie moeten uitrijzen en zich heldhaftig moeten gedragen – zo hoort dat nu eenmaal.'

'Dan zitten we in de minestrone. ... Hé, hé, ik geloof dat ik het heb. Als het debat van het Hof in het openbaar wordt gevoerd, stel dat de Grote Baas dan zegt dat hij overtuigd is van het gelijk van de, hoe noem je dat ook alweer, petitie?'

'Je bent gek!'

'Wie?'

'Krankzinnig! Op welke basis zou hij zo'n positie waar kunnen maken? Het gaat hier niet alleen om vóór of tegen, het is écht. Je kunt hierbij niet gaan stemmen, je moet een standpunt innemen – en het enige standpunt dat hij kan innemen brengt hem in strijd met het constitutionele machtsevenwicht. Hij is verstrikt in een strijd tussen de Uitvoerende Macht en de Wetgevende Macht. Dat verliest iedereen!'

'Jij kunt aardig met dikke woorden strooien, paardevijg. Ik bedoel niet dat hij iets moet "waarmaken", ik bedoel dat hij het openbare debat "ondersteunt" in de zin dat hij voor de kleine luiden zorgt – zoals de communisten vroeger zogenaamd deden maar nooit gedaan hebben – en, hoe dan ook, hij weet dat hij tweeëntwintig andere SAC-bases heeft in het land, en nog elf of twaalf daarbuiten. Wat is zijn probleem dan eigenlijk?'

'Ruwweg zeventig miljard dollars aan apparatuur in Omaha die hij niet weg kan halen!'

'Wie weet dat?'

'De Algemene Rekenkamer.'

'Nou gaan we spijkers met koppen slaan. We kunnen die lui het zwijgen opleggen. Daar kan ik voor zorgen.'

'Jij bent betrekkelijk nieuw in deze stad, Vincent. Tegen de tijd dat jij je zware jongens op de been hebt zal het lekken begonnen zijn, de zeventig miljard stijgt direct tot boven de honderd en bij elke poging om zelfs maar de geruchten de kop in te drukken komen die cijfers bij de negenhonderd miljard en ziet het fiasco met de spaarbanken eruit als losse dubbeltjes. En omdat er kennelijk een greintje waarheid steekt in die stinkende conclusie van eis, krijgen we tegen die tijd allemaal een proces aan onze broek volgens de wetten van het Congres omdat we iets waarmee we helemaal niets te maken hadden meer dan honderd jaar verborgen hebben gehouden om er politiek voordeel uit te trekken. Bovendien, en ondanks het feit dat dit de verstandigste weg is die wij beroepslui kunnen bewandelen, zouden we niet alleen te maken krijgen met boetes en gevangenisstraf maar ze zouden ons ook nog onze limousines afnemen.'

'*Basta*!' brulde Mangecavallo en hij hield de telefoon aan zijn minder gehavende oor. 'Dit is je reinste gekkenhuis!'

'Welkom in de realiteit van Washington, Vincent. ... Ben je er heel zeker van dat er niets, zullen we zeggen "overtuigends" zit bij een van die zes idioten van het Hof? Hoe zit het met die zwarte? Die heeft me altijd nogal arrogant geleken.'

'Dat klopt wel, maar hij is waarschijnlijk de schoonste en de intelligentste.'

'Echt waar?'

'En de spaghettivreter komt vlak achter hem, als hij misschien de volgende is over wie je zwaar en objectief wilt nadenken.'

'Eigenlijk was hij... niets persoonlijks, dat moet je begrijpen, ik ben dol op opera.'

'Niets persoonlijks en de opera is dol op jou, vooral signor Pagliacci.'

'O, ja, al die vikingen.'

'Ja, vikingen. ... En nu we het toch over donder hebben...'

'Hadden we dat?'

'Dat had jij... We wachten nog steeds op nieuws over dat opperhoofd Mafkont die zichzelf Donderkop noemt. Zo gauw we hem hebben zou hij ons weleens uit deze rotzooi kunnen halen.'

'Echt? Hoe dan?'

'Omdat hij zich als lastgever, hoe noem je dat, als eiser, met zijn advocaten, in het grote Hof moet vertonen voor alle pleidooien. Dat is verplicht.'

'Ja, natuurlijk, maar hoe wordt daardoor iets veranderd?'

'Stel nou – stél alleen maar – dat die grote kloteklapper daar binnenkomt als een volslagen geschifte psychiatrische patiënt en het uitschreeuwt dat de hele zwendel een grápje is? Dat hij al die historische documenten vervalst heeft om een of andere radicale verklaring af te leggen? Wat vind je dáárvan?'

'Dat is absoluut briljant, Vincent! ... Maar hoe kun je in 's hemelsnaam zoiets voor elkaar krijgen?'

'Daar kan ik voor zorgen. Ik heb op een speciale loonlijst een paar medische jongens. Ze werken met chemische spullen die door de Gezondheidsraad nou niet bepaald zijn goedgekeurd, oké?'

'Voortreffelijk! Waarom begin je daar niet meteen aan?'

'Ik moet die kloteklapper eerst vínden! ... Wacht even, ik bel je terug. Mijn andere ondergrondse lijn knippert.'

'Bel me maar terug, ouwe jongen.'

'*Basta* met dat ouwe bambino gelul!' De geëerde directeur van de CIA brak het ene gesprek af en liet het andere komen door op twee knoppen te drukken. 'Ja, wat is er?'

'Ik besef dat ik je niet rechtstreeks moet bellen, maar gezien de informatie die ik heb zou je dat van niemand anders dan van mijzelf aannemen.'

'Wie ís dit?'

'Goldfarb.'

'Hymie de Orkaan? Laat ik je zeggen, makker, je was de grootste...'

'Hou je bek, stommeling, ik zit nou in andere zaken.'

'Ja natuurlijk, natuurlijk, maar herinner je je de Super Bowl van drieënzeventig toen jij... '

'Ik was erbij, ouwe reus, dus natuurlijk herinner ik me dat. Maar op dit moment hebben we een situatie bij de hand waarvan jij op de hoogte moet worden gebracht voordat je iets gaat doen. ... Donderkop is aan ons net ontsnapt.'

'Wat?'

'Ik heb met ieder lid van mijn hele dure ploeg gesproken, waarvoor jij de rekening zult krijgen via een goor hotelletje in Virginia Beach, en hun unanieme conclusie is misschien moeilijk te accepteren, maar van alles wat ik heb gehoord klopt ze wel degelijk.'

'Waar heb je het over?'

'Die Donderkop is in werkelijkheid de reïncarnatie van Grootvoet, dat zogenaamd legendarisch schepsel dat door de Canadese wouden zwerft, maar dat wel degelijk een mens is.'

'Wát?'

'De enige andere verklaring is dat hij de yeti is, de Verschrikkelijke Sneeuwman van de Himalaya die een paar werelddelen is doorgetrokken om een vloek af te roepen over de regering van de Verenigde Staten. ... Dat het je wel moge bekomen.'

7

Generaal MacKenzie Hawkins liep, met gebogen schouders en gekleed in een gekreukt, onopvallend grijs pak, door Logan Airport in Boston, op zoek naar een herentoilet. Hij vond er een, liep snel naar binnen met zijn bovenmaatse reistas, plaatste die op de vloer en bekeek zijn uiterlijk in de lange spiegel boven de volle lengte van de rij wasbakken, waar aan het begin en eind twee luchtvaartemployés in uniform hun handen stonden te wassen. Niet zo slecht, dacht hij, behalve de kleur van de pruik; die was een ietsje te rood en van achteren een pietsie te lang. Het stalen brilletje deed het echter geweldig; het hing onder op zijn adelaarsneus en deed hem eruitzien als een verstrooide professor, een geleerde denker die nooit zo vlot een latrine kon vinden op een druk vliegveld als een efficiënte, getrainde militair. En 'militair', of liever juist het gebrek aan militair uiterlijk, was de hoeksteen van de huidige strategie van de Havik. Alle sporen van zijn achtergrond moesten worden uitgewist; de stad Boston was het terrein van de bollebozen, dat wist iedereen, en hij moest de komende twaalf uur daarin opgaan, voldoende tijd om Sam Devereaux in zijn eigen omgeving te verkennen en bestuderen.

Sam leek er iets op tegen te hebben weer contact met hem op te nemen, en al deed zoiets Mac wel pijn, het was heel goed mogelijk dat hij bij Devereaux geweld moest gebruiken. De tijd zelf was nu van het grootste belang en de Havik had Sams juridische kwalificaties zo spoedig mogelijk nodig; er kon geen uur worden verspild, ofschoon hij er waarschijnlijk een paar nodig zou hebben om de advocaat over te halen zich bij een heilige zaak aan te sluiten. ... Vergeet het woord 'heilig', dacht de generaal, dat zou weleens herinneringen kunnen ophalen die maar beter begraven konden blijven.

Mac waste zijn handen, zette vervolgens zijn bril af om water op zijn gezicht te betten, voorzichtig om de rode pruik niet van zijn plaats te stoten die ook een tikje loszat. Hij had een tube huidlijm in zijn tas en wanneer hij in een hotel was...

Alle gedachten aan de tekortkomingen van zijn pruik verdwenen als sneeuw voor de zon toen de Havik de aanwezigheid bespeurde van een lichaam vlak naast hem. Hij kwam overeind van de wasbak en zag een geüniformeerde man naast zich staan. Zijn vuile grijns liet zien dat hij een aantal tanden miste. Een korte blik naar rechts overtuigde hem er ook van dat het tweede uniform een paar rubberwiggen onder de deur van het herentoilet schoof. Een verdere snelle beoordeling van beide mannen maakte het duidelijk: de enige luchtvaartmaatschappij waartoe ze mogelijk behoorden had noch vliegtuigen, noch passagiers, alleen ontsnappingsauto's en slachtoffers van een overval.

'Je hebt jezelf een beetje opgefrist, hè baas?' zei de eerste grijnzende vijand met een duidelijk Zuidamerikaans accent en hij streek op zijn gemak zijn donkere haar glad dat aan beide kanten onder zijn officierspet uitstak. 'Weet je, het doet je goed om na een lange vlucht een pietsie *agua* op je gezicht te smeren, nietwaar?'

'Jazeker, baas!' riep de tweede vijand die dichterbij kwam met zijn pet wat scheef op zijn hoofd. 'Het is beter dan je kop in een toilet te steken, oké baas?'

'Waar slaan die opmerkingen op?' vroeg de ex-generaal van het leger, terwijl hij beide mannen één voor één aanstaarde, ontzet door de slordige open hemdskragen onder hun autoritaire uniformjasjes.

'Nou ja, het is niet zo'n best idee om je kop in een toiletpot te steken, hè?'

'Dat ben ik met u eens,' antwoordde de Havik die ineens aan iets dacht wat hij in feite voor onmogelijk hield. 'Jullie vormen toevallig niet een vooruitgeschoven verkenningseenheid?'

'We hebben genoeg hersenen – en we zijn vriendelijk genoeg – om jou niet je kop in een toilet te laten stoppen, als je dat soms vooruitgeschoven noemt, oké?'

'Ik geloof van niet. De man die mij verwacht zou er niet aan denken terreinverkenners zoals jullie te rekruteren. Dat heb ik hem beter geleerd.'

'Hé, baas,' zei de tweede slordig geklede imitator van een officier terwijl hij wat dichter naar de andere flank van de Havik schoof. 'Probeer je ons te beledigen? Misschien staat jou onze manier van praten niet aan – zijn we niet goed genoeg voor jou?'

'Nou moeten jullie eens goed luisteren, luizebollen van soldaten! Ik heb nog nooit in mijn hele leven mijn beoordeling van de kwalificaties van een man laten beïnvloeden door zijn ras, zijn godsdienst of zijn huidkleur. Ik heb meer kleurlingen en Chinezen en Spaanssprekende manschappen tot officier bevorderd dan wie ook in mijn positie – niet *omdat* ze kleurlingen of Chinezen of Spanjolen waren, maar omdat ze beter waren dan hun soortgenoten! Is dat duidelijk? ... Daar horen jullie gewoon niet bij. Jullie zijn praatjesmakers.'

'Ik geloof dat we genoeg babbels gemaakt hebben, baas,' zei de eerste vijand en zijn grijns verdween toen hij een mes met een lang lemmet vanonder zijn tuniek haalde. 'Klapperpistooltjes maken teveel lawaai... geef ons alleen maar je portefeuille, je horloge en al het andere dat wij Spaanssprekende Spanjolen van waarde vinden.'

'Jullie hebben wel lef, dat moet ik zeggen,' zei MacKenzie Hawkins. 'Maar zeg me eens, waarom zou ik dat doen?'

'Hierom!' schreeuwde de man zonder grijns en hij stak het mes omhoog tot voor het gezicht van de Havik.

'Dat kun je niet menen!' Met die verbaasde uitroep draaide de Havik zich om, greep de hand die het mes vasthield en draaide de pols zo fel tegen de richting van de klok in dat het wapen direct op de grond viel, terwijl hij zijn linkerelleboog tegen de keel van de man achter hem stootte en hem voldoende verdoofde om hem een *chisai*-klap op zijn voorhoofd te verkopen. Daarna wendde hij zich direct weer tot de boef op de vloer, die een paar tanden miste en zijn pijnlijke hand vasthield. 'Goed dan, ezels, dat was een lesje in antiterrorisme.'

'Wat... baas?' mompelde de vijand op de vloer die nog bij bewustzijn was en probeerde het jachtmes te pakken dat Hawkins met een stamp van zijn voet op de tegels drukte. 'Oké, ik heb een beetje pech gehad,' gaf de aanvaller toe. 'Dan draai ik maar weer de cel in. Verder nog iets, baas?'

'Wacht eens even, slappe hap,' zei de Havik die met half dichtgeknepen ogen snel nadacht, 'misschien weet ik wel iets beters voor jullie. Jullie tactiek was eigenlijk helemaal niet slecht, alleen niet best uitgevoerd. Ik mag die uniformen wel en die rubber deurwiggen, daaruit bleek fantasie in dit soort flexibele oorlogvoering. Wat je miste was een goede strategie erna – het als-nu-eens, voor het geval de vijand terugslaat met een directe linkse waarop je niet had gerekend. Je hebt gewoon je analyse niet voldoende geprojecteerd, jongen! ... En nog iets, ik heb als ondersteuning adjudanten nodig die onder vuur hebben gelegen. Met een beetje discipline kan ik jullie best gebruiken. Hebben jullie vervoer?'

'Wat?'

'Een auto, een wagen, een vervoermiddel dat niet direct geregistreerd staat op een dood of levend persoon die kan worden nagetrokken via een nummerbord.'

'Nou ja, we hebben een gammele Oldsmobile uit het Midden-Westen die nog steeds geregistreerd staat op een hoge pief die nog niet weet dat hij een *duplicado* heeft met een heel oude Mazda-motor.'

'Perfect. We gaan rijden, *caballeros*! En met een halfuurtje training en een paar keurig bijgeknipte koppies, hebben jullie een tijdelijke, fatsoenlijke werkkring gekregen die behoorlijk betaalt. ... Die uniformen mag ik wel – heel fantasierijk en uiterst bruikbaar.'

'Jij bent een *hombre loco*, meneer.'

'Helemaal niet, jongen, helemaal niet. Ik heb er altijd in geloofd dat je je best moet doen voor de minder bedeelden – en dat is de kern van wat ik nu aan het doen ben. ... Kom op, aantreden en recht staan, jongen, ik wil dat jullie er perfect uitzien! Help me even je kameraad van de vloer oprapen en dan gaan we ervandoor!'

Devereauxs hoofd kwam langzaam te voorschijn langs het rechter paneel van de glimmende dubbele deuren die voerden naar het exclusieve penthousekantoor van Aaron Pinkus Associates. Hij gluurde steels eerst naar rechts en toen naar links, herhaalde die beweging en knikte. Onmiddellijk liepen twee zwaargebouwde mannen in bruine pakken de gang in en draaiden zich als robots in de richting van de liften aan het eind van de gang, met voldoende ruimte tussen hen in zodat Sam er nog tussen kon.

'Ik heb Cora beloofd dat ik op weg naar huis wat schelvis zou halen,' zei de advocaat met een onbewogen gezicht tegen zijn bewakers, terwijl ze in de pas door de gang liepen.

'Wij halen schelvis,' zei de man links van Sam en hij keek recht voor zich uit. Zijn stem had wat klagerigs.

'Zij geeft Paddy Lafferty lendestukken te eten,' voegde de bewaker rechts eraan toe en zijn stem klonk meer dan klagerig. 'Van de houtskoolgrill.'

'Goed dan, goed dan, dan stoppen we om ook een paar lendestukken te halen, oké?'

'Maak er vier van,' stelde de bewaker links voor met zachte, monotone stem. 'We worden om acht uur afgelost en die gorilla's zullen de lendestukken ruiken.'

'Dat komt door het randje vet,' was de bewaker rechts van mening, terwijl hij strak voor zich uit keek. 'Die geur blijft zo lekker lang hangen.'

'Goed dan,' stemde Devereaux in. 'Vier lendestukken en de schelvis.'

'Hoe zit het met de aardappelen?' vroeg de bewaker links. 'Cora heeft nooit zoveel aardappelen en iedereen houdt van aardappelen.'

'Na zessen kookt Cora de aardappelen niet zo best meer,' zei de bewaker rechts en even was er een glimlach te zien op zijn onverstoorbare gezicht. 'Soms heeft ze wat moeite om het fornuis te vinden.'

'Ik zal ze wel bakken,' zei de bewaker links.

'Mijn Belgische makker kan niet zonder zijn patatterieën.'

'Dat zijn *patatten*, sufbubbel. Mijn Zweedse compagnon had maar beter in Noorwegen kunnen blijven, wat vindt u, meneer D?'

'Mij best.'

De liftdeuren gleden open en het drietal liep naar binnen, waar ze even opkeken van twee geüniformeerde mannen die kennelijk per vergissing naar het penthouse waren gekomen, aangezien ze geen aanstalten maakten uit te stappen. Sam knikte beleefd, draaide zich om met zijn gezicht naar de dichtglijdende deuren en verbleekte toen met uitpuilende ogen van verbazing. Tenzij zijn geoefende juristenogen hem bedrogen, hadden beide mannen in uniform achter in de lift kleine *swastika's* op de boord van hun hemd genaaid! Devereaux deed net alsof hij jeuk achter in zijn nek had, draaide zich terloops om om te krabben en liet zijn alerte ogen rusten op hun kragen. De kleine zwarte emblemen waren inderdaad *swastika's*! Heel even keek hij de man in de hoek aan, die glimlachte, een vriendelijke grijns waaraan wat afbreuk werd gedaan door de afwezigheid van een paar tanden. Sam draaide snel zijn hoofd weer naar voren en zijn verwarring nam toe – en ineens was de verklaring duidelijk. Volgens het jargon van Broadway, New York, werden er in Boston proefopvoeringen gegeven. Dit was kennelijk een stuk dat in de Tweede Wereldoorlog speelde, dat werd uitgeprobeerd in Boston voordat men de aanval waagde op de Big Apple. Toch moesten die acteurs beter weten dan buiten het toneel op straat te verschijnen in zulke kostuums. Van de andere kant had hij altijd gehoord dat acteurs een apart volkje waren; sommige doorlééfden hun rollen vierentwintig uur per dag. Was er niet eens een Engelse Othello geweest die ook werkelijk zijn Desdemona probeerde te vermoorden in een joodse delicatessenzaak in Forty-seventh Street, vanwege een pastrami sandwich?

De deuren naar de drukke voorhal gingen open en Devereaux stapte naar buiten; hij bleef even staan en keek om zich heen, terwijl zijn bewakers aan weerszijden van hem stonden. Het drietal wandelde snel naar de ingang van het gebouw, ontweek mensenlijven en talloze diplomatenkoffertjes en kwam uit op het brede trottoir waar langs de rand de limousine van Aaron Pinkus op hen wachtte.

'Je zou denken dat we in Belfast waren en ons moesten beschermen tegen al die bommengooiende malloten,' zei Paddy Lafferty achter het stuur terwijl de drie passagiers zich op de achterbank lieten zakken, waarbij Devereaux klem kwam te zitten tussen zijn beide kleerkasten van beschermers. 'Recht naar huis, Sam?' vervolgde de chauffeur terwijl hij zich met de reusachtige auto in het verkeer voegde.

'Twee keer stoppen, Paddy,' antwoordde Devereaux. 'Schelvis en lendestukken.'

'Is Cora weer in vorm? Ze braadt een geweldig lendestuk, zolang je haar er maar aan herinnert het snel genoeg van het vuur te halen. Anders krijg je geatomiseerde as die in de whiskey drijft. Maar maak er maar drie lendestukken van, Sam. Ik heb opdracht te blijven en jou om half negen weer naar de stad te brengen.'

'Dat zijn dan vijf lendestukken,' zei de Belgische lijfwacht.

'Bedankt, Sjefke, maar ik heb niet zoveel honger...'

'Jij niet, de aflossing.'

'O ja, die ruiken ze natuurlijk. Je weet zeker wel waarom? Dat komt door dat randje vet dat zo lekker knettert en omlaaghangt...'

'Hou alsjeblieft op!' riep Devereaux, die probeerde ertussen te komen om een volgens hem vrij belangrijke vraag te stellen. 'Schelvis, vijf lendestukken, randjes knetterend vet zodat die verdomde neus ook aan zijn trekken komt... alles is voor mekaar! Maar *waarom* haalt Aaron me om half negen terug naar de stad?'

'Hé, boyo, dat was jouw idee, Sammy, en ik zal je zeggen dat je het bij mevrouw Pinkus helemaal hebt gemaakt.'

'Waarom?'

'Je hebt toch die deftige invitatie voor die *soiree* in die kunstgalerie... dat weet je toch? Ik hoorde haar soiree zeggen, wat betekent dat je je 's avonds na je werk kunt bezatten zonder dat iemand er iets om geeft.'

'Kunstgalerie...?'

'Weet je wel, jongen, je vertelde me van die deftige cliënt die denkt dat zijn vrouw op jou geilt, wat hem niks kan schelen, en toen zei jij tegen meneer Pinkus dat je niet wilde gaan en hij zei dat tegen mevrouw Pinkus, die gelezen had dat de senator ook kwam, dus nu gaan jullie allemaal.'

'Dat is niets anders dan een stelletje vampiers van geldinzamelaars en politieke gieren.'

'Ze zijn de top van de hogere kringen, Sammy.'

'Da's hetzelfde.'

'Wij gaan dus terug met jou, Paddy?' vroeg de bewaker rechts van Devereaux.

'Nee, Knoet, daar is geen tijd meer voor. Neem jij de auto van meneer D maar. Jullie aflossing kan achter ons aan komen in hun eigen wagen.'

'Hoe zit het met de tijd?' wierp Sjefke tegen. 'Laat ons er in het centrum maar uit. Die auto van meneer D ligt niet zo best in de bochten.'

'Heb je dat niet laten repareren, Sam?'

'Vergeten.'

'Daar zul je mee moeten leven, Sjefke. De baas doet niets liever dan in zijn kleine Buick rijden, waarmee hij nu uit kantoor komt, maar mevrouw de baas niet. Dit is haar slee, vooral met dat nummerbord dat hij haat en vooral voor dat deftige gedoe van vanavond.'

'Vampieren en politici,' mompelde Sam.

'Hetzelfde, nietwaar?' zei Knoet.

MacKenzie Hawkins gluurde door de voorruit van de gestolen Oldsmobile naar het nummerbord van de limousine vlak voor hem. De letters in reliëf tegen de groene achtergrond vormden de naam *pinkus*, alsof die aankondiging de harten van degenen die dat zagen met vrees moesten vervullen. Het zou wel helpen als de naam wat dreigender klonk, dacht Mac, die toch blij was dat hij het bord had gezien voor het kantoor van Devereaux. Het was een naam die de Havik nooit zou vergeten. Wekenlang, toen de jonge advocaat voor het eerst voor hem werkte ten behoeve van hun eerdere onderneming, bleef Sam maar gillen *Wat moet Aaron Pinkus wel denken?* totdat Mac het niet langer meer kon uitstaan en de hysterische advocaat opsloot in zijn kamer om tot rust te komen. Die middag echter had een telefoontje naar het advocatenkantoor het feit bevestigd dat Sam weer op zijn basis was en op de een of andere manier – God mag weten hoe – vrede had gesloten met ene Aaron Pinkus, een naam die de Havik als een vloek in de oren klonk.

Daarna was het een eenvoudige zaak zijn pasgetrainde en pasgeknipte adjudanten een zes jaar oude foto van Devereaux te tonen en hun opdracht te geven in de ene lift die naar het dakappartement voerde op en neer te blijven gaan totdat de man in kwestie opdook en hem daarna op een discrete afstand te volgen, waarheen hij ook ging, en in contact te blijven met hun bevelvoerende officier via de walkie-talkies die hij hun bezorgde uit zijn reistas. *Laat je niks wijsmaken, caballeros, want het stelen van staatseigendom komt je op dertig jaar te staan en ik heb jullie gestolen auto die barst van jullie vingerafdrukken.*

Eigenlijk had Mac gedacht dat Sam na het werk naar een bevriende kroeg zou lopen, niet dat zijn vroegere juridische verbindingsofficier een zware drinker was – op dat gebied stelde hij weinig voor – maar hij dronk graag een paar borreltjes na een zware werkdag. Wel, verdómme, had de Havik gedacht toen hij Sam onder bewaking uit het gebouw zag komen. Wat kon iemand toch achterdochtig en ondankbaar zijn! Wat was dát een aartsverachtelijke tactiek om lijfwachten in dienst te nemen! En om zijn werkgever erbij te betrekken, die duidelijk al even verachtelijke Aaron Pinkus, zoiets was gewoon verraderlijk en beslist *on-Amerikaans*! De Havik wist niet zeker of zijn pas verkregen adjudanten wel op konden tegen die nieuwe tactiek. Van de andere kant bracht een goede gevechtsofficier altijd het beste naar boven in zijn soldaten, hoe ongetraind ze ook waren. Daarom keek hij even naar hen, ineengedoken op de voorbank – hij kon zich zeker niet veroorloven een potentiële vijand in een schuttersput achter zich te laten zitten.

Ze zagen er beslist beter uit met een kapsel volgens het boekje en goedgeschoren gezichten, ook al knikten hun hoofden op en neer op de maat van de Latijnse muziek die uit de radio klonk. 'Oké, mannen, *gééf ácht*!' riep de Havik en met zijn ene hand aan het stuur zette hij de radio af.

'Wat, *loco* baas?' vroeg de verbaasde adjudant die niet al zijn tanden meer had en die aan de kant van het raampje zat.

'Dat betekent dat je op moet letten. Jullie moeten opletten op wat ik zeg.'

'Misschien is het beter, baas, als je ons eerst wat betaalt, hè?' zei de adjudant die naast Mac zat.

'Alles op zijn tijd, korporaal – ik heb besloten van jullie korporaals te maken omdat ik gedwongen word aan jullie oorspronkelijke opdrachten extra taken toe te voegen. Je krijgt er natuurlijk ook extra soldij voor. ... Overigens, om jullie uit elkaar te kunnen houden, hoe heten jullie eigenlijk?'

'Ik ben Desi Arnaz,' antwoordde de adjudant bij het raampje.

'Zo heet ik ook,' zei zijn kompaan.

'Prima. D-Een en D-Twee, in die volgorde. Nou moet je eens luisteren. We zijn op een paar complicaties van de kant van de vijand gestoten die van jullie enige ondernemende initiatieven eisen. Misschien moeten jullie uit elkaar gaan om vijandelijke troepen uit hun posten te lokken en zo te zorgen dat het doel kan worden ingenomen...'

'Tot dusver,' viel D-Een hem in de rede, 'heb ik het "eisen" begrepen omdat ze het daar in rechtszalen altijd over hebben, net als "voorlopige hechtenis". Wat de rest betreft ben ik niet zo zeker.'

Dus schakelde de Havik over naar vloeiend Spaans, dat hij op de Filippijnen had geleerd als jonge guerrillaleider in de oorlog tegen de Japanners. '*Comprende?*' vroeg hij toen hij klaar was.

'*Absolutamente!*' riep D-Twee uit. 'Wij snijden de kip aan stukken en strooien de stukken in het rond zodat we die grote kwaaie vos kunnen vangen!'

'Heel góed, korporaal. Heb je dat geleerd van een van jullie latino revoluties?'

'Nee, señnor. Mijn mama las ons altijd kinderverhaaltjes voor toen ik klein was.'

'Waar het dan ook vandaan komt, zandhaas, gebruik het. ... Nu gaan we het volgende doen – Christus te paard! Wat draag jij daar verdomme op je kraag?'

'Wat, baas?' vroeg D-Een die schrok van de onverwachte vocale explosie van de Havik.

'En jij ook al!' riep de Havik uit, terwijl zijn hoofd heen en weer ging. 'Die hemden van jullie – de boorden van jullie hemden... die heb ik nog niet eerder gezien!'

'Je hebt ons eerder ook nog geen das zien dragen,' legde D-Twee uit. 'Je gaf ons geld en zei ons dat we twee zwarte dassen moesten kopen voordat we dat grote gebouw ingingen met die deftige lift. ... Bovendien, *loco* baas, zijn dit niet onze eigen hemden. Een paar kwaaie gringo's op motoren waren heel onvriendelijk tegen ons vóór een wegrestaurant. ... De motoren hebben we verkocht maar we hebben de hemden gehouden. Mooi, hè?'

'Idioten! Die insignes zijn *swastika's*!'

'Wasda?'

'Aardige dingetjes,' merkte D-Twee op en hij betastte het zwarte linker embleem van het Derde Rijk. 'We hebben hele mooie grote op onze rug...'

'Haal ze van jullie boorden af, korporaals en hou je verdomde tunieken aan.'

'Tunieken?' vroeg D-Een verbaasd.

'De jacks, jullie jasjes, jullie *uniformen*... hou ze aan.' De Havik zweeg midden in de zin omdat voor hem de limousine van Pinkus langzamer ging rijden en rechtsaf een zijstraat insloeg; Mac deed hetzelfde. 'Als Sam in deze buurt woont, dan veegt hij vloeren aan en dient hij geen petities in.' De betreffende buurt was een kort, donker huizenblok met links en rechts winkeltjes die geklemd zaten tussen de ingangen van oude appartementen erboven, een wijk die deed denken aan de eeuwwisseling toen zulke straten van grote steden tjokvol zaten met emigranten. Het enige dat ontbrak waren de handkarren en de venters en de geluiden van vreemde talen die schel tegen elkaar in klonken. De limousine gleed naar de trottoirrand tegenover een viswinkel; Mac kon niet hetzelfde doen omdat er pas aan het eind van de straat een parkeerplaats vrij was, minstens dertig meter verder en nauwelijks te zien. 'Dit bevalt me niet,' zei de Havik.

'Wat bevalt je niet?' vroeg D-Een.

'Het zou een uitwijkmanoeuvre kunnen zijn.'

'*Maneuver*?' riep D-Twee met opengesperde ogen uit. 'Hé, *loco* baas, we gaan geen oorlogje spelen, geen *revolución*! Wij zijn vreedzame boosdoeners, meer niet.'

'Boosdoeners...?'

'Dat zeggen ze ook vaak in de rechtszaal,' legde het uniform bij het raampje uit. 'Net als "eisen" en "voorlopige hechtenis", weet je wel?'

'Geen oorlog en geen revolutie, jongen, alleen een laffe, ondankbare *boosdoener* van wie de begeleiders ons misschien hebben gezien... Jij, D-Een, ik ga even stoppen; jij stapt uit en je gaat wat rondkijken in die viswinkel – doe maar alsof je inkopen doet voor het diner – en je blijft in contact. Misschien is er een achterdeur, maar waarschijnlijk is dat niet; misschien verwisselen ze wel van kleren, al zou ons doelwit wel zwemmen in de pakken van zijn bewakers. Maar we kunnen geen risico nemen. Hij is nu in de handen van profs, mannen, en we moeten laten zien wat we kunnen!'

'Betekent al dat gezwam dat ik de lange vent van de foto in de gaten moet houden?'

'Precies, korporaal, en het komt niet van pas om met ongepaste woorden te twijfelen aan de rechtstreekse bevelen van je meerdere.'

'Dát klinkt mooi!'

'Schiet óp!' brulde de Havik en hij remde; D-Een opende het portier, stapte uit en klapte het achter zich dicht. 'Jij, D-Twee,' vervolgde Mac en de wagen schoot vooruit. 'Zo gauw ik geparkeerd heb wil ik dat je de straat oversteekt en halverwege terugloopt naar die grote wagen en hem én de winkel in de gaten houdt. Als er iemand gehaast naar buiten komt en in die limousine stapt óf in een wagen in de buurt, laat je me dat weten.'

'Maar doet Desi-Een dat dan niet, baas?' vroeg D-Twee terwijl hij de walkie-talkie uit zijn zak haalde.

'Hij zou in een hinderlaag gelokt kunnen worden als die jongens hun ogen gebruiken, maar dat betwijfel ik eigenlijk. Ik ben over het algemeen twee wagens achter het rijdende doelwit gebleven, daarom geloof ik niet dat hun verkenning positief is geweest.'

'Jij praat krom, weet je dat?'

'Op je plaats!' beval de Havik, terwijl hij de lege parkeerplaats indraaide en meteen de motor afzette. D-Twee sprong uit de auto, rende om de motorkap heen en de straat over met de snelheid van een ervaren verkenner. 'Niet slecht, *caballero*,' zei Mac bij zichzelf en hij tastte in zijn zak naar een sigaar. 'Jullie hebben beiden duidelijk mogelijkheden. Echt sergeantenvlees.'

En toen werd er zachtjes op de voorruit getikt. Op het trottoir stond een politieagent die met zijn knuppel naar links gebaarde. De Havik was maar even uit het veld geslagen tot hij naar de overkant keek naar eenzelfde lege plek. Precies ervóór stond een bord. *Van hier tot de hoek verboden te parkeren.*

Sam koos de moten schelvis uit, bedankte de Griekse eigenaar met zijn gebruikelijke, zij het verkeerd uitgesproken '*Aph-háristo*' en werd verwelkomd met een beleefd 'Parakalla, meneer Deveroo,' toen hij de rekening betaalde. De twee lijfwachten hadden hoegenaamd geen belangstelling voor vis en ze keken verveeld naar de vergrote, ingelijste en verschoten foto's van diverse Egeïsche eilanden die hun niets interesseerden. Verschillende andere klanten die aan twee witte formicatafels zaten en allen Grieks spraken, leken er meer op uit met elkaar te praten dan om iets te kopen. Ze begroetten twee mannen die net de winkel binnenkwamen, maar een derde niet, een man in een vreemd, niet te identificeren uniform die naar de achterste toonbank liep, waar alleen wat brokjes ijs in lagen, en voortdurend over de bovenkant gluurde. Vervolgens haalde de geüniformeerde man, in het zicht van de toekijkende mannen die hij niet in de gaten had, een portofoon uit zijn zak, bracht die naar zijn lippen en begon te praten.

'*Fascisti*!' schreeuwde een oudere, bebaarde Zorba vanaf de tafel het dichtst bij de achterste toonbank. '*Kijk eens*! Hij geeft berichten door aan de Duitsers!'

Als één man strompelden de bejaarde partizanen uit Saloniki naar voren om aan te vallen en de gehate vijand van vijftig jaar geleden gevangen te nemen, terwijl de twee lijfwachten met getrokken revolvers naast Sam gingen staan. Het doelwit van de aanval van de oude Griekse krijgers zwaaide met zijn armen, schopte met zijn voeten naar zijn aanvallers, dreef met een bepaalde handigheid een wig in het groepje en rende naar de deur, waar hij net lang genoeg bleef staan om zijn hand in een bak met vis te steken die bij de ingang stond.

'Die vent kén ik!' schreeuwde Devereaux en rukte zich los uit de greep van zijn beschermers. 'Hij had een *swastika* op zijn kraag! Dat heb ik gezien toen we in de lift stonden!'

'Wélke lift?' vroeg de Scandinavische lijfwacht.

'Waarmee we uit kantoor zijn gekomen!'

'Ik heb helemaal geen krakende swastika's gezien in de lift,' riep het Belgische contingent uit.

'Ik zei niet krákend, ik zei op zijn kráág!'

'Jij praat gek, weet je dat?'

'Jij hóórt niet al te best, heb je dáár weleens aan gedacht? ... Hij komt dichterbij, ik kan het voelen!'

'Wat kun je voelen?' vroeg Knoet.

'De Titanic. Hij vaart regelrecht zijn ongeluk tegemoet – míj namelijk – dat wéét ik! Hij is de sluwste rotzak die ooit uit de hel is ontsnapt. Laten we maken dat we hier wegkomen!'

'Natuurlijk, meneer D. We halen de lendestukken op de vleesmarkt in Boylston en rijden meteen naar uw huis.'

'Wácht even!' riep Devereaux uit. 'Nee, dat doen we niet. ... Geef jullie jasjes aan een paar van die kerels daar aan tafel en strooi met een paar honderd dollar om hen over te halen in Aarons limousine te stappen en zich naar de haven te laten rijden. ... Jij gaat eerst, Knoet en je zegt tegen Paddy dat hij hen afzet in een of andere kroeg op weg naar het huis van Pinkus en dan zal ik hem daar ontmoeten. Sjefke, jij roept een taxi aan en dan zullen we de hele zaak coördineren.'

'Dat klinkt allemaal idióót, meneer D!' zei Sjefke die schrok van Sams plotseling autoritaire stem. 'Ik bedoel maar, meneer, u klinkt heel anders dan u bent... meneer.'

'Ik ga terug in de tijd, Sjefke, zoals ik van een meester in het vak heb geleerd. Hij komt inderdaad dichterbij. Ik weet het absoluut zeker. Maar hij heeft een vergissing begaan.'

'Waar hebt u het over... meneer?' vroeg Knoet.

'Hij heeft een echte Amerikaanse soldaat gebruikt om het vuile werk op te knappen. Het uniform was zo kaal als een luis, maar heb je zijn houding gezien, het kortgeknipte haar achter in zijn nek – die rotzak komt uit het leger!'

'Loco baas, waar zit je?'

'In een andere straat, ik zit vast in het verdomde verkeer! Welke van de twee ben jij?'

'Desi-Dos. Desi-Uno is bij me.'

'Hallo, loco baas. Jij bent nog gekker dan een stelletje papegaaien!'

'Hoe ziet het er uit op het slagveld?'

'Lul niet, man, ik was er bijna geweest!'

'Is er geschoten?'

'Met vis? Doe niet zo achterlijk... Met idiote ouwe kerels met baarden die geen Engels praten.'

'Ik snap niet wat je bedoelt, D-Een.'

'Dat schijnt niemand hier te weten. Vooral die lange magere gringo niet waar jij zo op bent gebeten.'

'Wees eens wat duidelijker, korporaal!'

'Hij heeft een paar ouwe kerels weggestuurd in de grote zwarte wagen, met gekke kleren aan – hij denkt dat wij het niet doorhebben. Stomme gringo!'

'Wat doorhebben?'

'Hij wacht op een andere auto. Een van zijn amigos staat voor de winkel uit te kijken.'

'Verrek, ik kom daar nooit op tijd terug. We gaan hem verliezen!'

'Maak je geen zorgen, loco baas.'

'Geen zorgen maken? Elk uur telt!'

'Hé baas, hoe ver kun je door deze radiootjes praten?'

'Ze zijn ingesteld op de megahertz van het militaire radioverkeer. Tot net onder 250 kilometer over land en twee keer zover over water.'

'We gaan niet zwemmen in die auto's, dus alles is oké.'

'Waar heb je het verdomme over?'

'We gaan de gringo en zijn amigos volgen.'

'Volgen...? Waarin in hemelsnaam?'

'Desi-Dos heeft al een mooie Chevrolet versierd. Maak je geen zorgen, we blijven wel in contact met jou.'

'Stelen jullie een auto?'

'Hé, we stelen niks. Het is zoals jij het zegt – goeie estrategia. Oké, loco baas?'

Paddy Lafferty kon er helemaal niet om lachen dat er drie bebaarde, oudere Grieken achter in de limousine van Pinkus zaten. Op de eerste plaats stonken ze als een combinatie van dooie vis en baklava, ten tweede bleven ze aan elk knopje draaien dat ze konden vinden alsof er een hele kleuterklas was losgelaten in een televisiestudio; ten derde zagen ze er belachelijk uit in de slecht passende jasjes van Sam, Sjefke en Knoet – vooral omdat hun baarden half over de lapellen hingen; ten vierde wist hij bijna zeker dat een van hen zijn neus had gesnoten – twee keer – in de fluwelen gordijntjes voor de raampjes; ten vijfde – och, verrek, wat had het voor zín? Hij zou de auto van onder tot boven moeten schoonmaken voordat mevrouw Pinkus erin stapte.

Paddy verzette zich niet zozeer tegen wat Sam aan het doen was; het was eigenlijk wel spannend en het brak zeker de saaiheid van zijn dagelijkse ritjes, maar Lafferty snapte er niets van. In werkelijkheid was de hele waarheid alleen bekend aan boyo Devereaux en meneer Pinkus. Kennelijk had Sam een paar jaar geleden enorm in de soep gezeten en zat er nu iemand achter hem aan om hem het een en ander betaald te zetten. Voor Paddy was dat natuurlijk voldoende; hij mocht Devereaux erg graag, ook al kon die kei van een advocaat zo nu en dan behoorlijk achterlijk doen, en iedereen die de naam kende van een van de beroemdste mannen in het leger, namelijk generaal MacKenzie Hawkins, had in de ogen van Lafferty iets speciaals. Tegenwoordig toonden veel te weinig mensen, vooral onder de jonge yuppie-types, voor beroemde oude militairen het respect dat hun toekwam, daarom was het fijn te weten dat Sam wel degelijk waardering had voor de ware helden van het land.

Dat sprak allemaal in het voordeel voor meneer Pinkus en zijn favoriete employé, maar wat niet zo voordelig was, meende Paddy, was de informatie die ze alletwee moesten hebben. Wie zat er, bijvoorbeeld, achter Sam aan en waarom en hoe zagen ze eruit? De antwoorden op die eenvoudige vragen waren absoluut essentieel voor de bescherming van Devereaux. Nou ja, het ging eigenlijk niet zozeer om het *waarom*, dat kon iets juridisch zijn, maar *wie* het waren en hoe ze eruitzagen was wél verdomd belangrijk. Maar nu kregen ze allemaal te horen dat Sam het wel zou weten, dat Sam alarm zou slaan zo gauw hij de rotzak of rotzakken herkende die achter hem aan zaten. Oké, Lafferty was nooit officier geweest, maar zelfs een sergeant in het veld kende een kort maar goed antwoord op dat soort redenering. Zoals die grote militair, Mac de Havik, had kunnen zeggen: 'Je maakt geen gemakkelijk doelwit van een van je voorste verkenners.'

Ineens ging de telefoon in de limousine en verbrak abrupt de heldhaftige gedachten van de chauffeur over een man die hij werkelijk aanbad vanwege tien glorieuze dagen in Frankrijk, toen die beroemde generaal hun bataljon had geleid. 'Met Lafferty,' zei hij, nadat hij de telefoon had opgepakt en tegen zijn oor hield.

'Paddy, met Sam Devereaux!' schreeuwde de stem over de lijn.

'Ik vroeg me al af, boyo. Wat is er, Sammy?'

'Word jij gevolgd?'

'Ik hoopte van wel maar ik ben bang van niet, en ik heb een oogje gehouden op mijn achteruitkijkspiegels...'

'Wij wel!'

'Daar snap ik niks van, jongen. Weet je het zéker?'

'Heel zeker! Ik bel vanuit een cel aan Walthamstraat – in een huis dat Stoute Stella's Revuemeisjes Enzovoort heet.'

'Hé, boyo, maak dat je daar wegkomt. Ze mogen je daar niet zien. Meneer Pinkus zou dat niet leuk vinden.'

'Wat? Waarom?'

'Bel je vanuit de telefooncel zowat drie meter van de jukebox?'

'Ja, ik geloof van wel, ik zie een jukebox.'

'Kijk dan eens naar links, naar die grote ronde bar onder een lang, verhoogd platform.'

'Ja, ja, dat doe ik. ... Nou ja, er is gewoon een stelletje dansers – O, mijn god, ze zijn allemaal naakt! Mannen én vrouwen!'

'Dat is het *enzovoort*, boyo. Als ik jou was zou ik maar als de donder maken dat ik daar wegkom.'

'Dat kan ik niet. Knoet en Sjefke gingen achter de Chevrolet aan die onze taxi volgde en die stopte toen wij ook stopten. Ik bedoel maar, het zijn echte profs, Paddy. Ze zagen de achtervolgers, stuurden de taxi weg en nu hebben ze ze bijna te pakken.'

'Ik ben er in minder dan tien minuten, Sammy! Ik gooi die Griekse aartsbisschoppen bij het volgende benzinestation eruit en rij naar je toe. Ik ken een weg binnendoor. Tien minuten, boyo!'

'Loco baas, hoor je ons?'

'Als jullie de goede sporen hebben achtergelaten, ben ik, over zo'n vijf minuten bij jullie vandaan, D-Een. Ik ben net langs het Chicken Shot Café gereden, waar die rode haan in neon op staat.'

'Vanaf die plek is het minder dan vijf minuten.'

'Hoe is de situatie – wat gebeurt er?'

'Wij zijn goeie corporáles. We hebben een kleine verrassing voor je, loco baas.'

'Over en uit!'

'Het is nog lang niet over...'

'Schiet op!'

De gestolen Oldsmobile van ergens uit het Midden-Westen scheurde in minder dan drie minuten de parkeerplaats bij Stella's op, terwijl MacKenzie Hawkins op het stompje van zijn sigaar kauwde en door de voorruit naar zijn adjudanten zocht. Hij zag onmiddellijk D-Twee aan de overkant van het terrein. Hij stond te zwaaien met wat leek op een grote, gescheurde deken. Toen hij met grote vaart op zijn mechanisch getalenteerde adjudant afreed zag hij dat de signaalvlag geen deken maar een broek was. De Havik sprong uit zijn wagen, liep op D-Twee af en zette onderweg zijn te lange, te rode en beslist nog te loszittende pruik recht.

'Wat heb je te rapporteren, korporaal?' vroeg Mac benieuwd. 'En wat heb je dáár, verdomme?' voegde hij eraan toe, knikkend naar de broek.

'Da's een broek, baas, wat dacht je anders?'

'Ik zie wel dat het een broek is, maar wat doe je ermee?'

'Het is beter dat ik ze heb dan die slechte *amigo* die ze gewoonlijk draagt, nietwaar? Zo lang ik deze heb en Desi-Uno heeft de andere, moeten de twee stomme *amigos* blijven waar ze zijn.'

'De twee – de bewakers, de lijfwachten? Waar zijn die... en waar is het doelwit?'

'Kom maar mee.' D-Twee leidde de Havik naar de verlaten achterkant van het gebouw dat kennelijk werd gebruikt voor afleveren van goederen en voor vuilnisbakken. Naast een grote vuilniswagen, zo dicht ertegenaan geparkeerd dat de deur onmogelijk open kon, stond een Chevrolet waarvan de tegenoverliggende deur al even stevig dichtzat door middel van een lang, weggegooid tafelkleed dat aan de kruk gebonden was en vastzat aan de achterbumper. In de auto, op de voorbank, zaten de twee bewakers van Devereaux, hun hoogrode gezichten tegen het glas van de raampjes geperst. Een nadere inspectie onthulde het feit dat ze beiden in hun onderbroek zaten en verder dat twee paar schoenen en sokken keurig naast een van de achterbanden stonden. 'We hebben de andere raampjes een beetje opengedraaid zodat ze lucht krijgen, snap je?' legde D-Twee uit.

'Goed idee,' zei Mac. 'Volgens de Conventie van Genève moet je krijgsgevangenen humaan behandelen. ... Waar zit D-Een eigenlijk?'

'Hierzo, *loco* baas,' antwoordde Desi de Eerste en hij kwam achter de kofferruimte vandaan terwijl hij een stapeltje bankbiljetten telde. 'Deze *amigos* moeten betere banen of betere vrouwen zien te krijgen. Als het niet ging om jouw man op de foto waren ze de moeite niet eens waard geweest.'

'We beroven gevangenen niet van persoonlijke bezittingen,' zei de Havik vastberaden. 'Stop het terug in hun portefeuilles.'

'Hé baas,' protesteerde D-Een, 'wat voor persoonlijks is er nou aan dinero? Ik koop iets van jou, ik betaal. Jij koopt iets van mij, jij betaalt. Een persoonlijke bezitting is iets wat je houdt, nietwaar? Niemand houdt dinero, daarom is het niet persoonlijk.'

'Ze hebben niets van jou gekocht.'

'En dit dan hier?' vroeg D-Een en hij hield een broek omhoog. 'En die daar,' vervolgde hij snel terwijl hij op de schoenen wees.

'Die hebben jullie gestolen!'

'Zo is het leven nu eenmaal, baas. Of, zoals jij het noemt, dat is "strategie", oké?'

'We staan onze tijd te verleuteren, maar dit wil ik nu wel zeggen. Jullie hebben alletwee voorbeeldig initiatief getoond, je kunt zelfs zeggen dat jullie onder vijandelijk vuur uitzonderlijk vindingrijk zijn geweest. Jullie zijn de trots van deze eenheid en ik zal jullie aanbevelen voor een eervolle vermelding.'

'Da's geweldig!'

'Betekent dat meer dinero?'

'Daar zullen we het later nog wel over hebben; eerst het doelwit. Waar is hij?'

'De magere man van de foto?'

'Precies, soldaat.'

'Die zit binnen, en als ik ooit in zo'n tent binnen zou gaan zouden mijn mama en mijn pastoor op me spugen!' riep D-Twee uit terwijl hij een kruisteken sloeg. 'O boy!'

'Slechte whisky, jongen?'

'Slecht amusement. Zoals jij zou zeggen, *repugnante*!'

'Ik geloof niet dat wij zoiets zeggen, jongen. Je bedoelt walgelijk?'

'Nou ja... de ene helft, niet de andere.'

'Ik begrijp je niet, korporaal.'

'Alles bibbert. Boven- en onderkant.'

'Boven en...? Bij de horden van Djengis Chan! Bedoel je... '

'Dat bedoel ik precies, baas! Ik ben naar binnen geslopen om de gringo te vinden die jij niet mag... hij hing net de hoorn van de *teléfono* op en liep naar de grote ronde bar waar al die gekke lui aan het dansen waren – *desnudo*, señor!'

'En?'

'Hij is oké. Hij keek alleen naar de *mujeres*, niet naar de *hombres*.'

'Mijn tante in een pruimeboom! We moeten die rotzak niet alleen gevangennemen, we moeten hem redden! Voorwaarts, mannen!'

Ineens, zonder voorafgaande waarschuwing, kwam een kleine groene Buick met een vaart aanrijden uit de rij auto's op de parkeerplaats van Stella's Enzovoort en stopte met gillende banden maar een paar meter voor de Havik en zijn oprukkende adjudanten. Een tengere man stapte uit, met een onbewogen uitgemergeld gezicht, maar met donkere ogen waar de elektrische vonken uitspatten. 'Ik geloof niet dat u verder moet gaan,' zei hij.

'Wie ben jíj verdomme wel, onderdeurtje?' riep MacKenzie Hawkins.

'Klein van gestalte, maar niet zo klein van status, als u het Latijn een beetje snapt.'

'Ik breek die kleine gringo in tweeën maar ik zal hem niet te veel pijn doen, oké, baas?' zei D-Een terwijl hij naar voren liep.

'Ik kom in vrede, niet voor geweld,' zei de bestuurder van de Buick snel. 'Alleen om op een beschaafde manier te onderhandelen.'

'Hó, stop!' beval de Havik en hij hield D-Een tegen. 'Ik herhaal, wie bent u en om wat voor onderhandelingen gaat het?'

'Mijn naam is Aaron Pinkus...'

'Bent ú Pinkus?'

'In levenden lijve, meneer, en ik neem aan dat u, onder die wat gekke pruik, de beroemde generaal MacKenzie Hawkins bent?'

'In levenden lijve, meneer,' antwoordde Mac en hij rukte met een dramatisch gebaar de slecht passende pruik van zijn grijze militaire pleeborstelkapsel en ging rechtop staan met dreigend brede schouders. 'Wat hebben wij elkaar te vertellen, meneer?'

'Volgens mij heel wat, generaal. Neem me niet kwalijk als ik het zo uitdruk, generaal, maar ik zou mezelf willen beschouwen als uw tegenhanger, de commandant van de tegenpartij in deze kleine schermutseling waarmee we bezig zijn. Is dat acceptabel?'

'Dit moet ik toegeven, commandant Pinkus. Ik dacht dat ik uitstekende ondersteunende adjudanten had, maar u hebt hen overvleugeld, dat zal ik niet ontkennen.'

'Dan moet u die zaak eens opnieuw bekijken, generaal. Ik heb hén niet overvleugeld, ik heb ú overvleugeld. Ziet u, u bleef meer dan een uur in die drukke straat, daarom liet ik mijn Buick halen en bleef achter u terwijl u de limousine van Shirley volgde.'

'Pardon, meneer?'

'Uw twee mannen waren briljant, echt briljant. Ik zou ze zelfs graag in dienst willen nemen. Dat gedoe in de viswinkel, het hergroeperen in de schaduw van de portieken aan de overkant van de straat – en, wonder boven wonder, zonder autosleuteltje maar door simpelweg de motorkap van die auto vóór ons te openen, de motor aan te zetten! Al mijn zogenaamde wijsheid laat me in de steek. Hoe déden ze dat?'

'Heel simpel, *comandante*,' zei de pientere D-Twee. 'Kijk eens, er zijn drie draden die losgemaakt moeten worden en dan kruis je...'

'Stóp!' brulde de Havik en hij staarde Aaron Pinkus aan. 'Je zei dat je mij overvleugelde, ouwe rotzak...'

'Ik vermoed dat we van dezelfde leeftijd zijn,' viel de bekende advocaat uit Boston hem in de rede.

'Volgens mij absoluut niet!'

'Volgens mij misschien ook niet, als ik die granaatscherf niet in mijn rug had van Normandië,' zei Pinkus zacht.

'Was jij...'

'Derde Leger, generaal. Maar laten we nu niet afdwalen. Ik heb u inderdaad overvleugeld omdat ik pas sinds kort vertrouwd ben geworden met uw militaire loopbaan, uw onconventionele maar geweldig succesvolle tactiek. Dat moest ik wel voor Sam.'

'Sám? Sam is de man die ik hebben moet!'

'Die krijgt u ook, generaal. En ik zal er bij zijn, bij elk woord dat u zegt.'

Opnieuw zonder waarschuwing of zelfs maar zonder enig geluid totdat hij vanaf de weg de parkeerplaats opreed, kondigde het daverende motorgeluid de aanwezigheid aan van de tankachtige Pinkus limousine. Paddy Lafferty zag kennelijk de Buick van zijn werkgever, want hij zwaaide naar links, scheurde de parkeerplaats over en kwam met krijsende banden tot stilstand op drie meter voor het groepje naast het gebouw. De chauffeur sprong uit de wagen, zijn drieënzestig jaar oude omvang klaar voor allerlei hardhandigheden.

'*Opzij*, meneer Pinkus!' brulde hij. 'Ik weet niet wat u hier doet, meneer, maar die patjakkers zullen u met geen vinger aanraken!'

'Je bezorgdheid is erg roerend, Paddy, maar er hoeft hier geen geweld te worden gebruikt. Onze bespreking verloopt vredig.'

'Bespreking...?'

'Een krijgsraad van bevelvoerende officieren, zou je kunnen zeggen. ... Meneer Lafferty, mag ik u voorstellen aan de beroemde generaal MacKenzie Hawkins, van wie je misschien wel hebt gehoord.'

'Jezus, Maria en Jozef,' fluisterde de chauffeur, verbijsterd, vol ontzag.

'Is de *loco* baas echt een *generale grande*?' vroeg Desi-Een, al evenzeer onder de indruk.

'*El soldado magnífico!*' voegde Desi-Twee er zacht aan toe, en hij keek de Havik vol bewondering aan.

'Dat zult u niet geloven,' zei Paddy met verstikte stem die hij net weer een beetje had teruggevonden. 'Ik dacht nog een paar minuten geleden aan u, meneer, omdat uw beroemde naam over de lippen kwam van een vroegere bewonderende jonge soldaat.' Ineens ging de chauffeur in de houding staan en salueerde kranig. 'Sergeant van de artillerie Patrick Lafferty, tot uw dienst en tot uw bevel, meneer! ... Dit is een voorrecht dat ik in mijn stoutste dromen...'

Toen werd er plotseling gegild, eerst nog gedempt door het verkeer op de autoweg, maar elk moment luider klinkend naarmate de rennende voeten hen naderden. 'Paddy, *Paddy*! Ik heb de limo gezien! Waar zít je, Paddy? ... Jezus, Lafferty, geef me in 's hemelsnaam antwoord!'

'Hierheen, Sam. Voorwaarts mars, soldaat!'

'Wat?' Devereaux rende de hoek van het gebouw om, snakkend naar adem. Voordat zijn ogen aan de schaduw gewend waren, klonk de autoritaire sergeantenstem van Patrick Lafferty. 'Geef ácht, boyo! Ik stel je voor aan een van de grote mannen van onze tijd, generaal MacKenzie Hawkins!'

'Hoi, Sam.'

Even stond Devereaux als aan de grind genageld en kon hij alleen diep uit zijn keel een gekreun voortbrengen, dat opsteeg uit zijn wijdopen mond, terwijl zijn ogen uitpuilden van wilde paniek. De uitzinnige advocaat draaide zich abrupt en met de snelheid van een opgeschrokken zilverreiger om zijn as en begon de parkeerplaats over te rennen, wild met zijn armen zwaaiend en tierend tegen de ondergaande zon.

'Achter hem aan, adjudanten!'

'Hou hem in godsnaam tegen, Paddy!'

De adjudanten van de Havik waren sneller ter been dan de oudere chauffeur van Aaron Pinkus. Desi de Eerste tackelde Sam gevaarlijk dicht bij de neergelaten achterklep van een vrachtwagen, terwijl Desi de Tweede Devereauxs hoofd vasthield, zijn stropdas afrukte en die in Sams mond stopte.

'Boyo,' schreeuwde de herboren sergeant van de artillerie Patrick Lafferty, 'ik schaam me kapot over jou! Is dat een manier om respect te tonen voor een van de fijnste kerels die ooit een uniform hebben gedragen?'

'Mmmfff!' protesteerde Samuel Lansing Devereaux en kneep verslagen zijn ogen dicht.

8

'Aardig stulpje, commandant Pinkus, héél aardig zelfs,' verkondigde MacKenzie Hawkins terwijl hij vanuit een slaapkamer de hotelsuite inliep waar de deelnemers aan de bespreking zich hadden teruggetrokken. Het vroegere onopvallende grijze pak was vervangen door zijn Indiaanse bukskin kleren en zijn Wopotami-jack met kraaltjes – echter zonder zijn hoofdtooi. 'Het is duidelijk dat je een hoge functie hebt bij de staf.'

'Ik houd dit aan voor zakelijke doeleinden en ook omdat het adres Shirley bevalt,' zei Aaron verstrooid, terwijl hij zich concentreerde op de vele vellen papier die over zijn hele bureau verspreid lagen. Zijn ogen achter de dikke brilleglazen stonden wijdopen van verbazing. 'Dit is ongelóóflijk!' voegde hij er zacht aan toe.

'Och, ik ben ooit bij Churchill op Chequers geweest, meneer,' zei de Havik, 'daarom zou ik zo ver niet durven gaan. Ik zei gewoon dat het heel aardig was. De plafonds zijn niet half zo hoog en de historische platen aan de muur zijn bepaald derderangs en vloeken eigenlijk met de achtergrond. Bovendien kloppen ze niet.'

'Wij in Boston doen ons best om de toeristen in contact te brengen met ons verleden, generaal,' mompelde Pinkus en hij bleef zich concentreren op de paperassen. 'Nauwkeurigheid heeft weinig te maken met de authenticiteit van de omgeving.'

'Dante die de rivier overtrok...'

'Probeer de haven van Boston maar eens,' viel Aaron hem in de rede terwijl hij een bladzijde omsloeg. 'Waar hebt u dit toch vandaan?' riep hij plotseling uit. Hij zette zijn bril af en keek MacKenzie aan. 'Welke uitzonderlijke bolleboos in juridische zaken en geschiedenis heeft dit allemaal in elkaar gestoken. Wie is hiervoor verantwoordelijk?'

'Hij,' antwoordde de Havik en hij wees op Devereaux die drie meter verder ineens als verstard op de sofa zat, ingeklemd tussen zijn twee lijfwachten, Sjefke en Knoet, met armen en benen die hij vrij kon bewegen maar met een hechtpleister van ruim zeven centimeter breed over zijn mond geplakt. Natuurlijk had generaal Hawkins erop gestaan dat Sams lippen eerst dik werden ingesmeerd met vaseline om de Geneefse conventie inzake krijgsgevangenen niet te schenden. Het kwam erop neer dat niemand nog langer zin had te luisteren naar de schimpscheuten van Devereaux, ook de adjudanten van de generaal niet, Desi-Een en Desi-Twee, die fier rechtop en met hun armen soldatesk in de zij achter de sofa stonden.

'Heeft *Samuel* dit gedaan?' vroeg Aaron Pinkus ongelovig.

'Nou ja, eigenlijk niet zelf, maar hij was zeker de inspiratie aan de basis, dus kun je zeggen dat hij in zeer reële zin verantwoordelijk is.'

'Mmmfff!' klonk het gedempte maar toch hoorbaar jammerende protest van de sofa toen Devereaux naar voren sprong, over zijn voeten struikelde en voorover op de vloer terechtkwam. Met een van woede vertrokken gezicht keek hij de Havik aan en krabbelde op terwijl de generaal zijn bevel gaf.

'Adjudanten, in de aanval!' Als getrainde commando's sprongen Desi-Een en Desi-Twee over de sofa, waarbij de eerste de rugleuning gebruikte, de tweede het hoofd van Knoet om de sprong te maken en recht op Sam af te lopen. Ze hielden hem vast op de vloer en wachtten op instructies van de Havik.

'Keurig gedaan, heren.'

'Geen wonder dat u hen uit uw eigen troepen rekruteerde, generaal,' zei Pinkus bewonderend en hij ging achter zijn bureau staan. 'Zijn ze echte commando's?'

'Dat zou je kunnen zeggen,' antwoordde MacKenzie. 'Het zijn specialisten in luchthavenbeveiliging. ... Laat hem opstaan, mannen. Zet hem in de stoel voor het bureau en blijf naast hem staan.'

'Jullie twee,' zei Aaron met een blik op Sams verbijsterde bewakers uit Boston. Hij sprak vriendelijk maar met een zacht verwijt in zijn stem. 'Dit is geen kritiek, maar het lijkt me zo dat jullie best eens wat militaire training zouden kunnen gebruiken, omdat zoiets kennelijk tot jullie werk behoort. Deze militairen begrijpen uitzonderlijk snel wanneer je in actie moet komen en hun geweldloze tactiek – zoals het uittrekken van jullie broeken – is zeer imponerend.'

'Hé, comandante,' opperde Desi-Twee met een brede grijns. 'Als je gaat jatten van een gringo en je trekt zijn broek uit, dan rent hij niet gillend de straat op, oké?'

'Zo kan het wel weer, korporaal. Kazernehumor komt niet van pas bij overwonnen tegenstanders.'

'Práchtig gezegd!' riep Desi-Een uit.

'Generaal,' zei Pinkus, 'als u denkt dat het haalbaar is, geloof ik dat het tijd wordt deze bespreking nu te beperken tot u, Samuel en mij.'

'Daar ben ik het helemaal mee eens,' stemde de Havik in. 'Deze jongeman hier moet betrokken worden bij onze geheime besprekingen.'

'Misschien kunt u overwegen hem op de stoel vast te binden – niet te strak natuurlijk, zoals meneer Lafferty – neem me niet kwalijk, *sergeant* Lafferty eerder heeft gedaan.'

'Dan hebt u zeker de sergeant laten inrukken terwijl u met Sam sprak?'

'Ja, inderdaad.'

'Dat is nu niet nodig. Ik ben erbij. ... Adjudanten, geef acht! Jullie kunnen inrukken voor de menage.'

'Hé, baas, we voelen ons best.'

'Bikkesement, korporaal. Zie dat je wat te eten krijgt en meld je hier over een uur terug.' MacKenzie trok zijn geld uit zijn bukskinzak, pakte een paar biljetten en gaf ze aan Desi-Een. 'Dit krijg je boven je daggeld vanwege jullie bijzonder doeltreffend optreden.'

'Is dit ons dinero?' vroeg D-Twee, met gefronste wenkbrauwen naar het geld kijkend.

'Extra soldij, korporaal. Het komt boven op jullie dinero dat je later krijgt. Je kunt vertrouwen op het woord van een stafofficier.'

'Oké, *grande general*,' antwoordde D-Eén. 'We pikken heel wat maar wanneer kom je eens over de brug?'

'Ik wil geen insubordinatie horen, jongeman. Onze nauwe binding bij deze opdracht staat weliswaar een zekere kameraadschappelijkheid toe, maar anderen begrijpen dat misschien niet zo.'

'Prachtig gezegd! Ik begrijp het ook niet.'

'Zie dat jullie wat te eten krijgen en kom over een uur terug. *Ingerukt, mars!*' Desi-Een en -Twee haalden de schouders op en liepen naar de deur, waarbij de eerste bij de deuropening de tijd raadpleegde op de drie horloges die om zijn linkerpols zaten. De Havik knikte tegen Aaron Pinkus. 'Als mijn gevangene en, wat een beetje indruist tegen de traditie, tevens mijn gastheer, kunt u nu uw troepen toespreken, commandant.'

'Uw wat, en ik ben wie? ... O ja, ik snap het.' Pinkus wendde zich tot de stomverbaasde Sjefke en Knoet op de sofa. 'Heren,' begon hij aarzelend, zoekend naar de juiste woorden, 'u bent ontheven van uw plichten van vandaag en als u zo vriendelijk wilt zijn morgen naar ons kantoor te komen – wanneer u dat schikt natuurlijk – zult u schadeloos worden gesteld door onze boekhoudafdeling, uiteraard met inbegrip van de rest van de avond.'

'Ik zou hen in de bak smijten!' riep de Havik en hij stak zijn sigaar in zijn mond. 'Het zijn lamzakken! Plichtsverzuim, incompetentie en angst tonen onder vuur – daarvoor hoor je eigenlijk voor de krijgsraad te komen.'

'In het burgerleven pakken wij dat anders aan, generaal. Plichtsverzuim en incompetentie horen nu eenmaal tot de lagere rangen van het personeel. Anders zouden hun meerderen, die vaak minder competent zijn maar beter kunnen praten, nooit hun salarissen rechtvaardigen. ... U kunt gaan, heren, en ik meende het echt toen ik voorstelde dat u zich het soort training aanmeet dat uw tegenhangers bij de staf van de generaal tentoonspreiden.' De trieste uitdrukkingen van Sjefke en Knoet toonden hoe gekwetst ze zich voelden en ze verlieten snel de kamer. 'Ziezo, generaal,' zei Aaron. 'We zijn alleen.'

'Mmmfff!' riep Devereaux uit.

'Daar bedoel ik jou ook mee, Samuel. Ik zou je dolgraag over het hoofd zien, maar dat is niet zo gemakkelijk.'

'Mmmfff?'

'Schei uit met dat gejammer, jongen,' beval de Havik. 'Als je maar niet gaat schreeuwen. Je handen zijn vrij en je kunt de pleister eraf halen. ... Maak je geen zorgen, je hebt je mond nog, al spijt me dat oprecht.' Eerst langzaam, toen in een aanval van stoerheid, rukte Sam de pleister van zijn mond, gilde van de pijn en begon vervolgens zijn lippen in allerlei standen te vertrekken alsof hij wilde vaststellen dat hij ze nog kon gebruiken. 'Je ziet eruit als een magere geile big,' voegde MacKenzie eraan toe.

'En jij ziet eruit als een houten winkelindiaan die zojuist is ontsnapt uit een isolatiewigwam!' krijste Devereaux en hij sprong op van de stoel. 'Wie denk je wel dat je bent, brullende modderboei? ... En wat bedoel je, verdomme, dat ík verantwoordelijk zou zijn voor dat gelul op Aarons bureau? Ik heb je in jaren niet gezien of gehoord, tuig van de richel!'

'Je hebt nog steeds de neiging onder druk een beetje opgewonden te raken, nietwaar, jongen?'

'Tot zijn verdediging moet ik inbrengen, generaal,' kwam Pinkus tussenbeide, 'dat hij in de rechtszaal een ijspegel is, een echte ontspannen James Stewart, en als hij stottert is dat uit pure berekening.'

'In een *rechtszaal*,' viel Sam uit, 'weet ik tenminste wat ik doe! Wanneer ik in de buurt van deze onderkruiper ben weet ik dat nóóit omdat hij het me ofwel nooit verteld heeft of omdat de kolerelijer tegen me heeft gelogen!'

'Niet het juiste woord, jongeman. Dat wordt opzettelijk verkeerde informatie genoemd voor je eigen bescherming...'

'Het wordt geouwehoer genoemd, dat mij de vernieling injaagt! Geef nou eens antwoord op mijn vraag: waarom ben ik verantwoordelijk – nee, wacht even – waarvoor ben ik verantwoordelijk? Hoe kan ik aansprakelijk zijn voor wat voor stoms jij hebt uitgehaald wanneer we in geen jaren meer met elkaar hebben gesproken?'

'Opnieuw moet ik eerlijk toegeven,' kwam Pinkus zacht maar vastberaden tussenbeide, 'dat generaal Hawkins je alleen aansprakelijk verklaarde in de zin dat het project helemaal in jouw geest was, genoemde geestelijke invloed vatbaar voor de breedst mogelijke interpretatie of verkeerde interpretatie en als zodanig elke verplichting of zelfs verband met de actie beperkend of mogelijk eliminerend.'

'Schei uit met advocaatje te spelen met deze uit zijn krachten gegroeide gorilla, Aaron. De enige wet die hij kent doet de wet van de jungle eruitzien als een theevisite in een Engelse rozentuin. Hij is een barbaar tot in de toppen van zijn tenen, zonder ook maar een greintje deugdzaamheid!'

'Je moet eens naar je bloeddruk laten kijken, jongeman.'

'Jij moet eens naar je kop laten kijken in de winkel waar ze hem hebben opgezet! Wat heb je nu in godsnaam weer uitgehaald en waarom weer met mij?'

'Alstublieft,' kwam Pinkus opnieuw tussenbeide, dit keer met opgetrokken wenkbrauwen terwijl hij verontschuldigend de schouders ophaalde tegen de Havik. 'Sta me toe te proberen een verklaring te geven, generaal. Misschien als de ene jurist tegen de andere, is dat acceptabel?'

'Wij stafofficieren weten het best hoe we onze eigen manschappen moeten aanpakken,' antwoordde MacKenzie. 'Eerlijk gezegd koesterde ik de hoop dat u uw flanken zou ruimen en op de maat van mijn tamboer in die richting zou optrekken. Om u de waarheid te zeggen heb ik u daarom de kern van mijn operatie laten zien – niet de tactiek of mijn gevechtsplan, natuurlijk, maar het uiteindelijk doel, zogezegd. Dergelijke fundamentele inlichtingen vormen zelden een geheim tussen mannen als wij.'

'Uitstekende beginstrategie, generaal. Ik bewonder u.'

'Jij bewondert hem?' riep de nog steeds half verlamde Devereaux uit. 'Waar is hij in godsnaam mee bezig? Trekt hij soms op naar Rome?'

'Dat hebben we al gedaan, jongen,' zei de Havik rustig. 'Weet je nog?'

'Dat is één onderwerp waarover u in mijn aanwezigheid nooit mag praten, generaal Hawkins,' beklemtoonde Aaron kil.

'Ik dacht dat u wist...'

'Denkt u dat Sam me zoiets zou vertellen?'

'Verrek, nee. Je zou hem bevel kunnen geven bij een kamikazesquadron te gaan en dan zou hij de bougies kortsluiten. Geen lef.'

'Hoe dan?'

'De Ierse artilleriesergeant beschreef uw geheime vernietigingsoverval in Sams hoofdkwartier. Sergeanten proberen gewoonlijk hun meerderen te imponeren met hun bijdragen.'

'Wat dan nog?'

'Nou ja, u had het erover dat de sergeant de jongen had vastgebonden en daaruit leidde ik af dat u hem had laten inrukken voordat u met Sam sprak, wat u toegaf.'

'En?'

'Waarom zou u hem laten vastbinden, tenzij hij hysterisch was, zoals nu? En waarom zou zo'n beheerste rechtsfunctionaris – een kant van Sam waar ik niet al te veel van heb gezien – hysterisch worden, tenzij die inval van u iets over hem aan het licht bracht dat hij nooit iemand wilde laten weten, zeker u niet?'

'Gebaseerd op bepaalde voor de hand liggende vooronderstellingen, kunt u scherp deductief redeneren.'

'Dat, en het feit dat Sam de haak miste, toen hij bij mijn telefoontje de hoorn erop smeet. Ik hoorde een andere stem over de lijn – een die weinig meer controle toonde dan die van Sambo – en toen ik u ontmoette op de parkeerplaats wist ik dat u het was, commandant Pinkus. U hebt die middag zelf ook het nodige afgetierd. Vooral over een bepaalde operatie die met het Vaticaan te maken had.'

'Daar gaat dan de a priori-deductie,' zei Aaron en hij haalde berustend zijn schouders op.

'Daar gaat dan de *kippestront*!' brulde Devereaux. 'Ik ben hier! Ik besta! Als je me prikt, bloed ik dan niet...'

'Nauwelijks van toepassing, Samuel.'

'Wat is er dan wel van toepassing? Ik zit hier te luisteren naar een stelletje *Stahlhelmen* uit de Pruisische tijd! Mijn toekomst, mijn carrière, mijn leven zelf – alles staat op het punt in duizend scherven van gebroken spiegels te springen...'

'Mooi gezegd, jongen,' viel de Havik hem in de rede. 'Zoiets als beeldspraak.'

'Dat heeft hij gepikt van een Franse toneelschrijver, Anouilh,' voegde de geëerde advocaat uit Boston eraan toe. 'Samuel zit vol verrassingen, generaal.'

'Hou daarmee op!' schreeuwde Devereaux. 'Ik eis dat jullie naar me luisteren!'

'Verrek, jongen, ze kunnen je in Washington horen, tot in die computerruimte van het leger waar ze al die inlichtingendossiers bewaren.'

'Ik heb het recht te blijven zwijgen,' mompelde Sam nauwelijks hoorbaar en hij liet zich mokkend op de stoel vallen.

'Mag ik dan misschien het stilzwijgen verbreken, aangezien je het tot jezelf hebt beperkt?' vroeg Pinkus.

'Mmmfff,' klonk het antwoord uit stijf opeengeklemde lippen.

'Dank je. ... Je vraag, Samuel, had vooral betrekking op de stukken die generaal Hawkins mij heeft voorgelegd. Ik geef toe dat ik nog geen tijd heb gehad om alles terdege te lezen, maar te oordelen naar wat ik met een vrij geoefend oog, dat bijna vijftig jaar zulke documenten heeft nageplozen, kan waarnemen, is het ongelooflijk. Ik heb zelden een meer overtuigende conclusie gelezen. De juridische geschiedkundige die dit heeft samengesteld had het geduld en de verbeeldingskracht om tijdelijke en definitieve lijnen van wetgevend debat te onderscheiden, in de wetenschap dat er ergens aanvullende dossiers verborgen lagen die de gegevens bevatten voor de ontbrekende stukjes. Als dit allemaal overeind blijft lijken de conclusies *onweerlegbaar*, ondersteund als ze zijn door de originele, authentieke stukken! Waar heeft uw bron die toch gevonden, generaal?'

'Het is natuurlijk maar een gerucht,' antwoordde de Havik met geamuseerd gefronste wenkbrauwen, 'maar ik heb gehoord dat ze alleen opgegraven kunnen zijn uit het verzegeld historisch archief op het Bureau voor Indiaanse Zaken.'

'Het verzegeld archief...?' Aaron Pinkus keek de generaal streng aan, ging toen snel in de stoel zitten en pakte een aantal pagina's op, die hij tot vlak bij zijn ogen bracht, niet op zoek naar wat er stond maar naar iets anders. 'Lieve Abraham,' fluisterde hij, 'ik ken die watermerken... die zijn opgepikt door een uiterst gevoelig kopieerapparaat, een van de laatste nieuwe machines.'

'Alleen het beste, commandant.' Hawkins zweeg abrupt; het was direct duidelijk dat hij spijt van die uitspraak had. Hij keek even naar Sam die hem zat aan te staren en schraapte toen zijn keel. 'Ik neem aan dat die knappe bollen – die geleerde jongens – over de beste apparatuur beschikken.'

'Bijna nooit,' mompelde Devereaux met zachte, monotone stem.

'Maar toch, generaal,' vervolgde de opgewonden Pinkus. 'Een paar van deze stukken – ik heb het over die welke de historische documenten betreffen – zijn in feite reprodukties van de originele fotokopieën – foto's van foto's!'

'Pardon?' De Havik begon de sigaar in zijn mond stuk te knauwen.

'In de dagen toen er nog geen kopieerapparaten waren, toen je oud of vergaan perkament niet eenvoudig plat kon leggen, of stukken aan elkaar kon passen, werden er foto's en later fotokopieën gemaakt die in plaats van de uiteenvallende originelen in het archief werden ondergebracht.'

'Commandant, dat technisch gelul interesseert me geen moer...'

'Dat moest het eigenlijk wel doen, generaal,' viel Aaron hem in de rede. 'Uw ongenoemde juridische bron kan heel goed een samenzwering van tientallen jaren geleden ontdekt hebben, maar zijn ontdekking zou weleens gebaseerd kunnen zijn op gestolen bewijsmateriaal, dat al lang is ondergebracht in de verzegelde kluizen van het staatsarchief vanwege zeer ernstige nationale aangelegenheden.'

'Wat?' mompelde de Havik, zich ervan bewust dat Sam Devereaux nu woedend naar hem zat te kijken.

'De watermerken in deze fotokopieën uit het archief wijzen op een zeldzame soort papier met metaaldraden dat gemaakt werd om de tand des tijds te doorstaan en de omgevingsomstandigheden van de kluizen. Ik geloof zelfs dat Thomas Edison het rond de eeuwwisseling heeft uitgevonden en dat het in negentien tien of elf besteld werd voor beperkt gebruik in de archieven.'

'Beperkt gebruik...?' vroeg Devereaux aarzelend, met opeengeklemde tanden terwijl hij naar de Havik bleef staren.

'Alles is relatief, Samuel. In die tijd was geld uitgeven op krediet, wanneer het al bestond, beperkt tot niet meer dan een paar honderdduizend dollar en zelfs die cijfers konden de Potomac doen bevriezen. De vellen papier met metaaldraden in die foto's waren enorm kostbaar en om duizenden en duizenden historische documenten erop over te brengen zouden ze de schatkist hebben moeten plunderen. Daarom werden er maar een paar documenten uitgekozen.'

'Beperkt tot wat, Aaron?'

Pinkus wendde zich tot generaal MacKenzie Hawkins en zijn houding leek gevaarlijk veel op die van een rechter die een vonnis uitspreekt. 'Tot die documenten die door de regering als geheim worden beschouwd voor een minimum van honderdvijftig jaar.'

'Wel verdómme!' De Havik floot zacht en knauwde verder op zijn sigaar terwijl hij op zijn met bukskin beklede dijen sloeg. 'Eureka!' voegde hij eraan toe en hij keek welwillend naar Sam. 'Ben je niet trots, jongen, om de "geestelijke vader" te zijn geweest, zoals die prima commandant hier het noemde, van dit grootse project?'

'Wát voor kolereproject?' riep Devereaux met verstikte stem. 'En wát voor kolere geestelijk vaderschap?'

'Nou ja, Sam, je weet hoe jij altijd praatte over de misdeelde mensen op deze wereld en over hoe weinig er werd gedaan om hen te helpen? Er zijn mensen die al dat mauwen en grauwen links geouwehoer genoemd zouden hebben, maar dat heb ik nooit gedaan. Ik bedoel maar, ik respecteerde echt jouw gezichtspunt, jongen, echt waar.'

'Jij hebt nog nooit iets of iemand gerespecteerd die jou niet onder de zoden kon stoppen!'

'Dat is niet waar, jongen, en dat weet jij best,' vermaande MacKenzie terwijl hij met zijn wijsvinger naar Devereaux schudde. 'Weet je nog al die gesprekken die je voerde met de meisjes? Ieder van die lieve dames belde me later op en zei hoeveel respect en genegenheid ze voelde voor jou en voor je filosofische uitingen van medelijden. Vooral Annie, die...'

'Noem me nooit meer die naam!' brulde Sam en hij sloeg zijn handen voor zijn oren.

'Ik zou niet weten waarom niet, jongen. Ik praat vaak met haar, vooral wanneer ze weer eens in de penarie terecht is gekomen waartoe ze zich voelt aangetrokken, en dit kan ik je wel vertellen, Sam, ze geeft echt om jou.'

'Hoe kán ze dat nu?' schreeuwde Devereaux, trillend van woede. 'Ze is met Jezus getrouwd, niet met míj!'

'Lieve Abraham,' stootte Pinkus uit. 'Ik heb niets te maken gehad met deze conversatie.'

'Dat is een wapen van een heel ander kaliber, jongen, als je me die vergelijking wilt vergeven. ... Maar luister nu eens naar me. Ik heb gezocht naar de misdeelden, naar een volk dat door het systeem was belazerd en ik heb alles gedaan wat ik kon om de zaken recht te zetten. Op de een of andere manier dacht ik dat je trots op me zou zijn – God is mijn getuige, ik heb het echt geprobeerd.' De Havik liet zijn kin zakken tot in de open kraag van zijn bekraalde Wopotami-jack, zijn blik triest op het tapijt van de hotelsuite gericht.

'Hou op met dat geouwehoer, Mac! Ik weet niet wat je allemaal hebt geprobeerd, ik weet alleen dat ik het niet wíl weten!'

'Misschien kun je het maar beter wel weten, Sam.'

'Wacht... eens héél even,' kwam Aaron Pinkus tussenbeide met zijn ogen op de berouwvolle Havik gericht. 'Volgens mij wordt het tijd dat ik mijn hand eens in die overdreven zak met juridische ervaring steek en een bepaald, zij het zelden gebruikt, statuut te voorschijn haal. Op het onbevoegd binnendringen in een verzegeld staatsarchief staat dertig jaar gevangenisstraf.'

'Wat je zegt,' zei de generaal, terwijl zijn ogen het tapijt afzochten alsof ze een patroon probeerden te vinden in het effen blauw.

'Dat zeg ik inderdaad, generaal. En aangezien die informatie geen merkbare uitwerking op u heeft, moet ik gelukkig aannemen dat uw advocaat volledige toestemming had om de documenten waaraan in deze conclusie van eis wordt gerefereerd te bestuderen.'

'Fout!' schreeuwde Sam. 'Hij heeft ze gestolen – het is weer dezelfde rotzooi als met die inlichtingendossiers! Dit luizige stuk vreten, deze door en door militaire vergissing, deze legendarische oplichter, heeft het weer eens voor elkaar! Dat weet ik omdat ik hem ken – ik ken die blik van een stout jongetje, dat rotjochie dat in zijn bed heeft gepiest en je vertelt dat het geregend heeft onder de lakens. Híj is degene die het gedaan heeft!'

'Oordelen die geveld worden in de gloeiende hitte van emotionele reacties zijn zelden juist, Samuel,' zei Pinkus en hij schudde afkeurend zijn hoofd.

'Oordelen die geveld worden in het kille licht van objectieve waarneming over een pijnlijk lange periode, zijn meestal onweerlegbaar,' kaatste Devereaux de bal terug. 'Als er stroop aan de koekjes zit en deze klootzak heeft zijn hand in het trommeltje met zijn fikken aan elkaar geplakt, dan kun je er verdomd zeker van zijn dat je de schuldige hebt gevonden! Recidive is een uitdrukking die bij de gerechtshoven door en door bekend is.'

'Zo, generaal,' vervolgde Aaron terwijl hij de Havik over de rand van zijn bril aankeek. 'De aanklager lijkt met een steekhoudend punt te zijn gekomen, aangezien hij de huidige omstandigheden vergelijkt met een voorgaande daad betreffende gestolen inlichtingendossiers die uzelf hebt bevestigd. Gedragspatronen vormen beperkt maar acceptabel bewijsmateriaal.'

'Kom nou, commandant Pinkus,' begon MacKenzie met half dichtgeknepen ogen en verbaasd getuite lippen. 'Mijn hoofd tolt van al dat juridisch geklets. Om u de waarheid te zeggen kan ik de helft van wat u zegt niet volgen.'

'Leugenaar!' riep Sam en ineens begon hij een regeltje op te dreunen zoals een kind dat pleegt te doen bij het plagen van een vriendje. 'Het regent lekker onder de de-e-ekens, het regent onder de de-e-ekens... !'

'Samuel, behéérs je,' vermaande de oudere advocaat en zijn stem klonk autoritair toen hij zich opnieuw tot de Havik wendde. 'Ik geloof dat we dit snel kunnen regelen, generaal. Professionele beleefdheid heeft mij ervan weerhouden erop te staan de naam te vragen van uw ongelooflijk begaafde raadsman, maar nu vrees ik dat ik die moet weten. Als gerechtsfunctionaris kan hij de beschuldiging van mijn jonge compagnon weerleggen en de zaak uiteenzetten.'

'Het is nauwelijks gepast meneer,' zei Hawkins in een kaarsrechte houding en met een stalen gezicht, 'dat de ene commanderende officier een andere vraagt een geheim prijs te geven. Dat soort zaken is voor de lagere rangen waar niet zozeer wordt gelet op eer en waar ruggegraten niet direct van staal zijn.'

'Toe nu, generaal, wat steekt er voor kwaads in? Deze conclusie, hoe briljant overtuigend ze ook lijkt te zijn voor zover ik ze heb gelezen, is zeker nog niet aan een onderzoek onderworpen. Mijn hemel, zonder de attributie van een advocaat en bij afwezigheid van een aanvechting door de regering, is ze zeker nog niet ingediend bij enig hof.' Aaron zweeg even en lachte zacht. 'Als ze dat wel was zouden we het allemaal weten, aangezien ons hele juridisch systeem én het ministerie van defensie stil zouden komen te liggen en iedereen die erbij betrokken was zou gillen van woede. U ziet dus, generaal Hawkins, er is niets te winnen of te verliezen...' De vriendelijke gelaatsuitdrukking van Pinkus verstarde ineens. Langzaam en onwillekeurig stierf ze weg terwijl hij zijn ogen opensperde en zijn gezichtskleur vaal werd. 'Lieve Abraham, laat me alstublieft niet in de steek,' fluisterde hij en hij staarde naar de volkomen nietszeggende uitdrukking op het gezicht van MacKenzie Hawkins. 'Mijn Gód, ze is wél ingediend!'

'Ze heeft, bij wijze van spreken, haar weg gevonden naar de plaats waarvoor ze bestemd was.'

'Dat kan toch zeker geen rechtsgeldig hof zijn?'

'Ook bij dat oordeel, commandant, zou u weleens bijval kunnen vinden.'

'Wás het dat?'

'Sommigen zeggen van wel.'

'Maar er is niets in de media verschenen en, geloof me, ze zouden over elkaar struikelen om zulk bijzonder nieuws wereldkundig te maken. Het is catastrofaal!'

'Misschien is daar wel een reden voor.'

'Wat voor reden?'

'Hyman Goldfarb.'

'Hyman wie?'

'Goldfarb.'

'Het klinkt bekend maar ik heb echt niet het geringste... '

'Hij was vroeger footballspeler.'

In een flits van een paar seconden verloor het gezicht van Aaron Pinkus twintig jaar. 'Bedoelt u Hymie de Orkaan? De Hebreeuwse Hercules...? Ken je hem werkelijk, Mac – ik bedoel... generaal, natuurlijk.'

'Hem kennen? Ik heb die kromneus gerekruteerd.'

'Echt waar? ... Hij was niet alleen de grootste vleugelspeler van de National Football League, maar hij doorbrak het stereotiep van – zullen we zeggen, de overvoorzichtige joodse man. Hij was een leeuw van Juda, de verschrikking van de verdediging – te vergelijken met

Moshe Dayan op het Amerikaanse footballveld!'

'Hij was ook een boef...'

'De hemel beware me! Voor mij was hij een held, een symbool voor ons allen – de zeer intelligente spierbonk die ons trots maakte. ... Wat bedoelt u, hij was een boef?'

'Nou ja, hij is nooit voor het gerecht gebracht – het scheelde een haar, er is geen aanklacht ingediend – maar daarvoor zijn ook redenen.'

'Beschuldigingen, *redenen*? Waar hebt u het over?'

'Hij doet veel werk – niet precies officieel – voor de regering. Ik heb hem zelfs in die afdeling aan de gang gezet, met name voor het leger.'

'Wilt u zich alstublieft wat duidelijker uitdrukken, generaal?'

'In het kort gezegd hadden we nogal wat loslippigheid betreffende bepaalde wapenspecificaties die we niet konden ontdekken, ook al wisten we waar de lekken vandaan kwamen. Ik kwam Goldfarb tegen die een adviesbureau voor beveiliging aan het opzetten was – verrek, een portret van hem in een onderhemd zou een gorilla nog aan het schrikken maken – en gaf hem opdracht wat aan het probleem te doen. Je zou kunnen zeggen dat hij en zijn manschappen opereren waar het kantoor van de Inspecteur-Generaal nog niet in de buurt zou durven komen.'

'Generaal, wat heeft Hyman Goldfarb te maken met het stilzwijgen dat gevolgd is op uw ongelooflijke conclusie van eis, terwijl er chaos zou moeten heersen?'

'Nou ja, zoals dat nu eenmaal gebeurt in Washington, leidde het een tot het ander voor de Orkaan. Ik bedoel maar, zijn reputatie verspreidde zich als een bosbrand die wordt aangestoken met vlammenwerpers en voordat je het wist wilde iedereen in de stad gebruikmaken van zijn diensten – vooral tegen elkaar. Op zijn lijst van regeringsklanten staat iedereen die en alles wat rond de Potomac iets betekent. Hij heeft een boel machtige vrienden die nog niet zouden toegeven dat ze hem kenden al trok je al hun haren uit met een combinatietang. Beschuldigingen stopt hij in de doofpot zonder met zijn ogen te knipperen. ... Ziet u, toen wist ik werkelijk dat we dicht bij de waarheid zaten.'

'Waarheid...?' Aaron schudde zijn hoofd heen en weer alsof hij probeerde de galmende cymbalen in zijn hersenen tot bedaren te brengen. 'Mag ik om opheldering vragen?' smeekte hij.

'Zijn mensen kwamen achter mij aan, commandant Pinkus. Het was een hinderlaag met als doel gevangenneming en stilzwijgen – ik ken die jongens als mijn broekzak.'

'Gevangenneming, stilzwijgen, een broekzak? Ze kwamen achter u aan...'

'*Nadat* de Wopotami-conclusie was ingediend – lang daarna! Hetgeen betekende dat de conclusie voor ernst wordt aangenomen maar dat het nieuws geheim wordt gehouden omdat de gevolgen niet te overzien zijn. Wat doen ze dus intussen? Ze huren Hymie de Orkaan om hun probleem op te lossen. Zoek, vang en vernietig! Ik ken ze als mijn broekzak.'

'Maar, generaal, het lagere gerechtshof met al zijn te behandelen zaken en achterstand en...' Opnieuw verstarde de uitdrukking op Aaron Pinkus' gezicht terwijl zijn woorden wegstierven in een hoorbare nevel. 'O, mijn lieve god, het was geen...? Het wás geen lager hof.'

'U kent de regels, commandant. Een eiser die de staat dagvaardt heeft rechtstreekse toegang, alleen afhankelijk van de redelijkheid van het argument.'

'Nee... nee, dat had u onmogelijk kunnen doen!'

'Ik vrees dat we het gedaan hebben. Een beetje overredingskracht van buitenaf op een paar gevoelige gerechtsdienaren en we zijn recht de grote juridische badkuip ingedoken.'

'Wat voor badkuip?' schreeuwde een totaal verbijsterde Devereaux. 'Wat voor gelul probeert deze moreel gedegenereerde te verkopen?'

'Ik vrees dat hij het aan iemand anders heeft verkocht,' zei Aaron met zwakke stem. 'Hij heeft deze briljant opgezette conclusie – gebaseerd op materiaal dat gestolen werd uit de verzegelde archieven – rechtstreeks naar het Hooggerechtshof gebracht.'

'Dat kun je niet ménen!'

'Ik wilde maar dat ik het niet meende.' Pinkus vond abrupt zijn stem en zijn houding terug. 'Maar nu kunnen we het geheim van deze waanzin doorgronden. Wie is de aangewezen advocaat voor de eisers, generaal? Ik hoef maar te bellen en ik weet de naam.'

'Dat weet ik nog niet zo zeker, commandant.'

'Wat?'

'Het is er vanmorgen pas gekomen.'

'Vanmorgen...?'

'Nou ja, ziet u, er was zo'n Indiaanse krijger die me verkeerde informatie heeft gegeven, wat iets anders is dan opzettelijk verkeerde informatie, betreffende een kleinigheid als een rechtenexamen...'

'Geef alleen maar antwoord op mijn vraag, generaal! De aangewezen advocaat, alstublieft!'

'Hij,' antwoordde de Havik en hij wees naar Sam Devereaux.

9

Vincent Franciscus Assisi Mangecavallo, in bepaalde selecte kringen bekend als Vinnie Boem-Boem, directeur van de CIA, ijsbeerde als een verbijsterde, gefrustreerde man door zijn kantoor in Langley, Virginia. Hij had niets gehoord! Wat kon er fout zijn gegaan? Het plan was zo simpel, zo gaaf, zo waterdicht. A is gelijk aan B is gelijk aan C, daarom is A gelijk aan C, maar ergens in dat eenvoudige sommetje waren Hyman Goldfarb en zijn mensen de draad kwijtgeraakt en Vincents eigen man, de beste en onopvallendste man om iemand te schaduwen was er alleen maar in geslaagd te verdwalen! *Grootvoet! De Verschrikkelijke Sneeuwman!* Wat was er in godsnaam aan de hand met de Orkaan? Wie had er zijn overbekende hersenen in het bleekwater gezet? En waar zat die ellendige slijmbal die door zijn toedoen was ontsnapt aan een vrij grote schuld in Vegas en die van hem een fatsoenlijk ambtenarensalaris betaald kreeg, terwijl Vincent de jongens van het casino had gezegd de schuldbekentenissen van de slijmbal maar te vergeten in het belang van de nationale veiligheid. Hij was verdwenen, dat was-ie! Maar waaróm?

De kleine Joey de Smurf was dolblij geweest toen hij iets hoorde van zijn bollebof van een vriend uit de tijd dat ze allemaal de kleine Joey gebruikten om die sufbubbels van de waterkant van Brooklyn te schaduwen naar de mietjesclubs in Manhattan – en Joey was goed! Hij kon in zijn uppie midden in het Yankee Stadium gaan staan en niemand zou hem opmerken, ook al was de hele tent uitverkocht. Niemand merkte óóit Joey de Smurf op; hij kon even snel achter het behang verdwijnen als hij zich kon oplossen in een menigte in de ondergrondse. Die gave had hij en hij was bovendien totaal onopvallend – zelfs zijn gezicht was vaal en onbeduidend. ... Waar zat hij, verdomme, dus? Hij moest toch weten dat hij beter af was met zijn oude vriend Vincent dan zonder die belangrijke kennis in Washington – de schuldbekentenissen konden tenslotte weer te voorschijn worden gehaald en dan zouden de zware jongens van het casino opnieuw achter hem aan komen. Hij snapte het niet – niets snapte hij ervan!

Dus ging de telefoon over, de telefoon die verborgen zat in de onderste rechterla van het bureau van de directeur. Mangecavallo schoot erop af; hij had die telefoonlijn zelf geïnstalleerd, 's nachts, en met beroepsmensen die heel wat beter waren dan die zogenaamde deskundigen van de afdeling Clandestiene Communicaties van het bureau. Zelfs in de regering had niemand het nummer; dat was beperkt tot echt belangrijke mensen die dingen voor elkaar konden krijgen. 'Ja?' blafte de directeur.

'Met kleine Joey, Boem-Boem,' zei het piepstemmetje aan de telefoon.

'Waar heb jij, verdomme, gezeten? Zesendertig uur, zowat anderhalve dag, heb ik niks van jou gehoord!'

'Omdat ik elke minuut van die tijd mijn kop en mijn kont heb moeten draaien en van hot naar haar heb moeten rennen om zo'n rare druif in de smiezen te houden!'

'Waar heb je het over?'

'Je hebt me ook gezegd om jou niet thuis te bellen, waarvan ik het nummer niet heb en heel zeker niet via de centrale van die spionnentent van jou.'

'Ja, klopt. En dus?'

'Dus met al die vliegtuigen en met het bedonderen van luchtvaartemployés en het betalen van taxichauffeurs die me wel in mijn gezicht konden spugen en het omkopen van een gepensioneerde politieagent die me ooit dwong zijn maatjes in een cafetaria in de gaten te houden om een limousine te vinden met een nepnummerbord, heb ik niet al te veel tijd voor mezelf gehad!'

'Oké, oké. Vertel me maar wat er gebeurd is. Heb je iets wat ik kan gebruiken?'

'Als jij het niet kunt gebruiken kan ík het wel. Deze legpuzzel heeft meer gekke stukjes dan in een boerensalade zitten, zeker meer waard dan die schuldbekentenissen in Vegas.'

'Hé, Joey, die schuldbekentenissen waren meer dan twaalfduizend!'

'Wat ik heb is het dubbele waard, Boem-Boem.'

'Wil je alsjeblieft die naam niet gebruiken?' zei Mangecavallo afwerend. 'Die past niet bij dit deftige kantoor.'

'Hé, hé, Vinnie. Misschien hadden de grote bazen jou niet naar school moeten sturen. Als je je bescheidenheid verliest krijg je ook geen respect meer.'

'Hou daar mee op, Joey. Ik zal voor je zorgen, dat zweer ik op het graf van mijn vader.'

'Jouw pappie lééft nog, Vinnie, ik heb hem de vorige week nog bij Caesar gezien. Hij zet de bloemetjes buiten in Vegas, alleen niet met je mammie.'

'*Basta*. ... Is hij niet in Lauderdale?'

'Wil je een kamernummer? Als er een knul opneemt moet je niet opleggen.'

'Zo kan het wel weer, Joey. Hou je kop erbij anders komen die schuldbriefjes op vijftigduizend en trek ik mijn handen van je af, *capisce*? Nou, wat is er gebeurd?'

'Oké, oké, ik wil alleen maar even weten hoe de zaken erbij staan, Vinnie. ... Wat er gebeurd is – verrek, wat is er *niet* gebeurd?' Kleine Joey de Smurf haalde diep adem en begon. 'Zoals jij al dacht stuurde Goldfarb een ploeg naar dat indianenreservaat – ik wist het meteen toen ik de Schop herkende die dat grote omheinde terrein kwam binnenwandelen, langs die nep Welkomwigwam en recht op het cafetaria af zag stevenen. Tsjonge, wat kan die bloedworst eten! Vlak achter hem staat die magere scharminkel die voortdurend zijn neus snuit, maar de bobbel in zijn kontzak is geen Kleenex. Toen ging ik erbij staan en hoorde twee andere vrienden van de Schop die gek Engels praatten naar die Donderkop vragen waarin jij zo geïnteresseerd bent en ik kan je wel vertellen dat ze erop gebeten waren hem te vinden. ... Dus blijf ik op een afstand staan wachten en de vier dweilen – een ervan is trouwens een meid – rennen de souvenirtent uit en vliegen als de gesmeerde bliksem een zandpad op waar iedereen een verschillende weg neemt...'

'Een weg?' viel de verbijsterde Mangecavallo hem in de rede. 'Ook van zand?'

'Jezus, Boem-Boem – neem me niet kwalijk, Vincenzo – zand en bosjes en bomen, een echt woud, snap je?'

'Nou ja, het is een reservaat, ik denk...'

'Dus wachtte ik en wachtte ik en wachtte ik,' vervolgde kleine Joey snel.

'Net als ik nu doe!' zei de directeur.

'Oké, oké. Ten slotte komt die hoge indiaan het bos uitrennen – ik bedoel maar, hij moet die hoge Donderkop van jou zijn, want hij heeft een hele drooglijn met veren van zijn kop tot aan zijn kont – en hij scheurt dat zandpad over, slaat rechtsaf en verdwijnt in een grote, gekke tent. En toen heb ik echt gezien wat ik je nou vertel, Vinnie, ik kon mijn ogen niet geloven! Die hoge indiaan komt even later weer naar buiten, alleen is hij niet meer dezelfde vent.'

'Ben jij soms aan het snuiven, kleine Joey?'

'Nee, ik méén het, Vin. Hij is dezelfde flapdrol, maar hij ziet er niet uit als dezelfde flapdrol! Hij ziet er meer uit als zo'n slome boekhouder in een gewoon pak, met een bril op en een of andere stomme pruik die hem niet past en met een grote linnen tas. ... Nou, uit die tas maak ik natuurlijk op dat hij het reservaat uitgaat en uit de manier waarop hij eruitziet maak ik op dat hij geen indiaan meer wil zijn.'

'Wordt dit een lang verhaal, kleine Joey?' vroeg Mangecavallo klaaglijk. 'Kom verdomme eens ter zake.'

'Jij wilt waar voor je geld voor die schuldbriefjes en ik wil je bewijzen dat wat ik heb meer waard is, oké? ... Maar ik verkas nu naar het vliegveld in Omaha waarheen ik hem volgde en waar hij een ticket kocht voor het eerstvolgende vliegtuig naar Boston, en dat deed ik ook. Maar – en dit is belangrijk, Boem-Boem – terwijl ik daar aan de balie sta laat ik het meisje daarachter een van mijn neppolitiepenningen zien en ik zeg tegen haar dat de regering geïnteresseerd is in die grote vent met die stomme pruik. Volgens mij kwam het door de pruik, want de meid was zo behulpzaam dat ik haar moest uitleggen dat alles heel erg vertrouwelijk was en dat ze er niemand bij hoefde roepen. Hoe dan ook, ik kreeg de naam van de creditcard van die grote flapdrol...'

'Zeg maar gauw, Joey!' riep de directeur uit en hij pakte een potlood.

'Natuurlijk, Vin. Het is M, kleine a, kleine c, hoofdletter K, Hawkins. G-e-n met een punt, dan U.S.A., gevolgd door kleine b, punt, d, punt. Ik heb het opgeschreven, maar ik weet niet wat het allemaal betekent.'

'Het betekent dat het iemand is die Hawkins heet en dat hij een gepensioneerde legergeneraal is... Barst, een *generaal!*'

'Er komt nog meer, Vinnie, en luister nou maar goed...'

'Ik moet het horen! Vertel op.'

'Ik schaduw hem dus verder in Boston en het wordt een compleet gekkenhuis, ik bedoel maar, echt *pazzo*. Op het vliegveld loopt hij een herentoilet in waar hij te maken krijgt met een stelletje Spanjolen in uniformen die ik nog nooit van mijn leven heb gezien, en ze lopen naar de parkeerplaats en stappen in een oude Oldsmobile met een kenteken uit Ohio of Indiana en rijden weg. Ik schuif gauw een briefje van vijftig naar een taxichauffeur die vrij is en zeg hem achter die Olds aan te rijden en nou wordt het pas echt een gekkenhuis! ... Nu neemt die boekhouder van een indianenopperhoofd zijn twee Spaanse pepers mee naar een kapperszaak en daarna, dit verzin ik niet, Boem-Boem, rijden ze naar een of ander park langs de rivier waar die bollebof zijn twee snijbonen over het gras laat marcheren als een stelletje marionetten, terwijl hij tegen hen staat te brullen. Ik zal je zeggen, ik werd er koud van!'

'Misschien is die gepensioneerde generaal niet helemaal lekker in zijn bol, zoiets gebeurt, dat weet je.'

'Misschien is hij eruit gegooid omdat hij tanks verwarde met luchtballonnen en voor de vrachtwagens salueerde?'

'Zoiets lees je vaak genoeg. Net als sommige van onze dons, hoe grotere dikke deuren het zijn, hoe geschifter ze worden. Herinner jij je die Vette Salerno in Brooklyn nog?'

'Hé, hé, en óf ik me die nog herinner! Hij wilde van de marjolein de officiële bloem van de staat New York maken. Hij liep recht het gerechtsgebouw van Albany in en brulde iets over discriminatie.'

'Dat is nou precies waaraan ik dacht, kleine Joey. Want als die M, kleine letter c, Hawkins, gepensioneerde generaal van de tinnen soldaatjes, opperhoofd Donderkop is wat ik met jou eens ben, dan zitten we met een andere Vette Salerno die in Washington gaat brullen over discriminatie.'

'Is hij Italiaan, Vinnie?'

'Nee, Joey, hij is niet eens Indiaan. Wat gebeurde er daarna?'

'Daarna stapten die dikke deur en zijn twee snijbonen weer in de Olds – toen moest ik mijn taxichauffeur buiten dienst weer een vijftigje toeschuiven – reden naar een drukke straat in het centrum en bleven daar gewoon. De twee Spaanse pepers niet; die stappen uit en nadat ze in een herenmodezaak zijn geweest lopen ze een groot gebouw in, maar dat nepindianenopperhoofd van een boekhouder met dat fondsbrilletje blijft in de wagen zitten. Toen moest ik twéé briefjes van vijftig aan die dief buiten dienst geven omdat hij zegt dat zijn vrouw hem een lel gaat verkopen met een hete steelpan als hij niet naar huis gaat, en daar zat iets in. ... Het duurde meer dan een uur en dan stopt er voor het grote gebouw een grote limousine en drie flapdrollen stappen in, gevolgd door de twee snijbonen die recht op de oude Olds aflopen en daarin de limousine volgen. Toen ben ik ze alletwee kwijtgeraakt.'

'Je bent ze *kwijtgeraakt...*? Wat vertel je me nou, Joey?'

'Maak je geen zorgen, Boem-Boem...'

'*Alsjeblieft!*'

'Sorry. Vincent Franciscus Assisi...'

'Dat hoeft nu ook weer niet!'

'Oké, oké, het spijt me uit het diepst van mijn hart...'

'Ik bezorg je een hartstilstand als je me niet vertelt waarover ik me geen zorgen hoef te maken!'

'Ik ben die bloemkolen in het verkeer kwijtgeraakt, maar ik had eerst de nummerplaat van die donkerblauwe limousine opgenomen en tegelijkertijd, je kunt het geloven of niet, herinnerde ik me de naam van die smeris in Boston die me twintig jaar geleden bij mijn kraag pakte, en die misschien nog leefde, net als ik, omdat we alletwee zowat van dezelfde leeftijd waren.'

'Ik heb de pest aan lange verhalen, kleine Joey!'

'Oké, oké. Dus ging ik naar zijn huis, wat niet zoveel voorstelde na zijn lange jaren overheidsdienst en we dronken een paar borreltjes vanwege de goeie ouwe tijd.'

'Joey, je maakt me gék!'

'Oké, oké. Ik vroeg hem om zijn connecties in het centrum aan het werk te zetten, met vijf snippen voor hemzelf, om uit te vinden van wie de limousine was met het gekke nummerbord en misschien ook waar hij was gebleven toen hij gevolgd werd door de Olds en misschien waar hij op dat moment was. ... Wil je wel geloven dat hij de eerste vraag beantwoordde tussen twee slokken whisky door?'

'Joey, ik kan jou niet *uitstaan*!'

'Kalm aan, kalm aan, Boem-Boem. Hij vertelt me meteen dat die limousine van een van de grootste advocaten in Boston, Massachusetts, is. Een jid die Pinkus heet, Aaron Pinkus, die voor een hele eerlijke vent doorgaat en die heel erg wordt gerespecteerd bij het hoogste en het laagste gepeupel, wettig en niet zo wettig. Hij is zonder één vlekje – God vergeve me – maar het is waar, Vinnie.'

'Hij is een verrekte slijmbal, dat is-ie! Wat heeft die smeris je nog meer verteld?'

'Dat de limousine vanaf twintig minuten geleden geparkeerd staat voor het hotel de Vier Jaargetijden in Boylston Street.'

'Hoe zit het met de Olds en dat nepindianenopperhoofd? Waar zit die, verdomme?'

'We weten niet waar de Olds is, Vinnie, maar mijn smeris hoorde van wie het nummerbord uit het Midden-Westen is en dat ga je niet geloven – ik bedoel maar, het is gewoon niet mógelijk!'

'Probeer maar eens.'

'Het is van de vice-president!'

'*Magdalena?*' schreeuwde de vice-president van de Verenigde Staten terwijl hij in zijn werkkamer de hoorn op de haak smeet. 'Waar is die blikskaterse *Oldsmobile* van ons?'

'Thuis, schattebout,' antwoordde de zangerige stem van de Second Lady vanuit de woonkamer.

'Weet je het zeker, snoezepoes?'

'Natuurlijk, hartje. De dienstbode belde pas nog dat de assistent-tuinman moeite had met het rijden over de autoweg. Hij stopte gewoon en wilde niet meer starten.'

'Mijn god, heeft hij hem daar laten staan?'

'Mijn hemel, nee, sufferdje. De kok belde de garage en die hebben hem opgesleept. Waarom?'

'Die afschuwelijke man van de CIA, die met die naam die ik niet kan uitspreken, belde me zojuist en zei me dat hij in Boston was gezien met een paar gevaarlijke misdadigers erin en wanneer ik hem aan die lui had uitgeleend. Dat kon weleens problemen met onze goede naam geven...'

'Dat kun je niet ménen, lul!' krijste de Second Lady en ze kwam het vertrek binnenstormen met haar haren in roze papillotjes.

'Een of andere klootzak moet het verrekte ding hebben gestolen!' brulde de vice-president.

'Weet je zeker dat je hem niet hebt uitgeleend aan een van die proleten van vriendjes van jou, pokkelijer?'

'Verrek, néé! Alleen die kakvriendjes van jou zouden die wagen te leen vragen, trut!'

'Met hysterische beschuldigingen over en weer schieten we niets op,' verklaarde een toch wat geschrokken Aaron Pinkus met klem, terwijl MacKenzie Hawkins boven op Sam Devereaux zat en met zijn knieën de schouders van de advocaat op de vloer drukte waarbij er nu en dan wat sigarenas op het vertrokken gezicht van Sam viel. 'Ik stel voor dat we ons allemaal rustig houden en proberen te begrijpen hoe het met iedereen staat.'

'Wat dacht je van een vuurpeloton na een royementsproces?' zei Devereaux met verstikte stem.

'Toe nou, Sam,' zei de Havik geruststellend. 'Zoiets doen ze tegenwoordig niet meer. Die verrekte televisie heeft dat verpest.'

'O, dat was ik vergeten! Dat heb je al eens eerder uitgelegd – public relations, nu weet ik het weer. Je vertelde me dat er andere manieren waren, zoals tripjes met drie man om haaien te vangen en er komen er maar twee terug, of een eendejacht vanuit een schuilhut waar ineens een dozijn watermocassinslangen opduiken, terwijl niemand wist dat daar slangen zaten. Dank je hartelijk, krankzinnige plurk!'

'Ik probeerde je alleen maar in de hand te houden voor je eigen bestwil, jongen, omdat ik om je geef. Net als Annie zelfs nu nog doet.'

'Ik zei je die naam nóóit meer tegen mij te noemen!'

'Jij komt werkelijk begrip te kort, jongen.'

'Mag ik even, generaal,' kwam Pinkus tussenbeide van achter het bureau, 'wat hij op dit moment te kort komt is opheldering over de omstandigheden, en daar heeft hij recht op.'

'Denk je dat hij het aankan, commandant?'

'Volgens mij kan hij het maar beter proberen. Wil je het proberen, Sam, of zal ik Shirley bellen en uitleggen dat we niet naar die vernissage kunnen komen omdat jij beslag hebt gelegd op haar limousine, die hebt volgestopt met uitgelaten, oude Grieken en mij, als je werkgever, hebt gedwongen je persoonlijke problemen op te lossen – die dientengevolge niet juridisch te scheiden zijn van de mijne?'

'Ik sta nog liever voor een vuurpeloton, Aaron.'

'Een wijs besluit. Dat zou ik ook. Ik begrijp dat Paddy de fluwelen gordijntjes naar de stomerij heeft moeten sturen. ... Laat hem maar los, generaal en laat hem hier in mijn stoel komen zitten.'

'Gedraag je nu, Sam,' zei de generaal terwijl hij voorzichtig overeind kwam. 'Met geweld bereik je niets.'

'Dat is een fundamentele contradictie van jouw hele bestaan, meneer Houwdegen.' Devereaux stond op en strompelde naar het bureau terwijl Pinkus naar zijn stoel gebaarde. Sam liet zich met een harde klap erin vallen en keek zijn werkgever aan. 'Waar moet ik naar kijken, Aaron, en waarom?' vroeg hij.

'Ik zal het je in het kort vertellen,' antwoordde Pinkus en hij liep de kamer door naar de bar met spiegels in de muur van de hotelsuite. 'Ik zal je ook een fatsoenlijke, dertig jaar oude cognac brengen, een luxe die jouw dierbare moeder en ik gemeen hebben, want je zult de uitwerking van een kalmerend middeltje nodig hebben, zoals wij dat ook hadden voordat we je "hol in het château" doorzochten. Misschien geef ik je zelfs wel een fikse dosis, zo nuchter zal je advocatenbrein worden door de schok van wat je te lezen krijgt.' Aaron schonk een kristallen glas vol donkerbruine cognac, bracht dat naar het bureau en zette het neer voor zijn werknemer. 'Je staat op het punt het ongelooflijke te lezen en nadat je dat hebt gedaan ga je de belangrijkste beslissing van je leven nemen. En moge de God van Abraham – genoemde Abraham waarvan ik vast overtuigd ben dat hij me belazerd heeft – het me vergeven, maar ook ik zal een zwaarwegende beslissing moeten nemen.'

'Hou op met dat juridisch gezeik, Aaron. Waar moet ik op letten? Je zou het in het kort vertellen.'

'In een notedop, jonge vriend, heeft de regering van de Verenigde Staten het gebied gestolen van de Wopotami's, via een reeks samenzweringen waarbij de beloften werden vastgelegd in verdragen en van genoemde verdragen werd vervolgens beweerd dat ze nooit hadden bestaan, terwijl ze in werkelijkheid begraven werden in de verzegelde archieven van het Bureau voor Indiaanse Zaken in Washington.'

'Wie zijn in godsnaam de Wopotami's?'

'Een indianenstam waarvan het jachtgebied zich naar het noorden uitstrekte langs de rivier de Missouri tot Fort Calhoun, naar het westen de Platte volgde tot Cedar Bluffs, naar het zuiden tot Weeping Water en naar het oosten tot de stad Red Oak in Iowa.'

'Wat is daar voor bijzonders aan? Historisch onroerend goed werd gecompenseerd met de munteenheid van die tijd zoals is vastgesteld door het Hooggerechtshof in... ik geloof in negentien twaalf of dertien.'

'Je fotografisch geheugen is, zoals gewoonlijk, buitengewoon, Sam, maar je slaat iets over.'

'Dat doe ik nooit! Ik ben *volmaakt* – dat wil zeggen juridisch.'

'Je hebt het over verdragen die officieel geregistreerd waren.'

'Zijn er dan nog andere?'

'Verdragen die begraven zijn, Sam. ... Zoiets ligt nu vóór jou. Lees het, jonge vriend, en geef me jouw scherpzinnige juridische opinie. Intussen moet je zuinig van je cognac drinken – je instinct drijft je misschien tot grote slokken, maar dat moet je niet doen, doe heel zuinig aan. ... In de bovenste rechterla liggen potloden en blocnotes en de conclusie van eis begint met de stapel links van je, alfabetisch gemerkt in opeenvolgende bundels op het bureau. Je zult wel aantekeningen willen maken, daar ben ik zeker van.' Aaron wendde zich tot de Havik. 'Generaal, volgens mij is het een goed idee als we Sam alleen laten. Telkens wanneer hij naar u kijkt heb ik het gevoel dat hij wordt afgeleid.'

'Zeker mijn stamuniform.'

'Ik ben ervan overtuigd dat er verband tussen is. En wat uw uiterlijk betreft, waarom laten we ons niet door Paddy – sergeant Lafferty – naar een klein restaurant rijden waar ik vaak eet wanneer ik liever geen nieuwsgierige kennissen ontmoet.'

'Wacht even, commandant Pinkus. Hoe zit het met Sam hier? Hij heeft een zware dag in het veld gehad en een leger marcheert op zijn maag, dat weet je.'

'Onze jonge vriend weet uitstekend met de etageservice om te gaan, generaal. Zijn onkostennota's bevestigen zijn deskundigheid. ... Maar ik geloof dat hij nu ongevoelig is voor honger.'

Dat was inderdaad het geval. Met open mond en uitpuilende ogen zat Devereaux gebogen over de eerste pagina's van de conclusie, met een potlood in zijn hand boven een gele blocnote. Hij liet het potlood vallen en toen dat op het bureau kletterde fluisterde hij: 'Dat overleven we geen van allen. Ze kunnen zich niet veroorloven ons in leven te laten.'

Bijna vijfduizend kilometer pal naar het westen en even ten noorden van Boston, Massachusetts, ligt de eerbiedwaardige stad San Francisco, Californië en het zal niemand verbazen te horen dat volgens de statistieken de meerderheid van de emigranten van de Oostkust vroegere inwoners zijn van Boston. Sommige demografen beweren dat het komt door de prachtige haven die zo doet denken aan de thuishaven van de grote zeilschepen en die de landverhuizers uit New England heeft gelokt; anderen zeggen dat het de zeer prikkelende academische sfeer is, gevormd door de talloze universiteiten en de ontelbare voor debatteren geschikte kroegjes die zozeer deel uitmaken van de hoofdstad van Massachusetts; weer anderen houden het erop dat de aantrekkingskracht ligt in de progressieve en vaak obsessieve tolerantie voor verschillende levensstijlen die de tegendraadsheid van de mentaliteit in Boston aanspreekt, want hoe verrukkelijk vaak is het niet voorgekomen dat de kiezers van Boston tegen de landelijke stroming in hebben gestemd? Maar hoe dan ook, deze statistiek heeft weinig te maken met ons verhaal, zij het dat de persoon met wie we kennis gaan maken, net als een zekere Samuel Lansing Devereaux, haar meesterstitel had behaald op Harvard.

Ze had misschien zelfs Devereaux enkele jaren eerder weleens ontmoet, aangezien de firma Aaron Pinkus Associates heel erg in haar geïnteresseerd was en haar belangstelling voor hen had getracht te stimuleren. Gelukkig, of helaas, zocht ze een andere omgeving, aangezien ze schoon genoeg had van haar status als lid van een minderheid die zowel de beroepsmensen uit Boston als de academische aanstellers in verwarring bracht. Ze was niet zwart en ook niet joods, niet oosters, noch Latijns-Amerikaans, ze had haar wortels niet in het gebied om de Middellandse Zee en geen voorvaderen in de streken van de Golf van Bengalen of de Arabische Zee – en dat zijn zo te zien de leden van de wettige minderheden binnen de Amerikaanse smeltkroes van Boston. Er waren geen clubs, geen verenigingen, geen comités gevormd om de zaak van haar speciale minderheid voor te staan omdat... nou ja, eigenlijk dácht niemand zelfs maar over hen als een groep die het oog vooruit hield gericht, wat natuurlijk de maatstaf was waarnaar werd gemeten. Ze waren er gewoon, ze gingen zo hun gangetje, wat dat dan ook was.

Ze was een indiaanse.

Ze heette Jennifer Redwing, 'Jennifer' in plaats van 'Zonsopgang', de naam die ze volgens haar oom, opperhoofd Arendsoog, had gekregen omdat ze in het Midlands Community Hospital in Omaha uit de schoot van haar moeder naar buiten trad bij de eerste stralen van de ochtendzon. In haar beginjaren werd het haar duidelijk dat zij, en later ook haar jongere broer, behoorden tot de meer begaafde kinderen van de Wopotami-stam, daarom vergaarde de Raad van Ouden de nodige fondsen om haar een goede opleiding te geven. En zodra ze die gelegenheid ten volle had benut, was ze ongeduldig om weer naar het westen te trekken – zo ver naar het westen als mogelijk was – naar een plaats waar de mensen niet verwachtten dat *in-*

dianen sari's droegen en rode vlekjes op hun voorhoofd hadden.

Toch was haar verhuizing naar San Francisco meer toeval dan een vooropgezet plan. Ze was teruggekeerd naar Omaha, had haar pleitbevoegdheid gehaald voor de staat Nebraska en werkte op een vooraanstaand advocatenkantoor toen er iets vervelends gebeurde. Een cliënt van de firma, een bekende natuurfotograaf, had opdracht gekregen van de *National Geographic* om door een modern indianenreservaat te zwerven en een fotoreportage te maken over het wild dat daar nog te vinden was. Zijn foto's zouden geplaatst worden naast beelden uit het verleden, waarbij het er duidelijk om ging te laten zien hoe het dierenrijk zoals de oorspronkelijke inwoners van het land dat vroeger kenden, geleidelijk gedecimeerd werd. De fotograaf was een ervaren, zij het wat wellustige vakman en hij wist wanneer hij een luizige opdracht kreeg voorgeschoteld; wie wilde er nu verdomme nog kijken naar een uitstervende dierenwereld geplaatst naast de geromantiseerde beelden van vruchtbare vlakten en wouden, een paradijs voor een jager? Van de andere kant konden de zaken misschien, met een beetje fantasie, worden omgedraaid – laten we zeggen met een echte indiaanse gids op alle foto's... laten we zeggen met een sappige *vrouwelijke* gids in verschillende onopgesmukte shots, zus en zo buigend. ... Laten we zeggen met 'Red' Redwing, dat stuk van een juriste die haar kantoor had naast dat van zijn eigen advocaat en op wie de fotograaf beslist geilde.

'Luister eens, Red,' begon de kiekjesman op een morgen, terwijl hij zijn hoofd om de deur van het kantoor van de advocate stak en haar noemde bij de bijnaam die haar collega's ook gebruikten, uiteraard afgeleid van haar achternaam en niet van haar glanzende zwarte haren. 'Zou je een paar honderd dollar willen verdienen?'

'Als jij voorstelt wat ik denk dat je voorstelt, dan kun je voor mijn part de pot op,' luidde het kille antwoord.

'Hé, zus, je begrijpt me verkeerd.'

'Te oordelen naar de indirecte geruchten waarvan het hier op kantoor gonst, niet bepaald.'

'Op mijn woord van eer...'

'Welke eer?'

'Nee, eerlijk, het is een echte opdracht van de *Geographic.*'

'Die laten naakte Afrikanen zien maar ik herinner me niet ooit naakte blanke vrouwen gezien te hebben en ik ken het blad omdat ik regelmatig naar de dokter en naar de tandarts ga.'

'Je zit er faliekant naast, dame. Ik ben alleen op zoek naar een gids die me kan helpen bij het schieten van plaatjes voor een verhaal dat zich concentreert op nu niet bepaald gunstige omstandigheden in reservaten. Een jurist die op Harvard heeft gestudeerd en die toevallig ook lid is van een indianenstam, kan nu net het verschil betekenen tussen het schenken van aandacht en het verveeld omslaan van de pagina's.'

'O?'

Dus werd er gefotografeerd, en ondanks het feit dat Red Redwing een zeer veelbelovende jonge advocaat was, was ze uiterst naïef in de wereld van de beroepsfotografie. In haar vurig verlangen om haar stam te helpen stemde ze in met de kleren die de fotograaf uitkoos en weigerde alleen in bikini te poseren terwijl ze een in zijn groei belemmerde rivierforel omhooghield, en ze dacht er al evenmin aan met haar initialen de foto's goed te keuren die gepubliceerd zouden worden. Verder was er nog een 'alleen': ze snapte de fotograaf bij het nemen van foto's van haar terwijl ze zich over een geëlektrocuteerd eekhoorntje boog, een plaatje dat zeker meer van haar rijkelijk bedeelde borsten onder het losse indianenbloesje zou laten zien dan een nette juriste zich kon veroorloven. Ze verkocht de man een stevige linkse op zijn mond. Ze schrok zo van wat daarop volgde dat ze ter plekke een eind maakte aan de reportage. Met bloedende lippen viel de fotograaf op zijn knieën en riep: 'Het is voorbij, baby, maar doe dat alsjeblieft, *alsjeblieft*, nog een keer!'

Het artikel verscheen en de abonnementenafdeling van de *National Geographic* kreeg haar handen vol. Het kwam ook onder de aandacht van een zekere Daniel Springtree, een compagnon met Navajo-bloed van Springtree, Basl en Karpas, een advocatenkantoor waarmee rekening gehouden moest worden in San Francisco. Hij belde Jennifer 'Red' Redwing in Omaha en bepleitte zijn zaak, een zaak die gebaseerd was op zijn schuldgevoel niet genoeg te hebben gedaan voor de familieleden van vaders kant. De Rockwell-jet van de firma werd naar Omaha gestuurd om Redwing naar San Francisco te halen voor een sollicitatiegesprek en zo gauw Red had gezien dat Springtree vierenzeventig was en nog steeds verliefd op zijn vrouw waarmee hij vijftig jaar was getrouwd, wist ze dat het tijd werd Nebraska te verlaten. De firma in Omaha vond het niet leuk maar kon niets doen; sinds het verschijnen van het artikel in *National Geographic* hadden ze drie keer zoveel cliënten gekregen.

Maar op deze bepaalde morgen had de jongste medefirmant Redwing van Springtree, Basl en Karpas, van wie velen meenden dat het spoedig Basl, Karpas en Redwing zou worden, juridische zaken aan haar hoofd die lichtjaren verwijderd waren van stamaangelegenheden. Dat wil zeggen, totdat haar intercom zoemde en haar secretaresse aankondigde: 'Uw broer is aan de lijn.'

'*Charlie?*'

'Die, ja. Hij zegt dat het dringend is en ik geloof hem. Hij nam niet eens de tijd om me te zeggen dat hij uit de klank van mijn stem kon opmaken dat ik mooi was.'

'Lieve hemel, ik heb in weken niets meer van hem gehoord...'

'Maanden, juffrouw Red. Ik vind zijn telefoontjes leuk. Wees eens eerlijk, baas. Is hij even knap als u adembenemend bent? Ik bedoel, zit het in de familie?'

'Doe maar een half uurtje langer over je lunch en laat mij met mijn broer praten.' Redwing drukte de verlichte knop op het toestel in. 'Charlie, schat, hoe ís het met jou? Ik heb in geen... maanden meer iets van je gehoord.'

'Ik heb het druk gehad.'

'Bevalt je administratieve baantje je?'

'Het is voorbij. Afgelopen.'

'Prima.'

'Ik heb eigenlijk een tijdje in Washington gezeten.'

'Dat is zelfs nog beter,' riep de zuster uit.

'Nee, dat is het niet. Het is erger – het ergste wat je je denken kunt.'

'Waarom, Charlie? Een goed kantoor in Washington zou geweldig zijn voor jou. ... Ik weet dat ik je dit eigenlijk niet mag vertellen, maar over een paar dagen kom je er toch wel achter. Ik kreeg een telefoontje van een oude vriend van de orde van advocaten in Nebraska en je bent niet alleen geslaagd voor je examen, broertje, je hoorde tot de allerbesten! Wat zeg je me daarvan, genie dat je bent?'

'Het doet er niet toe, zus, niets doet er meer toe. Toen ik zei dat het voorbij was en afgelopen bedoelde ik mezelf en alle ideeën die ik ooit heb gehad over een carrière als advocaat. Ik ben geruïneerd.'

'Waar héb je het toch over? ... O, een kwestie van geld?'

'Nee.'

'Een meisje?'

'Nee, een kerel. Een man.'

'Charlie, daar had ik niet eens een vermoeden van!'

'Och, in godsnaam, dat niet.'

'Wát dan?'

'We konden beter maar eens samen gaan lunchen, zus.'

'In Washington?'

'Nee, hier. Ik sta beneden in de hal. Ik wilde niet naar boven komen – hoe minder je in het openbaar met mij te maken hebt, hoe beter het voor je zal zijn. ... Ik ga eerst naar Hawaï, dan monster ik aan op een of ander schip en kom ik misschien in Amerikaans Samoa, waar ze, als het even meezit niet veel nieuws horen...'

'Jij blijft staan waar je nu staat, stuk onbenul! Je grote zus komt eraan en misschien wel om jou een ongenadig pak op je donder te geven!'

Een verbijsterde Jennifer Redwing staarde haar broer tegenover haar aan tafel aan; ze was sprakeloos, daarom deed Charlie zijn best om de conversatie weer op gang te brengen. 'Aardig weertje hebben jullie hier in San Francisco.'

'Het regent dat het giet, idioot. ... Charlie, waarom heb je me niet gebeld voordat je je inliet met die malloot?'

'Ik heb erover gedacht, Jenny, echt waar, maar ik weet hoe druk jij het hebt en in het begin leek het allemaal een geweldige grap en we hadden een hoop lol en die jojo gaf geld uit en niemand had er echt last van – ze waren zo nu en dan een beetje aangeschoten maar niet echt lastig – en toen was het ineens geen grapje meer en zat ik in Washington.'

'Een procederende partij voor het Hooggerechtshof die onbevoegd is om op te treden, meer niet!' viel zijn zus hem in de rede.

'Het was alleen maar voor de show, Jenny, in werkelijkheid heb ik niets gedaan... alleen gesproken met twee van de rechters – op heel informele basis.'

'Je hebt gespróken met...'

'Héél informeel, zus, ze zouden zich mij nooit meer herinneren.'

'Hoe en waarom niet?'

'Hawkins zei tegen me dat ik zo nu en dan eens wat rond moest hangen in de hal met een stamjack aan en in bukskin – ik zal je wel zeggen, ik voelde me als een verdomde idioot – en op een dag kwam die grote zwarte rechter naar buiten, gaf me een hand en zei: "Ik weet waar jij vandaan komt, jongeman", en een week later kwam die Italiaanse kerel me tegen op de gang, legde zijn arm om mijn schouder en zei een beetje triest: "Degenen onder ons die van overzee kwamen werden vaak niet beter behandeld dan jullie." '

'O, mijn god...!' mompelde Red Redwing.

'Het was er erg druk, zus,' voegde de broer er snel aan toe. 'Een heleboel toeristen en advocaten – hele massa's.'

'Charlie, ik ben een ervaren advocaat; ik heb gepleit voor het Hof, dat weet je! Waarom heb je de telefoon niet gepakt en mij gebeld?'

'Ik denk dat het gedeeltelijk komt omdat ik wist dat je je zorgen zou gaan maken en me de mantel zou uitvegen, maar de echte reden was dat ik dacht Mac de Clown de hele rotzooi uit het hoofd te kunnen praten. Ik legde hem uit dat het een verloren zaak was vanwege mijn situatie, die een eind zou maken aan elke mogelijke neiging ten gunste van de conclusie van eis, een vooruitzicht dat even onwaarschijnlijk is als dat ik zou meedoen aan een rodeo. Mijn idee was onmiddellijk een bevelschrift tot verstek in te dienen, gebaseerd op latere ontdekkingen, waardoor ik met een schone lei kon beginnen. ... Zoveel heb ik wel geleerd terwijl ik als een imbeciel door die heilige hallen zwierf. Ze laten een zaak nog sneller vallen dan oom Arendsoog een borrel naar binnen slaat bij het minste of geringste excuus.'

'Wat zei Hawkins over dat idee?'

'Dat is juist het probleem, ik heb nooit de kans gekregen het hem volledig uit te leggen. Hij wilde niet luisteren; hij schreeuwde alleen maar en toen hij me ten slotte mijn kleren teruggaf, de kleren waarvoor jij me het geld stuurde toen ik pas werk had...'

'Je *kleren*?'

'Dat is een ander verhaal. Hoe dan ook, ik was zo dankbaar ze te krijgen dat ik ervandoor ging, ik smeerde 'm. Ook toen dacht ik dat ik hem later wel zou bellen, bijvoorbeeld 's morgens en zou proberen hem om te praten.'

'Heb je dat gedaan?'

'Hij was weg. Foetsie. Johnny Kalfsneus – herinner je je Johnny nog...?'

'Ik krijg nog steeds het geld voor een borgsom van hem.'

'Nou ja, Johnny was zo'n beetje Macs speciale adjudant voor beveiligingszaken en hij zei me dat Hawkins naar Boston was vertrokken maar duidelijk had gemaakt dat Johnny, als er telefoon of post uit Washington kwam, hem onmiddellijk moest bellen op een nummer in Weston, Massachusetts... dat ligt buiten Boston.'

'Ik weet waar het ligt. Ik heb een paar jaar in Cambridge gezeten, weet je nog? Je hebt hem dus gebeld?'

'Dat heb ik geprobeerd. Vier keer zelfs en iedere keer kreeg ik niets anders dan onbelangrijke varianten van het hysterisch gegil van dezelfde vrouw, samen met onsamenhangende beschuldigingen die volgens mij iets te maken hadden met de paus.'

'Dat is niet ongewoon. Boston is hoofdzakelijk katholiek en in tijden van onrust zoeken de gelovigen troost bij hun Kerk. Was er niet nog iets anders?'

'Nee. Na het laatste telefoontje, toen ik het opnieuw probeerde, kreeg ik alleen maar een bezettoon wat volgens mij betekent dat de gekke dame de hoorn van de haak had gelegd.'

'Het betekent ook dat Hawkins in Boston is. ... Heb je dat nummer?'

'Ik ken het uit mijn hoofd.' Hij dreunde het op en zuchtte. 'Ik ben verloren.'

'Nog niet, Charlie,' zei Zonsopgang Jennifer 'Red' Redwing terwijl ze woedend naar haar broertje keek. 'Ik heb een meer dan normaal gevestigd belang in jouw lastige parket. Ik ben tenslotte je zuster en ik ben ook een advocaat en wat de wet daarover ook zegt, er is een boel schuld door associatie in deze zaak. Bovendien ben je een vrij aardige jongen en, God moge me helpen, ik hou van je.' De zuster gaf een teken aan een kelner die direct naar haar toe kwam. 'Wil je me alsjeblieft een telefoon brengen, Mario?'

'Natuurlijk. Ik haal er wel een uit de dichtstbijzijnde cel.'

'Je zult me jarenlang niet meer zien,' begon de broer. 'Zo gauw ik in Honoloeloe of Fiji ben vind ik wel werk op schepen en...'

'Och, hou je bek, Charlie,' zei de zus terwijl Mario de kelner de telefoon aansloot en hem haar overhandigde. Ze draaide en sprak direct. 'Peggy, met mij en je mag wel twee uur nemen voor de lunch als je een paar dingen voor me zou willen doen. Op de eerste plaats moet je achter de naam en het adres zien te komen van degene die dit nummer heeft; het is in Weston, Massachusetts.' Ze noemde het nummer terwijl Charlie het op een servet schreef. 'Daarna moet je een plaats reserveren op een vlucht naar Boston die aan het eind van de middag vertrekt – ja, ik zei Boston en nee, morgen ben ik er niet en om vooruit te lopen op je volgende vraag, ik stuur niet mijn broer om mijn plaats in te nemen omdat jij hem zou verleiden. ... O, en Peg, reserveer een hotel voor me. Probeer de Vier Jaargetijden maar, volgens mij is dat in Boylston Street – we hebben daar eens een advocatenfeestje gehad.'

'Jenny, wat ben je van plan?' riep Charlie Redwing uit toen zijn zus de hoorn oplegde.

'Volgens mij is dat nogal duidelijk. Ik vlieg naar Boston en jij gaat nergens anders heen dan naar mijn flat waar je je zult gedragen en in de buurt van de telefoon zult blijven. Je enige andere mogelijkheid is dat ik je laat arresteren wegens fraude en het niet betalen van uitstaande schulden – of misschien kan ik een goede vriend bellen die ook cliënt is die op je zou kunnen passen. Eerlijk gezegd is de gevangenis volgens mij te prefereren; mijn vriend speelt in de voorhoede van de Forty-niners.'

'Ik weiger toe te geven aan terroristische dreigementen en ik herhaal: wat denk je, verdomme, wel dat je aan het doen bent?'

'Ik ga die maffe Hawkins opzoeken en hem tegenhouden. O, niet alleen maar voor jou, Charlie, en daarom ook voor mij, maar voor onze stam.'

'Ik weet het. Alle reservaten zullen ons uitlachen, dat heb ik Mac gezegd.'

'Nog veel erger, broertje, nog stukken erger. Alles wat je me hebt verteld komt neer op een onherstelbare catastrofe. De luchtmachtbasis van het SAC, Offutt, het algemene hoofdkwartier van het Strategic Air Command ligt precies midden in de grootse plannen van die maffe generaal. Hoe krankzinnig het ook klinkt en hoe onbetwistbaar het ook is, denk jij dat die bobo's in Washington ook maar een minuut stil zullen zitten als ook maar even blijkt dat er met het SAC wordt gemodderd?'

'Wat kunnen ze doen behalve de zaak lachend het Hof uitsmijten en mij intussen te grazen nemen wegens onbevoegd optreden. Ik bedoel maar, wat kunnen ze eigenlijk doen?'

'Nieuwe wetten maken, Charlie, wetten die de stam voorgoed naar de barrebiesjes helpen. Ze zouden kunnen beginnen met het land dat we hebben te confisqueren en de bewoners ervan te verdrijven. Verrek, dat is al gedaan voor autosnelwegen – zelfs met landweggetjes en bruggetjes in de binnenlanden door politici die iets terug moesten doen. Wat is zoiets vergeleken met al het geld waarover het SAC beschikt?'

'Verdrijven...?' vroeg de broer zacht.

'Onze mensen links en rechts verspreiden in rottige huisjes en gammele flats, zo ver van elkaar verwijderd als maar kan,' antwoordde de oudere zus bevestigend. 'Wat wij – of zij – hebben is niet bepaald een paradijs, maar het is van hén. Velen van hen hebben daar hun leven lang al gewoond en dat zijn meestal levens van zeventig en tachtig jaar. Dat zijn belevenissen van mensen achter kille overheidsstatistieken die zogenaamd door nationale belangen gerechtvaardigd worden.'

'Zou Washington zoiets kunnen doen?'

'In een mum van tijd als er een bijdrage voor een campagne aan vastzit; dat is bekend. Landweggetjes en bruggetjes in het binnenland zijn maar een druppel in de oceaan van de belastingbetalers, maar de gulheid van de regering kent geen grenzen wanneer het om het SAC gaat.'

'Maar nog eens, zus, wat kun je nu echt in Boston *doen*?'

'Een gepensioneerde generaal op zijn sodemieter geven, broertje, en verder iedereen bij hem in de buurt.'

'Hoe?'

'Dat weet ik beter wanneer ik hen vind, maar ik vermoed dat het iets zal zijn dat even krankjorem is als die idioterie waarmee ze zelf bezig zijn. ... Laten we zeggen een samenzwering die gesmeed is door de vijanden van de democratie om de geëerde reus op de knieën te brengen en onze geliefde Amerikaanse capaciteiten om over de hele wereld als eerste aan te vallen, te vernietigen. Vervolgens leggen we een band tussen juridisch terrorisme en racistische onderstromingen, door verzonnen aanklachten waardoor het complot in verband wordt gebracht met fanatieke Arabieren en op wraak beluste Israeli's in samenwerking met de haviken in Beijing, samen met de maffe goeroes, gevoegd bij de Hare Krisjna's, Fidel Castro, de pacifisten in Sesamstraat – en god mag weten wie nog meer. Deze planeet heeft genoeg rotte vis en wat voor rotte vis doorgaat om onmiddellijke en hartstochtelijke reacties op te roepen. Bij het vooronderzoek zullen we ze het hele zootje voor de voeten gooien.'

'Vooronderzoek...?'

'Je hebt gehoord wat ik zei.'

'Dat is allemaal volkomen geschíft, Jenny!'

'Dat weet ik, Charlie, maar dat zijn zíj ook. In een vrij land kan iedereen iedereen een proces aandoen, dat is zowel krankzinnig als glorieus. De procesvoering zelf is niet belangrijk, het gaat om de bedreiging met openbaarmaking. ... Goeie god, was ik maar vast in Boston!'

10

Desi-Een klopte voor de derde keer hard op de hoteldeur en haalde, terwijl hij dat deed, zijn schouders op tegen zijn wapenbroeder Desi-Twee, die hetzelfde antwoord teruggaf. 'Misschien heeft onze *loco* baas, de *grande general*, zijn snor gedrukt, wat denk je?'

'Waarom?'

'Hij moet ons toch nog betalen?'

'Ik denk niet dat hij ervandoor gaat – ik wíl niet denken dat hij zoiets doet.'

'Ik ook niet, man, maar hij zei tegen ons dat we over een uur terug moesten zijn.'

'Misschien is hij dood. Misschien heeft die nog gekkere gringo, die alsmaar gilt, hem en dat ouwe mannetje koud gemaakt.'

'Misschien moeten we dan de deur openbreken.'

'En zoveel lawaai maken dat de gringo-politie achter ons aan komt en we weer een hele tijd die rottige gringo-kost moeten eten? Je maakt mooie plannetjes, amigo, maar met je mechanische vaardigheden is het niet best gesteld, voel je wat ik bedoel?'

'Wat voor *mecánico*?'

'Hé, man, we hebben elkaar beloofd dat we Engels zouden spreken, toch?' antwoordde Desi-Twee en hij haalde een instrumentje met veel uitklapbare smalle strookjes uit zijn zak, iets als een zakmes maar moeilijk te omschrijven. 'Zo kunnen we beter "assimileren", wat dat dan ook betekent.' De man die zo vlot Chevrolets aan de praat kreeg liep op de deur af en keek snel even heen en weer in de gang. 'We breken geen deuren open. Deze slotjes van *plastico* zijn geen probleem – ze hebben een wit *plastico* knopje dat openspringt.'

'Hoe weet jij zoveel over hoteldeuren, man?'

'Ik heb lang als kelner in Miami gewerkt, man. De gringo's bellen de etagedienst en tegen de tijd dat je daar komt met je blad zijn ze te zat om de deur te vinden en als je het blad terugbrengt gaan ze in de keuken tegen je gillen. Het is beter te weten hoe je deuren open moet maken.'

'Da's een goeie leerschool.'

'Daarvóór werkte ik op de parkeerplaatsen. *Madre mía*, dat zijn *universidades*!' Desi-Twee stak met een brede grijns een wit plastic strookje in de verticale sleuf van het slot en de deur ging langzaam open. 'Señnor!' riep hij uit tegen de man die binnen zat. 'Alles goed met jou?'

Sam Devereaux zat als in trance achter het bureau, zijn glazige ogen gericht op de pagina's vóór hem. 'Leuk jullie weer eens te zien,' zei hij zacht en die woorden hadden niets te maken met zijn concentratie.

'We hadden bijna de deur in elkaar geramd, man!' riep Desi-Een uit. 'Wat mankeert jou?'

'Ram mij alsjeblieft niet weer in elkaar,' klonk het monotone antwoord. 'De hele last van de juridische wereld rust op mijn schouders – ik heb jullie niet nodig.'

'Hé, kom nou, gringo,' vervolgde D-Een en hij liep op het bureau af. 'Wat wij gedaan hebben was helemaal niet persoonlijk bedoeld. We gehoorzaamden alleen aan de bevelen van de *grande general*, dat weet je toch?'

'De *grande general* heeft in zijn jeugd aambeien gehad.'

'Niet leuk om dat te zeggen,' vermaande D-Twee. Hij ging bij zijn maat staan, deed de deur dicht en stak zijn onbeschrijflijke inbrekerswerktuig weer in zijn zak. 'Waar is de generaal en waar is het kleine mannetje?'

'Wat... wie? O, die zijn gaan eten. Waarom gaan jullie ook niet mee?'

'Omdat hij zei dat we over een uur weer terug moesten zijn en wij zijn goede *soldados*!'

'O... Nou ja, daarop kan ik geen commentaar geven omdat de instructie niet van mijn kantoor afkomstig was.'

'Wat zeg je nou?' vroeg Desi-Een en hij keek met half dichtgeknepen ogen naar de advocaat, zoals je een misvormd pantoffeldiertje onder de microscoop zou bekijken.

'Wat? ... Hé, luister, jongens, ik heb het hier vrij druk en jullie hebben gelijk, ik vat niet alles wat er gebeurd is persoonlijk op. Geloof me maar, ik heb ook het nodige meegemaakt.'

'Wat wil je daarmee zeggen?' vroeg D-Een.

'Nou ja, Mac is een vrij krachtige persoonlijkheid; hij kan erg overtuigend zijn.'

'Wat is een "mac"? Een stuk vlees dat kan praten?'

'Nee, dat is zijn naam. MacKenzie – afgekort noem ik hem Mac.'

'Hij is niet kort, man,' zei Desi-Twee. 'Hij is een echte lange gringo.'

'Dat hoort er, denk ik, bij.' Sam knipperde een paar keer met zijn ogen en leunde achterover in de draaistoel en rekte zijn nek om de spanning die hij daar voelde kwijt te raken. 'Groot, stoer, grof en almachtig – en hij laat mensen zoals jullie en mij marcheren op de maat van zijn cymbalen wanneer we eigenlijk beter moesten weten. ... Jullie twee, jullie zijn door de wol geverfd, en ik, ik ben door de wet geverfd, en toch verslaat hij ons.'

'Hij slaat niemand!' zei D-Een nadrukkelijk.

'Ik bedoel het niet letterlijk...'

'Het kan me geen barst verrotten hoe je het bedoelt, man, door hem zijn ik en mijn amigo hier weer boven Jan, en wat heb je daarop te zeggen?'

'Ik kan niets bedenken.'

'We hebben met elkaar gepraat toen we die smerige tortilla's aten die die blonde gringo verderop in de straat maakt,' voegde D-Twee eraan toe, 'en we waren het erover eens. De *loco* baas, die is oké.'

'Ja, dat weet ik,' zei Devereaux vermoeid en hij richtte zijn blik weer op de pagina's vóór hem. 'Als jullie hem echt mogen is dat prima.'

'Waar komt hij vandaan, man?' vroeg Desi-Een.

'Vandaan? ... Hoe weet ík dat nou? Uit het leger, waar anders?'

Desi-Een en Twee keken elkaar eens aan. De eerste sprak zijn maat aan. 'Zoals we hebben gezien in de etalage met de leuke plaatjes, waar of niet?'

'Laat de naam maar eens goed spellen,' zei Desi-Twee.

'Oké.' Desi-Een richtte zich weer tot de druk bezig zijnde advocaat. 'Jij, señor Sam, doe wat mijn vriend zegt.'

'Wat moet ik doen?'

'De naam van de *grande general* opschrijven.'

'Waarom?'

'Omdat je vingers niet zo best meer zullen werken als je het niet doet.'

'Dat doe ik graag,' zei Devereaux snel. Hij pakte een potlood en scheurde een vel van zijn blocnote. 'Ziezo,' zei hij en hij schreef de naam en de rang van Hawkins op. 'Ik ben bang dat ik geen adres en telefoonnummer heb, maar dat kun je later opvragen in de gevangenis.'

'Zeg jij smerige dingen over de *grande general*?' vroeg Desi-Twee wantrouwig. 'Waarom mag je hem niet? Waarom loop jij weg en gil je tegen hem en probeer je met hem te vechten, hè?'

'Omdat ik heel slecht ben geweest, *verschrikkelijk* slecht,' riep Sam klagend uit, met zijn handen smekend uitgestrekt. 'Hij was zo goed voor mij – jullie hebben gezien hoe aardig hij tegen me praat – en ik was zo egoïstisch! Ik zal het mezelf nooit vergeven, maar ik heb mijn fouten ingezien en probeer het goed te maken bij hem door dit werk te doen dat hij me wil laten doen – *moet* laten doen. ... Morgen ga ik naar de kerk om God te vragen dat Hij me vergeeft omdat ik zo rot heb gedaan tegen een groot man.'

'Hé, señor Sam,' zei Desi-Twee, met Gods vergeving in zijn stem. 'Niemand is altijd volmaakt, weet je dat? Jezus, Die begrijpt dat, nietwaar?'

'Daar kun je je knikkers onder verwedden,' antwoordde Devereaux binnensmonds. 'Er is een non die ik ken die zelfs Zijn medelijden op de proef stelt.'

'Wat zeg je nou, man?'

'Ik zei dat het bekende medelijden van nonnen betrekking heeft op wat jij zegt – dat is een Amerikaanse uitdrukking die betekent dat je gelijk hebt.'

'Da's *cool*, man,' zei Desi-Een, 'maar Desi-Twee en ik moeten eens heel diep gaan nadenken, daarom gaan we *vamos* en nemen het woord aan van een godsdienstige man dat de *grande general* oké is, zoals wij al zeiden.'

'Ik ben bang dat ik dat niet begrijp.'

'De *grande general* moet ons nog dinero betalen...'

'Je bedoelt geld?'

'Dat bedoel ik, gringo, en we willen hem echt vertrouwen, maar we moeten wel *positivo* zijn, snap je? Zeg jij dus maar tegen de *grande general* dat we hier morgen terugkomen voor ons dinero, oké?'

'Oké, maar waarom wacht je niet op hem – buiten, natuurlijk.'

'Omdat we, zoals we al zeiden, moeten nadenken en praten... en we moeten ook weten dat we hem kunnen vertrouwen.'

'Om het heel eerlijk te zeggen begrijp ik je niet.'

'Dat hoeft ook niet. Zeg hem alleen maar wat wij gezegd hebben, oké.'

'Goed.'

'Kom op, amigo,' zei Desi-Een en hij stak zijn linkerpols waar drie horloges om zaten uit zijn mouw. 'Ik zal je zeggen, je kunt *niemand* meer vertrouwen! Die rottige Rolex is nep!'

Met die raadselachtige woorden verlieten Desi-Een en Desi-Twee de suite. Ze wuifden beiden hartelijk naar Sam terwijl ze de deur achter zich dichttrokken. Devereaux schudde zijn hoofd, nam een slokje cognac en hield zich weer bezig met de vellen papier op het bureau.

Het werd dag boven het oostelijk silhouet van Boston, Massachusetts, tot grote ergernis van Jennifer Redwing, die vergeten had de gordijnen te sluiten zodat de felle stralen van de ochtendzon op haar oogleden schenen en haar wakker maakten. ... Vergeten, verdomme, ze was veel te moe geweest om daaraan te denken toen ze om twee uur 's nachts van het vliegveld kwam binnenstrompelen. Vier uur slaap was niet genoeg, zelfs niet met haar energie, maar de omstandigheden maakten het onmogelijk in bed te blijven. Ze stond op, trok de gordijnen halfdicht, knipte de lamp naast het bed aan en bestudeerde het menu van de etageservice, waarbij ze vond wat ze hoopte te vinden: vierentwintig uur ter beschikking. Ze nam de hoorn van de haak, bestelde een stevig ontbijt en dacht aan de dag die voor haar lag.

Alles kwam erop neer dat ze die rotzak van een ex-generaal, MacKenzie Hawkins, moest kortsluiten, en al het geteisem dat achter hem stond. En ze *zou* hen kortsluiten, ze zou ze bruin bakken op het juridisch elektrisch rooster, wat er ook voor nodig was, hoeveel juridisch bedrog, dat ze altijd had verafschuwd, er ook bij kwam kijken. Vandaag was anders. Ofschoon ze haar stam eeuwig dankbaar was – die dankbaarheid kwam tot uiting doordat ze een oogje hield op hun investeringen en een derde van haar inkomen overschreef op hun rekening – was ze woedend omdat buitenstaanders geprobeerd hadden uitsluitend uit winstbejag misbruik te maken van het nogal duistere verleden en de naïviteit van haar stam. Haar broertje Charlie had gelijk, al begreep hij haar woede verkeerd. Ze zou niet alleen hem de mantel uitvegen, ze zou hen allemaal de mantel uitvegen – zo ver dat ze hen nooit meer terug konden vinden!

Het ontbijt werd gebracht en daarmee kwam ze ook weer wat tot rust. Ze moest zich concentreren. Ze had alleen maar een telefoonnummer en een adres in Weston. Veel was het niet, maar het was een begin. Waarom ging de tijd niet sneller? Verdómme, ze wilde aan de gang!

Het was half zes 's morgens en Sam Devereaux, die haast niet meer uit zijn ogen kon kijken, had de conclusie van eis van de Wopotami's doorgewerkt, met als resultaat zevenendertig vellen aantekeningen op zijn blocnote. Mijn god, wat verlangde hij naar zijn bed, al was het alleen maar om enig perspectief te zien, als dat er al was in heel deze onsmakelijke warboel! Zijn hoofd dreigde te barsten met honderden relevante en niet ter zake doende feiten, definities, conclusies en tegenspraken. Alleen een tijdje rust zou die vaak geprezen eigenschappen van gezond verstand en analyse weer naar boven brengen, die op dit ogenblik zo verzwakt waren dat hij betwijfelde of hij het speelkwartiertje van een kleuterschool aankon, laat staan Sanford huppeldepup uit het hoofd kon praten hem een pak rammel te geven toen ze beiden zes jaar waren, tijdens een van die pauzes op de speelplaats. Hij vroeg zich af wat er ooit met die uit zijn krachten gegroeide bullebak was gebeurd; hij was ongetwijfeld geëindigd als generaal in het leger, of als terrorist. Zoiets als die 'dolle' Mac Hawkins, die momenteel sliep in de logeerkamer van de hotelsuite en die er verantwoordelijk voor was dat ruim tweehonderd pagina's regelrechte rampspoed onder de aandacht werden gebracht van Aaron Pinkus en Samuel Lansing Devereaux, die nu toe moest geven dat hij nooit de rechterlijke toga zou dragen – behalve misschien als laatste wens voordat hij in de kelders van het Pentagon zou worden geëxecuteerd op het gezamenlijk bevel van de president, het ministerie van defensie, de CIA, de DIA en de Dochters van de Amerikaanse Revolutie. En Aaron – arme Aaron! Hij moest niet alleen Shirley met-het-betonnen-kapsel onder ogen zien over een kleinigheid als een misgelopen vernissage, maar hij had ook Macs conclusie gelezen, op zich al een ware uitnodiging tot vergetelheid.

Godallemachtig, het *Strategic Air Command*! Als die zakken van het Hof ook maar enig geloof schonken aan het beroep – en het was een beroep zowel op het geweten als op de gerechtigheid – zouden hele brokken, zo niet álles van het SAC eigendom worden van een piepkleine, noodlijdende indianenstam met die krankzinnige naam Wopotami! De wet was overduidelijk: alle verdere opstallen en materialen die werden aangetroffen op onrechtmatig verworven of gestolen onroerend goed waren eigendom van de benadeelde partij of partijen. Allemachtig!

Rust moest hij hebben – misschien zelfs slaap, als hem dat zou lukken. Aaron had gelijk gehad toen hij en Mac rond middernacht waren teruggekeerd en Sam Hawkins had gebombardeerd met wat hij moest toegeven betrekkelijk hysterische vragen en aantijgingen.

'Maak het af, jongen, ga daarna wat slapen en morgen zullen we erover praten. Je bereikt niets wanneer de touwtjes te strak gespannen staan om de juiste aantekeningen te maken; en om het heel eerlijk te zeggen, heren, ik krijg nog een onaangenaam staartje te verwerken vanavond, wanneer ik mijn lieve Shirley weer zie. ... Waarom, o waarom, Sam, heb je het tegen mij ooit gehad over die verdomde vernissage?'

'Ik dacht dat je kwaad op me zou zijn wanneer je ontdekte dat ik er niet naartoe ging met een van onze rijkste cliënten omdat zijn vrouw steeds maar probeert in mijn broek te komen. Bovendien heb ík het niet tegen Shirley gezegd.'

'Ik weet het, ik weet het,' had Aaron berustend toegegeven. 'Wil je wel geloven dat ik het haar heb verteld omdat ik dacht dat het amusant was en bovendien jouw karakter tot eer strekte? Minstens vijfhonderd advocaten die ik ken zouden, bij de minste of geringste provocatie, intiem contact hebben gehad met de dame.'

'Daar staat Sam boven, commandant Pinkus,' had MacKenzie Hawkins volgehouden. 'Die jongen heeft principes, al blijken ze niet altijd even duidelijk.'

'Generaal, mag ik nogmaals voorstellen dat u zich terugtrekt uit Sams aanwezigheid, om de redenen die we tijdens ons eten hebben besproken? U zult de logeerkamer heel comfortabel vinden.'

'Is er een televisietoestel? Ik kijk graag naar die oude oorlogsfilms, want daar gaat het allemaal om, nietwaar?'

'U hoeft niet eens uit bed te komen. U richt gewoon de afstandsbediening en schiet vanuit een comfortabel schuttersputje.'

Verrek, hij was uitgeput! dacht Devereaux terwijl hij opstond uit de stoel en naar de slaapkamer strompelde, zich alleen vaag ervan bewust dat Aaron zo aardig was geweest de lamp op het nachtkastje aan te knippen. Hij sloot de deur – stevig – en concentreerde zich op zijn schoenen... welke moest hij het eerst uittrekken en hoe? Die moeilijke vraag werd opgelost toen hij het bed bereikte en erop neerplofte; zijn schoenen bleven aan, zijn ogen vielen dicht en hij sliep onmiddellijk in.

Vervolgens bereikte hem, vanuit ver verwijderde zalen waarin absoluut niemand was, een indringend, onophoudelijk gerinkel dat steeds luider klonk totdat zijn persoonlijke uitspansel doorkliefd werd door opeenvolgende bliksemschichten. Hij grabbelde naar de telefoon en zag dat het kristallen klokje naast zijn bed tien over half negen aangaf. 'Ja?' mompelde hij.

'Dit is *Pak wat je krijgen kunt*, jij grote, enorme geluksvogel!' schreeuwde een stem over de lijn. 'Vanmorgen bellen we hotels die willekeurig worden gekozen uit onze rondtollende kom door iemand uit ons *geweldige* publiek en vervolgens een kamernummer uit de tweede kom dat wordt gekozen door de meest recente grootmoeder uit ons fantastisch publiek, en jij bént het, jij geluksvogel! Je hoeft me alleen maar te vertellen welke lange, gebaarde president de Toespraak van Gettysburg heeft gehouden en je wint een Watashitti wasdroger van de firma Mitasjovitzoe, die toevallig de eigenaar is van dit *geweldig* radiostation! Wat is je antwoord hierop, jij *fantastisch* iemand?'

'Krijg de kolere,' antwoordde Sam, knipperend tegen het verblindende zonlicht dat door de ramen viel.

'Zet de band stil! Laat iemand de jonglerende dwergen het toneel opsturen en optreden...'

Devereaux legde de hoorn op de haak en kreunde; hij moest opstaan en zijn aantekeningen doorlezen en dat vooruitzicht trok hem totaal niet aan. Niets trok hem aan in zijn onmiddellijke toekomst, vol met zwarte gaten, die hem zouden opslokken, en met oneindig diepe ravijnen waarin hij, in doodsangst rondtollend, eindeloos zou vallen. Hawkins kon de tyfus krijgen! Waarom moest die krankzinnige militaire klootzak weer in zijn leven opduiken? ... Waar zat Hawkins trouwens? Het was niets voor die hemelbestormende, exercerende houwdegen om de ochtend niet uit volle borst te begroeten met een oorlogskreet. Misschien was hij in zijn slaap gestorven – nee, op sommige dingen kon je nu eenmaal niet realistisch hopen. Mac zou er altijd zijn om de ene generatie van vredelievende onschuldigen na de andere te terroriseren. Toch waren stilte en MacKenzie Hawkins een gevaarlijke combinatie; een roofdier dat je niet hoort voorspelde nooit iets goeds. Daarom stond Sam op, verbaasd maar niet zo heel erg dat zijn schoenen nog aan zijn voeten zaten en liep onvast naar de deur. Voorzichtig trok hij die open en zag Von Maniak in een kamerjas achter Aarons bureau zitten; hij zag er warempel uit als een vriendelijke, oude grootvader, zoals hij daar door een fondsbrilletje naar die verdomde, infame conclusie zat te turen.

'Je ochtendkrantje, Mac?' vroeg Devereaux sarcastisch terwijl hij de zitkamer van de suite inliep.

'Hé, hallo, Sam,' zei de Havik hartelijk, terwijl hij zijn bril afzette met het gebaar van een gepensioneerde, vriendelijke oude professor. 'Goed geslapen? Ik heb je niet horen opstaan.'

'Bespaar me dat zoetsappige gelul van jou, glibberige patjakker. Afgezien van de telefoon heb je me waarschijnlijk de hele nacht adem horen halen en als er daar bomen waren geweest en het was donker, dan zou je me mijn nek hebben omgedraaid.'

'Toe nou, jongen, je beoordeelt me echt verkeerd en ik wil je wel zeggen dat zoiets me pijn doet.'

'Alleen iemand met grootheidswaanzin zou zo'n beroep doen en daarbij drie keer zichzelf noemen in één zin.'

'We veranderen allemaal, jongen.'

'De luipaard heeft vlekken wanneer hij geboren wordt en hij heeft vlekken wanneer hij doodgaat, jij bent een luipaard.'

'Beter dan een patjakker, hè? ... Daar staan sinaasappelsap en koffie op tafel en ook een paar croissants. Eet maar wat; goed voor je bloedsuiker in de morgen – verdomde belangrijk, weet je.'

'Zit je tegenwoordig in de geriatrische geneeskunde?' vroeg Devereaux terwijl hij naar de tafel van de etagedienst liep en zich zwarte koffie inschonk. 'Verkoop je opwekkende drankjes aan de inboorlingen?'

'Ik word er niet jonger op, Sam,' antwoordde Hawkins en zijn stem klonk een beetje triest.

'Ik dacht daar net in het algemeen over na en weet je tot welke conclusie ik kwam? Ik concludeerde dat jij eeuwig zou leven, een altijd blijvende bedreiging voor de planeet.'

'Dat is een indrukwekkend oordeel, jongen. Er zijn goede en kwade bedreigingen en ik dank je voor de status die je me toebedeelt.'

'Jezus, jij bent onmogelijk!' mompelde Devereaux. Hij droeg zijn koffie naar de stoel voor het bureau en ging zitten. 'Mac, waar heb je al die troep vandaan gehaald? Hoe heb je die gekregen? Wie heeft die samengesteld?'

'O, heb ik je dat niet gezegd?'

'Als je dat gedaan hebt was ik zo van de kaart dat ik het niet heb gehoord. ... Laten we eens beginnen met het materiaal uit het verzegelde archief. Hoe?'

'Nou ja, Sam, je moet de psychologische manifestaties kunnen begrijpen van degenen onder ons die zwoegen in de wijngaarden van de regering, zowel burgers als militairen. Probeer de paradox te begrijpen waarin we ons na vele dienstjaren over het algemeen bevinden...'

'Schei maar uit met dat geouwehoer vooraf, Mac,' viel Devereaux hem ruw in de rede. 'Zeg het maar in klare taal.'

'We worden belazerd.'

'Dat is tenminste duidelijke taal.'

'We verdienen de helft, als het dat al is, van wat we zouden kunnen verdienen in de privé-sector en de meesten van ons geloven dat we iets anders verdienen dat even belangrijk is als financieel gewin. Het wordt "bijdrage" genoemd, Sam, godseerlijke bijdragen aan een systeem waarin we geloven...'

'Hou toch op, Mac. Dat heb ik allemaal al eerder gehoord. Jullie hebben ook verdomde hoge pensioenen en voordeeltjes bij je pensionering, zoals tegen halve prijs in de PX-winkels kopen en een ruime verzekering en het is hels moeilijk jullie te ontslaan wanneer jullie niet deugen voor je werk.'

'Dat is een bijzonder eng gezichtspunt, Sam, en alleen van toepassing op een paar mensen, niet op het overwegende merendeel.'

'Goed dan,' zei Devereaux. Hij nam een slok van zijn koffie en keek de Havik strak aan. 'Dat wil ik toegeven. Ik ben net opgestaan na drie uur slaap, ik voel me belazerd en op jou kan ik me altijd goed afreageren. Hoe ben je nu aan dat spul uit het archief gekomen?'

'Herinner je je "Brokey" Brokemichael nog, niet Ethelred, de vent die jij onterecht beschuldigde van drugshandel, maar Heseltine?'

'Ook al word ik vierhonderdtien jaar oud, dan nog zal ik die belachelijke namen tot aan mijn graf onthouden. ... Misschien weet jíj het nog, maar zij, of híj hebben me de weg naar de hel opgestuurd met generaal Lucifer, door me die computerruimte uit te laten wandelen met een paar duizend hoogst geheime dossiers.'

'Ja, nou ja op een bepaalde manier is er wel verband. Weet je, toen het leger Brokey zijn derde ster niet wilde geven – vanwege jou, jongeman, en vanwege de verwarring betreffende de namen – ging hij hoog te paard zitten en zei: "Ik kap ermee!" ... Nou ja, zelfs het leger heeft een geweten en ook de nodige connecties. Je kunt een militaire legende niet zomaar op straat zetten en hem laten wegkwijnen zoals die grote lamzak van een MacArthur het Congres voorhield. Ik bedoel maar, Brokey verkocht zijn kennis en ervaring niet aan een buitenlandse mogendheid om een appeltje voor de dorst te hebben. Dus keken de jongens van Defensie eens rond naar een baantje voor die ouwe Brokey, iets wat niet te veel zou vergen van zijn verstand, maar met het soort titel dat hem boven zijn pensioen nog aardig wat zou opleveren en beide verdiende hij dik.'

'Wacht even,' zei Sam. 'Het Bureau van Indiaanse Zaken. Die belangrijke post.'

'Ik heb altijd al gezegd dat jij de schranderste luitenant was die ik ooit heb gekend, jongen.'

'Ik was majóór!'

'Tijdelijk, en teruggezet in rang door de vrienden van Heseltine.

Heb je je ontslagpapieren niet gelezen?'

'Alleen mijn naam en de datum van ontslag. ... Dit hebben we dus allemaal al eens meegemaakt; jij en die geniepige Brokemichael zijn echt terug in mijn leven. ... Het is duidelijk dat Brokey – in eer verplicht door kameraden met wie hij had gestreden – het gepast achtte wat frisse lucht binnen te laten in een paar bedompte archiefruimten en een aantal verzegelde dossiers na te snuffelen.'

'Och, zo willekeurig ging dat niet, Sam,' protesteerde de Havik. 'Er is heel wat onderzoek gedaan in deze richting voordat het nodig werd geacht tot actie over te gaan. Het feit dat Brokey zat waar hij zat had natuurlijk vanaf het begin een stimulerend effect, en ik moet zeggen dat het hielp dat we al die op één punt geconcentreerde indiaanse geschiedenis konden raadplegen, maar er waren maanden van onderzoek voor nodig om enkele heel vreemde foefjes te ontdekken die agressieve beslissingen vereisten.'

'Beslissingen zoals het illegaal inbreken in het verzegeld archief zonder juridische beroepen of volmachten die elke wettige partij met een aannemelijke zaak zomaar kan krijgen?'

'Luister nu eens, jongen, bepaalde operaties kun je maar beter uitvoeren buiten het licht van de schijnwerpers, als je begrijpt wat ik bedoel.'

'Zoals het overvallen van een bank of het ontsnappen uit een gevangenis.'

'Dat is grof, Sam. Dat zijn criminele activiteiten; hier gaat het om het goedmaken van een echte misdaad.'

'Wie heeft dat alles samengesteld?'

'Wat bedoel je?'

'Wie heeft het geschreven? De constructie, het woordgebruik, de redeneringen en de beoordelingen... de concrete weerleggingen van de status-quo?'

'Och, dat was niet moeilijk, er ging alleen veel tijd inzitten.'

'Wát?'

'Verrek, volgens de wetboeken moet je aan allerlei formaliteiten voldoen en je moet wat ingewikkelde taal gebruiken om eenvoudige betekenissen zodanig te compliceren dat je gek kunt worden wanneer je probeert die onzin te snappen, maar het ziet er wel erg officieel uit.'

'Heb jíj dit gedaan?'

'Natuurlijk. Ik heb gewoon van achteren naar voren gewerkt, vanuit het eenvoudige naar het onbegrijpelijke, voorzien van de nodige hartgrondige verontwaardiging.'

'Jezus Christus!'

'Je knoeit met je koffie, Sam.'

'Dit is een conclusie van eis uit het boekje!'

'Och, dat weet ik niet zo, maar evengoed bedankt, jongen. Ik heb alles zin voor zin opgeschreven en daarbij telkens al die studieboeken over de wet geraadpleegd. Verrek, zoiets kan iedereen als ze eenentwintig maanden de tijd hebben om het te schrijven en als hun hersenen niet ontploffen van al dat abracadabra. Weet je, soms had ik een hele week nodig om een halve pagina goed te laten klinken. ... Nu heb je de rest van je koffie ook geknoeid, Sam.'

'Misschien ga ik ook wel overgeven,' zei Devereaux met bevende stem terwijl hij opstond. Rond de liesstreek van zijn broek breidde zich één grote koffievlek uit. 'Ik ben een geest, ik besta niet. Ik ben niets anders dan een aspect van een bepaalde onontdekte dimensie waar ogen en oren door elkaar heen in spiralen rondzweven, zien en horen maar zonder kennis van vorm of materie, waarbij de realiteit zelf een abstractie is.'

'Klinkt prima, Sam. Als je er nu nog wat "vermitsen" en een "om hem moverende reden" bijgooit, kun je er zo mee naar de rechtbank. ... Alles goed met je, jongen?'

'Nee, alles is niet goed met me,' antwoordde Devereaux en zijn woorden klonken inderdaad alsof ze van een geest afkomstig waren. 'Maar ik moet mezelf genezen en mijn karma vinden om weer een dag door te worstelen en de schaduwen in het licht te vinden.'

'Wélke schaduwen...? Heb jij soms stickies in die slaapkamer verstopt?'

'Spreek niet over zaken die ge niet begrijpt, edele heer Neanderthal. Ik ben een gewonde adelaar die hoog de lucht in rijst om eindelijk verlost te zijn van deze aarde.'

'Hé, Sam, dat klinkt prima. Ik bedoel maar, zo praten de indianen ook!'

'Och, *shit*.'

'Nu heb je de betovering doorbroken, jongen. De stamoudsten staan zulke taal niet toe.'

'Nou moet jij eens goed naar me luisteren, Angelsaksische barbaar!' brulde Sam ineens die bijna zijn zelfbeheersing verloor maar abrupt weer zijn geprangde stemgeluid van het eerdere zoeken naar zijn karma terugvond. 'Ik herinner me Aarons woorden precies. "... morgen zullen we praten", dat heeft hij gezegd en "morgen" bepaalt op zich nog geen specifieke tijd. Daarom, om mij moverende redenen en om een mening gevraagd zijnde, geef ik er de voorkeur aan "morgen" breed te interpreteren als een groot aantal uren, aangezien het woord oorspronkelijk de "ochtend" impliceerde maar zonder voorafgaande restricties betreffende de rest van de dag totdat het donker neerdaalt.'

'Sam, kan ik een ijszak voor je halen, een aspirine – misschien een slok van die heerlijke cognac?'

'Nee, dat mag je niet, jij ziekelijke planeetjespester. Je zult luisteren naar mijn besluit.'

'Besluit...? Da's taal die ik versta, jongen.'

'Hou je rustig,' vervolgde Devereaux. Hij liep naar de deur van de hotelkamer en draaide zich om. De onzalige koffievlek op zijn lichte broek had zich kwaadaardig verspreid. 'Ik besluit hierbij dat het uur van onze bespreking in de namiddag zal zijn, waarbij de specifieke tijd later onderling telefonisch overeengekomen zal worden.'

'Waar ga je naartoe, jongen?'

'Waar ik rust kan vinden in eenzaamheid en mijn gedachten op een rijtje kan zetten, want ik heb heel veel te overdenken, meneer Monster. Ik trek me thuis terug in mijn hol, ga een uur of zo onder de dampende douche staan en ga vervolgens in mijn favoriete stoel zitten om alles te overpeinzen. *Au revoir, mon ennemi du coeur*, want zo moet het zijn.'

'Wát?'

'Ik zie je nog wel, generaal Mafkees.' Devereaux liep de gang van het hotel in, sloot de deur en begaf zich naar de dichtstbijzijnde liften aan de rechterkant. Nu hij zijn beperkte Frans had gebruikt tegen de generaal keerden zijn gedachten even terug naar Anouilh en de conclusie waartoe de toneelschrijver was gekomen dat er tijden waren waarop je alleen maar kon gillen. Dit was een van die tijden, maar Sam weigerde toe te geven aan de verleiding. Diep in gedachten verzonken drukte hij op de knop voor beneden.

De liftdeur ging open en Devereaux stapte naar binnen, verstrooid knikkend tegen de enige andere passagier, een vrouw. En toen keek hij haar aan. Ineens flitste er een bliksemstraal voor zijn ogen en tuitten zijn oren van een oorverdovende donderslag terwijl het leven en het bloed onmiddellijk terugstroomden in het levende lijk dat hij enkele tellen geleden nog was geweest. Zij was *adembenemend*! Een gebronsde Aphrodite met glanzend zwart haar en flonkerende ogen van een verbijsterend lichte kleur; met een gezicht en een lichaam die door Bernini waren gebeeldhouwd! Ze reageerde op zijn starende ogen met een bescheiden blik totdat die blik duidelijk afdwaalde naar de grote natte vlek in het kruis van zijn broek. Zich van niets anders bewust dan van haar schoonheid, maar met een slap gevoel in zijn knieën, zei Sam: 'Wil je met me trouwen?'

'Nog één stap in mijn richting en je kunt een maand lang niet meer zien!' Met de snelheid van een lokvogel van de zedenpolitie trok de opvallende gebronsde vrouw haar handtas open en rukte er een kleine metalen cilinder uit. Met uitgestrekte arm hield ze die voor zich uit, de spuitbus met traangas rechtop en gericht op het gezicht van Devereaux, op nauwelijks een meter afstand.

'Ho! Stop!' schreeuwde Sam, zijn handen boven zijn hoofd in een vernederende houding. 'Het spijt me – toe nou – ik bied mijn verontschuldigingen aan! Ik weet niet wat me ertoe bracht dat te zeggen... het was een onopzettelijke verspreking, een gevolg van stress en uitputting – een geestelijk ongelukje.'

'Zo te zien hebt u ook een lichamelijk ongelukje gehad,' zei de vrouw, op kille toon, terwijl haar ogen heel even afdwaalden naar Devereauxs broek.

'Wat?' Sam zag precies wat ze bedoelde. 'O, mijn god – dat was *koffie*... ís koffie! Ziet u, ik heb de hele nacht gewerkt en verder heb je die krankzinnige cliënt – u gelooft dat waarschijnlijk niet, maar ik ben advocaat – en die maakt me helemaal gek en ik dronk een kop koffie juist op het moment dat ik het niet langer meer kon verdragen, hém niet meer kon verdragen en ik heb met de koffie geknoeid. Ik wilde hier alleen maar weg – moet u zien, ik had zo'n haast dat ik mijn jasje vergat!' Devereaux zweeg plotseling en herinnerde zich dat hij geen jasje meer had; een of andere bebaarde Griek had dat. 'Eigenlijk... laat maar zitten, het is allemaal heel erg grotesk.'

'Zoiets dacht ik al,' zei de vrouw. Ze bekeek Sam van top tot teen en stopte tevredengesteld de spuitbus weer in haar tas. 'Als u echt advocaat bent stel ik voor dat u hulp zoekt voordat de rechtbank erop staat.'

'Ik beschouw mezelf als een vrij goede advocaat,' opperde Devereaux ter verdediging, terwijl hij zich in zijn volle lengte oprichtte, een beeld dat enigszins werd verzwakt door zijn wapperende handen waarmee hij zijn gevlekte broek trachtte te bedekken. 'Dat ben ik echt.'

'Waar? In Amerikaans Samoa?'

'Pardon?'

'Vergeet het maar. U doet me aan iemand denken.'

'Och,' begon Sam, wat meer ontspannen en zich echt generend. 'Ik weet zeker dat hij nooit zo'n idioot was als ik er nu uitzie.'

'Daar zou ik niet veel geld om durven verwedden.' De dalende lift stopte. 'Ik zou er nog geen dubbeltje om durven verwedden,' voegde de vrouw er zacht aan toe toen de deur opengleed.

'Het spijt me écht,' herhaalde Devereaux terwijl ze de lobby van het hotel inliepen.

'Het is wel goed. Om u de waarheid te zeggen leek het wel een klap met een voorhamer. Zo eentje heb ik nog nooit voor mijn kop gehad.'

'Dan zijn de mannen in Boston blind geworden,' zei Sam opgewekt maar onschuldig, zonder bijbedoelingen in zijn stem.

'U doet me echt aan hem denken.'

'Ik hoop dat de gelijkenis niet al te ongunstig is.'

'Op het ogenblik, *mezzo-metz*. ... Als u een vroege afspraak hebt kunt u maar beter een andere broek aantrekken.'

'O, nee. Deze gestresste juridische jachthond neemt een taxi naar huis om uit te rusten voor de volgende race.'

'Ik neem ook een taxi.'

'Laat mij dan de portier een fooi geven, dan maakt die paar dollar mijn verontschuldiging geloofwaardig.'

'Echte advocatentaal. Misschien bent u inderdaad goed.'

'Niet slecht. Ik wilde dat u juridisch advies nodig had.'

'Het spijt me, Perry Mason, dat heb ik meer dan genoeg.'

Nadat Devereaux op het trottoir voor de portier had gezorgd hield hij de deur van de taxi open terwijl ze instapte. 'Gezien mijn stompzinnig gedrag, neem ik aan dat u me liever niet meer ontmoet.'

'Het gaat niet om uw gedrag, meester,' antwoordde de sirene van zijn ochtenddromen terwijl ze opnieuw haar tas opende en er dit keer, tot Sams opluchting, een stukje papier uithaalde, 'maar ik ben hier maar een paar dagen en mijn procesagenda is overvol.'

'Het spijt me dat te horen,' zei Devereaux verbijsterd. En toen wendde de dame van de ochtendzon zich tot de chauffeur en gaf hem het adres van haar bestemming. 'Godallemachtig!' fluisterde Sam geschrokken terwijl hij zonder er bij na te denken het portier sloot.

Bespreking... Perry Mason... Procesagenda! Het adres dat de trut gaf was zijn eigen huis!

De president van de Verenigde Staten was kwaad, écht kwaad, terwijl hij in de Ovalen Kamer ongerust op het puntje van zijn stoel zat en de telefoonhoorn omklemde. 'Toe nou, Reebock, kom nou voor de draad, jij kakzoontje van een juffershondje! Het Hof moet minstens enige verantwoordelijkheid nemen als er ook maar een kleine kans is dat we allemaal tot poeier worden geblazen door die agressieve eilanden in de Caribische Zee, om maar te zwijgen over de supermachten in Midden-Amerika!'

'Meneer de president,' dreunde de opperrechter van het Hooggerechtshof wiens sombere stem nog verergerd werd door een nasaal geluid. 'Ons systeem van wetstoepassing in een open maatschappij vereist de prompte adjudicatie van juridische vergoeding, waarbij het herstel van schending snel en adequaat voldoening moet geven. Daarom moet de hoorzitting van de Wopotami's openbaar worden gemaakt. Als ik het eens kernachtig mag zeggen: "uitgestelde gerechtigheid is geen gerechtigheid".'

'Dat heb ik eerder gehoord, Reebock, dat heb jij niet uitgevonden.'

'Echt niet? Ik vormde ongetwijfeld de inspiratie. Om zoiets sta ik bekend zeggen ze.'

'Ja, nu we het daarover hebben, menéér de opperrechter...'

'Over het inspireren van mensen bedoelt u?' viel de leider van het Hooggerechtshof hem in de rede. 'Dat mag ik graag horen.'

'Nee, het gaat om dingen waarom jij bekend staat,' verbeterde de president hem. 'Ik heb zojuist een telefoontje gehad van Vincent Mangee... Mangaa... die vent van de CIA.'

'In mijn begintijd als jong officier, meneer de president, stond hij bekend als Vinnie Boem-Boem.'

'Echt waar?'

'Met zulke bijnamen spot je niet, meneer.'

'Nee, inderdaad niet. Verdorie, nu komt misschien zijn titel van Oxford in een kwaad daglicht.'

'Waarvan?'

'Het is niet belangrijk, Reebock, maar het is wel echt toevallig dat je het had over je begintijd als officier...'

'Een zeer jóng officier, meneer de president,' viel de opperrechter hem wat ongerust in de rede.

'Ja, Vincent begrijpt dat. Hij zei zelfs dat het nu – vandaag, zoveel jaar later – waarschijnlijk nergens meer op slaat maar we moeten ons wel allemaal goed indekken, want die Wopotami-zaak zal vast tot een nationaal debat leiden, ik bedoel maar, een blikskaterse knoert van een debat!'

'Ik vrees dat dat uw probleem is, meneer de president, of moet ik zeggen de gezamenlijke verantwoordelijkheid van de Uitvoerende en de Wetgevende Machten.' De opperrechter zweeg en voegde er toen met een onderdrukt gegiechel aan toe: 'Het is jouw pakkie-an, baby... hie-hie.'

'Réébock, dat heb ik gehoord!'

'Spijt me verschrikkelijk, meneer, een vliegje in mijn neus. ... Ik probeer alleen maar duidelijk te maken dat wij geen activistisch hof zijn. Wij maken de wetten niet, wij handhaven ze in de beroemde traditie van strikte wetsinterpretatoren. En zoals u weet zijn verschillende leden van het Hof er vast van overtuigd dat de Wopotami-zaak kan berusten op een stevig fundament van constitutionele wetgeving, ofschoon ze zeker nog geen definitieve conclusies hebben getrokken en dat is maar goed ook. Maar wanneer we de hoorzitting achter gesloten deuren doen plaatsvinden zou dat kunnen worden opgevat als het *interpreteren* van dat prachtige document zoals die smerige liberalen doen, zonder recht te doen aan zijn ware bedoeling.'

'Grutjes, dat weet ik,' zei de president en zijn woorden klonken klaaglijk, 'en daarom is Vincent zo ongerust. Al jullie individuele meningen zullen door geleerden worden uitgevlooid en door hoofdredacteuren en columnisten en, nou ja, potverdriedubbeltjes, door iedereen! En jij zou weleens in de nesten kunnen komen, Reebock.'

'Ik?... Ik gééf mijn steun niet aan dat verdomde ding! Mijn juist denkende collega's en ik zullen argumenteren totdat we die schijnheilige idioten die ons maar blijven bestoken met dat gelul van "collectief geweten" klein hebben gekregen. We jagen hen nog eerder het Hof uit dan dat we toegeven en dat weten ze. Goeie genade, dacht u dat ik die pijlen schietende inboorlingen ook maar voor een stuiver paardevijgen zou geven? Ze zijn niet beter dan de nikkers!'

'Dat dacht Vincent ook al...'

'Wat dacht die?'

'Het schijnt dat er, toen je nog een jong assistent-officier van justitie was, een duidelijke lijn zat in je aanklachten en de zaken die je behandelde...'

'Met een waslijst van vonnissen die door het hele bureau werd benijd!'

'Bijna uitsluitend zwart en Latijns-Amerikaans,' maakte de president de zin af.

'Verrek, ja, en ik heb die rotzakken te grazen genomen. Dat waren de lui die alle misdaden begingen, dat weet je.'

'Allemáál?'

'Laten we het zo zeggen... diegenen die ik te pakken wilde nemen in het belang van het land. Met een strafblad konden ze niet stemmen!'

'Dat dacht Vincent ook al.'

'Wat wilt u eigenlijk zeggen, meneer de president?'

'Eerlijk gezegd probeert Vincent je te beschermen, jouw plaats in de geschiedenis.'

'Wát?'

'Ofschoon jij de meest rigoureuze van de strikte wetsinterpretatoren bent, ben je tegen de Wopotami's, en toch hoor ik dat je weigert de conclusie te lezen. Komt dat omdat ze "niet beter zijn dan de nikkers"? Wil je echt in de annalen van de geschiedenis worden bijgeschreven als de racistische opperrechter die in deze allerbelangrijkste uitspraak tegen het bewuste bewijsmateriaal gaat stemmen vanwege de huidkleur van de eiser?'

'Hoe komen ze daar nou bij?' vroeg de geschrokken kampioen van de constitutionele wetgeving. 'Mijn kruisverhoren zullen druipen van het medelijden dat ten slotte zal worden overheerst door de praktische realiteiten en ik ben er vast van overtuigd dat de uitspraak van het Hof zo zal luiden, met een meerderheid van minstens drie stemmen. Het land zal het begrijpen. De hoorzitting moet openbaar zijn.'

'Zou die muilezelskak afwegen tegen het openbaar gemaakte verslag van jouw uitzonderlijke veroordelingen van donkerhuidige minderheden als assistent-officier van justitie – vooral als dat verslag laat zien dat je vaak pro-deo-advocaten koos, van wie de meesten nog nauwelijks een zaak hadden bepleit?'

'O, mijn god...! Zouden die feiten voor de dag kunnen komen?'

'Niet als je Vincent de tijd geeft ze uit te wissen. Nationale veiligheid natuurlijk.'

'Kán hij dat dan?'

'Hij zegt dat hij het voor elkaar krijgt.'

'De tijd? ... Ik weet niet wat mijn collega's zullen zeggen wanneer ik de openbare hoorzitting uitstel. Ik mag niet recalcitrant lijken, het zou er... de hemel beware me... verdacht uitzien.'

'Dat begrijpt Vincent ook. Hij weet dat er verschillende leden van het Hof zijn die jouw "abrikoosjes" niet kunnen uitstaan – ik geloof dat dat een uitdrukking is met een ongunstige betekenis, Reebock.'

'Verrek, word ik gecompromitteerd omdat ik juist heb gehandeld?'

'Om de verkeerde redenen, meneer de opperrechter. Daar rekende Vincent op. Wat zal ik tegen hem zeggen?'

'Hoe lang denkt hij dat het zal duren om... laten we zeggen de verkeerd begrepen stukken te verwijderen die zouden kunnen leiden tot onjuiste conclusies?'

'Om het goed te doen volgens hem een jaar...'

'Het Hof zou in opstand komen!'

'Hij neemt genoegen met een week.'

'Ga uw gang maar.'

'Het lukt hem wel.'

Mangecavallo leunde achterover in zijn stoel en stak opnieuw zijn Monte Cristo sigaar op, voorlopig een voldaan man. Hij had het licht gezien waar ieder ander, inclusief Hymie de Orkaan, alleen de donkere wolken van verwarring zag. Als dus die flapdrollen van het Hooggerechtshof, die misschien de voorkeur gaven aan die woeste Wopotami-barbaren, zo onschuldig waren als een pasgeboren baby, dan moest er een andere manier zijn om tijd te winnen om die nep Donderkop te vangen en hem ofwel zo lek als een zeef te schieten of zijn kop zodanig te bewerken dat hij blij zou zijn de hele zaak op te geven en ze te noemen wat ze was: je reinste verlakkerij. Als ze dus niets konden beginnen met die verdachte vijf of zes snijbonen, waarom zou hij dan niet eens de andere kant opkijken, laten we zeggen naar de grote bobo zelvers? Die fascist kon onmogelijk vóór de Wopotami's stemmen; daar had hij gewoon het hart niet toe. En omdat hij dat niet had, wat voor soort waardeloos hart had hij dan in zijn onverdraagzame borst, dat het onmiddellijk zijn grote harses tot zwijgen bracht? Misschien moest iemand er eens induiken.

Nu hadden ze dus een week extra en op meer konden ze niet hopen nu de populariteit van de grote bobo bij zijn collega's op nul komma nul stond. En een week moest voldoende zijn, want Kleine Joey had die geschifte generaal Osso Buco met die Wopotami-veren tot op zijn kont in Boston gevonden, waar, zoals iedereen wist, om de haverklap ongelukken gebeurden. Misschien niet zulke grote als in New York en Miami, maar het was ook geen kattepis. Mangecavallo blies drie volmaakte rookkringetjes en keek op zijn met diamanten afgezette horloge. De Smurf had nog twee minuten in het voorgeschreven tijdsbestek van die morgen om hem te bellen; de onzichtbare telefoon in de rechter onderla van het bureau van de directeur zoemde. Hij bukte zich, trok de la open en pakte de hoorn op. 'Ja?'

'Met Joey, Vin.'

'Moet jij altijd tot de laatste seconde wachten totdat je belt? Ik zei je toch, ik heb om tien uur een belangrijke bespreking en je maakt me nerveus. Stel dat die telefoon overgaat wanneer die kerels in nette pakken hier in mijn kantoor zitten?'

'Dan zeg je maar dat het een verkeerd nummer is.'

'Druiloor, ze zien die telefoon niet!'

'Neem jij blinde spionnen in dienst, Vinnie?'

'*Basta*. Wat heb je? Snel!'

'Ho, ho, een heleboel, Boem-Boem...'

'Ik zei je toch...'

'Sorry, Vincenzo. ... Hoe dan ook, snel, ik nam een kamer in dit deftige hotel zoals ik al eerder zei.'

'Geen lange verhalen, Joey. Ik weet dat je een kamer hebt genomen in dezelfde gang als waar die jid zit, en dus?'

'Wat was het daar druk, Vin! De grote generaal indianenopperhoofd zit er met de jid, alleen gingen ze gisteravond een paar uur weg. Toen kwamen de soldaten van het opperhoofd terug en die gingen ook weg, nadat ze hadden gepraat met iemand anders in die kamer voordat het opperhoofd en de jid terugkwamen. Toen vertrok dat oude joodse kereltje en liet het opperhoofd achter met wie daar dan ook binnen was, maar daarvóór klonk er een heleboel gegil – ik bedoel echt doordringend – en daarna ging de jid weg en was alles *silenzio*.'

'Wil je me vertellen, Joey, dat het nest van deze verschrikkelijke samenzwering in dezelfde gang is waar jij zit?'

'Precies, Boem-Boem! ... Sorry, Vin, het komt vanzelf, je weet wat ik bedoel, van vroeger?'

'*Basta di nuovo*. Wat nog meer, al geloof ik dat we niet veel meer nodig hebben? Kun je erachter komen wie die vijg was in de kamer – misschien was het een meid, hè?'

'Ho, ho, Vinnie, het was geen meid en ik heb hem gezien. Hij is rijp voor het gesticht, een echte bloemkool.'

'Waar heb je het over?'

'Zoals steeds hou ik de deur een paar centimeter open, misschien wel drie of wel vijf centimeter...'

'Joey!'

'Oké, oké. Ik zie die flapdrol naar buiten komen en hij loopt op de liften af.'

'Is hij daarom rijp voor een gesticht...?'

'Nee, Vin, dat komt door zijn broek.'

'Hè?'

'Hij heeft zijn hele broek natgepist! Grote natte kringen tot op zijn knieën – aan beide kanten. Ik bedoel maar, hij loopt in het openbaar met een doorgezeken broek! Als hij dan niet rijp is voor het gekkenhuis, dan moet jij me maar eens vertellen, Boem-Boem, wat hij dan wel is.'

'Hij is helemaal hoteldebotel, dat is hij,' concludeerde de slimme directeur van de CIA. 'Hier noemen ze dat "over de operationele rooie gaan" of soms "mollenkierewiet", afhankelijk van de opdracht.' Het telefoonpaneel van Mangecavallo zoemde; het was de lijn van zijn secretaresse. 'Ik heb nog maar een paar seconden, Joey. Probeer erachter te komen wie die griezel met die nat gepiste broek is, wil je?'

'Dat wéét ik al, Vinnie! Ik ben naar de balie gegaan en gedaan of ik de vriend was van een priester die naar hem op zoek was vanwege een of andere persoonlijke tragedie en ik beschreef hem, al legde ik niet zoveel nadruk op zijn broek. ... Ik dacht eerst dat ik misschien zo'n religieuze boord moest halen, je weet wel wat ik bedoel, maar ik was bang dat het te lang zou duren...'

'*Joey*!' brulde Mangecavallo. 'Hou er nou eens mee óp! Wie is hij?'

'Hij heet Devereaux en ik kan het maar beter even voor je spellen. Hij is een kei van een advocaat op het kantoor van die bekende jid.'

'Hij is een vuile, on-Amerikaanse verrader, dat is-ie,' verkondigde de directeur terwijl hij de naam opschreef die de Smurf voor hem spelde. Zijn zichtbare telefoon ging opnieuw over; zijn bezoekers werden ongeduldig. 'Hou je ogen open, Joey. Je hoort nog van me.' Mangecavallo legde de hoorn op de haak en zette zijn privé-telefoon weer in de la. Vervolgens zoemde hij twee keer zijn secretaresse, het teken dat zijn ondergeschikten binnen mochten komen. Terwijl hij dat deed pakte hij een potlood en schreef in blokletters nog een naam onder die van Devereaux. *BROOKLYN!* Zo was het wel genoeg; het werd tijd voor de echte beroepsjongens.

Kolonel Bradley 'Hoet' Gibson, piloot van de EC-135 die nog steeds rondvloog, de 'Spiegel' voor de wereld omvattende operaties van het Strategic Air Command, schreeuwde in zijn radio. 'Zijn jullie idioten soms gaan lunchen in het laatste zwarte gat achter Jupiter? We zitten nu al tweeënvijftig uur hierboven, hebben drie keer getankt en in zes talen onze verontschuldigingen aangeboden, waarvan er twee niet eens in die verdomde computers voorkwamen! Wat is er nu voor de donder aan de hand?'

'We ontvangen u luid en duidelijk, kolonel,' klonk het antwoord van de verkeerstoren van Offutt, die gebruik maakte van haar UTF-radiokanaal, ook wel bekend onder de naam Ultra Tropopausic Frequency, die helaas de tendens vertoonde tekenfilmpjes van de Mongoolse televisie op te pikken maar die verder over de hele Stille Oceaan te horen was. 'We hebben de klachten hier heel doeltreffend behandeld. Het is zo goed als zeker dat jullie geen raket aan je staart krijgen, wat zeg je daarvan?'

'Jij haalt nu onze hoogste baas aan de telefoon of ik verdwijn van jullie radarschermen naar Pago Pago en ik laat mijn vrouw en kinderen overkomen! Ik heb er genoeg van – we hebben er allemaal genoeg van!'

'Rustig aan, kolonel, er zijn vijf vliegtuigen die in nagenoeg hetzelfde lastige parket verkeren. Denk eens aan hen.'

'Ik zal je zeggen waaraan ik zal denken. Ik denk dat we een bepaald punt van samenkomst afspreken, vandaar naar het binnenland van Australië vliegen, deze elektronische buizen vol spaghetti verkopen aan de hoogste bieders en zo genoeg geld inzamelen om ons eigen land te beginnen! ... Krijg ik nou die clown van een commandant aan de telefoon of niet?'

'Ik ben er al, kolonel Gibson,' zei een duidelijk andere stem over de radio. 'Ik ben van hier verbonden met alle vliegtuigen die we in de lucht hebben.'

'Afluisteren, generaal? Is dat niet tegen de wet?'

'In deze ploeg niet, piloot. ... Toe nou, Hoet, hoe denk je dat ík me voel?'

'Ik denk dat jij je kont in een beklede stoel voelt in een gebouw op de begane grond, dat denk ik dat jij voelt, Owen.'

'Je denkt zeker ook dat ik deze bevelen zelf heb gegeven, nietwaar? Nou, dan zal ik jou een geheimpje van de nationale veiligheid vertellen: dat mag ik niet. Ik heb ze voorgeschoteld gekregen – code Ultrarood!'

'Om mezelf te herhalen, wat is er verdomme aan de hand?'

'Je zou het niet geloven als ik het je zei, maar eigenlijk kan ik het niet eens omdat ik geen woord heb begrepen van wat die trenchcoats me vertelden – nou ja, ik begreep de meeste specifieke woorden wel, maar niet wat ze betekenden toen ze naast elkaar stonden.'

'Wat voor trenchcoats?'

'Ook dat zou je niet eens geloven. Het is hier beneden ongelooflijk heet en ze hielden hun jassen aan en hun hoeden op en ze doen de deur niet open voor een dame.'

'Owen... *generaal* Richards,' zei de piloot met nadrukkelijke vriendelijkheid. 'Bent u de laatste tijd nog weleens naar de dokter geweest?'

Op zijn kantoor zuchtte de commandant van het SAC terwijl hij de piloot op meer dan twaalfduizend kilometer ten westen van hem en 40 000 voet boven hem antwoordde. 'Elke verdomde keer dat de rode telefoon overgaat, wil ik mezelf aangeven.' En dus zoemde natuurlijk de rode telefoon en flitste het rode lampje aan en uit. 'Sodemekrake, daar gaat-ie! ... Blijf aan de lijn, Hoet, ga niet weg.'

'Ik denk nog steeds aan het binnenland van Australië, Owen.'

'Och, hou je kop toch,' beval de commandant van het SAC terwijl hij de rode telefoon opnam. 'Hoofdkwartier Rec-Wing, generaal Richards,' zei hij met een autoriteit die hij nauwelijks voelde.

'Lazerstraal ze omlaag, Scotty!' riep de half jankende, half piepende stem van de minister van defensie. 'Lazerstraal ze allemaal naar beneden!'

'Pardon, excellentie?'

'Ik zei dat je ze terug moest halen, soldaat! We hebben wat adempauze gekregen, daarom kun je inrukken tot ik je opnieuw bel en dan moet je erop voorbereid zijn het hele smaldeel naar boven te sturen!'

'Smaldeel, meneer?'

'Je hebt me wel gehoord, hoe je dan ook heet.'

'Nee, excellentie,' zei Richards, en hij werd ineens bloedkalm. 'U hebt mij gehoord, menéér. U hebt zojuist uw laatste bevel gegeven aan hoe-hij-dan-ook-heet.'

'Wat zeg je me dáár, meneer?'

'U hebt me gehoord, meneer, en mijn rang is "generaal" in tegenstelling tot het burgerlijke "meneer", niet dat u van een van beide termen ook maar iets zou begrijpen.'

'Is dit *insubordinatie*?'

'In de volle omvang van het woord, meneer. ... Waarom we het uithouden met die rioolbuizen in Washington is iets wat ik wel nooit zal begrijpen, maar ik heb gehoord dat het ergens helemaal uit de doeken wordt gedaan door iemand die nog nooit zo iemand als u heeft ontmoet en ik ga je niet voorstellen omdat alle regels veranderd zouden worden – zoiets als deuren openen voor dames – en ik geloof niet dat dat zo'n best idee is.'

'Ben jij soms ziek, tamboer-majoor?'

'Ja, ik ben ziek, jij snuffelend ratje met een tapijt op je koppie, ik ben kotsmisselijk van jullie stomme politici die denken dat ze meer weten over mijn zaken dan ik doe na dertig jaar in dit uniform! En je kunt er gif op nemen dat ik ze allemaal omlaag zal lazerstralen, *Scotty*, en dat zou ik gedaan hebben of je nu gebeld had of niet!'

'Je bent *ontslagen*, tamboer-majoor!'

'Steek je kop maar in de plee, met pruik en alles, *burger*. Je kunt me niet ontslaan. Je kunt me op non-actief zetten, en ik hoop bij god dat je dat doet, maar je kunt me niet ontslaan. Dat staat in mijn contract. De groeten, en dat je maar een klotedag mag hebben!' De generaal smeet de rode hoorn op de haak en pakte de UTF-microfoon weer op. 'Ben je daar nog, Hoet?'

'Ik ben er nog en ik heb je gehoord, gemeen soldaat Richards. Ben je klaar voor de latrinedienst?'

'Is die klootzak klaar voor mijn persconferentie?'

'Goed gezegd, korporaal. ... Ik mag aannemen dat we terugkomen?'

'Iedereen. Vanaf nú voeren we weer de normale operaties uit.'
'Wil je mijn vrouw bellen?'
'Nee, ik zal je dochter bellen; die heeft haar hoofd er beter bij. Je vrouw denkt dat jij boven Mongolië bent neergeschoten en ze heeft een schotel haché in een schrijn laten zetten.'
'Je hebt gelijk, praat maar tegen het meisje. En zeg dat ze langere rokken moet dragen.'
'Over en uit, kolonel.' Generaal Owen Richards hing de UTF-microfoon op de haak en duwde zijn stoel naar achteren, tevreden over zichzelf. Zijn carrière kon naar de verdommenis lopen, hij had al lang moeten doen wat hij had gedaan. Pensionering zou zo verschrikkelijk niet zijn, al moest hij toegeven dat het niet zo gemakkelijk was zijn uniform aan de wilgen te hangen. Hij en zijn vrouw konden gaan wonen waar ze wilden – een van zijn piloten had hem verteld dat het in Amerikaans Samoa prachtig was. Toch zou het niet gemakkelijk zijn het enige waarvan hij echt hield, op zijn vrouw en kinderen na, op te moeten geven. De luchtmacht was zijn léven – och, verdómme!
En natuurlijk rinkelde de rode telefoon weer. Richards pakte de hoorn op, nog steeds witheet. 'Wat wil je, verdomde grafpegel?'
'Verdulleme nogantoe en wat hamer, generaal, is dat een manier om een vriendelijk telefoontje te beantwoorden?' De stem klonk bekend maar Richards kon ze niet thuisbrengen. 'Wie is dit, verdomme?'
'Ik geloof dat ik jouw opperbevelhebber word genoemd, generaal.'
'De *president*?'
'Daar kun je je sokken om verwedden, zeepkistenchauffeur.'
'Zeepkistenchauffeur?'
'Een ander uniform maar praktisch dezelfde apparatuur, generaal, met uitzondering van al die supertechnische jetspullen.'
'Apparatuur?'
'Kalm aan, piloot. Ik vloog al toen jij nog in de wieg lag.'
'Mijn Gód, u bént hem!'
'"Het" is grammaticaal juister, Owen. Dat weet ik alleen omdat mijn secretaresse me dat zegt.'
'Het spijt me, meneer!'
'Dat hoeft niet, generaal. Ik ben de enige die zich moet verontschuldigen. Ik heb net gebeld met onze minister van defensie...'
'Ik begrijp het, meneer, ik ben op non-actief gezet.'
'Nee, Owen, dat is *hij*. Nou ja, niet echt, maar hij neemt geen beslissingen meer waar het jou betreft zonder eerst met mij te overleggen. Hij vertelde me wat jij zei en ik kon het met mijn beste speech-

schrijvers niet beter hebben gezegd. Mocht je nog meer problemen hebben, bel me dan maar rechtstreeks, gesnapt?'

'Gesnapt, meneer de president. ... Hé, jij bent lang niet gek!'

'Laten we zeggen dat ik alleen maar iemand onder zijn kont heb geschopt – maar citeer me in godsnaam niet.'

Sam Devereaux gaf tien dollar aan de portier om met zijn fluitje in alle windrichtingen te blazen en een taxi voor hem te vinden. Drie minuten lang was er niet één te krijgen, ofschoon er twee snel voorbijreden aan een gefrustreerde Sam die midden op straat stond, nadat de chauffeurs strak naar zijn broek hadden gekeken. Hij ging weer bij de portier staan toen er een echtpaar stopte langs de trottoirrand van de Vier Jaargetijden; het genoemde echtpaar keek wat vreemd op toen Sam hun bagage uit de kofferruimte smeet, hun tegenwerpingen negeerde, in de taxi sprong en het adres van zijn eigen huis in Weston brulde.

'Waarom sta je nou verdomme stil?' schreeuwde Devereaux een paar straten verder.

'Omdat ik, als ik dat niet doe, tegen die gozer vóór me bots,' antwoordde de chauffeur.

Het verkeer zat weer eens vast in Boston, zoals zo vaak vroeg in de morgen, en het werd nog verergerd door de waanzinnige straten met eenrichtingsverkeer die bestuurders die er niet vertrouwd mee waren dwongen zeventien kilometer te rijden om een adres op vijftig meter afstand te bereiken. 'Ik weet een weg binnendoor richting Weston,' zei Sam, terwijl hij zich vooroverboog en op de rug van de voorbank leunde.

'Die kent verder iedereen in Massachusetts, makker, en tenzij je een revolver hebt, wil je als de sodemieter bij me weggaan?'

'Ik heb geen revolver, ik bedreig je niet. Ik ben gewoon een aardig iemand die verschrikkelijke haast heeft.'

'Ik kan zien wat je met die "haast" bedoelt als ik naar je broek kijk. Als je nog eens "haast" hebt, wil je dan direct uitstappen?'

'Nee, néé, dat is koffie! Ik heb een kop koffie gemorst!'

'Wat kan ik daar tegenin brengen? Wil je misschien op de achterbank gaan zitten – dat staat in onze verzekering.'

'Natuurlijk,' zei Sam en hij ging wat achteruit zitten, maar nog steeds op het randje van de bank. 'Luister, ik wil je alleen maar duidelijk maken dat dit een noodgeval is, een echt noodgeval! De dame van wie ik de naam niet ken is op weg naar mijn huis en ik moet daar zijn voordat zij er is. Ze is een paar minuten geleden van het hotel weggereden in een andere taxi.'

'Natuurlijk,' zei de chauffeur met filosofische berusting. 'Ze pikte het adres 's nachts uit jouw portefeuille en nu denkt ze dat ze wat extra matrassengeld kan verdienen door even op bezoek te gaan bij mevroj. Wanneer leren jullie klepzijkers het toch? ... Hé, er is wat ruimte vóór ons. Ik draai Church Street in en rij zo richting Weston.'

'Dat is de weg binnendoor waarover ik het had.'

'Met een beetje mazzel kennen niet al te veel toeristen die weg.'

'Zie me maar zo snel mogelijk bij mijn huis te krijgen.'

'Luister, meneer, volgens de wet moet ik jou brengen waar jij wilt, zolang er geen aanwijzingen zijn van nadelige oogmerken of liederlijke taal of een onhygiënisch uiterlijk. Volgens mij zit jij in alle drie gevallen er dicht tegenaan – ik vind dat je die lijn in één geval hebt overschreden – dus wil je je wel even gedeisd houden, oké? Niemand wil jou sneller thuis en uit mijn taxi dan ik.'

'Natuurlijk zegt de wet dat,' antwoordde een lichtelijk verbijsterde Devereaux. 'Denk je soms dat ik dat niet weet? Ik ben advocaat.'

'Ja, en ik ben balletdanser.'

Eindelijk, *eindelijk* draaide de taxi de straat van Devereaux in. Sam keek op de meter en liet het bedrag voor de rit met een gulle fooi op de voorbank vallen. Hij opende het portier, sprong het trottoir op en zag dat er geen andere taxi te zien was.

Het was hem gelúkt en tsjonge wat zou die dame opkijken! Alleen omdat een vrouwspersoon die een pietsie juridische taal uitsloeg buitensporig betoverend was, met een gezicht en een lijf dat door een echte Botticelli gecreëerd was, had ze nog niet het recht zíjn adres aan een taxichauffeur te geven en vaag te dreigen met de wet zonder behoorlijk te zijn voorgesteld! Nee meneer, Samuel Lansing Devereaux, hoogaangeslagen advocaat, zat wat steviger in elkaar. ... Misschien moest hij inderdaad een andere broek aantrekken. Hij liep naar het pad dat naar zijn privé-ingang leidde, toen de voordeur openging en hij nicht Cora zelfs voor haar doen tamelijk wild zag gebaren.

'Wat is er?' vroeg hij. Hij sprong meteen over het witte hek en rende de trappen op met een licht voorgevoel van naderend onheil.

'Wat er ís?' herhaalde Cora woedend. 'Misschien kun jij mij maar beter vertellen wat jij hebt uitgespookt, behalve het voor de hand liggende,' voegde ze eraan toe met een blik op zijn broek.

'O, o.' Meer kon Sam niet uitbrengen.

'Ik geloof dat dat een begin is...'

'Wat is er gebeurd?' viel Devereaux haar in de rede.

'Een tijdje geleden kwam dat langbenige, gebruinde stuk, dat zo uit een van die televisiereclames voor het strand in Californië gestapt is, aan de deur en vroeg naar een zeker iemand wiens naam ik niet wens te noemen. Nou, Sammy, ik dacht dat je moeder een beroerte zou krijgen, maar de dame met het engelengezicht heeft haar gekalmeerd en nu zitten ze in de woonkamer met de deuren dicht.'

'Wat stelt dit allemaal voor?'

'Ik kan je alleen maar zeggen dat de kakmadam de keuken inliep voor haar theepot maar ze heeft geen thee besteld.'

'Verdomme nogantoe!' riep Devereaux uit. Hij rende de marmeren hal door en smeet de dubbele deur van de woonkamer open terwijl hij naar binnen stormde.

'Jíj!' riep Jennifer Redwing uit en ze sprong op van haar brokaten stoel.

'Jíj!' schreeuwde de woedende zoon en advocaat. 'Hoe ben jij hier zo snel gekomen?'

'Ik woonde vroeger in Boston. Ik ken verschillende weggetjes binnendoor.'

'Verschillende...?'

'Jíj!' krijste Eleanor Devereaux en ze rees op van de brokaten sofa, met wijdopen mond terwijl ze Sam aanstaarde. 'Je broek, jij afschuwelijke incontinente jongen!'

'Het is koffie, moeder!'

'Het is koffie,' zei de gebronsde Aphrodite. 'Zegt hij.'

12

'Nu hebt u in grote trekken gehoord hoe het internationale afpersingscircus "Mac en Sam" in elkaar zit, wat betreft de vaardigheid van de generaal om heel diep te graven en met strafbare drek voor de dag te komen,' zei Devereaux. Ze waren verhuisd naar het hol in zijn château, naar zijn kantoor zonder alle foto's en kranteknipsels en zonder zijn moeder, die zich hoognodig in bed had moeten terugtrekken met 'migraine'. Sam zat achter zijn bureau, Jennifer Redwing in de stoel ervoor. Aan de armleuningen zaten nog de stroken gescheurde lakens.

'Het is gewoon ongelóóflijk, maar dat zult u ook wel weten.' Ze opende langzaam haar handtas, een intelligente dame die de schrik van haar leven had gekregen. 'Goeie Gód, veertig miljoen dollar!'

'Geen traangas!' riep Devereaux uit en hij duwde zijn draaistoel naar achteren tegen de muur.

'Geen traangas,' bevestigde Redwing en ze haalde een pakje sigaretten te voorschijn. 'Dit is alleen maar een slechte gewoonte die ik om de andere week opgeef, totdat er zoiets als dit gebeurt, maar zoiets als dít is me nog nooit overkomen. ... In elk geval rook ik minder.'

'Het is een kruk waarop u leunt, dat weet u. U moet zich leren beheersen.'

'Als ik alles zo bekijk, meester, geloof ik niet dat u in een positie bent om zo'n superieure houding aan te nemen. Hebt u een asbak of moet ik dit dure tapijt in de brand steken?'

'Als u erop staat,' zei Sam. Hij trok een bureaula open en haalde er twee asbakken uit met een pakje sigaretten. 'Ik geloof dat ik ook maar bezwijk. ... Ik zie dat we beiden een laag teergehalte roken.'

'Laten we het maar weer eens hebben over het lage eergehalte, meneer Devereaux.' Beide juristen staken hun krukken op en juffrouw Redwing ging verder. 'Deze conclusie van eis aan het Hof is je reinste onzin, dat moet u ook tevens weten.'

'Pleonasme, meester. "Ook" en "tevens" zijn hetzelfde.'

'Niet wanneer ze door een deskundige advocaat gebruikt worden om voor een jury iets te benadrukken, meester.'

'Toegegeven. Wie is wat?'

'We zijn beiden beide,' zei Redwing. 'Sprekend als eerstgenoemde namens de Wopotami's, de belangen van de stam worden niet gediend door deze frivole rechtszaak die veel te ver is gegaan.'

'Sprekend als gelijke, die vroeger rampzalig geassocieerd was met generaal Hawkins,' wierp Sam tegen, 'het proces is helemaal niet frivool. Realistisch gezien heeft het geen schijn van kans maar de zaak van de stam tegen de regering is wel heel erg overtuigend.'

'Wat?' Redwing staarde Devereaux strak aan, haar sigaret tussen haar vingers, met een haast roerloos opkringelend rookpluimpje als op een foto. 'Dat kunt u niet menen.'

'Ik wilde dat ik het niet meende. Dan zou het leven heel wat gemakkelijker zijn.'

'Dat snap ik niet.'

'Het bewijsmateriaal dat is opgegraven uit het verzegelde archief lijkt authentiek te zijn. Territoriale verdragen die in goed vertrouwen werden gesloten, werden vervangen door legislatieve vestigingen elders zonder te letten op eerdere overeenkomsten – bestaande rechten van landeigendom.'

'"Legislatieve vestigingen elders"? Gedwongen verhuizingen?'

'Dat is het en de regering had niet de volmacht het wettig verkregen rechtsbeginsel van eigendom te niet te doen en de Wopotami's van hun land te verdrijven. Zeker niet zonder een hoorzitting van een federale rechtbank met volledige vertegenwoordiging van de stam.'

'Hebben ze dat gedáán? Geen rechtbank, geen hoorzitting voor de stam? Hoe kónden ze zoiets doen?'

'De regering heeft gelogen – in het bijzonder betreffende het verdrag van 1878 dat werd gesloten tussen de Wopotami's en het veertiende Congres.'

'Maar hoe?'

'Het ministerie van binnenlandse zaken, ongetwijfeld met wat hulp van het Bureau voor Indiaanse Zaken, beweerde dat zo'n verdrag nooit had bestaan, dat het een hersenschim was, te voorschijn geroepen door een ladderzatte medicijnman die huppelwater in hun kelen goot terwijl ze rond hun kampvuren hosten. ... De conclusie heeft zelfs zo háár idee over de oorsprong van de brand die in 1912 de First Bank of Omaha verwoestte.'

'Dat doet me aan iets denken,' zei Redwing terwijl ze met gefronste wenkbrauwen haar sigaret uitdrukte.

'Dat kan best. Dat is de plaats waar de Wopotami's al hun stamgegevens bewaarden, waarvan natuurlijk niets overbleef.'

'Waarover speculeerde de conclusie?'

'Dat de brand werd aangestoken door federale agenten die bevelen van Washington uitvoerden.'

'Dat klink nogal grof, meester, zelfs tachtig jaar later. Waarop was dat idee gebaseerd?'

'In de bank werd zogenaamd midden in de nacht ingebroken, al het geld en de kostbaarheden werden gestolen en de dieven verdwenen zonder één spoor na te laten. Maar voordat ze vluchtten besloten ze kennelijk de bank in brand te steken, wat vrij stom was daar ze ongemerkt konden verdwijnen en zo'n brand kon een paar burgers aan het denken zetten.'

'Stom, maar niet ongehoord, meneer Devereaux. Pathologische personen had je vroeger ook en banken zijn altijd al gehaat geweest.'

'Toegegeven, maar wanneer de brandhaard ontdekt wordt in de kelder van de bank waar de kasten met documenten worden bewaard, genoemde kasten waren omgegooid, de documenten verspreid lagen en de vertrekken doordrenkt waren met petroleum, dan zet zoiets je wel aan het denken, nietwaar? Ook al brandde het hele gebouw niet af, dat deel zou in elk geval verwoest worden. ... Bovendien is er in de hele geschiedenis nog nooit een mensenjacht zo snel opgegeven omdat de daders gezien werden in Zuid-Amerika. Cassidy en Sundance zeiden natuurlijk dat ze nooit in Omaha waren geweest en zij waren de enige Amerikaanse bankrovers van wie men weet dat ze ooit in die tijd in die contreien opdoken. ... Ik heb u natuurlijk alleen maar een kort overzicht gegeven, zoals mijn vro-

me werkgever het zou uitdrukken – het heeft uitgedrukt.'
'Het klinkt rampzalig overtuigend.' De knappe indiaanse advocate schudde plotseling met snelle rukjes haar hoofd heen en weer. 'Het mag niet verdergaan, dat móet u begrijpen.'
'Ik weet niet zo zeker of het wel kan worden tegengehouden,' zei Sam.
'Natuurlijk kan het dat! Die generaal, die catastrofale herrieschopper Hawkins kan zich gewoon terugtrekken – geloof mij maar, het Hof is dol op terugtrekkingen, dat hoorde zelfs mijn broer toen hij daar was.'
'Is hij die man?'
'Welke man?'
'De jonge krijger van de stam die met Mac heeft gewerkt maar die zijn bul nog niet had?'
'Zijn bul niet hebben? U mag van mij aannemen dat mijn broertje – mijn *broer* – als een der besten is geslaagd!'
'Dat ben ik ook.'
'Dat zal wel,' zei Redwing, zonder enig enthousiasme toegevend. 'Het schijnt dat jullie uit hetzelfde krankzinnige hout gesneden zijn.'
'Is hij degene waaraan ik u deed denken? Bedoelde u dat toen?'
'Het betekent, meester, dat die verdomde generaal Hawkins van u een andere Samuel Devereaux heeft gevonden voor zijn nieuwste catastrofale idioterie.'
'Was uw broer in het leger?'
'Nee, hij was in een reservaat – het verkeerde. ... Terug naar de dolle generaal.'
'Dat "dolle" was in feite een deel van zijn militaire bijnaam.'
'Waarom vind ik zoiets helemaal niet verrassend?' Jennifer scharrelde in haar tas naar nog een sigaret.
'Hé, meester,' zei Devereaux toen Redwing haar pakje te voorschijn haalde. 'U deed het zo goed; u nam maar een paar trekjes en toen maakte u ze uit. Dat deed ik ook, eigenlijk om u te steunen.'
'Bemoei u niet met mijn zaak, meester! Ik wil niet praten over uw hersenoperatie of over mijn zwakheden, ik wil over Hawkins praten en over zijn beroep op het Hooggerechtshof en hoe we dat de grond in kunnen boren!'
'Het was eigenlijk geen beroep in juridische zin, want er werd geen beslissing genomen in een rechtbank die te niet doen vereist, zoals in beroepsprocedures...'
'Wáág het niet mij de wet voor te schrijven, pissebed!'
'Het was koffie en ik heb een andere broek aangetrokken en u was het ermee eens dat het koffie was!'

'Het was wel een beroep in bredere juridische zin, een beroep om een onrecht te herstellen,' zei Redwing, een beetje verontschuldigend.

'Mijn broek?'

'Nee, die rottige conclusie, mafkees!'

'Dan bent u het dus eens met Mac. Als alles wat ik u heb verteld een kritisch onderzoek doorstaat, namelijk úw kritisch onderzoek, dan is er een misdaad begaan tegen uw stam. Vindt u niet dat die rechtgezet moet worden?'

'Aan welke kant staat u eigenlijk?' protesteerde de inheems Amerikaanse schoonheid.

'Op dit moment ben ik advocaat van de duivel en onderdruk ik mijn natuurlijke instincten. Ik wil weten wat u ervan vindt.'

'Begrijpt u dat dan niet? Wat ík denk doet er niet toe! Ik maak me zorgen over mijn stam en ik wil niet dat ze benadeeld wordt ... Toe nou, Devereaux, wees eens realistisch. Een kleine indianenstam tegen de majestueuze nationale macht van het SAC – hoe lang zouden we dat overleven? Zelfs het spookbeeld van zo'n mogelijkheid, of ze een kans had of niet, zou leiden tot het aannemen van nieuwe wetten, land dat bedreigd wordt door onteigeningsrecht, onze mensen overal verspreid... alles resulterend in economische rassenmoord en het zou niet de eerste keer zijn dat we zoiets meemaken – dat zij zoiets meemaken.'

'Is dat niet de moeite waard om tegen te vechten?' vroeg Sam met een strak gezicht. 'Waar dan ook?'

'Theoretisch, natuurlijk, en in de grote meerderheid van de gevallen moet dat ook. Maar hier niet. Onze stam is niet ongelukkig. De mensen bezitten het land waarop ze leven, met fatsoenlijke regeringssubsidies – die ik volledig benut om er investeringen mee te doen met verdomd goede opbrengsten – en ik kan eenvoudig niet toestaan dat ze ineens in een moeras van juridisch geweld worden geplompt – en dat zou het worden, *geweld*.'

'Mac zal niet met je meewerken. Hij is een modelsoldaat en geweld in welke vorm dan ook schrikt hem niet af, het is voor hem een uitdaging. ... Bovendien, juffrouw Redwing, en nu moet ik spreken voor mijn eigen, doodsbange persoontje en vermoedelijk ook voor de beste jurist die ik ooit heb gekend, mijn werkgever, een zekere Aaron Pinkus, geloof ik niet dat we met u mee kunnen gaan. Ziet u, wanneer u het goed beschouwt, zijn wij gerechtsfunctionarissen en er is inderdaad een grote misdaad begaan en dat over het hoofd zien zou niet helemaal gepast zijn. Niet wanneer we werkelijk geloven in wat we denken te zijn. Dat bedoelde Aaron toen hij tegen me zei dat we beiden de persoonlijke beslissingen van ons leven moesten nemen. Gaan we eraan voorbij of vechten we voor een waarheid die ons beroepsmatig te gronde kan richten, terwijl we diep in ons hart weten dat we gelijk hadden.'

Jennifer Redwing zat met wijd open ogen Sam aan te staren, slikte een paar keer en zei toen aarzelend: 'Wilt u met me trouwen, meneer Devereaux? ... Néé! Dat bedoelde ik niet! Het is net zoals u zei in de lift! Een verspreking, een mentale verspreking!'

'Hé, het is prima, juffrouw... Juffrouw – hebt u ook een voornaam? Uiteindelijk heb ik het het eerst gezegd – dat van die stomme verspreking bedoel ik.'

'Ik word Red genoemd.'

'Niet vanwege je haren – verrek, dat is het verrukkelijkste, glanzendste zwart dat ik ooit van mijn leven heb gezien.'

'Het zit in de genen,' zei Redwing terwijl ze langzaam opstond. 'Mijn volk heeft heel veel rood buffelvlees gegeten. Ik hoor dat zoiets genetisch een rode teint geeft.'

'Ik geef er geen verdomde wigwam om wat het doet,' zei Devereaux, die ook langzaam opstond en om het bureau liep. 'Jij bent de mooiste vrouw die ik ooit in mijn leven heb ontmoet.'

'Het uiterlijk is maar oppervlakkig, Sam – mag ik je Sam noemen?'

'Het is een geschikt ander woord voor "idioot",' zei Devereaux terwijl hij haar omarmde. 'Jij bent adembenemend!'

'Alsjeblieft, Sam, dat doet ook niet ter zake. Als ik tot jou word aangetrokken – en dat word ik kennelijk – dan komt dat niet vanwege je knappe gezicht en je lange, lenige lijf – die ook niet mis zijn – maar dan komt dat vanwege jouw fundamentele integriteit en je grote liefde voor de wet.'

'O, ja, díe heb ik! Die heb ik echt!'

'Nou niet frivool worden, Sam. Alsjeblieft niet!'

'Nooit, nóóit!' En natuurlijk ging die verdomde telefoon weer over. Devereauxs hand smakte op het bureau, raakte de onderkant van het instrument maar zijdelings, zodat de hoorn opsprong en op de onderlegger terechtkwam; hij pakte ze kwaad op. 'Dit is een bandopname,' sprak Sam met luide, monotone stem. 'U bent verbonden met begrafenisonderneming Lugosi maar er kan hier niemand opstaan om de telefoon te beantwoorden...'

'Schei er maar mee uit, jongen,' viel de grove, grommende stem van MacKenzie Hawkins hem in de rede, 'luister maar eens even goed. We worden aangevallen en jij bent een doelwit en daarom wil ik dat je snel in dekking gaat.'

'Luister, versteend stel hersens, ik ben nauwelijks twee uur geleden bij je weggegaan en mijn instructies luidden dat ik pas in de namiddag gestoord kon worden! Misschien weet je dat nog niet, maar dat wil zeggen ná twaalf uur...'

'Nee, Sam, luister nou eens naar mij,' viel de Havik hem in de rede en omdat hij zo rustig bleef klonk de boodschap echt bezorgd. 'Zorg dat je uit je huis komt. Nú.'

'Waarom zou ik dat, verdomme, doen?'

'Omdat jij geen geheim nummer hebt en dat wil zeggen dat je adres in de telefoongids staat.'

'Dat staan een paar miljoen anderen ook...'

'Maar er zijn er maar twee die ooit van de Wopotami's hebben gehoord.'

'Wát?'

'Ik zeg dit maar één keer, jongen, want we hebben geen van tweeën tijd te verspillen. Ik weet niet hoe het is gebeurd – het is niet de manier waarop Hymie de Orkaan werkt. Och, verdomme, die zou misschien een paar gorilla's sturen, maar geen huurmoordenaar – en die hebben we nu juist aan onze staart, een killer.'

'Het is een beetje vroeg voor jou om bezopen te zijn, is 't niet, Mac?'

'Luister, luitenant,' zei Hawkins, nu met zowel rustige als kille stem. 'Mijn adjudant, Desi-Een die zonder dat ik dat wist tijdelijk in New York heeft gewerkt – vooral in de wijk Brooklyn – heeft een man in de hotellobby ontdekt die hij tijdens zijn vorige werkkring van afstand had gezien. Een heel sléchte man, luitenant, en omdat de korporaal plichtsgetrouw is en keurig gekleed, ging hij bij de receptie naast die *hombre vicioso* staan, zoals hij hem noemde, en hij hoorde duidelijk dat hij informeerde naar twee heren. De namen waren Pinkus en Devereaux.'

'Jézus...!'

'Precies, jongen. Die slechte persoon telefoneerde en keerde toen terug naar de receptie waar hij een kamer twee verdiepingen onder ons boekte. ... Dat telefoontje staat me niet aan, Sam.'

'Mij ook niet.'

'Ik heb zojuist met commandant Pinkus gesproken en we zijn het eens. Neem je moeder en die geschifte dienstbode die beweert dat ze familie is mee en maak dat je daar wegkomt. We kunnen ons geen gijzelaars permitteren.'

'*Gijzelaars?*' riep Devereaux en hij keek even naar de adembenemende Redwing die hem totaal verbijsterd zat aan te staren. 'Mijn god, je hebt gelijk.'

'Onder deze omstandigheden heb ik zelden ongelijk, jongen. Commandant Pinkus beveelt je op weg te gaan naar die luizetent waar wij elkaar ontmoet hebben op de parkeerplaats en dan stuurt hij zijn artilleriesergeant zo gauw als hij hem kan vinden. ... Het schijnt dat mevrouw de limousine heeft ingepikt om boodschappen te doen en ze praat niet meer met de commandant, ze gilt alleen maar over een paar vuile gordijnen en over de achterbank die stinkt als een combinatie van vis en slagroomgebak.'

'We zijn onderweg maar ik zal de Jaguar van moeder moeten gebruiken. Sjefke heeft mijn auto nog niet teruggebracht en dus moet Aaron tegen Paddy zeggen dat hij uitkijkt naar de Jag. ... Hoe zit het met jou, Mac – niet dat dat me eigenlijk een sodemieter kan schelen – maar die slechte persoon zit maar twee verdiepingen onder je?'

'Je bezorgdheid ontroert me echt, jongen, maar ik heb nog wat tijd om de tenten af te breken en alle paperassen op te ruimen.'

'Hoe weet je dat? Ik zeg je dat niet graag, maar je bent niet bepaald onoverwinnelijk. Die klootzak kan op dit moment al naar je op weg zijn!'

'Nee, dat zal nog wel even duren, Sam. Desi-Twee heeft met het slot van die rotzak gerotzooid zodat het zowel van binnen als van buiten vastzit. Hij kan er alleen uitkomen via het raam van de vierde verdieping of totdat het hotel de hele deur eruithaalt, en dat betekent een snijbrander, omdat onder dat deftige paneel een stalen plaat zit. Verdómme, kan ik mijn personeel uitzoeken of kan ik mijn personeel niet uitzoeken?'

'Mijn oordeel daarover houd ik nog even in beraad, maar ik wil je wel vertellen dat ik gisteravond een heel vreemd gesprek met hen had.'

'Ik heb er alles over gehoord, jongen. Zal ik je eens wat zeggen? Ze gaan in *dienst*! Ik heb hun gezegd een dag of twee te wachten en dan laat ik hen rechtstreeks naar een voortgezette inlichtingentraining sturen. Godallemachtig, ze liggen al lichtjaren vóór op die flapdrollen die de cursus hebben voltooid! Desi-Een moet natuurlijk iets aan zijn tanden laten doen; het past gewoon niet dat hij dat gat in zijn mond heeft, maar ik heb nog zo mijn connecties. Daar zal het leger wel voor zorgen...'

'We gaan hier weg, Mac,' viel Devereaux hem in de rede. 'Zoals je al zei mogen we geen tijd verspillen.' Met die woorden smeet Sam de hoorn op de haak en wendde zich tot Redwing. 'We zitten behoorlijk in de puree,' zei hij, met zijn handen op haar schouders. 'Wanneer je terugdenkt aan de essentie van ons eerdere gesprek, wil je dan *alsjeblieft* op me vertrouwen?'

'Emotioneel of intellectueel?' vroeg de eensklaps twijfelende juridische tegenstander.

'Dat is niet van elkaar te scheiden. We konden weleens een kogel voor onze kop krijgen. Ik leg het later wel uit.'

'Je had het erover dat we hier weg moesten, waar wachten we dan nog op?'

'We moeten moeder en nicht Cora meenemen.'

'Volgens de spreekwijze uit de indiaanse overlevering, laten we rennen als de noordenwind voordat die bleekgezichten ons omsingelen met hun donderstokken!'

'Mijn hemel, dat klinkt prachtig!'

'Wat klinkt?'

'Die "noordenwind" en die "donderstokken"!'

'Niet als je in een stam bent geboren, makker. Schiet op! Jij neemt nicht Cora en ik zal me over je moeder ontfermen.'

'Moet het niet juist andersom?'

'Meen je dat? Je moeder vertrouwt jou voor geen cent.'

'Dat moet ze wel, ik ben haar zoon.'

'Dat zal ze ontkennen, geloof mij maar.'

'Maar ik hou van jou – jij houdt van mij. Dat waren we eens!'

'We lieten ons beiden meeslepen – jij oppervlakkig; ik raakte intellectueel ontroerd. Daar hebben we het later nog wel over.'

'Dat is het pijnlijkste dat ik je ooit kon horen zeggen.'

'Probeer het maar eens met een donderstok op mijn hoofd gericht in een noordenwind, meester. We moeten opschieten. De laatste keer dat ik Cora zag was ze in de keuken de theepotten aan het inspecteren. Zoek jij haar nu maar, dan pak ik jouw moeder in. We zien elkaar in de garage. Neem de sleuteltjes van de Jag mee.'

'De garage...?'

'Je vergeet dat ik Indiaanse ben. Wij rijden om een kamp heen voordat we aanvallen. Het bleekgezicht leert het ook nooit.'

'Magnifiek!'

'Och, hou toch je kop. We gáán!'

Maar Cora weigerde ook maar één stap te verzetten en toen Sam liet doorschemeren dat er een mogelijkheid bestond dat haar leven echt in gevaar was, opende de nicht van een verre oom een geheime, magnetisch ontsloten la onder het fornuis en trok er niet één maar twee Magnums .357 uit, beide geladen en riep uit dat zij de ware beschermster was van het huis. 'Denk je dat ik vertrouw op die rottige alarms die niemand kan begrijpen en die afgaan iedere keer wanneer ze een technische boer laten, neef? Vergeet het maar, Sammy! Ik kom uit een andere tak van de familie, een waar de kakmadam en haar man met die mooie smoesjes niet zoveel om gaven – maar, bij god, ik zal mijn kost verdienen!'

'Ik gelóóf niet in wapens, Cora!'

'Je kunt geloven wat je wilt, Sammy. Die stevig zuipende, verre nicht van jou wordt betaald om op dit huis te passen en dat ga je me niet afnemen, gesnopen, makker?'

'Makker...? Ik kan geen twee "makkers" binnen vijf minuten verdragen.'

'Jij praat altijd gek, Sammy.'

'Heb ik ooit gezegd dat ik van je hou, Cora?'

'Een paar keer, Sammy, toen je zo zat als een aap was. Pakken jij en dat ongelooflijke stuk van jou de kakmadam maar en maak dat je hier wegkomt. ... En moge de barmhartige protestantse Heer genade kennen voor de rotzakken die proberen hier binnen te komen. Maar voor het geval dat bel ik toch misschien nog even de politie; laten zij voor de verandering hún kost ook maar eens verdienen.'

De gele Jaguar, waarin Redwing een half bewusteloze Eleanor vasthield op de achterbank, reed met een vaart de oprijlaan af en zette koers richting Boston. Op de tweede straathoek passeerden ze een lange, zwarte limousine die sprekend leek op een echte overvalwagen uit de jaren dertig, inclusief een gezicht dat tegen het raampje was gedrukt en waarvan de gelaatstrekken het best beschreven konden worden als gefotografeerd in de dierentuin. Met enige tegenzin reed Devereaux door, vol vertrouwen in de wetenschap dat Cora meer dan een waardige tegenstander was voor twee onderwereldfiguren die zo stom waren midden op de dag vanuit een enorme zwarte auto naar het adres van een onbekend huis te zoeken. Zijn surrogaatnicht van de andere familietak zou hen, ook zonder politie, met haar magnums voor hun raap schieten. Hoe kwam ze daar eigenlijk aan?

'Sam, je moeder moet naar de wc!' zei Redwing twaalf minuten later terwijl ze Eleanor Devereaux in haar armen hield.

'Mijn moeder doet zoiets niet. Dat is iets voor andere mensen. Zij gaat nooit naar de wc.'

'Ze zegt dat het een familiekwaal is – kijk maar naar je broek.'

'Koffie!'

'Zeg jij.'

'Over een paar minuten zijn we bij Stella. Zeg haar maar dat ze het ophoudt.'

'Stella's Stoute Revuemeisjes?' riep de juristendochter van de Wopotami's. 'Gaan we dáárheen?'

'Ken jij dat?'

'Nou ja, toen ik hier rechten studeerde hebben we een paar juridisch georiënteerde... oriëntaties gehad. Een cursus in constitutionele censuur, zoiets dergelijks. ... Daar kun je haar niet heenbrengen! Die tent is vierentwintig uur per dag open.'

'Er zit niets anders op, meester. Het is maar twee of drie minuten hier vandaan.'

'Ze zal zich doodschamen!'

'Dan kan ze die familiekwaal van incontinentie de schuld geven.'

'Jij bent een mannelijk kind dat het demonenzaad van de boze geesten onder de aarde draagt.'

'Sode... Verdraaid, wat betekent dát nou weer?'

'Het betekent dat jouw geboorte voor de welwillende goden niet welkom was en dat je karkas na een pijnlijke dood door de gieren zal worden verslonden.'

'Dat is niet erg vriendelijk, Red. Ik bedoel maar, het klinkt heel anders dan ons gesprekje in mijn kantoor.'

'Dat zei ik je toch, ik werd meegesleept. Ik hoorde woorden die ik al heel lang niet meer heb gehoord, te lang. Het praktizeren van de wet is vaak in conflict met de liefde voor de wet. Ik verloor heel even de beheersing over mijn perspectief en ik hou er niet van mijn beheersing te verliezen.'

'Jeetje, dank je hartelijk. Het doorvorsen van de ziel stimuleert jou, ongeacht wie de "idioot" is die het doet, is het dat?'

'Volgens mij zouden we nu en dan in ons beroep allemaal onze ziel eens moeten doorvorsen.'

'Dan ben je dus echt een advocaat.'

'Dat ben ik.'

'Welke firma?'

'Springtree, Basl en Karpas, San Francisco.'

'Mózes, dat zijn zwéndelaars!'

'Ik ben blij dat je het begrijpt. ... Hoe ver moeten we nog? Je moeder kan nauwelijks fluisteren maar ze heeft het heel erg moeilijk.'

'Minder dan een minuut. ... Hé, misschien moeten we haar naar het ziekenhuis brengen! Ik bedoel maar, als ze echt...'

'Vergeet het maar, meester. Daarover zou ze zich nog meer schamen dan over Stella's. De theepot was leeg.'

'Is dat een andere parel van de stamboom der wijsheid? ... Nee, dat kan niet. Cora had het over theepotten – jij trouwens ook.'

'Sommige zaken, meneer Devereaux, zoals bevallen, zijn beslist vrouwelijke aangelegenheden.'

'Nogmaals bedankt – voor dat "meneer",' zei Sam en hij reed de parkeerplaats op van Stella's Stoute Meisjes Enzovoort. 'Niemand hoeft mij nog te verwennen. Die dolle Mac en zijn twee geschifte "adjudanten" die me maar te grazen blijven nemen, bebaarde Grieken die mijn kleren hebben, Aaron Pinkus die me "Samuel" noemt, een conclusie van eis die in de juridische hel thuishoort, een ladderzatte moeder, de knapste vrouw die ik ooit in mijn leven heb ontmoet die binnen twintig minuten verliefd op me wordt en me weer de bons geeft – en nu een verdomde killer uit Brooklyn die me achter mijn kont zit! Misschien moet ik mezelf naar het ziekenhuis brengen.'

'Misschien kun je maar beter de wagen stoppen!' riep Red Redwing toen Devereaux de ingang met luifel van Stella's tent voorbijreed. 'Rij nu maar zo'n dertig meter achteruit!'

'Die lui van jullie begraven hun gevangenen tot aan hun nek in mierenhopen,' mompelde Sam.

'Dat is een mogelijkheid die ik in overweging zal houden,' zei Redwing. Ze opende het portier en bracht Eleanor Devereaux met wat zachte dwang ertoe uit te stappen. 'Wil je me als de sodemieter eens komen helpen, anders is een killer uit Brooklyn het minste waar je je zorgen om moet maken.'

'Oké, *oké*.' Sam deed wat hem gezegd werd en hield ten slotte zijn moeder bij haar rechterarm terwijl ze met z'n drieën op het imponerende gebouw afliepen waarvan de wit gestuukte muren en het gedeelte boven de deurpost volgeplakt zaten met foto's van naakte mannen en vrouwen. 'Misschien moet ik moeders auto maar liever niet alleen laten staan,' opperde Sam zacht.

'Goed idee, meester,' stemde Redwing in, niet zonder enig sarcasme in haar stem. 'Anders is die hier over twee minuten verdwenen. ... Ik heb Eleanor, wacht jij maar op die man Paddy of hoe hij ook heet.'

'Eleanor?'

'Wij vrouwen herkennen eerder gelijkgestemde zielen dan jullie mannen. Wij zijn intelligenter. ... Kom mee, Ellie, ik zorg wel voor je.'

'*Ellie*?' vroeg de stomverbaasde Devereaux terwijl de adembenemende Indiaanse zijn moeder naar binnen bracht. 'Niemand noemt haar "Ellie"...'

'Hé, mooie jongen!' schreeuwde de schorre stem van een zwaargebouwde man van middelbare leeftijd, meer aap dan mens, die naast de Jaguar stond en die kennelijk zowel bewaker en uitsmijter was. 'We parkeren hier nou niet bepaald auto's voor anderen. Rij die mietjesjag weg!'

'Direct, agent.' Sam draafde terug naar de auto, onder de afkeurende blik van de veteraan van Stella's Speciale Strijdkrachten.

'Ik ben geen smeris,' zei de oudere carnivoor van een man toen

Devereaux instapte. 'Ik doe niet mee aan politieonderdrukking, meneer.'

'Begrepen, meneer.' Sam startte de motor. 'U bent kennelijk bij de diplomatieke dienst' voegde hij eraan toe terwijl hij het stuurwiel omgooide en een boog beschreef over de parkeerplaats, waarna hij stopte. Zo gauw hij Redwing en zijn moeder naar buiten zag komen zou hij direct terugrijden naar de luifel, erop rekenend dat zelfs Stella's bejaarde King Kong onder de indruk zou zijn van Reds schoonheid en zich wat inschikkelijker zou tonen. Dan konden ze met z'n drieën in de Jaguar wachten op Paddy Lafferty's komst met verdere instructies. ... Jézus, een 'killer'! En een zwarte limousine die zó uit een begrafenisstoet de straat door kwam scheuren op weg naar zijn huis! Wat gebeurde er toch allemaal? Hij kon Washingtons vertwijfeling wel begrijpen als er ook maar enige sympathie werd getoond voor de conclusie van eis van de Wopotami's, maar een killer en een overvalwagen met een passagier die weinig menselijks had was niet de manier waarop een beschaafde regering optrad. Die stuurde onderhandelaars, geen huurmoordenaars. Er werd vertrouwelijk gesproken om beschaafde oplossingen te zoeken, er werden geen moordbrigades gestuurd om die oplossingen af te dwingen. ... Tjéé, dacht Devereaux. Van de andere kant, als Washington had gehoord dat de ex-generaal MacKenzie – de dolle Mac de Havik – achter dit potentieel, zij het weinig waarschijnlijke fiasco van de nationale veiligheid zat, dan waren huurmoordenaars en moordbrigades de enige oplossing. De Havik toonde geen medelijden wanneer de kanten broekjes van Washington in het geding waren. Die lulletjes lampekatoen, zoals hij hen noemde, hadden hem beroofd van het leger en niets, maar dan ook helemaal niets was te verrot om het in hun strot te duwen, hoe hoger ze waren hoe liever.

Hé... nee, wácht 's even! bedacht Sam met een schok. Als Washington met gelijke munt reageerde op Macs aanval zou dat gericht zijn op alle mensen die met hem samenwerkten. En de killer had aan de balie de namen van Pinkus en Devereaux genoemd! Hoe kon dat in 's hemelsnaam? Hawkins was nauwelijks achttien afschuwelijke uren eerder in Boston aangekomen en zoals hij zelf toegaf had niemand in Washington ooit eerder gehoord van een zekere Sam Devereaux, laat staan van Aaron Pinkus! Wat dan? Zelfs met de supersnelle, wereld omspannende communicatiemiddelen van tegenwoordig had de ene bron een feit of een naam nodig om die aan een tweede bron door te kunnen geven, anders kon de specifieke informatie niet worden ontvangen – en de naam van een onschuldige, geïnsinueerde Devereaux was *niet* bekend en daarom ook niet die van Pinkus.

Hoe? ... Goeie god, er was maar één antwoord mogelijk – de Havik werd gevolgd! Nu, op dit moment!

Waar was Paddy? Verrek, hij moest het Mac laten weten! Ergens dichtbij, onzichtbaar voor de Havik, bevond zich een tweede persoon die elke beweging van de ex-militair in de gaten hield en je hoefde er geen misdadige verbeeldingskracht voor te hebben om te weten dat die tweede onbekende persoon in contact stond met de huurmoordenaar twee verdiepingen onder Mac. ... Paddy, waar zit je toch?

Sam keek even naar de luifel; Redwing of zijn moeder was nergens te zien – ook de bejaarde King Kong van Stella was verdwenen. Als hij vlug was kon hij misschien binnen bij die kwartjestelefoon aan de muur komen die hij gisteravond had gebruikt om Hawkins in het hotel te bellen. Hij wilde juist de motor starten toen, tot zijn verbazing, de reusachtige uitsmijter de deur uit kwam lopen, naar de trottoirrand rende en om zich heen keek, waarbij hij meteen Devereaux en de gele Jaguar in de gaten kreeg. Hij gebaarde naar Sam dat hij direct naar de ingang moest rijden. *O, mijn god, er is iets met moeder gebeurd!* Devereaux gaf een dot gas en kwam in 2,4 seconden krijsend tot stilstand onder de luifel. 'Wat is er?' riep hij tegen de nu glimlachende aapmens met het grijze, kortgeknipte haar.

'Boyo, waarom heb je me niet gezegd dat je bij juffrouw Redwing hoorde? Zij is een toffe meid moet je weten en ik zou zeker niet zo onbeleefd zijn geweest als ik geweten had dat jij een kennis was. Mijn verontschuldigingen, makker.'

'Kent u haar?'

'Nou ja, om je de waarheid te zeggen, ik werk al meer jaren dan me lief is in deze luizetent, sinds ik bij de politie ontslagen ben. Weet je, deze tyfuszaak is eigendom van mijn schoondochter die weduwe is – en dat heeft iets te maken met mijn ontslag, omdat die stomme zoon van mij niet zijn eigen geld gebruikte om de tent te kopen en hij raakte total loss bij een schietpartij – en juffrouw Redwing en haar vriendjes van Harvard hebben de gemeente een proces aangedaan en mij een groter pensioen bezorgd. Hoe vind je dát?'

'Ik vind helemaal niks, ik begrijp niets van de gebeurtenissen die om me heen kolken...'

'Ja, die lieftallige indiaanse juffrouw zei al dat u misschien wat verward zou klinken – en ik moest niet op uw broek letten.'

'Ik heb me verkleed! Dat weet ze!'

'En ik hoef ook geen bijzonderheden te weten, boyo, maar dit wil ik je wel vertellen. Als je maar één vinger uitsteekt naar dat meissie dan krijg je met mij te maken, makker. Stap nou maar uit en ga naar de dames toe. Ik let wel op die mietjeswagen van jou.'

'*Binnen?*'

'Ze zitten niet op een jacht in de haven van Boston, jongen.'

Een volkomen verbijsterde Devereaux stapte uit de auto en stond wankelend op het asfalt, toen de limousine van Aaron Pinkus de inrit naar het parkeerterrein kwam opdenderen en naar de gele Jaguar bij de luifel scheurde waar hij knarsend tot stilstand kwam. 'Sámmy!' riep Paddy Lafferty vanuit het open raampje. 'Hé, hallo, Billy Gilligan, hoe is 't met jou?'

'We leven nog, Paddy,' antwoordde Stella's vriendelijke King Kong. 'En met jou, jochie?'

'Het gaat beter nu ik zie dat je mijn jongen op sleeptouw hebt.'

'Is die van jou?'

'Van mij en mijn baas zogezegd.'

'Neem hem dan maar mee, Paddy. Hij slaat wartaal uit, weet je. Ik let wel op beide wagens.'

'Bedankt, Billy,' zei Lafferty. Hij sprong uit de bovenmaatse auto en rende naar Sam en de Tarzan op leeftijd; Devereaux negeerde hij volkomen. 'Billy, jongen, je gelooft niet wat ik je ga vertellen, maar ik zweer het op alle graven van County Kilgallen!'

'Wat dan wel, Paddy?'

'Ik heb niet alleen kennisgemaakt met de man maar hij heeft naast me in de auto gezeten en we hadden een heel ernstig gesprek samen, Billy!'

'De *paus*, Paddy? Heeft dat joodse mannetje van jou de paus hierheen gebracht?'

'Nog veel beter, Billy!'

'Och, dat zou ik niet zo weten, echt niet – op één na, natuurlijk, maar dat kan gewoon niet.'

'Nee, Billy, je hébt het, jongen! Hij was het zelf! Generaal MacKenzie Hawkins!'

'Zeg dat niet, Paddy, ik krijg er een hartverzakking van...'

'Ik méén het, Billy Gilligan! Hij was het zelf, in levenden lijve en een grotere, fijnere man heeft er nooit bestaan. Weet je nog wat we altijd zeiden in Frankrijk, toen we door de bossen bij de Marne struinden. "Geef ons die dolle Mac maar en dan breken we door die tyfuslijers van moffen heen!" En toen was hij er, tien dagen lang, en we braken door, zingend en schietend dat het een lieve lust was en hij liep voor ons uit, voor ons uit, Billy, en schreeuwde zich schor dat we het kónden omdat wij beter waren dan die rotzakken die ons aan de ketting zouden leggen! Wéét je nog, Billy?'

'De schitterendste dagen van mijn leven, Paddy,' antwoordde Gilligan en de tranen sprongen in zijn ogen. 'Behalve onze Heer Jezus is hij misschien wel de grootste man die God ooit op de aardbodem heeft gepoot.'

'Volgens mij zit hij in de nesten, Billy. Hier in Boston!'

'Niet zolang wij er nog zijn, Paddy. Niet zolang er nog één soldaat van het Herdenkingslegioen Pat O'Brien asem in zijn lijf heeft... Hé, Paddy? Wat is er met jouw boyo gebeurd? Hij ligt plat op het asfalt.'

'Hij is flauwgevallen, Billy. Dat zit vast in de familie.'

'Mmmfff...!' klonk het bewusteloze protest uit Sam Devereaux' keel.

13

'Samuel Lansing Devereaux, sta onmiddellijk op en gedráág je!' riep lady Eleanor uit met achtenswaardige autoriteit, gezien het feit dat ze zich onder Stella's luifel voor steun vastklemde aan Jennifer Redwings arm.

'Schiet op, Sam boyo,' zei Paddy. 'Pak mijn hand vast, jongen.'

'Hij is lichter dan mijn schoondochter, Lafferty,' voegde Billy Gilligan eraan toe. 'We kunnen hem zó in de Hebreeuwse kano smijten.'

'Laat jouw schoondochter maar voor de Patriots gaan spelen, Billy, en ik verzoek je vriendelijk niet meer in zulke kleinerende termen over die prachtige slee van meneer Pinkus te spreken.'

'Je mag raden van wie ik die kleinerende term heb gehoord, Paddy,' grinnikte Gilligan terwijl de twee mannen Devereaux naar de limousine droegen en hem met enige moeite op de achterbank legden. 'Hoeft trouwens niet, ik vertel het je wel. Van die ouwe Pinkus zelvers, boyo. Weet je nog toen jij en hij hier waren en we...'

'Zo kan het wel weer, Billy, en ik dank je voor je hulp. De sleuteltjes zitten in de Jaguar en ik zal je nog dankbaarder zijn als je de wagen weg wilt zetten en wilt afsluiten op een plekje waar je hem de gaten kunt houden.'

'Vergeet het maar, Lafferty!' protesteerde Gilligan. 'Ik ga mijn aflossing bellen en ga meteen door naar het Herdenkingslegioen Pat O'Brien om de leden bij elkaar te trommelen. Als de beroemdste generaal die ooit het oorlogszwaard heeft gekust in de nesten zit dan kan hij op ons rekenen, op de graven van Donegal!'

'We kunnen pas iets doen, Billy, wanneer de generaal en meneer Pinkus ons bevelen geven. Ik hou je op de hoogte, daar kun je van op aan.'

'O, wat geweldig! Die grote man in eigen persoon te ontmoeten – MacKenzie Hawkins, generaal van het Amerikaanse leger!'

'Och, die afschúwelijke naam!' viel Eleanor Devereaux uit.

'Helemaal mee eens, Ellie,' stemde Redwing in.

'Mmmfff,' klonk de gedempte kreet vanaf de achterbank van de limousine.

'Let er maar niet op, Gilligan, de meisjes voelen zich niet zo best. ... Maar Billy, ik heb niet beloofd dat je de grote man zelf zou ontmoeten, ik zei alleen maar dat ik het zou proberen.'

'En ik heb ook niet beloofd dat ik de Jaguar niet zou verkopen, Paddy. Ik zei alleen maar dat ik zou proberen het niet te doen...'

'Kom, dames,' zei Lafferty met een vuile blik naar Gilligan. 'Ik moet u naar het Ritz-Carlton brengen waar meneer Pinkus allerlei dingen heeft geregeld...'

'Páddy!' schreeuwde een gedeeltelijk herstelde Sam Devereaux vanaf de achterbank. 'Ik moet Mac zien te bereiken... hij weet niet wat er aan de hand is!' De advocaat stapte op onvaste benen uit de limousine, smeet het portier dicht en kroop op de voorbank naar de autotelefoon.

'Dames, *alstublieft*?' vleide Lafferty terwijl hij Jennifer hielp Eleanor voorzichtig op de achterbank te laten zakken en het portier achter hen sloot. Vervolgens kroop Paddy achter het stuur, bezorgd omdat Sam het zo moeilijk had met de centrale van de Vier Jaargetijden.

'Wat bedoelt u dat alle gesprekken naar de suite van meneer Pinkus worden overgezet op een andere kamer?' schreeuwde Devereaux.

'Rustig nou maar, boyo,' zei Lafferty en hij startte de motor. 'Je bereikt meer met honing dan met azijn.'

Sam keek de chauffeur woedend aan. '"MacKenzie Hawkins, Superstar,"' mompelde hij. 'Waarom schrijven jullie clowns niet een nieuwe musical? ... Wát zegt u daar, centrale? In gesprek? Nee, laat u maar, ik bel wel terug. ... Ik moet Aaron zien te bereiken,' zei Devereaux terwijl hij de knoppen van de telefoon bespeelde.

'Dat zal nu niet zo gemakkelijk zijn,' opperde Lafferty die snel via de uitrit de verkeersweg opreed. 'Toen hij me belde zei hij dat hij een uurtje weg zou zijn van kantoor en jullie allemaal in het Ritz zou ontmoeten.'

'Je begrijpt het niet, Paddy! Ze kunnen Mac nu al te pakken hebben... of erger.'

'De generáál?'

'Hij is geschaduwd vanaf het moment dat hij in Boston was!'

'Mijn Gód!' riep Lafferty uit. 'Geef me die telefoon, dan bel ik zelf de jongens van Pat O'Brien in hun hoofdkwartier! Ik zal een boodschap achterlaten voor Billy Gilligan...'

'Laat me eerst het hotel nog eens proberen.' Sam drukte razendsnel de cijfers in en keek over zijn schouder naar de achterbank van de limousine. De felle blik in Redwings flonkerende ogen zei hem dat ze de noodtoestand begreep; zijn moeder knipperde snel met de ogen voor zich heen. 'De suite van de heer Pinkus, alstublieft, centrale, en ik weet dat alle gesprekken worden doorgegeven naar een andere kamer.' Devereaux hield zijn adem in totdat een onbekend, half jankend piepstemmetje antwoordde.

'Met Kleine Joey,' zei de man/vrouw/hermafrodiet of dwerg. 'Wat mottu?'

'Ik geloof dat ik de verkeerde kamer heb,' antwoordde Sam en hij deed zijn best zijn paniek te onderdrukken. 'Ik probeer generaal MacKenzie Hawkins te vinden, tweemaal winnaar van de Eremedaille van het Congres, held van het Amerikaanse leger en goede vriend van de Gezamenlijke Chefs Staven, alsook van de president, die onmiddellijk een invasie van het hotel zal bevelen als het leven van de generaal op wat voor manier dan ook wordt bedreigd!'

'Ik snap je. Je wilt die grote kloteklapper. ... Hé, Mickey Haha, het is voor jou!'

'Je komt nooit hogerop met dat soort insubordinatie, Kleine Jozef!' klonk de grommende, naderende stem van de Havik. 'Commandant Pinkus, ben jij dat?'

'... Kleine Jozef? Mac, waar ben je in godsnaam mee bezig? ... Doet er ook niet toe, we hebben geen tijd – je wordt geschaduwd! Er zit iemand achter je aan vanaf dat je in Boston bent aangekomen!'

'Kijk eens aan, luitenant Devereaux, je begint in vorm te komen. Ik bedoel maar, je bent aan het aftellen als een sergeant-majoor, waarmee ik niets verkeerds bedoel over je sterren.'

'Dat wéét jij al?'

'Nou ja, het lag nogal voor de hand nadat mijn adjudant rapporteerde wat hij aan de receptie had afgeluisterd.'

'Maar je zei dat je niet wist hoe het gebeurd was, dat het niet de manier van werken was van Hymie Huppeldepup!'

'Dat wist ik toen ook niet en het was de manier van werken van de Orkaan ook niet. Nu weet ik het wel en Hymie is het nog steeds niet. Deze kerel was niet moeilijk te vinden; zijn deur stond precies vier centimeter open.'

'Praat in godsnaam eens duidelijk!'

'Dat heb ik zojuist gedaan en jij moet van de lijn af. We verwachten een ander gesprek.'

'Van wie?'

'Ik dacht dat je dat onderhand wel wist.'
'Hoe dan?'
'Je hoorde me vragen of hij het was...'
'Wie dan?'
'Commandant Pinkus natuurlijk.'
'Die is onderweg naar het Ritz.'
'Voorlopig nog niet, jongen. Hij en mijn adjudanten zijn met bevoorrading bezig.'
'Wie is verdomme Kleine Jozef? ... Sorry, moeder.'
'Hij is een lief oud mannetje,' antwoordde de Havik en hij ging bijna fluisterend praten, 'qua grootte en vorm geschikt als voorste man in een nachtpatrouille, vooral in heuvelachtig gebied, maar ik vrees dat zijn leeftijd en zijn temperament niet langer meer passen bij dat werk. ... Dat vertel ik hem natuurlijk liever niet. Het zou zijn zelfvertrouwen schaden, dat kun jij wel begrijpen, luitenant.'
'Ik begrijp geen sodemieter! Wát voor werk?'
'Die koleremietjes in Washington moeten wel heel erg onthand zijn door het budgettekort,' vervolgde de generaal snel en zo zacht dat Devereaux hem nauwelijks kon verstaan. 'Verroest, jongen, zoiets heeft niemand van óns ooit dwarsgezeten!'
'Komt hij uit Washington?'
'Ik weet het, ik weet het,' zei de Havik op vermoeide, zij het wat ongeduldige toon. 'Commandant Pinkus heeft uitgelegd dat we hem ruimte moesten laten voor ontkenbaarheid.'
'*Ontkenbaarheid?*'
'Tot ziens, Sam.' Het gesprek werd verbroken.
'Wat is er?' vroeg Redwing bezorgd. Ze leunde voorover op de achterbank met haar rechterhand stevig op Eleanors schouder.
'Is alles goed met de beroemde, grote generaal, boyo?' riep Lafferty, terwijl hij gas gaf en de limousine links en rechts door het verkeer manoeuvreerde op weg naar Boston. 'Moet ik Gilligan en zijn mannen erbij halen?'
'Ik weet het niet, Paddy, ik weet het echt niet. Ik geloof van niet.'
'Belazer me niet, jongen!'
'Wat weet je dan wel, Sam?' vroeg Jennifer, op rustige, hartelijke toon, helemaal de advocaat. 'Neem er de tijd voor en zet je gedachten op een rijtje.'
'Hou op met dat vriendelijke kruisverhoor, alsjeblieft, want dat probeer ik nu net te doen. Ik probeer het te begrijpen en het is niet gemakkelijk, het is gewoon krankzinnig.'
'Zie dan dat je de boel op orde krijgt, meester.'
'Dat klinkt beter, Red. ... Mac heeft de zaken duidelijk in de hand

en ik geloof dat hij de man die hem schaduwde heeft gevonden – geloven, verrek, dat is wel zeker; hij klinkt zo neerbuigend, het kan niets anders zijn – en hij heeft ontdekt dat hij in de gaten wordt gehouden door Washington.'

'Och, lieve god...'

'Ik denk er precies zo over, juffrouw Indian Love Call. Bepaalde mensen in Washington zijn radeloos en dat is het slechtste nieuws dat we kunnen horen.'

'Wat voor mensen, meester?'

'Voorzover ik kan opmaken, meester, zijn ze erg ongezond. Hun afgezanten naar Boston zijn gewapend.'

'Dat zouden ze niet dúrven!' riep Redwing uit.

'Zullen we maar weer eens denken aan Watergate of Iran-contra of om het juiste evenwicht te bewaren, aan de helft van de verkiezingen in Chicago sinds 1920? Bij dat soort gebeurtenissen is er van "niet durven" geen sprake. En zelfs als dat wel het geval was, vergelijk dan maar eens alle pegulanten die toen werden rondgestrooid voor al dat historisch gecombineerd samenspannen met een máánd Strategic Air Command! Dat is kattepis, indiaanse schone, we hebben het over miljarden! Denk jij niet dat onze welwillende bataljons van wapenleveranciers, samen met hun vertegenwoordigers uit het hele land – leveranciers van Long Island tot Seattle – hun alarmknoppen zullen indrukken bij het idee alleen al dat er een deuk zal komen in hun winst- en verliesrekening? Verrek, als er een tiende op het defensiebudget wordt bezuinigd, dan willen ze allemaal bloed zien. Zoiets zou hun vampierfabrieken aan het licht kunnen brengen.'

'Nu neem je aan dat de conclusie van de Wopotami's op de agenda van het Hooggerechtshof is gezet voor een debat.'

'Die hoeft niet op wat voor agenda dan ook gezet te zijn, alleen al een gerucht dat erover wordt gedacht of nog erger, dat het wordt aangehouden voor een mogelijk debat in de toekomst.'

'Dat is altijd het zoethoudertje voor latere serieuze overweging,' zei Redwing.

'Precies. Hoe dan ook, de geldwolven en hun politieke loonslaven zullen een tegenaanval inzetten.'

'Wacht eens even, Sam,' smeekte Redwing met haar ene hand op Eleanors hoofd en de andere op Sams schouder. 'Een tegenaanval in de betekenis van het Congres zou betekenen zegslieden of advocaten die hun zaak bepleiten in het Huis en de Senaat, geen killers!'

'Toegegeven, maar het Congres houdt geen zitting en ik beweer dat onze huidige situatie daar het zuivere bewijs voor is.'

'Ik snap wat je bedoelt. De killers zijn hier. Op de een of andere manier is er dus iets uitgelekt. ... O, mijn god, ze moeten ons allemaal het zwijgen opleggen!'

Paddy Lafferty graaide naar de autotelefoon en drukte handig met zijn duim de cijfers in. 'Met de O'Brien-post?' riep hij, en na minder dan een seconde zei hij met nadruk: 'Is Billy Gilligan daar? ... Oké, oké, ik ben blij dat onze telefoonverbindingen tenminste werken, luister. Wanneer Billy G. daar komt, laat hem dan aan het hoofd van een colonne gewapende voertuigen naar de Vier Jaargetijden in Boylston Street optrekken en alle ingangen bewaken! Heb je dat, jongen? We praten over de beroemde man en er mogen geen fouten worden gemaakt. Tot ziens maar weer en zet de sokken erin!'

'Paddy, wat heb je nu gedáán?'

'Er zijn tijden, Sam boyo, wanneer je voorwaarts stormt en pas later achteromkijkt. Het is een les die we geleerd hebben tijdens tien geweldige dagen in Frankrijk.'

'We zijn niet in Frankrijk en we zijn niet bezig met de Tweede Wereldoorlog en als er ook maar een greintje gevaar dreigt in het hotel zal Aaron de politie erbij halen. Alles is te vaag en te onduidelijk, maar Mac en onze zeer bijdehante werkgever staan met elkaar in contact. ... Ik herhaal het, Aaron is niet een of andere doorgedraaide *Draufgänger* en besluiteloos is hij ook niet. Als hij denkt dat de politie moet komen dan komt die ook.'

'Ik weet het niet, boyo. De politie wordt nog al eens verhinderd – vraag het Billy Gilligan maar, die weet daarvan.'

'Dat heeft hij me al verteld, Paddy, maar we weten niet wat Mac en Aaron van plan zijn en omdat we dat niet weten zouden we de zaak in de soep kunnen sturen. Haal dus die bloedhonden uit Killarney maar weer terug!'

'Hij heeft gelijk, meneer Lafferty,' kwam Jennifer tussenbeide vanaf de achterbank. 'Luister, ik heb niets tegen bescherming in welke vorm ook en ik zou dankbaar zijn wanneer uw vrienden, laten we zeggen, beschikbaar zijn. Maar Sam heeft gelijk; we weten niets zolang we niet in het Ritz-Carlton zijn en met meneer Pinkus hebben gesproken. ... Volgens mij zei u ongeveer hetzelfde tegen meneer Gilligan toen bij Stella's.'

'Nou ja, u zegt het beter dan die jongen hier...'

'Ik gebruikte alleen maar uw woorden, uw eigen wijsheid, meneer Lafferty.'

'Goedkope tactiek,' mompelde Devereaux.

'Goed dan,' zei Paddy. 'Ik roep ze wel terug,' voegde hij eraan toe en hij drukte de knoppen van de telefoon weer in. 'Ik geloof dat ik heel even wat te opgewonden raakte. ... Hallo, de O'Brien-post?

... Met wie spreek ik nu? ... Rafferty, het is Lafferty, boyo. Is Gilligan er al?... Wát heeft hij gedaan? Moeder Maria... hoe erg was het? ... Je moet altijd dankbaar zijn voor kleine dingen, Rafferty. Luister nou eens naar me, jongen – over die leden die naar de Vier Jaargetijden aan Boylston gaan, ik wil dat je tegen hen zegt –' Plotseling zwenkte de limousine – onwillekeurig – gevaarlijk dicht langs een enorme vrachtwagen. 'Wát hebben ze gedaan, Rafferty? Waar heb je het eigenlijk over, boyo? ...Jezus, Maria en Jozef!' De chauffeur van Aaron Pinkus slikte moeilijk en legde zwijgend de telefoon neer.

'Wat is er gebeurd, Paddy?' vroeg Sam en hij keek naar Lafferty alsof hij het antwoord maar liever niet hoorde.

'De jongens zijn zojuist naar het hotel vertrokken, meneer Devereaux. Maar het is geen volledige colonne die meestal uit vier wagens bestaat – het zijn er maar drie – en misschien zijn een paar jongens zo zat als een aap.'

'O, mijn god!'

'Maar het goede nieuws is dat Billy Gilligan niet al te erg gewond is.'

'Gewond?'

'Hij heeft in een kettingbotsing gezeten op de snelweg, zijn wagen is zo goed als total loss. Een van de politiemensen die erbij was is lid van het Legioen en belde om de leden te laten weten welk ziekenhuis.'

'Ziekenhuis...?'

'Hij maakt het goed. Hij gilt en krijst dat hij daar weg wil en met de anderen mee wil gaan.'

'Laat hem dat in godsnaam doen! Misschien kan hij ze tegenhouden!'

'Nou ja, er zijn een paar formaliteiten...'

'Als hij kan gillen en krijsen kan hij daar ook wegkomen!' Sam rukte woedend de telefoon uit zijn ligplaats. 'Welk ziekenhuis?' vroeg hij kwaad.

'Dat helpt je niks, boyo. Er was een pietsie verwarring over het proces-verbaal van het ongeluk. Weet je, het was nou niet precies zijn wagen op de snelweg. Het was de gele Jaguar van je moeder.'

'*Yellooow birrd...*' klonken de zangerige woorden en muziek uit de onvaste keel van Eleanor Devereaux op de achterbank.

'Hé, *comandante*, wat vind je ervan?' vroeg Desi-Twee die in een oogverblindend rokkostuum voor de spiegel zichzelf stond te bewonderen in een druk beklante herenmodezaak die Aaron Pinkus Associates praktisch op poten had gezet.

'Zeer opvallend,' antwoordde Aaron gezeten in een leunstoel met fluwelen zitting die hij niet kon verschuiven vanwege het hoogpolige zwarte tapijt. 'Waar is je metgezel, de andere korporaal Arnaz?'

'We zijn nu sergeants, *comandante*!'

'Mijn welgemeende verontschuldigingen, maar waar zit hij? We moeten opschieten.'

'Nou ja, ziet u, de dame die hem zijn *pantalones* aanmat komt uit Portorico en ik geloof dat ze...'

'Daar hebben we de tijd niet voor...'

'Desi Uno!' brulde sergeant D-Twee. '*Vamos!* Nu meteen, man!'

Desi-Een kwam wat schaapachtig uit een paskamertje met jaloezielatten, gevolgd door een welgeschapen, donkerharig meisje dat nadrukkelijk haar centimeter strak trok en bekeek terwijl ze haar blouse in orde bracht. '*Comandante*,' zei Desi-Een met een brede grijns waardoor zijn mankerende tanden des te meer opvielen. 'We moesten de broek wat nauwer maken. Ik heb heupen als een *toreador*! Wat kan ik zeggen?' Ook hij was in rokkostuum en er was geen twijfel mogelijk, ook Desi-Een was een opvallende figuur.

'Je ziet er geweldig uit, sergeant Arnaz,' merkte Pinkus op. 'Nu gaan we naar mijn orthodontist die zegt dat hij veertig of vijftig plastic trucjes heeft waarvan hij er volgens hem een of twee voor een paar uur in je mond kan lijmen.'

'Da's prima. Wat doet hij voor de kost?'

'Jozef, ik heb genoeg van jouw smoesjes, kereltje,' zei de Havik, gezeten in de stoel voor het dressoir in de hotelkamer terwijl Joey de Smurf languit op bed lag met zijn armen boven zijn hoofd op het kussen. 'Ik zou je polsen één voor één kunnen breken en je dwingen me te vertellen wie je bent en waar je vandaan komt, maar zoiets heb ik altijd barbaars gevonden en bovendien is het tegen de Geneefse conventie. Maar als puntje bij paaltje komt, Jozef, zit er niets anders voor me op, nietwaar?'

'Ik heb jullie *kloteklappers* mijn hele leven al gekend, Mickey Haha,' antwoordde Kleine Joey, niet onder de indruk. 'Ik weet wie zoiets wel doet en wie niet. ... Och, jullie *soldados* zijn hard genoeg om bij een rel in Brooklyn een paar koppen in elkaar te rammen, maar één tegen één, als er geen groot voordeel uit te halen valt, willen jullie je ziel daarmee niet vuil maken.'

'Verdómme!' brulde Hawkins en hij stond dreigend op uit zijn stoel. 'Zo'n ziel heb ik niet!'

'Als je die wel had zou ik in mijn broek schijten van angst en dat doe ik niet. ... Jij bent net als die fascisten uit Salerno die naar Rome vluchtten. Ik was toen maar een jochie maar ik wist altijd het verschil. ... Als ze me ontdekten riepen ze *esecuzione!* en als we gingen praten zeiden ze dat het hun geen moer kon schelen – wie kan het wat schelen – de oorlog is voorbij en dan lieten ze me gaan. En sommige van die jongens waren de beste pakezels in het Italiaanse leger.'

'Het... léger? Soldaten? Salerno? Was jij...'

'Vierde Leger, Mark Clark, kloteklapper. Ik denk dat we zowat van dezelfde leeftijd zijn, alleen zie jij er misschien wat beter uit. Zoals ik al zei was ik zandhaas totdat ze ontdekten dat ik beter Italiaans kon spreken dan de tolken, daarom trokken ze me burgerkleren aan, maakten me tijdelijk eerste luitenant omdat ze dachten dat ik het hooguit anderhalve dag zou overleven en stuurden me naar het noorden om inlichtingen over de installaties terug te seinen. Geen bal aan. Ik kwam om in de lires, had alle meiden en vino die ik hebben wilde en werd maar drie keer gepakt – en wat er daarbij gebeurde heb ik al verteld.'

'Jozef!' schreeuwde de Havik. 'Wij zijn *kameraden*!'

'Als jij een verdomde homo bent, blijf dan van me af, Mickey!'

'Nee, Jozef, ik ben generaal!'

'Dat weet ik, kloteklapper.'

'En jij bent eerste luitenant!'

'Dat telt niet meer. Toen de hoge piefen me in Rome aantroffen terwijl ik een luizeleven had een paar kilometer naar het noorden in de Villa d'Este, degradeerden ze me weer tot soldaat. Ik kan die patjepeeërs niet uitstaan.'

De telefoon ging over. MacKenzie keek er woedend naar, met nu en dan een blik op soldaat Kleine Jozef en pakte toen de hoorn op. 'Tijdelijk hoofdkwartier!' brulde hij.

'Ik stel voor dat we anders en minder schel annonceren,' zei Aaron Pinkus. 'Uw adjudanten zijn klaar. Bent u te weten gekomen wat we moeten weten?'

'Ik vrees van niet, commandant. Hij is een prima oude soldaat.'

'Ik doe maar net alsof ik die uitspraak niet begrijp. Zullen we dus maar doorgaan?'

'Gaat u maar door, meneer!'

De drie auto's van het Herdenkingslegioen Pat O'Brien scheurden door Clarendon Street, vlogen de bocht om naar Boylston en reden volgens afspraak door tot een straatlengte van het hotel de Vier Jaargetijden, waar elk voertuig een parkeerplaats vond. Snel kwamen ze bijeen bij de auto het dichtst bij de hotelingang, waar hun krijgsraad even werd opgehouden door de gebroeders Duffy, die ze eerder per telefoon niet hadden kunnen bereiken omdat ze sinds vroeg in de morgen in de bar hadden gehangen vanwege een niet zo belangrijk dispuut met hun echtgenotes die toevallig zusters waren.

'Ik weet verdomd zeker dat er iets in de Kerk is dat zegt dat we niet hadden moeten doen wat we gedaan hebben, Petey!' riep een grijze Duffy-broer uit terwijl ze hem naar de plaats van samenkomst brachten.

'Maar we hebben het dertig jaar geleden gedaan, Bobby!'

'Maar zij zijn zusters, Petey. En wij zijn broers...'

'Ze zijn niet ónze zusters, Bobby...'

'Maar toch, broers en zusters – ik weet zeker dat er iets is, boyo!'

'Willen jullie twee nou weleens je bek houden!' beval een zekere Harry Milligan, met een gezicht van leer, die door de gewonde Billy Gilligan aan het hoofd van de kleine brigade was gesteld. 'Jullie zijn te bezopen om te vechten, daarom beveel ik dat jullie de wacht moeten houden.'

'Waar moeten we op letten?' vroeg een wankelende Bobby Duffy terwijl hij met zijn hand door het denkbeeldige haar op zijn kale hoofd streek. 'Waar komen de moffen vandaan?'

'Geen moffen, Bobbo! Die vuile rotzakken die onze beroemde generaal koud willen maken!'

'Hoe zien ze eruit, Harry?' informeerde Peter Duffy. Hij had de zijspiegel vastgepakt en die door zijn gewicht omlaag gebogen.

'Hoe weet ik dat verdomme nou Petey?' antwoordde de commandant van de Milligan-Gilligan-brigade. 'Volgens mij zullen ze als de gesmeerde bliksem hier naar buiten komen hollen wanneer wij ze eenmaal hebben gevonden.'

'Hoe gaan we dat dan doen, Harry?' vroeg Bobby Duffy, zijn woorden onderbroken door een hik en twee boeren.

'Nou ik daaraan denk, ik weet het niet zo zeker.' Milligan kneep zijn ogen halfdicht waarbij de verweerde trekken van zijn gelaat op de plooien in de huid van een rinoceros leken. 'Dat heeft Gilligan me eigenlijk nooit verteld.'

'Dat zie je verkeerd, Harry,' protesteerde de wankele Peter Duffy. 'Jij bent zelf Gilligan.'

'Ik ben hem helemaal niet, bal gehakt! Ik ben *Milligan*!'

'Aangenaam kennismaken,' zei Bobby Duffy en hij zeeg op de trottoirrand neer als een overrijpe tomaat waar met een vork in wordt geprikt.

'Mijn broer is getroffen door de kwade duivels van de antichrist!' riep Peter uit en hij viel tegen het portier van de auto met zijn been over het gezicht van zijn broer. 'Het is de vloek van de heksenzusters!'

'Brave jongen,' stemde Harry Milligan in. Hij knielde neer en klopte Petey op zijn hoofd. 'Blijven jullie maar hier om die verschrikkelijke duivels af te weren.' Harry kwam overeind en sprak de zeven overgebleven manschappen van de Milligan-Gilligan-brigade toe. 'Kom op, jongens, we weten wat ons te doen staat!'

'Wat is dat dan precies, man?' vroeg een uitgemergelde zeventigjarige, die een slecht passend gevechtsjack uit de Tweede Wereldoorlog droeg met een dozijn insignes die duidden op zijn dienst op het Europese oorlogstoneel.

'Billy Gilligan heeft me twee namen gegeven – de eerste natuurlijk van de beroemde generaal Hawkins en de tweede, een deftige advocaat van wie we allemaal in de goede zin hebben gehoord. Die joodse jongen die een hoge bobo is in Boston en die een paar fijne katholieke advocaten in dienst heeft.'

'Die lui zijn altijd zo gewiekst,' dreunde een oudere, onbekende stem tussen de zeven verhevenen. 'Zij nemen Ieren in dienst maar hoeveel van ons nemen er nu joden in dienst? Gewiekst.'

'We gaan dus het volgende doen, jongens. Ikzelf ga bij de receptie informeren. Ik zal tegen hen zeggen dat ik ofwel contact zoek met de beroemde generaal of met zijn vriend, de beroemde advocaat die Pinkus heet, omdat ik een dringende vertrouwelijke boodschap heb die hen beiden aangaat en de lieve God weet dat ik daarover niet lieg! Als het om zulke hoge heren gaat kunnen ze niets anders doen dan me met hen in contact brengen, waar of niet?'

Er volgde een koor van bevestigingen, alleen verstoord door de stem van de oudste strijder in het gevechtsjack, die het er kennelijk niet mee eens was. 'Ik weet het niet, Gilligan...'

'Ik ben Milligan.'

'Ik wou dat je Gilligan was, die heeft bij de politie gezeten.'

'Ik niet... wat wil je dus, ouwe schijtlaars?'

'Stel dat je een secretaresse aan de lijn krijgt, wat ga je dan zeggen? ... "Spijt me zeer, meissie, maar een of andere vent wil de beroemde generaal overhoop schieten en zijn vriend, die joodse knuppel." ... Eigenlijk denk ik, jongen, dat ze die kerels zullen sturen die in die witte bestelwagentjes rijden met dikke rubber wanden en tralies voor de ramen.'

'Ik hoef tegen niemand te praten, jij wandelend lijk! Paddy Lafferty heeft ons alles verteld over de deftige suite die zijn werkgever heeft in de Vier Jaargetijden, we weten alleen niet waar die is. Nou moeten die receptionisten het mij vertellen vanwege die dringende vertrouwelijke boodschap die ik bij me heb, oké?'

Opnieuw weerklonk er algemene instemming, voor de tweede keer verstoord door de legionair van zeventig. 'Stel dat ze je niet geloven? Ik zou dat niet. Jij hebt gluiperige ogen wanneer iemand ze kan zien.'

Enkele hoofden knikten terwijl de strijders naar de diep weggezonken ogen van Harry Milligan keken. 'Och, hou toch je bek!' riep Harry en daarmee drukte hij met verbaal geweld zijn manschappen weer met hun neus op de zaak. 'Ze kunnen me geloven of niet, dat maakt geen enkel verschil. Ze moeten me toch een kamernummer geven dat ik kan bellen – dan weten we waar het is!'

'En dan?' vroeg de voorzichtige ongelovige.

'Dan splitsen we ons en jij, jij gerimpeld kadaver, jij blijft bij de voordeur staan en als we de rotzakken naar buiten jagen en ze naar hun vluchtauto's rennen, dan zorg jij dat je de nummerplaten opneemt. ... Godzijdank heb je niet onder mij gediend, je zou nog met Ike zelf ruzie gemaakt hebben!' Milligan wees naar drie van de overgebleven zes legionairs die nog geen taak hadden. 'Jullie dekken alle andere uitgangen naar de straat – daar was Lafferty heel duidelijk over...'

'Waar zijn die, Harry?' vroeg een kleine man van middelbare leeftijd in een leren jack van de luchtmacht. 'Ik was staartschutter daarom ben ik niet zo bekend met tactiek in het veld.'

'Je zult ze moeten zoeken, jongen! Paddy zei dat we ze dicht moesten smeren.'

'Wat wil dat zeggen, Harry?'

'Nou ja... kijk eens, Paddy was daar niet zo duidelijk over, maar ik denk dat hij bedoelde niemand naar buiten te laten die daar niks te maken heeft.'

'Wie bijvoorbeeld?' vroeg een lange, slanke man van achter in de zestig, gekleed in een opvallend Hawaïaans hemd met oranje passiebloemen, niet erg in overeenstemming met de opdracht. Hij droeg wel een blauwe legionairspet.

'Dat heeft Harry ons al verteld!' riep een gezet lid van gemiddelde grootte, met een gezwollen gezicht onder een metalen helm. 'Alle rotzakken die naar buiten rennen naar hun vluchtauto's.'

'Dan schieten we ze kapot!' bevestigde de slanke heer in het Hawaïaanse hemd.

'In de poten, boyo!' verduidelijkte Harry Milligan. 'Zoals we dat vroeger deden met moffenverkenners. We moeten ze heel houden voor ondervraging.'

'Precies, Harry,' stemde de gehelmde infanterieman in. 'Tsjonges, en óf ik dat nog weet! We namen ze gevangen en ze hielden meteen hun handen voor hun ballen! Ik heb natuurlijk nooit hoeven schieten, maar ze begrepen het best.'

'Jongens, ik stel voor dat jullie je hoofddeksels afzetten. Die vallen een beetje op, als je begrijpt wat ik bedoel.' Vervolgens sprak Harry tegen de laatste drie strijders van het Herdenkingslegioen. 'Jullie blijven bij mij, jongens, behoorlijk achter me en je mengt je onder de mensen in de lobby, maar blijf mij in de gaten houden. Wanneer ík me beweeg dan bewegen jullie met mij mee, gesnapt, jongens?'

Opnieuw weerklonk het instemmende koor, dit keer nog luider en vastberadener. 'Wij gaan het eerst naar binnen,' zei de gezette infanterist en hij haakte zijn helm aan zijn gevechtsriem onder zijn kegelhemd dat de verdiensten van O'Boyle's Slagerij adverteerde. 'Geef ons twee minuten en we hebben de uitgangen gevonden en staan op onze post.'

'Goed idee, boyo. Opschieten nou want er mag geen tijd verspild worden!' Milligan keek op zijn horloge terwijl de voorhoede van drie man het verkeer op Boylston Street ontweek en zo snel als hun oude benen hen konden dragen het hotel inrende. Het zien van hen bracht de geüniformeerde portier nu niet bepaald tot verheven gedachten. Harry wendde zich tot de overgebleven drie en gaf zijn bevelen. 'Wanneer we binnen zijn loop ik naar de receptie, heel nonchalant natuurlijk, alsof ik al mijn levensdagen door de lobby loop, en leun zo terloops op de balie als een heel belangrijke vent en knipoog misschien een paar keer om aan te geven dat ik een vertrouwelijke mededeling heb voor andere belangrijke kerels. Dan krijgen ze van mij zo'n een-tweestoot, namelijk de twee beroemde namen Hawkins en Pinkos.'

'Volgens mij is het Pinkoos, Harry,' opperde een kalende man met een rood gezicht van achter in de zestig die kennelijk een kegelcollega was van de infanterist; helaas droeg hij het hemd van O'Boyle's Slagerij binnenstebuiten.

'Hij heeft gelijk, Milligan,' bevestigde een kleine man met een grote ruige snor, zoals die gewoonlijk geassocieerd wordt met Engelse sergeant-majoors uit de tijd van de eeuwwisseling. In tegenstelling daarmee bestond zijn huidige uniform uit een smerige spijkerbroek die werd opgehouden door rode bretels op een geel met zwart geruite hemd. 'Ik heb Paddy heel vaak Pinkoos horen zeggen.'

'Pink*us* is dichterbij,' verbeterde het derde lid van Harry's groepje, een ongewoon magere bonenstaak van een man met een donkergroen T-shirt zonder mouwen aan dat een uitgebreide collectie tatoeëringen liet zien op zijn beide armen, speciaal een lange, sissende slang met eronder de woorden: *Trap niet op me.*

'Ik zal gewoon "Pink's" zeggen, heel snel, dat is wel genoeg. ... Kom op, jongens van O'Brien, we vallen aan en we behalen de overwinning voor de generaal!'

In de Buick van Aaron Pinkus zaten op de smalle achterbank de ongelooflijk elegant geklede Desi-Een en Twee, de mond van eerstgenoemde enigszins opgezet door een voorgebit van plastic. Ieder van hen bewonderde zichzelf en streek voortdurend met zijn handen over de gladde donkere stof van hun rokkostuums, vooral van de satijnen lapellen.

'Denk erom, sergeanten, jullie doen net of je geen woord Engels verstaat,' zei Aaron achter het stuurwiel terwijl ze Boylston Street inreden. 'Jullie zijn ambassadeurs van de Verenigde Naties uit Spanje en heel belangrijke mensen.'

'Da'sss prima,' zei Desi-Een die zwaar lispelde vanwege de hindernis achter zijn lippen, 'maar we weten nog steeds niet hoe we de *vicioso* zo kwaad op ons moeten krijgen.'

'Je ziet hem voor iemand anders aan, sergeant, dat hebben we allemaal al besproken. Wanneer je hem ziet in de lobby ren je op hem af en je wijst naar hem, gillend dat hij een gezochte misdadiger is uit Madrid.'

'Ja, dat hebben we besproken,' zei Desi-Twee. 'En dat bevalt me niks. De *vicioso* heeft een revolver, man, net als alle *viciosos* en dat zal hij ons laten weten!'

'Hij krijgt de kans niet jullie iets te doen,' antwoordde Aaron op het verholen protest. 'De generaal zal vlak achter hem staan en zal onmiddellijk tussenbeide komen – ik geloof dat hij zoiets zei als "lamleggen". Jullie vertrouwen de generaal toch wel?'

'O ja, we mogen hem,' antwoordde Desi-Een. 'We mogen die gekke *hombre* echt graag. Hij zorgt dat we in het leger komen!'

'Hij heeft ons ook een pak op ons lazer gegeven op het vliegveld, man. Dáárom vertrouw ik hem.' Desi-Twee bleef knikken terwijl hij de scherpe plooi in zijn broek betastte. 'Die ouwe vent heeft grote *testiculos*.'

'En wat daarna, *comandante*?' vroeg een verwarde Desi-Een.

'De generaal is op zijn heel eigen manier heel schrander,' antwoordde Pinkus terwijl hij dicht langs de trottoirrand stopte achter een paar taxi's bij de ingang van de Vier Jaargetijden. 'Geen enkele regering durft een bondgenoot te beledigen door slordig te zijn met de beveiliging, vooral geen landen die van strategisch belang zijn. Ze zouden hun ambassades kunnen sluiten en de relaties kunnen verbreken!'

'Daar houden we nou net niet van,' zei Desi-Een. 'We willen geen ambassade *Españnol gesloten zien, ook al zijn we nog nooit in Españna geweest, vooral als we neergeknald worden. Dat vinden ónze relaties niet leuk.'*

'De generaal heeft jullie zijn woord gegeven.'

'Dan kan dat maar beter verrekte goed zijn! ... Maar wat daarna?'

'Kijk eens, de beste manier om dat aan jullie uit te leggen is dat wie dan ook die afschuwelijke man achter de generaal aan naar Boston heeft gestuurd, gedwongen zal worden zijn methoden te veranderen.'

'Dat snap ik niet.'

'Hij zal zo bang worden dat hij ophoudt met dit soort aanvallen en dat hij iedereen in Washington die er maar iets mee te maken heeft gehad zo'n afschuwelijke schurk achter de generaal aan te sturen, zal waarschuwen ermee te stoppen of te verdwijnen. Hawkins heeft helemaal gelijk. Onze bases in Spanje – vooral die met vliegtuigen – moeten in stand worden gehouden.'

'Olé, *comandante*!'

MacKenzie Hawkins gaf zijn bevel. 'Snij die deur nú open met een brander! Ik wil hem in vijf minuten eruit hebben, begrepen, kapitein?'

'Het zal gebeuren, generaal,' antwoordde de stem van de onderhoudsman van het hotel over de telefoon. 'Maar u hebt het beloofd, menéér. Ik krijg een foto van u en mij samen, nietwaar?'

'Met plezier, jongen, en ik zal mijn arm om je schouders leggen alsof we samen de Rijn zijn overgestoken.'

'Christus nogantoe, ik zal al in de hemel zijn voordat ik doodga!'

'Nú, kapitein. Het is noodzakelijk voor de aanval.'

'Vier minuten en acht seconden, generaal!'

Hawkins drukte op de haak van de telefoon en draaide het nummer van de autotelefoon in de Buick van Aaron Pinkus. 'Commandant?'

'Jawel, generaal?'

'Over vijf minuten ben ik beneden. Waar bent u gestationeerd?'

'Drie wagens van de ingang.'

'Goed. Neem positie in bij de receptie en zet je horloges gelijk. De aanval zal plaatsvinden tussen dertien en zeventien minuten. Begrepen?'

'U bent zo klaar als een klontje, generaal. Ik heb het begrepen.'

Het legioen van Pat O'Brien was op zijn plaats – T-shirt, tatoeëringen, luchtmachtjack, een uitstulpende gevechtshelm, rode bretels, Hawaïaans hemd, smerige spijkerbroek en een knipogende leider met half dichtgeknepen ogen voor de receptie.

'Wat kan ik voor u doen, meneer?' vroeg de receptionist terwijl hij een zakdoek uit zijn borstzak trok alsof het zien van de man een onaangename geur teweeg kon brengen.

'Ik zal je zeggen wat ik op mijn lever heb, boyo, en je kunt maar beter een beetje opschieten. Zeggen de namen Pinkus en Hawkins jou iets, jongen?'

'Meneer Pinkus heeft hier een appartement, als u dat bedoelt.'

'Ik heb het niet over zijn zieleleven, boyo, en het kan me niks verrotten of hij apart slaapt. Ik heb een boodschap voor hem en voor de generaal. Die is dringend en vertrouwelijk. Hoe denk je dat nu te doen, hè?'

'Ik stel voor dat u de ... kamers van meneer Pinkus belt. Toestel vijfduizendvijf.'

'Vijf-nul-nul-vijf, oké, jongen?'

'Precies.'

'Is dat zijn kamernummer?'

'We hebben geen vijftig verdiepingen, meneer. Niet één hotel in Boston heeft vijftig verdiepingen. Dat is het telefoonnummer.'

'Dat klopt niet. In elk fatsoenlijk hotel is het kamernummer ook het telefoonnummer!'

'Dat hoeft niet.'

'Waarom niet? Hoe kan iemand dan weten waar ze is?'

'Heel juist,' stemde de receptionist in. 'U zou het zelf kunnen bewijzen.'

'Wat bewijzen, jongen?'

'Dat het klopt, meneer. ... De huistelefoons zijn aan die kant.'

Verbijsterd draaide Harry Milligan zich om en haastte zich naar de rij telefoons op een marmeren balie tegen de muur. Hij pakte een hoorn op en draaide snel. De lijn was bezet.

'Dit is uw thuishaven in Washington,' zei MacKenzie Hawkins in de telefoon, met zachte, dringende stem.

'Mijn wát?' vroeg de man in een hotelkamer twee verdiepingen lager, ook met zachte stem.

'Luister maar naar me. Jouw doelwit is aan het afrekenen – ik hoor van mijn informant dat hij een kruier heeft geroepen om zijn bagage naar beneden te brengen.'

'Wie bén jij, verdomme?'

'Uw verbindingsman met D.C. en je mag me wel dankbaar zijn, in plaats van tegen me vloeken. Schiet op. Volg hem.'

'Ik zit opgesloten!' schreeuwde de huurmoordenaar woedend. 'Die verrekte deur zit vastgeklemd; ze zijn er nu mee bezig!'

'Leg op. We kunnen er niet langer meer bij betrokken zijn.'

'*Shit!* ... Wacht even, de hele deur wordt eruit getrokken!'

'Schiet op.' De Havik legde de hoorn op de haak en keek naar Joey de Smurf die op de rand van het bed zat. 'Ga je me soms vertellen dat je niet wist dat die man in het hotel was?'

'Welke man?' protesteerde Joey. 'Jij bent de grootste kloteklapper die ik ken, Mickey Haha. Je hebt hulp nodig, man, misschien zo'n aardig landhuis met groene gazons en ijzeren hekken en een boel dokters.'

'Weet je, Kleine Jozef, ik geloof je,' zei de generaal. 'Het zou niet de eerste keer zijn dat de staf bepaalde aspecten van een operatie verborgen houdt voor de manschappen.' Met die woorden liep de Havik snel naar de deur en ging naar buiten; in de gang kon men horen hoe hij sneller ging lopen. ... En de telefoon ging over. Joey pakte de hoorn op.

'Ja?'

'Is dit de geweldige en beroemde generaal zelf, meneer?'

'En wat dan nog?' antwoordde een nieuwsgierige Kleine Joey met half dichtgeknepen ogen.

'Het is het voorrecht van mijn leven, generaal! U spreekt met soldaat eerste klas Harry Milligan en ik ben hier om u te zeggen dat we het hotel niet alleen omsingeld hebben maar ook *geïnfiltreerd*, meneer! Er zal u niets gebeuren, meneer, op het woord van de vaderlandslievende boyo's van het Herdenkingslegioen Pat O'Brien!'

Rustig en langzaam legde Joey de hoorn weer op de haak en leunde achterover tegen het kussen. Kloteklappers, mijmerde hij. De hele wereld was bevolkt met zakkenwassers, vooral in Boston, Massachusetts, waar die verdomde pelgrims waarschijnlijk volop aan inteelt hadden gedaan. Wat hadden ze tenslotte nou anders te doen dan wat lol maken tijdens de lange reis op die boot, de Maypot? ... Nou ja, dacht Joey, hij ging eens een lekker vroeg diner bestellen bij de etagedienst en dan zou hij code Ragoût in Washington bellen. Vinnie Boem-Boem ging een lang en volkomen knots verhaal horen, of hij dat nu leuk vond of niet. Kloteklappers!

Aaron Pinkus begeleidde zijn twee diplomaten in rokkostuum naar de receptie en kondigde trots aan dat zijn gasten, de ambassadeurs van Spanje, in zijn suite zouden verblijven en wanneer hun de nodige beleefdheidsbetuigingen werden betoond zou dat niet alleen door hun gastheer, maar ook door de regering van de Verenigde Staten van Amerika op prijs worden gesteld.

De hele receptiebalie kwam in actie om eer te bewijzen aan de vereerde gasten, en toen het duidelijk werd dat geen van beide Engels sprak werd er een piccolo uit Portorico bij gehaald om als tolk op te treden. De piccolo, die Raul heette, was dolblij, vooral toen zijn eerste gesprek met Desi-Een, vrij vertaald, als volgt verliep:

'Hé man, waar heb jij dat deftige uniform met die glimmende knopen vandaan? Ben je in het leger?'

'Nee, man, ik draag koffers. Ik ben aan jou toegewezen om de gringo's duidelijk te maken wat je zegt.'

'Hé, da's cool! Waar kom je vandaan?'

'Portorico.'

'Wij ook!'

'Nee, jullie niet, jullie zijn hoge diplomaten uit Madrid! Dat zei die knakker.'

'Da's voor de gringo's, man! Hé, misschien kunnen we later een feestje bouwen, wat zeg je daarvan?'

'Hé, man, waar jullie logeren daar hebben ze alles!'

'Misschien ook meisjes? Aardige meisjes, natuurlijk, want mijn compagnon is heel godsdienstig.'

'Ik zal hem bezorgen wat hij maar wil en ik zal ons bezorgen wat wij willen. Laat dat maar aan mij over, man.'

'Wat zeiden ze, Pedro?' vroeg de hoofdreceptionist.

'Raul, meneer.'

'Spijt me verschrikkelijk. Wat hebben ze gezegd?'

'Ze appreciëren de deftige manieren en de uitzonderlijke vriendelijkheid van u allen zeer. Ze zijn bijzonder dankbaar voor het feit dat u deze bescheiden Raul aan hen hebt toegewezen voor de duur van hun bezoek.'

'Grutjes!' zei de assistent-manager. 'Jij spreekt uitzonderlijk goed voor een brui... voor iemand die pas in ons land is gearriveerd.'

'Avondschool, meneer. Voortgezette cursus voor immigranten aan de Boston University.'

'Hou deze jongeman goed in de gaten, heren. Hij is anders!'

'Hij is de grootste mierenneuker van allemaal. Dit is een prima hotel; hij houdt het hier geen maand vol.'

'Vertel ons eens iets wat we nog niet weten, Pedro!'

'Misschien,' zei Aaron Pinkus, in de rede vallend, 'zou u eens rond willen kijken in deze prachtige lobby. Die is werkelijk uniek. ... Zou jij dat willen vertalen, Raul?'

'Met het grootste genoegen, meneer.'

Harry Milligan liep op het T-shirt met tatoeëringen af en fluisterde iets in zijn oor, zich er vagelijk van bewust dat een aantal mensen in de lobby hem aanstaarde. 'De wegen van de beroemde generaal zijn wonderbaarlijk en ondoorgrondelijk, jongen. Ik verklaarde onze opdracht en hij was nogal rustig, maar god hoort me brommen, ik kon de radertjes in die geweldige hersenen van hem horen draaien. ... Weet je, die beroemde man kan elk moment langs de buitenmuren naar beneden komen klimmen. Ik hoor dat hij de commando's alles heeft geleerd wat ze ooit hebben opgepikt!'

Plotseling werden ze verrast door de zeventigjarige in zijn gevechtsjasje vol insignes die met snel bewegende kromme benen op Milligan en T-shirt af kwam stormen. 'Ik héb het, boyo's! Het zijn terroristen!'

'Wíe, in godsnaam?'

'Die mooie jongens in hun toffe pakkies!'

'Waar heb je het toch over?'

'Die twee donkere gluiperds met hun zwarte haren die daar weglopen bij de receptie! Dat worden verondersteld dikke deuren te zijn, oké?'

'Nou ja, dat zijn ze volgens mij ook, boyo. Moet je eens kijken.'

'Sinds wanneer stappen dikke deuren in deftige kloffies uit een luizige kleine, drie jaar oude Buick, in plaats van uit een grote limousine? Nou vraag ik je, Harry Milligan, klopt dat of klopt dat niet?'

'Nee, dat klopt niet, want dat is niet normaal, niet voor opgedirkte klungels als zij in een hotel als dit. Een Buick van drie jaar oud is geen geschikt transport, daar heb je gelijk in.' Harry loerde naar de onberispelijk geklede bezoekers die als twee druppels water op trots rondstappende pauwen leken, vreemdelingen uit een of ander zonovergoten land rond de Middellandse Zee, gezien de donkere huidkleur van hun gezichten. ... *Arabieren!* Arabische terroristen die zich niet echt lekker voelden in de kleren die ze droegen, anders zouden ze niet zo hun schouders optrekken en met hun konten wiebelen in hun nauwsluitende broeken. Nee, meneer, die boyo's waren gewend aan woestijnjurken zoals op de film en lange, kromme messen onder hun riem, geen deftige sjerpen om hun middel. 'Moeder Maria,' fluisterde Milligan tegen T-shirt. 'Dit zou het weleens kunnen zijn, boyo! Laat het onze andere jongens weten – zeg dat ze langzaam hierheen komen en die twee Sahara-ratten in het oog houden. Als zíj in een lift stappen gaan wíj mee!'

'Harry, ik ben deze week niet te biechten geweest...'

'Och, hou je kop toch, verrek, we zijn met z'n zevenen!'

'Dat is meer dan drie tegen een, nietwaar?'

'Ben je nou ineens boekhouder geworden, jongen? Schiet nou maar op en vertel de jongens vooral dat we ze aanpakken wanneer ik de oorlogskreet van het legioen laat horen!'

Als een gracieus gechoreografeerde pavane met iets minder gracieuze dansers begon de Milligan-Gilligan-brigade zich te bewegen tussen de goed geklede gasten in de lobby. Blote armen met tatoeëringen en kegelhemden van O'Boyles Slagerij vermengden zich met tropisch kamgaren pakken en Christian Dior-jurken, terwijl een bungelende gevechtshelm voortdurend in botsing kwam met deftige marineblazers en cocktailjurkjes van Adolfo, dat alles tot toenemende ongerustheid van de hele receptiebalie en van de ontstelde slachtoffers in de lobby die werden geschoffeerd door de irriterende indringers in hun zeer vreemde kleding.

Plotseling kwam een gedrongen man met flonkerende ogen uit een lift. Hij keek om zich heen en bewoog zich snel naar een geschikt punt bij de ingang vanwaar hij kennelijk de lobby kon overzien. Wat hij niet zag was een lange, grijsharige gestalte in een indiaans jasje van bukskin die uit de schaduw naar voren trad en met zijdelingse passen tot op een meter van de verontruste man naderde.

'Caramba!'

'Madre de Dios!'

Het tierende duet weerklonk door de hele lobby terwijl twee mannen in rokkostuum uit alle macht schreeuwden en intussen beschuldigend op de gedrongen man bij de ingang wezen.

'Homicida!'

'Asesino!'

'Criminal!'

'Demandamos al policía!'

De verbijsterde, nors kijkende heer die het doelwit was van de krijsende beschuldigingen van de rokkostuums begon te rennen maar werd direct tegengehouden door de lange man in het indiaanse pak die hem in een dubbele nelson greep terwijl hij zijn knie met geweld omhoogbracht tegen het uiteinde van de ruggengraat van de beschuldigde.

'Dat ís 'm, boyo's!' klonk een ander gebrul dat tegen de muren weerkaatste en de chaos van de mensenmassa in de lobby overstemde. 'Het is de grote man zélf! *Erin go bragh*, boyo's! *Val aan* ter gedachtenis aan de heilige William Patrick O'Brien!'

En natuurlijk ranselde de Milligan-Gilligan-brigade zich een weg langs hysterische lichamen en vielen ze de twee Arabische terroristen in rokkostuum op het lijf.

'Hé, wat ben je aan het doen, ouwe?' schreeuwde Desi-Een terwijl hij een aanval afweerde van een dikke vreemdeling die nu een gevechtshelm droeg.

'Hé, *loco* zultkop!' riep Desi-Twee terwijl hij een voorstander van O'Boyles vleeswaren in een prachtig Queen Anne-stoeltje schopte dat onder zijn gewicht ineenklapte; hij greep de blote arm van T-shirt. 'Da's een leuke slang die je daar hebt, ouwe gringo, en ik wil hem geen pijn doen, maar je moet me met rust laten! Ik heb met jou geen *disputa*!'

'*Sergeanten!*' brulde de Havik terwijl hij zich met geweld een weg baande door de ineenzijgende gedaanten rond zijn twee uiterst bekwame adjudanten. 'Commandant Pinkus heeft de terugtocht geblazen!'

'Zo snel mogelijk,' voegde Aaron bij de deur eraan toe. 'De beveiligingsdienst van het hotel was formulieren voor gestolen eigendommen aan het invullen op kantoor, maar daar zijn ze nu uit en de politie is al gewaarschuwd. Snél!'

'Wat doen we met de *vicioso*, generaal?'

'Wanneer die wakker wordt heeft hij een maand of twee een zere rug. Ik vraag me af of de maffia een ziektekostenverzekering heeft.'

'Willen jullie drieën alsjeblieft opschieten?'

'Oké, *comandante*,' zei Desi-Een en hij keek even rond naar de chaos in de lobby. 'Hé, Raul!'

'*Si, señnor embajador? Vuile oplichter!*'

'We bellen je later nog wel, man! Misschien wil je met ons in het leger gaan, ja?'

'Misschien, amigo. Daar kon het weleens veiliger zijn dan hier. Adios!'

De Buick van Aaron Pinkus reed in snelle vaart Boylston Street uit en nam de eerste de beste bocht die hen naar Arlington en uiteindelijk naar het hotel Ritz-Carlton zou leiden. 'Ik begrijp het gewoon niet!' protesteerde de bekende advocaat. 'Wie wáren dat nou?'

'Het waren gekken – oude gekken, seniele gekken!' antwoordde een kwade MacKenzie Hawkins en hij keek naar de achterbank. 'Zijn jullie twee nog gewond geraakt?' vroeg hij.

'Bent u geschift, generaal? Die ouwe kerels konden nog geen kippen stelen.'

'Wat is dát?' schreeuwde de Havik eensklaps toen hij zag dat Desi-Een vier portefeuilles op de bank tussen hem en Desi-Twee legde.

'Wat is wat?' vroeg Desi-Een en hij keek de generaal onschuldig aan.

'Dat zijn portefeuilles – vier nog maar liefst!'

'Er waren daar veel mensen,' opperde D-Twee. 'Mijn vriend heeft vandaag kennelijk niet zo hard gewerkt, want hij kan het heel wat beter.'

'Goeie god,' zei Pinkus achter het stuurwiel en opnieuw voelde hij zich verslagen. 'De hotelveiligheidsdienst... die gestolen eigendommen.'

'Dat kun je niet máken, sergeant!'

'Zo slecht ben ik niet, generaal. Het is maar een bijverdienste zoals jullie gringo's dat noemen.'

'Och, lieve Abraham,' smeekte Aaron zacht. 'Ik moet me echt een beetje kalm houden, mijn bloeddruk schiet de stratosfeer in.'

'Wat is er aan de hand, commandant Pinkus?'

'Laten we alleen maar zeggen dat het nu niet precies een normale werkdag voor me is geweest, generaal.'

'Zal ik rijden?'

'O, nee, dank u. Door te rijden word ik tenminste wat afgeleid.' Aaron zette de radio aan.

De klanken van Vivaldi's Concerto in D voor fluit vulden de kleine auto, waarop Desi-Een en Twee elkaar afkeurend aankeken en Pinkus diep en regelmatig ademhaalde om even tot rust te komen. Maar het duurde maar heel even. Ineens hield de muziek op en de opgewonden stem van een omroeper verving de kalmerende Vivaldi met een zenuwschokkend nieuwsbericht.

'We onderbreken dit programma om u een exclusief bericht te brengen. Slechts enkele minuten geleden was het hotel de Vier Jaargetijden in Boylston Street het toneel van een bijzonder incident. De omstandigheden zijn nog niet opgehelderd, maar blijkbaar was er een ordeverstoring in de lobby van het hotel waardoor talloze gasten werden lastiggevallen en op de grond geworpen. Gelukkig zijn tot nu toe slechts lichte verwondingen gerapporteerd. We schakelen nu telefonisch over naar onze correspondent, Chris Nichols, die ter plekke is en toevallig een late lunch genoot in het hotel...' de omroeper zweeg en voegde er onbewust aan toe: *'Lunch in de Vier Jaargetijden? Van onze salarissen...?'*

'Geen lunch, idioot!' werd hij onderbroken door een tweede stem, diep en sonoor. *'Mijn vrouw denkt dat ik in Marblehead zit...'*

'Je bent in de lucht, Chris!'

'Een grapje, mensen... maar wat hier nauwelijks vijf minuten geleden plaatsvond was niet zo leuk. De politie tracht de feiten te ontwarren en het is niet gemakkelijk. We weten op dit moment alleen dat de bezetting van de rollen zó uit een Hitchcock-film had kunnen komen. ... Een bekende advocaat uit Boston, twee Spaanse ambassadeurs, Arabische terroristen, een lange, oudere Amerikaanse indi-

aan met de kracht van een buffel, een vreemd stelletje veteranen uit de Tweede Wereldoorlog in buitenissige kleding en met nog vreemdere hersenschimmen, en ten slotte een beruchte huurmoordenaar van de mafia. Alleen de eerste en de laatste zijn geïdentificeerd. Het zijn de bekende advocaat, meester Aaron Pinkus, en een zekere Caesar Boccegallupo, naar men zegt een capo primitivo van de Borgia-familie in Brooklyn, New York. Eerstgenoemde, de heer Aaron Pinkus, ontsnapte naar men zegt met de twee Spaanse ambassadeurs of werd gegijzeld door de Arabische terroristen, afhankelijk van wat men daarvan wil geloven. De heer Boccegallupo is in verzekerde bewaring gesteld, en naar wordt gezegd blijft hij maar schreeuwen dat hij erop staat met zijn advocaat te spreken die, naar hij beweert, de president van de Verenigde Staten is. Nou ja, ongeacht de politieke partijen, we weten allemaal dat de president geen advocaat is.'

'Dank je, Chris, dank je voor dit exclusieve bericht en het allerbeste in Marblehead bij die exclusieve zeilwedstrijd van de jachtclub...'

'Het is voorbij, jij stomme kloo...' Vivaldi kwam terug maar deed niets om de bloeddruk van Aaron Pinkus te verlagen.

'Abraham heeft me werkelijk in de steek gelaten,' fluisterde de meest vooraanstaande advocaat van Boston, Massachusetts.

'Dat heb ik gehoord, commandant!' schreeuwde MacKenzie Hawkins. 'Hij dan misschien wel, maar even zeker als een luipaard vlekken heeft, *ík* niet! We zullen samen het spervuur onder ogen zien, het op hen richten en ze vernietigen, makker!'

'Is het mogelijk,' vroeg Aaron Pinkus zacht terwijl hij de Havik even aankeek, 'dat ik de menselijke vorm van mijn persoonlijke joodse duivel voor me zie?'

14

Zonsopgang Jennifer Redwing sloot zacht de slaapkamerdeur achter zich en liep naar het schrijfbureau in de woonkamer van Aaron Pinkus' suite in het Ritz-Carlton. 'Je moeder slaapt,' zei ze. Ze trok een stoel bij en ging tegenover Devereaux op de sofa zitten. 'Eindelijk,' voegde ze eraan toe terwijl ze vastberaden haar benen over elkaar sloeg en Sam kwaad aankeek.

'Ik denk niet dat veel uit zou halen als ik je vertelde dat mijn moeder niet altijd zat is.'

'Als ik een moeder was, Sam Devereaux, en ik had over mijn zoon gehoord wat zij in de afgelopen paar dagen over jou heeft gehoord, dan zou ik de komende vijf jaar geen dag meer nuchter zijn!'

'Is dat niet een beetje streng geoordeeld, meester?'

'Alleen als je vrijwillig jezelf in brand steekt op het toneel van de schouwburg in San Francisco, waarbij alle opbrengsten ten bate komen van alle moeders die door hun kroost kierewiet zijn geworden.'

'Ze heeft je dus heel wat verteld,' zei Sam en hij probeerde zonder succes de uitgesproken onvriendelijke blik van de knappe dame te ontwijken.

'Bij jou thuis enkel wat losse dingen, maar het laatste halfuur heb ik moeten luisteren naar een heel repertoire van gruwelen – toen hoorde je me misschien op haar verzoek de deur dichtdoen. ... Killers uit de onderwereld op een golfbaan, Engelse verraders, nazi's op kippenboerderijen, Arabieren die geiteballen roosterden in de woestijn – en, mijn Gód, het ontvoeren van de paus! Je hebt erop gezinspeeld dat die dolle generaal inlichtingendossiers uitkamde om veertig miljoen dollar bijeen te brengen – maar zoiets nóóit! Jézus, de paus! Ik kan het niet geloven... dat heeft ze vast verkeerd begrepen.'

'Weet je dat ze eigenlijk dezelfde zijn? Jezus en de paus, bedoel ik. Vergeet niet dat ik anglicaan ben, al kan ik me niet meer precies herinneren wanneer ik voor het laatst naar de kerk ben geweest. Toen ik nog een tiener was, geloof ik...'

'Het kan me niks verdommen of je anglicaan bent of een Tibetaanse jakherder, je bent rijp voor een gesticht, meester! Je hebt het recht niet vrij rond te lopen en nog minder – nog véél minder – om jurist te zijn!'

'Je mag me niet,' merkte Devereaux op.

'Ik ben helemaal knettergek geworden! Vergeleken met jou lijkt die geschifte broer Charlie van mij op de beroemdste rechtsgeleerde van Amerika!'

'Ik weet zeker dat we het samen zouden kunnen vinden.'

'O, jazeker, ik zie het al vóór me. Redwing en Devereaux...'

'Devereaux en Redwing,' viel Sam haar in de rede. 'Ik ben ouder en meer ervaren.'

'... het advocatenkantoor dat alle soorten jurisprudentie terugbrengt tot het stenen tijdperk!'

'Toen was alles waarschijnlijk heel wat duidelijker,' zei Sam knikkend. 'Ze konden al die codiciluitdrukkingen niet in steen beitelen.'

'Wees eens serieus, idioot!'

'Ik ben geen idioot, Red. Een toneelschrijver heeft eens gezegd dat er een tijd aanbreekt waarin je alleen nog maar kunt gillen. In plaats van gillen hoor je van mij alleen een ironisch gegrinnik.'

'Je hebt het over Anouilh en hij heeft ook gezegd "drager van het leven, geef licht" en ik vervang "leven" door "wet" – en even dacht ik in jouw huis dat jij daar ook in geloofde. We moeten licht brengen in de duisternis, Sam.'

'Ken jij Anouilh? Ik dacht dat ik de enige was die wist...'

'Hij heeft nooit als advocaat gewerkt in Parijs,' viel Jennifer hem in de rede, 'maar hij had een grote liefde voor de wet – vooral voor de taal van de wet – en heeft heel veel daarvan verwerkt in gedichten.'

'Ik word bang van jou, indiaanse schone.'

'Dat mag ik hopen. We hebben ook een heel beangstigend probleem op onze rol, meester.'

'Ik bedoel niet die superrotzooi van Mac, ofschoon je gelijk hebt, dat is iets om behoorlijk bang van te worden. Maar op de een of andere manier – vraag me niet hoe – geloof ik dat we ons er wel doorheen zullen worstelen, misschien niet helemaal bij zinnen maar wel levend.'

'Ik ben blij dat je daar zoveel vertrouwen in hebt,' merkte Redwing op. 'Ik heb dat niet, in geen van beide punten.'

' "Vertrouwen" is niet het juiste woord, Red. Laten we zeggen dat ik fatalistisch ben omdat het noodlot ons waarschijnlijk gunstig gezind is, al was het maar omdat we gedekt worden door de combinatie van Aaron Pinkus en MacKenzie Hawkins, twee van de vindingrijkste mannen die ik ken. En als ik voor de rechter word geroepen ben ik nu niet bepaald onbekwaam.'

'Nu kan ik je niet meer volgen. Waar had je het eigenlijk over?'

'Over u, mevrouw. ... Binnen enkele uren, vanaf een dol moment in een lift op weg naar een hotelsuite, hebben we al heel wat meegemaakt.'

'Zwakker had je dat in heel je beroepscarrière niet kunnen uitdrukken,' zei Redwing snel en zacht, maar nog steeds met flonkerende ogen.

'Ik weet het, ik weet het, maar er is iets gebeurd...'

'Is dat echt zo?'

'Met mij,' vulde Sam aan. 'Ik heb je meegemaakt in wat de zieleknijpers waarschijnlijk ogenblikken van uiterste stress zouden noemen, en het bevalt me wat ik zag, ik respecteer wat ik zag. Onder zulke omstandigheden kun je een heleboel over iemand te weten komen. ... Je kunt wonderlijke dingen ontdekken, prachtige dingen.'

'Nu begin je met stroop te smeren, meneer Devereaux,' zei Jennifer, 'en ik weet heel zeker dat dit niet het juiste tijdstip daarvoor is.'

'Maar dat is het wel, zie je dat dan niet in? Als ik het nu niet zeg, nu ik het zo sterk voel, zeg ik het later misschien nooit meer. Het kan me gewoon ontglippen en dat wil ik niet.'

'Waarom? Omdat de herinnering aan – wat zei je moeder ook al weer? – o ja, de "eeuwige liefde van zijn leven", een of andere weldadige non die er met de paus vandoor is gegaan, weer bij je is opgekomen? Dat is ook al weer iets zo volkomen knettergeks!'

'Dat maakt deel uit van wat ik zeg,' hield Sam vol. 'Omdat die herinnering vervaagt, ik kan het voelen. Gisteravond nog kon ik Mac wel vermoorden omdat hij zelfs maar haar naam noemde, maar nu kan het me niets meer schelen, dat geloof ik tenminste niet. Als ik naar jou kijk zie ik haar gezicht niet meer en dat zegt me iets verdomd belangrijks.'

'Wil je beweren dat er echt zo iemand heeft bestaan?'

'Ja.'

'Meester, ik geloof dat ik midden in een griezelfilm zit en dat mijn popcorn op is en de helft vastgeplakt zit in de kauwgum op de vloer.'

'Welkom in de wereld van MacKenzie Hawkins, meester. En sta niet op uit die stoel, want als je al niet uitglijdt op die vettige popcorn en op je krent terechtkomt, dan blijven je schoenen in de kauwgum plakken. ... Waarom denk je dat je broer 'm gesmeerd is? Waarom denk je dat ik alles gedaan heb binnen het vermogen van de zeer machtige Aaron Pinkus om te voorkomen dat ik weer te maken kreeg met die dolle Havik?'

'Omdat het inderdaad volslagen waanzin *is*,' antwoordde de gebronsde Aphrodite en haar ogen stonden nu wat milder. 'Maar toch heeft jouw briljante meneer Pinkus – en ik geef toe dat hij briljant is, want ik weet het een en ander over hem – zich niet losgemaakt van de dolle generaal. Hij is kennelijk voortdurend met hem in contact, hij werkt met hem samen, terwijl we beiden weten dat hij de relatie kan verbreken door één telefoontje met Washington, zich kan ontlasten van elke band door gewoon te verklaren dat hij daar nooit naar heeft gezocht. ... En jij, ik heb op je gelet toen je zat te telefoneren in de auto; je was dodelijk ongerust, al ontkende je dat nog zo zwak. Waarom, meester? In wat voor greep heeft die man jou, jullie beiden?'

Sam liet zijn hoofd hangen, zijn ogen gericht op zijn schoenen. 'De waarheid, denk ik,' zei hij eenvoudig.

'Wat voor waarheid? Het is een chaos!'

'Ja, dat natuurlijk ook, maar daaronder schuilt waarheid. Net als met paus Francesco. Het begon als de grootste oplichterstruc in de wereldgeschiedenis, zoals Aaron het noemde, maar daaronder lag iets anders. Die geweldige man zat in zijn omgeving in de knel tussen allerlei mensen vol eigendunk, mensen die meer geïnteresseerd waren in macht dan in vooruitgang. Oom Zio wilde de deuren wijder openduwen, die Johannes de Drieëntwintigste op een kier had gezet en zij wilden ze sluiten. Daarom zijn Zio en de Havik in de Alpen zulke goede vrienden geworden. Daarom deden ze wat ze gedaan hebben.'

'De Alpen? Wat ze gedáán hebben?'

'Rustig maar, meester. Jij stelde een vraag en ik geef beperkt antwoord. De Alpen zijn niet belangrijk, het had ook een flat in Jersey City kunnen zijn. Wat belangrijk is, is de waarheid en dat is de verraderlijke val van Mac. Langs wat voor kronkelwegen hij ook denkt, op de een of andere manier komt hij uit bij een fundamentele waarheid en altijd, dat garandeer ik je, via een enorme zwendel. ... Jouw stam is verkracht, dame, en hij heeft boven water gebracht wat het onweerlegbare bewijsmateriaal van die verkrachting lijkt te zijn. Natuurlijk vallen er miljoenen te verdienen door zelfs die schijn maar aan het juridisch licht te brengen, maar je kunt op geen enkele manier zijn fundamentele vooronderstelling ontkennen als zijn bronnen authentiek zijn. ... Dat kan ik niet, Aaron kan het niet en uiteindelijk kun jij dat ook niet.'

'Maar ik wíl ze ontkennen! Ik wil niet dat mijn stam door zijn mangel wordt gehaald! Velen van hen zijn oud en ontelbaar velen meer zijn slecht toegerust omdat ze de ontwikkeling missen om al die complicaties te ontwarren. Ze zouden alleen maar in verwarring raken, ongetwijfeld corrupt gemaakt worden vanwege speciale interesses en uiteindelijk eronder lijden. Het is verkeerd!'

'Ja, ik snap het,' zei Sam en hij leunde achterover op de sofa. 'Laten we de gelukkige zwartjes maar op de plantage houden waar ze hun spirituals zingen en hun muilezels drijven.'

'Wat zeg je nu? Hoe dúrf je zoiets tegen mij te zeggen!'

'Jij hebt het zojuist gezegd, indiaanse schone. Jij drukte je snor en vanaf je verheven beroepspositie in San Francisco verklaarde je dat het gemene volk niet geschikt is de ketenen waarmee het geboeid is te doorbreken.'

'Ik heb nooit gezegd dat ze niet geschikt zijn, ik zei dat ze er niet kláár voor waren! We zijn nog een school aan het bouwen, we stellen de beste leraren aan die we ons kunnen veroorloven, doen een beroep op het Vredeskorps en sturen steeds meer kinderen buiten het reservaat voor een betere opleiding. Maar dat kan allemaal niet binnen korte tijd gebeuren. Je kunt een volk dat al zijn rechten ontnomen is niet in een paar maanden veranderen in een politiek bewuste maatschappij, daar zijn jaren voor nodig.'

'Die jaren heb je niet, meester, je moet het nú doen. Als je deze kans laat schieten, hoe klein die ook is, en je laat een onrecht dat gewroken moet worden uit handen glippen, dan krijg je zo'n kans nooit weer. Daar had Mac gelijk in; daarom heeft hij het op zijn manier aangepakt – elk wapen verborgen opgesteld, het oppercommando buiten bereik maar wel met de zaken stevig in handen.'

'Wat betekent die stadhuistaal?'

'Ik neem aan dat de Havik het zoiets zou noemen als de Delta Gevechtsgroep, klaar voor uur U.'

'O, natuurlijk. Nu begrijp ik het volkomen.'

'Verrassingsaanval, Red. Geen berichten vooraf, geen kranten of wat voor andere media erbij, geen advocaten die verklaren dat ze oprukken naar het Hof – alles zo snel en zo stil als met een stiletto.'

'Iedereen verrassend...', concludeerde Jennifer die het nu begon te begrijpen.

'Precies,' zei Devereaux. 'Vergeet maar hoe klein de kans is, ook al stemmen ze op het nippertje ervóór, op een beslissing van het Hooggerechtshof kun je niet in appel gaan, je kunt alleen een wetgevende correctie aanbrengen door de regels, de wetten, te veranderen.'

'En het Congres, zelfs wanneer het wakker is geschrokken, werkt met de snelheid van een schildpad,' maakte de advocate de zin af. 'En zo zit jouw dolle Havik gebeiteld.'

'En dat zitten de Wopotami's ook,' voegde Devereaux eraan toe. 'Je hoeft maar te zeggen wat je hebben wilt.'

'Je kunt het ook een snellift naar de hel noemen,' zei Redwing. Ze stond op en liep naar het raam dat uitzag op het park van Boston. 'Het mag gewoon niet gebeuren, Sam,' vervolgde ze langzaam haar hoofd schuddend. 'Dat kunnen ze niet aan. De opportunisten in hun limousines en hun Lear jets zouden op hen neerstrijken als een leger voorwereldlijke vogels, en met flessen drank smijten die ze gewoon niet kunnen weigeren. ... En ik zou hen niet kunnen tegenhouden, dat kan niemand van ons.'

'Ons?'

'We zijn ongeveer met een dozijn, kinderen die de Raad van ouderen *ogottowa* verklaarden – intelligenter dan de anderen is de gemakkelijkste vertaling, al betekent het meer – en wij kregen kansen die de andere kinderen niet kregen. We doen het allemaal vrij goed en op drie of vier na die zich niet gauw genoeg konden aanpassen om hun BMW's te kopen, werken we samen en zorgen we voor de belangen van de stam. We doen ons best, maar zelfs wij zouden hen niet kunnen beschermen tegen deze juridische buit van Olympische omvang.'

'We zijn vandaag wel erg Grieks, nietwaar?'

'Dat was ik me niet bewust. Waarom?'

'Ik weet het niet. Een of andere Griek loopt rond in mijn beste blazer. Sorry, ik wilde je niet in de rede vallen.'

'Jawel, je wist het wel. Je probeert uit te vissen hoe je me moet antwoorden.'

'Ad rem, heel ad rem, meester. ... Dat probeer ik inderdaad en ik geloof dat ik het kan. Is het juist als ik aanneem dat jij de beste bent van dat speciaal uitverkoren dozijn?'

'Ik neem aan van wel. Ik ben erg toegewijd en ik ben in een positie om juridisch advies te geven.'

'Gebruik die vakkennis dan ook, als het ooit werkelijkheid wordt.'

'Op wat voor manier?'

'Hoeveel anderen van die wonderkinderen van de stam kun je vertrouwen?' antwoordde Sam met een andere vraag.

'Mijn broer Charlie, natuurlijk, wanneer hij ze alle vijf op een rijtje heeft... misschien nog zes of zeven anderen van wie ik denk dat ze kunnen worden overgehaald om met Alice Wonderland in te trekken.'

'Dan moet je een onherroepelijke trust onder rechtspersoon vormen, ondertekend door ieder lid van jullie Raad van Ouderen, waarin staat dat geen stamzaken van economische aard mogen worden afgesloten of verhandeld via andere personen dan degenen die de executeurs vormen van voornoemde trust.'

'Dat leidt tot collusie op een geanticipeerde gerechtelijke actie,' wierp Redwing tegen.

'Wat voor actie? Ben jij formeel op de hoogte gesteld van enige gerechtelijke actie?'

'Om de verdommenis wel. Door mijn broer Charlie de imbeciel en door mijn nieuwe kennis, Sam met de doorweekte broek.'

'Lieg dan maar een beetje. Anders wordt het inderdaad een snellift naar de hel.' Redwing liep terug naar het bureau; ze bleef staan, haar handen op haar heupen en haar hoofd in gedachten naar het plafond geheven. Het was een provocerende houding die Devereaux onmiddellijk provoceerde. 'Moet je dat doen?' vroeg hij.

'Wat?' antwoordde Aphrodite van de Wopotami's en ze keek Sam aan.

'Zo gaan staan.'

'Hoe gaan staan?'

'Je mag dan een onvervaarde dame zijn, maar je hebt geen overmaat aan testosteron.'

'Waar heb je het nu weer over?'

'Jij bent geen man.'

'Ik ben om de donder geen man.' Redwing bekeek even haar vooruitstekende voorfront. 'Och, toe nou, meester, hou daar mee op. Concentreer je maar op je non.'

'Bespeur ik daar een pietsie jaloezie? Dat zou het beste zijn waarop ik kan hopen.' Sam begon meteen op een erbarmelijke manier te zingen: *'Jell-loos-see, I hear you my jell-loos-see...'*

'Hou in godsnaam op! ... Charlie zou zoiets kunnen doen.'

'Ik hoop van niet.'

'Wat?'

'Laat maar. Wat zou Charlie kunnen doen?'

'Die trust onder rechtspersoon vormen,' zei Redwing. Ze liep naar het bureau en pakte de telefoon. 'Hij kan mijn secretaresse gebruiken en alles rondfaxen, dan heeft hij het in een dag voor elkaar.'

'Hé,' riep Devereaux en hij sprong op van de sofa, 'bel jij maar, maar mag ik als jouw secretaresse optreden aan déze kant?'

'Waarom?'

'Ik wil de stem horen van die arme klootzak die er bij de Havik net zo is ingestonken als ik. Noem het maar pervers maar ik ben tenslotte jouw huwelijksaanzoek vergeten. Hoe zit het?'

'Ga je gang maar,' zei Jennifer terwijl ze het nummer draaide.

'Hoe heet hij voluit?' vroeg Sam terwijl hij naast de adembenemende indiaanse advocate ging staan. 'Dan weet hij dat ik echt ben.'

'Charles... Zonsondergang... Redwing.'

'Je méént het!'

'Hij werd geboren bij de laatste stralen van de ondergaande zon en ik verwacht van jou daarover geen stompzinnige opmerkingen te horen.'

'Ik zou niet durven.' Jennifer had het nummer gedraaid en gaf de hoorn aan Devereaux. Na korte tijd antwoordde Sam op het zachte 'hallo' aan de andere kant van de lijn. 'Spreek ik met Charles Zonsondergang Redwing?'

'Bel je namens Arendsoog?' vroeg de broer. 'Is er iets mis daar?'

'Arendsoog?' Devereaux hield zijn hand op het mondstuk van de hoorn en wendde zich tot Jennifer. 'Hij zei: "Arendsoog." Wat wil dat zeggen? Is dat een indiaanse code?'

'Hij is onze oom. Je gebruikte Charlies tweede naam die hij nou niet direct aan de grote klok hangt. Laat mij maar met hem praten.'

'Ik ben dóódsbang voor hem.'

'Voor Charlie? Waarom? Hij is een aardige jongen.'

'Hij klinkt net als ik!'

'Dertig-nul voor het bleekgezicht,' zei Redwing en ze nam de hoorn over. 'Hallo hufter, je spreekt met je grote zus en je gaat precies doen wat ik je zeg en waag het niet mijn secretaresse lastig te vallen, anders doe ik je luier zo strak aan dat je er niet eens meer in kunt piesen. Begrepen, Charlie?'

Sam liep terug naar de sofa, bedacht zich en zette koers naar de spiegelbar van de suite die in de muur was gebouwd en voorzien van allerlei spiritualiën. Terwijl Red Redwing in niet mis te verstane bewoordingen tegen haar broer sprak, begon hij een grote karaf met droge martini's te mixen. Als er niets anders overbleef dan gillen kon hij zich net zo goed gaan bezatten.

'Ziezo!' zei Jennifer. Ze legde de hoorn op de haak, verwachtte Devereaux op de sofa te vinden, maar zag de mixoloog bij de bar bezig met zijn ritueel. 'Wat ben jij aan het doen?'

'De pijn wat aan het verzachten, geloof ik,' antwoordde Sam terwijl hij met een vorkje in een pot olijven viste. 'Aaron zal zo hier zijn en vroeg of laat Mac ook – als hij ooit uit de Vier Jaargetijden komt. ... Nu niet bepaald een gesprek waarop ik me verheug. Zin in een slokje?'

'Nee, dank je, want dan ga ik plat. Ik vrees dat dat in mijn genen zit, daarom blijf ik eraf.'

'Echt waar? Ik dacht dat dat niets anders was dan een stomme legende – indianen en vuurwater.'

'Dacht je dat Pocahontas twee keer had gekeken naar die magere piegem van een John Smith als ze niet zat was geweest? Niet met al die knappe krijgers in de buurt.'

'Dat beschouw ik als een racistische opmerking.'

'Daar kun je donder op zeggen. Mogen wij ook eens een keer?'

De deftige manager van de exclusieve Fawning Hill Country Club aan de oostkust van Maryland wendde zich tot zijn assistent toen een gezette man door de imposante voordeur liep en hen passeerde met een waarderend knikje omdat hij zwijgend, zonder zijn naam te noemen, werd begroet. 'Roger, jongen,' zei de manager in smoking, 'je bent er zojuist getuige van geweest dat minstens twaalf procent van de hele rijkdom van dit land door die deur kwam.'

'Je houdt me voor de gek,' zei de jongere, al even verzorgde ondergeschikte, ook in smoking maar zonder de witte roos in zijn lapel.

'Echt niet,' vervolgde de manager. 'Het is een privé-bespreking in de Gouden Zaal met de minister van buitenlandse zaken. Geen lunch, en geen andere dranken dan mineraalwater, niets. Heel serieus. Twee mannen van Buitenlandse Zaken kwamen hier een uur geleden en hebben de zaal onderzocht met elektronische apparatuur om zeker te zijn dat er nergens microfoons zaten.'

'Wat denk jij dat het is, Maurice?'

'De mannen die het voor het zeggen hebben, Roger. In die zaal zitten de bazen van Monarch-McDowell Aircraft, Petrotoxic Amalgamated, Zenith Ball Bearings Worldwide en de Smythington-Fontini Industries, die zich uitstrekken van Milaan, Italië, tot Californië.'

'Toe maar! Wie is die vijfde vent?'

'De koning van de internationale bankiers. Hij komt uit Boston en hij heeft meer financiële touwtjes in handen dan het ministerie van financiën.'

'Wat denk je dat ze gaan doen?'

'Als ik het wist zou ik rijk kunnen worden.'

'Buffel!' riep Warren Pease uit terwijl hij aan de deur de eigenaar van Monarch-McDowell Aircraft begroette met een hartelijke handdruk.

'Je linkeroog doet weer wild, Warty,' zei de beer van een man. 'Hebben we soms problemen?'

'Niets dat we niet de baas kunnen, kerel,' antwoordde de minister van buitenlandse zaken nerveus. 'Zeg de jongens maar goedendag.'

'Hallo, ouwe rakkers,' zei Buffel terwijl hij in zijn groene Fawning Hill golfjasje voor ereleden om de tafel liep en handen schudde.

'Fijn je weer eens te zien, makker,' zei Doozie van Petrotoxic Amalgamated, die op zijn blauwe blazer niet het embleem van de club droeg maar het wapen van zijn familie.

'Je bent laat, Buffel,' zei de blonde Froggie, eigenaar en topman van Zenith Ball Bearings Worldwide. 'En ik heb haast. Ze hebben in Parijs een nieuwe legering ontwikkeld en dat kan ons miljoenen opleveren in defensieopdrachten.'

'Verrek, het spijt me, Froggie, maar ik kon het weer boven St. Louis niet veranderen. Mijn piloot stond erop een omweg te maken. ... Hallo, Smythie, hoe gaat het met de dames in Milaan?'

'Ze hunkeren nog steeds naar jou, Buffel!' antwoordde Smythington-Fontini. De half Engelse, half Italiaanse jachteigenaar droeg zijn witte flanellen broek en zijn opbollende zeilblouse vol met onderscheidingen van zijn zeiltriomfen.

'Ha die Bricky,' zei Buffel en hij greep de uitgestoken hand van de bankier uit Boston. 'Hoe gaat het met de geldpot? Je hebt een fortuin aan mij verdiend verleden jaar.'

'Het meeste aftrekbaar van de belasting, ouwe jongen,' antwoordde de bankier uit New England glimlachend. 'Zou jij het anders hebben gewild?'

'Verrek, nee, Brick! Jij bent elke morgen de jam op mijn brood. ... Is dit hier mijn plaats?'

'Jazeker.'

'Jazéker!' drong Froggie aan. 'Ik heb haast. Die nieuwe legering in Parijs zou in handen kunnen vallen van de Duitse industrie. Schiet een beetje op, Warren.'

'Goed, dat zal ik,' zei de minister van buitenlandse zaken. Hij ging zitten en tikte heftig tegen zijn linkerslaap om zijn zwalkend oog op zijn plaats te houden. 'Ik heb jullie allemaal via beveiligde telefoons ingelicht dat onze goeie makker en mijn ouwe slapie, de president, mij aan het hoofd heeft gesteld van het Italiaanse probleem binnen de CIA.'

'Ik neem aan dat dat tijd werd,' merkte Doozie van Petrotoxic op. 'Die man vormt onderhand een bedreiging, begrijp ik. De verhalen over zijn zogenaamde gewelddadige methoden doen overal de ronde.'

'Toch is hij, sinds hij aan het bewind kwam, doeltreffend geweest,' zei Buffel. 'Vanaf de dag dat hij Langley binnenwandelde hebben onze bedrijven nooit meer een ernstig probleem met de bonden gehad. Telkens wanneer er iets dreigt komen er vroegere collega's van hem aanrijden in een limousine en de bedreiging verdwijnt.'

'Aardige bijkomstigheid, die limousines,' zei Doozie van Petrotoxic en hij veegde een stofje van het familiewapen op zijn jasje. 'En ik moet zeggen dat hij geïnspireerd optreedt zoals hij met zijn belemmeringen van nationale veiligheid strooit bij die smerige milieufreaks. Mams en pap zouden hem hoog hebben zitten.'

'En ofschoon hij maatschappelijk gezien totaal onacceptabel is,' voegde de aristocraat van de handelsbankiers uit Boston eraan toe, 'heeft hij, door zijn connecties met bepaalde buitenlandse instellingen, enorme uitbreidingen van ons vennootschapskapitaal mogelijk gemaakt. We hebben allemaal miljoenen verdiend door geen miljoenen aan belasting te hoeven betalen.'

'Verdomd aardige vent,' gaf Buffel van Monarch-McDowell Aircraft toe en zijn hangwangen bibberden terwijl hij knikte.

'Geen twijfel mogelijk,' was Doozie het met hem eens. 'Hij begrijpt werkelijk dat het succes van de mensen boven hem betekent dat hij er zelf beter van wordt. De echte theorie van de ene hand wast de andere, onweerlegbaar bewezen.'

'Bovendien,' zei de erfgenaam van de multinationale bedrijven van Smythington-Fontini, 'tot wie anders zouden zo velen van ons zich kunnen wenden? Hij is een uiterst vaderlandslievende Amerikaan. Hij beseft dat alle defensieprojecten op alle tekenborden in het land goedgekeurd *moeten* worden, hoe twijfelachtig ze ook lijken, want met het proberen op zich is altijd waardevol... onderzoek, ja, *onderzoek* gemoeid.'

'Bravo!'

'Bravo...'

'Zo,' kwam de minister van buitenlandse zaken tussenbeide. Hij stak een bevende rechterhand op die hij onmiddellijk vastgreep met zijn linker en op de tafel trok. 'Die prachtige kwaliteiten die hem zo'n aanwinst hebben gemaakt, zouden weleens juist de redenen kunnen zijn waarom hij een enorm gevaar zou kunnen gaan betekenen.'

'Wat?'

'Waarom?'

'Omdat iedereen van jullie uitgebreid met hem te maken heeft.'

'Vertrouwelijk, Warren,' zei Froggie kil. 'Heel geheim.'

'Niet voor hem.'

'Wat is er gebeurd?' vroeg Bricky uit Boston. Zijn gezicht dat al bleek zag door de afwezigheid van het zonlicht in zijn kluizen werd nog bleker.

'Het heeft rechtstreeks te maken met die andere moeilijkheid die we moeten oplossen en waarover ik het straks zal hebben.'

'O, mijn god,' fluisterde Doozie. 'De barbaren... dat Hof met drie linkse seniele leden en één naïeveling!'

'Ja,' bevestigde Warren Pease, nauwelijks hoorbaar. 'Door te proberen heel dat stomme fiasco kort te sluiten is Mangecavallo erachter gekomen dat die geschifte eisers in Boston zitten en vervolgens heeft hij zijn gangsters uit New York erbij gehaald. Onvervalste killers. Eentje is er gevangengenomen.'

'O, krijg nou gauw de vinketering!' riep Bricky uit. '*Boston*?'

'Daar heb ik over gelezen,' zei Buffel. 'Er was een rel in een of ander hotel en de gangster die gearresteerd werd zei dat de president zijn advocaat was.'

'Ik wist niet dat jouw ouwe slapie advocaat was, Warty,' zei Doozie.

'Dat is hij ook niet. Maar als de naam van mijn ouwe slapie zelfs maar genoemd kan worden, komt Mangecavallo ook zó boven water en als die aan de tand wordt gevoeld zijn jullie allemaal de klos.'

'Wat verwachtte je anders, excellentie?' merkte de blonde Froggie op, met een stem als uit een ijskelder terwijl hij rond de tafel ieder medelid aankeek. 'Als je een boef verantwoordelijkheid geeft ben je verantwoordelijk voor boeven.'

Het zwijgen was de stilte van een graftombe. Ten slotte sprak Buffel van Monarch-McDowell.

'Goeie god, we zullen hem missen.'
'Dan zijn we het dus eens?' vroeg Warren Pease.
'Natúúrlijk, ouwe jongen,' antwoordde Doozie met onschuldig opgetrokken wenkbrauwen. 'Wat voor andere weg kunnen we in hemelsnaam bewandelen?'
'Alle wegen leiden naar mijn prachtige bank op Beacon Hill!' riep Bricky uit. 'Hij is zo goed als dood!'
'Hij is ons allemaal te veel!' riep Smythington-Fontini uit. 'Een criminele machthebber in het centrum van de inlichtingendienst – vooral eentje die ons kent, die onze namen zou kunnen noemen!'
'Wie gaat het zeggen?' vroeg Buffel. 'Verdomme, iemand zal het moeten zeggen!'
'Dat zal ik doen,' antwoordde Froggie met monotone stem. 'Vincent Mangecavallo moet zo spoedig mogelijk *wijlen* Vincent Mangecavallo worden. ... Een afschuwelijk ongeluk natuurlijk, niets dat ook maar *in de verte* verdacht lijkt.'
'Maar hoe?' vroeg de minister.
'Daar kan ik misschien antwoord op geven,' zei Smythington-Fontini, nonchalant aan zijn lange sigarettepijpje zuigend. 'Ik ben de alleeneigenaar van Fontini Industries in Milaan en waar anders dan in Milaan, Italië, zijn er altijd hele horden ontevredenen op wie mijn onnaspeurbare ondergeschikten een beroep kunnen doen met een paar honderd miljoen lires? Laten we zeggen... Ik kan het wel arrangeren.'
'Dappere kerel!'
'Prima vent!'
'Verdomd goed gedaan!'
'Wanneer alles voorbij is,' riep Warren Pease uit en zijn linkeroog zat redelijk op zijn plaats, 'zal de president zelf jullie een medaille van aanbeveling uitreiken! ... Een ceremonie achter gesloten deuren, natuurlijk.'
'Hoe is die vent eigenlijk ooit door de hoorzittingen gekomen?' vroeg de bleke man uit New England. 'Dat had ik nooit verwacht.'
'Ik heb in elk geval geen enkele behoefte dat te weten,' antwoordde de kostschoolkameraad van de president. 'Maar wat betreft de benoeming van de zwijgend gedienstige meneer Mangecavallo, mag ik jullie allemaal eraan herinneren dat dat het resultaat was van het onderzoekscomité van de pasgekozen president, waarvan de meeste leden hier rond de tafel zitten. Ik weet zeker dat jullie ervan overtuigd waren dat hij nooit de Senaat zou overleven, maar dat is gebeurd en dat is het dan. ... Heren, u bent zelf verantwoordelijk voor het benoemen van een peetvader van de maffia tot directeur van de CIA.'

'Dat is nogal grof gezegd, beste kerel,' merkte Doozie in z'n blazer met wapen op en hij stak zijn kin naar voren terwijl hij zenuwachtig heen en weer schoof. 'Jij en ik zijn tenslotte op dezelfde universiteit geweest.'

'De hemel weet dat het me verdriet doet, Bricky, ouwe jongen, maar je begrijpt het vast wel. Ik moet onze jongen beschermen; dat is mijn baan, dat ben ik aan mijn eer verplicht en meer van die dingen.'

'Híj is niet met ons op de universiteit geweest. Hij is zelfs niet aangenomen in ons studentencorps van die andere universiteit waar alleen maar geblokt wordt.'

'Het leven is nu eenmaal niet eerlijk voor de meeste van ons, Bricky,' zei Froggie, maar zijn ogen staarden kil naar de minister. 'Maar hoe zou jij nu in 's hemelsnaam onze jongen kunnen beschermen in het Ovalen Kantoor door te zinspelen op enige verantwoordelijkheid van onze kant betreffende Mangecavallo, die we onmiddellijk en met luide stem zouden ontkennen?'

'Nou ja,' zei de minister met verstikte stem en met een linkeroog dat weer als een flipperbal tussen twee magneten heen en weer schoot, 'toevallig hebben we wel de volledige notulen van de vergaderingen van het Onderzoekscomité.'

'Hoezo?' explodeerde Bricky, de bleke bankier uit New England. 'Er waren geen secretaresses en er zijn geen notulen gemaakt!'

'Jullie staan op de band, jongens,' antwoordde de leider van het ministerie van buitenlandse zaken fluisterend.

'Wát?'

'Ik heb onze loyale klootzak van een gegoede familie gehoord!' riep de Buffel. 'Hij zei dat we op de band zijn opgenomen!'

'Waarmee dan, in godsnaam?' wilde Doozie weten. 'Ik heb nooit apparaten daar gezien!'

'Microfoons die door stemgeluid in werking worden gesteld,' zei de minister, nauwelijks harder dan voorheen. 'Onder de tafels – overal waar jullie vergaderden.'

'Wat was dat? ... Overal waar wij vergaderden?'

De gezichten rond de tafel waren verstard van verbazing; daarna, één voor één, toen het tot hen doordrong, volgden de woedende vragen.

'Mijn huis?'

'Mijn buitenhuis aan het meer?'

'Mijn landhuis in Palm Springs?'

'De kantoren hier in Washington?'

'Overal,' fluisterde Warren Pease met een vaal gezicht.

'Hoe kon je in 's hemelsnaam zoiets doen?' brulde de hoekige

Smythington-Fontini, zijn foulard scheef en zijn sigarettenpijpje als een sabel vooruitgestoken.

'Door eer en geweten gebonden,' antwoordde de blonde Froggie. 'Jij driedubbel overgehaalde rotzak, je hoeft niet te verwachten nog ooit op mijn club te komen spelen.'

'En ik stel voor dat je alle plannen opgeeft om naar de reünie van onze klas te komen, verachtelijke verrader!' riep Doozie uit.

'Vanaf dit moment verwacht ik je ontslagname uit de Metropolitan Society!' verklaarde Buffel nadrukkelijk.

'Ik ben erevoorzitter!'

'Vanaf nu niet meer. Vanavond nog zullen we de berichten hebben over jouw ontstellende gedrag op Buitenlandse Zaken. Laten we zeggen, het seksueel lastig vallen van dames én heren. Zoiets kunnen wij niet tolereren! Niet in ons gezelschap!'

'En als je soms dacht die onbetekenende motorboot van jou in onze jachthaven te meren, dan kun je dat mooi vergeten,' dreunde Smythie. 'Vuile zoetwatermatroos!'

'Buffel, Froggie, Doozie – en jij ook, Smythie! Hoe kunnen jullie mij dit aandoen? Jullie hebben het over mijn léven, over alles wat me zo dierbaar is!'

'Daar had je dan eerder aan moeten denken...'

'Maar ik had er niets mee te maken. Vermoord nou niet de boodschapper vanwege de boodschap die hij brengt!'

'Dat klinkt ook al bekend,' zei Bricky. 'Rooie propaganda, volgens mij.'

'Nee, volgens mij is het Japans,' legde de groen gejaste Buffel uit, 'en dat is nog erger! Ze zeggen dat onze koelkasten te groot zijn om daar te verkopen en onze auto's te groot voor hun straten. Waarom kunnen ze dan geen grotere huizen bouwen en bredere straten aanleggen, die verdomde protectionistische kwezels.'

'Dat is het helemaal niet, ouwe jongens,' riep de minister uit. 'Het is de waarheid!'

'Wat is de waarheid?' wilde Froggie weten.

'De boodschap en de boodschapper. Hij heeft kelners en tuinmannen omgekocht om de apparatuur te installeren!'

'Waar heb je het, verdomme, over?' schreeuwde Doozie van Petrotoxic.

'Over Arnold!'

'Welke Arnold?'

'Arnold Subagaloo, de stafchef van de president!'

'Die naam kan ik nooit onthouden. Vast niet iemand van ons. Wat is er met hem?'

'Hij is degene die de boodschap stuurde – via mij! Wat weet ik nou over banden die gaan werken op stemgeluid. Ik kan niet eens overweg met mijn eigen videorecorder.'

'Wat heeft die Subaru gedaan?' herhaalde de bleke bankier uit New England.

'Nee, dat is de auto,' verduidelijkte de minister. 'Het is Subagaloo.'

'Is dat de koelkast?' vroeg Buffel van Monarch-McDowell. 'Sub-Igloo is een verdomd goed apparaat dat in elk smerig Japans huishouden thuishoort.'

'Nee, nou denk je aan Subzero. Dit is Subagaloo, de stafchef.'

'O, die slimme vent van Wall Street?' zei Smythington-Fontini. 'Een paar jaar geleden was hij heel amusant op de televisie. Ik dacht dat hij wel een eigen show zou krijgen.'

'Sorry, Smythie, die is er niet meer. Dat was eerder, bij de vorige president.'

'Och ja,' stemde de jachteigenaar in. 'Die aardige kerel uit de bioscoop met die glimlach waar mijn vrouw helemaal gek van werd – of was dat mijn maîtresse, of dat lekkere stuk in Milaan? Eerlijk gezegd heb ik nooit een woord verstaan van wat hij zei wanneer hij niet iets oplas.'

'Ik heb het over Arnold Subagaloo, de stafchef van déze president...'

'Absoluut niet een van de onzen. Niet met zo'n naam.'

'Híj heeft me gezegd dat ik jullie moest vertellen over die bandopnamen. Híj heeft ze laten maken!'

'Waarom zou hij zoiets doen?'

'Omdat hij tegen iedereen en alles is dat een mogelijke bedreiging voor het Witte Huis zou kunnen vormen,' merkte Froggie op. 'Daarom heeft hij in de periode tussen beide presidenten allerlei mogelijke toekomstige problemen bedacht en de nodige beschermingsmaatregelen genomen...'

'Op een verdomd onsportieve manier!'

'En daarmee dwingt hij ons precies dat te doen wat we nu aan het doen zijn,' voegde de blonde cynicus eraan toe en hij keek op zijn gouden Girard-Perregaux polshorloge. 'Zelf Mangecavallo uit de weg ruimen en zo het probleem van tafel vegen dat we zelf hebben geschapen, zonder aan de president te komen. ... Die Subagaloo is een sluwe klootzak!'

'Waarschijnlijk een verrekt goede directeur,' concludeerde de geblazerde Doozie van Petrotoxic. 'Is waarschijnlijk lid van een dozijn raden van commissarissen.'

'Wanneer zijn termijn voorbij is zou ik zijn curriculum weleens willen zien,' voegde de groengejaste Buffel eraan toe. 'Iemand die zo sluw is, is een geschenk uit de hemel.'

'Goed dus, excellentie,' zei de blonde Froggie. 'Mijn tijd is beperkt en aangezien Smythie het ene belangrijke probleem heeft opgelost, stel ik voor dat jij je concentreert op die andere moeilijkheid waarover je het eerder had. Ik heb het natuurlijk over die waanzinnige en walgelijke conclusie van eis aan het Hooggerechtshof die Omaha aan de Tacokonijnen zou geven, of hoe ze dan voor de donder ook mogen heten.'

'Wopotami's,' verbeterde de minister. 'Ik heb gehoord dat ze familie zijn van de Mohikanen aan de Hudson, die hen verstoten hebben omdat ze niet uit hun wigwams wilden komen wanneer het sneeuwde.'

'We geven er geen indiaanse scheet om wie ze zijn of wat ze in hun smerige iglo's gedaan hebben...'

'Wigwams.'

'Hebben we het weer over de koelkasten...?'

'Nee, hij is de stafchef...'

'Ik dacht dat hij voor Chicago speelde...'

'Kopen de Jappen nu Chicago ook al...?'

'Wanneer houden ze eens op? Ze hebben New York en Los Angeles ook al...!'

'Hebben ze de Dodgers gekocht...?'

'Nee, ik heb gehoord dat het de Raiders waren...!'

'Ik dacht dat de Raiders van mij waren...'

'Nee, Smythie, de Rams zijn van jou...'

'Willen jullie nou allemaal je bek houden?' schreeuwde Froggie. 'Over precies zeven uur heb ik een vergadering in Parijs. ... Welnu, excellentie, wat voor maatregelen hebt u genomen om die belachelijke conclusie de grond in te boren en te zorgen dat ze niet openbaar wordt? Als dat laatste gebeurt zou er een hoorzitting van het Congres van komen en dat zou maanden duren, omdat iedere minderheidsfreak zijn darmen zo nodig moet uitkotsen op de vloer van de Senaat en het Huis van Volksvertegenwoordiging. Zoiets is onverdraaglijk! Het zou ons miljarden kunnen kosten!'

'Laat ik jullie eerst het slechte nieuws geven,' antwoordde de minister van buitenlandse zaken die nu zijn vlakke linkerhand tegen zijn hoofd klapte om zijn zwalkende linkeroog in bedwang te houden. 'In de overtuiging dat we onszelf een gegarandeerde verzekeringspolis konden kopen hebben we de beste vaderlandslievende voddebalen in dienst genomen om iets uit te vinden over die lamzakken van rechters die wel iets zagen in die rottige conclusie. Er is allemaal niets van gekomen. We begonnen ons zelfs al af te vragen hoe ze ooit hun rechtenstudie hebben kunnen voltooien, geen enkele groep juristen kan zo onkreukbaar zijn.'

'Hebben jullie Goldfarb geprobeerd?' vroeg Doozie.

'Als eerste, als éérste! Hij heeft het opgegeven.'

'In de Super Bowl heeft hij het nooit opgegeven. Hij is natuurlijk joods en daarom kon ik hem nooit te eten vragen in de Onion Club, maar hij was een verdomd goede vleugelspeler. ... Kon híj helemaal geen drek vinden?'

'Niets. Mangecavallo zelf vertelde me dat Hymie de Orkaan – en ik citeer – "ze zag vliegen". Hij zei zelfs tegen Vincent dat dat opperhoofd Donderkop ofwel de Canadese "Grootvoet" was of de "Yeti" uit de Himalaya, de Verschrikkelijke Sneeuwman!'

'De Gouden Goldfarb heeft zijn tijd gehad,' zei de topman van Petrotoxic bedroefd. 'Ik ga zo gauw mogelijk mijn "Orkaan"-kauwgumplaatjes verkopen. Mams en paps hebben me altijd gezegd om de markt vóór te zijn.'

'Toe nou!' brulde de blonde eigenaar van Zenith Worldwide. Hij raadpleegde opnieuw zijn gouden polshorloge en keek woedend naar de minister. 'Wat is het goede nieuws, als dat er al is?'

'Kort gezegd,' antwoordde Pease wiens linkeroog nu enigszins tot rust was gekomen, 'onze spoedig te verscheiden directeur van de CIA heeft ons de weg gewezen. De appellanten van de Wopotami-conclusie – namelijk een zeker opperhoofd Donderkop en zijn advocaten – moeten voor het Hooggerechtshof verschijnen voor mondelinge ondervraging, voorafgaand aan een beslissing van het Hof.'

'Wat dan nog?'

'Hij zal daar nooit arriveren – *zij* zullen daar nooit arriveren.'

'Wat?'

'Wie?'

'Hoe?'

'Vinnie Boem-Boem heeft zijn mafiaconnecties gebruikt. We zullen ze vóór zijn.'

'Wat?'

'Wie?'

'Hoe?'

'We gaan bepaalde elementen van onze Speciale Strijdkrachten loslaten – waarvan er een paar nog steeds achter de tralies zitten – en we programmeren hen om die Donderkop en zijn compagnons uit de weg te ruimen. ... Want weet je, die Mangecavallo – spoedig wijlen Mangecavallo – had gelijk. Als je de oorzaak opruimt ruim je ook het resultaat op.'

'Bravo!'
'Prima gedaan!'
'Geweldig draaiboek!'
'En we weten dat die rotzak van een Donderkop en zijn communistische compagnons in Boston zitten. We hoeven hem en zijn smerige, onvaderlandslievende collega's alleen maar te vinden.'
'Maar kúnnen jullie dat wel?' vroeg de kille Froggie met bestemming Parijs. 'Tot nu toe hebben jullie nog niet veel uitgevoerd.'
'Het is praktisch al gebeurd,' antwoordde de minister, en zijn linkeroog zat eindelijk weer eens stevig op zijn plaats. 'Die afschuwelijke man die ze in Boston gearresteerd hebben, Caesar de Onuitsprekelijke, verblijft momenteel in een geheim onderkomen van Buitenlandse Zaken waar ze hem, zoals dat heet, "platgespoten" hebben met een waarheidsserum. Voordat de dag voorbij is zullen we alles weten wat híj weet. En Smythie, volgens mij moet jij er onmiddellijk werk van maken.'
'Daar kan voor worden... gezorgd.'

Algernon Smythington-Fontini stapte op een heel ongewone plaats uit zijn limousine. Het was een gammel benzinestation aan de rand van Grasonville, Maryland, een overblijfsel uit de dagen toen de plaatselijke boeren vroeg in de ochtend hun vrachtwagens voltankten en een paar uur doorbrachten met samen te kankeren over het weer, de dalende marktprijzen en vooral de opdringerige agrarische industrieën die hun de das omdeden. Smythie knikte tegen de eigenaar-pompbediende die in een kapotte rieten stoel naast de voordeur zat. 'Goedenmiddag,' zei hij.
'Hoi, mooie meneer. Ga maar naar binnen en gebruik de telefoon maar. ... Laat het geld maar op de toonbank achter zoals altijd en, zoals als altijd, heb ik je nooit gezien.'
'Diplomatieke beveiliging, begrijp je, beste kerel.'
'Zeg dat maar tegen je vrouw, niet tegen mij, makker.'
'Onbeschaamdheid past niet bij jouw positie.'
'Hé, daar heb ik geen problemen mee – elke griet, elke positie...'
'Hè bah!' Smythington-Fontini liep het kleine benzinestation in en sloeg links af naar een gebarsten formicabalie vol vetvlekken; er stond ook een telefoon uit het jaar nul op. Hij pakte de hoorn en draaide. 'Ik hoop dat ik je niet stoor,' zei hij.
'Aha, signor Fontini!' antwoordde een stem aan de andere kant van de lijn. 'Waaraan heb ik de eer te danken? Ik hoop dat alles goed gaat in Milaan.'
'Buitengewoon, net als in Californië.'

'Ik ben blij dat wij van dienst kunnen zijn.'

'Je zult niet zo blij zijn wanneer je hoort wat er besloten is. Samen met andere drek is het onherroepelijk.'

'Toe nou, wat zou er nu zo ernstig kunnen zijn om zulke woorden te gebruiken?'

'*Esecuzione.*'

'*Che cosa? Chi?*'

'*Tu.*'

'Ik? ... De rotzakken!' brulde Vincent Mangecavallo. 'Wat een slijmballen van driedubbel overgehaalde *rotzakken*!'

'We moeten maatregelen treffen. Ik stel voor een boot of een vliegtuig, met een open retourtje.'

Een Vinnie Boem-Boem die buiten zichzelf was van woede drukte ziedend de knoppen in van zijn geheime telefoon in de rechteronderla van zijn bureau. Twee keer stootte hij zijn knokkels tot bloedens toe tegen de scherpe houten randen van de zijpanelen toen hij missloeg. Hij snauwde het nummer van de hotelkamer die hij wilde bereiken.

'Ja?' zei Kleine Joey de Smurf slaperig.

'Kom van je luie krent af, Joey, het hele draaiboek is veranderd!'

'Waar heb je het over? ... Ben jij dat, Boem-Boem?'

'Daar kun je de klotegraven van je voorouders in Palermo en Ragusa onder verwedden! Die koleremietjes in hun zijden ondergoed hebben zojuist bevel gegeven voor mijn *esecuzione*! Na alles wat we voor hen hebben gedaan!'

'Dat kun je niet menen! Misschien is het een vergissing. Ze praten zo'n beleefde taal dat je nooit weet of ze een knijf in je rug willen of een kus op je...'

'*Basta!*' schreeuwde de directeur van de CIA. 'Ik heb het heel goed gehoord en het is de waarheid!'

'Shit! Wat gaan we doen?'

'Rustig blijven, Kleine Joey. Ik ga een tijdje onderduiken, een week, misschien twee – we zijn de bijzonderheden aan het uitwerken – maar op dit moment krijg jij een nieuwe opdracht. En je moet het *goed* doen, Joey!'

'Op het graf van mijn moeder...'

'Probeer maar iemand anders. Jouw mama heeft te lang in de bak gezeten.'

'Ik heb een nicht. Een nón...'

'Ze is uit het klooster gegooid, weet je nog? Zij en die tyfuslijer van een loodgieter!'

'Goed dan, goed dan! Mijn tante Angelina... die is doodgegaan nadat ze oesters had gegeten bij Umberto's en niemand was heiliger dan zij. Op háár graf!'

'Ze was zo dik dat ze zes plaatsen nodig had... '

'Maar ze was heilig, Boem-Boem, echt heilig! Elk uur van de dag de rozenkrans.'

'Ze had niets anders te doen of ermee te doen, maar ik accepteer jouw tante Angelina. Ben je bereid te zweren op dat heilige graf?'

'Ik zweer het, anders moge de duivel me halen, en dat stelt heel wat voor bij die kilokadavers in New York. ... Soms denk ik weleens dat die Ierse clowns ze niet allemaal op een rijtje hebben.'

'Zo is het wel goed,' verklaarde Vincent Franciscus Assisi Mangecavallo. 'Ik aanvaard je stilzwijgen – je *omerta* – over wat ik je ga vertellen.'

'En ik zal God danken voor jouw hulp, Boem-Boem. Bij wie moet ik de levensdraad doorknippen?'

'Het tegenovergestelde, Kleine Joey. Je moet ze in leven houden! ... Ik wil dat je een bespreking arrangeert met die Donderkop en zijn compagnons. Ineens sta ik helemaal achter hun zaak. Zulke minderheden zijn maar al te vaak en al te erg vertrapt. Dat kan zo niet langer.'

'Je bent helemaal mesjoche!'

'Nee, Kleine Joey, dat zijn zij.'

15

De suitedeur in het Ritz-Carlton vloog open en Desi-Een en -Twee stormden in hun rokkostuum met witte das de kamer in, klaar voor het gevecht. Devereaux liet zijn martini vallen en Jennifer Redwing sprong uit haar stoel en viel op de grond, instinctmatig misschien het ergste verwachtend van de bleekgezichten.

'Goed gedaan, adjudanten!' brulde de in bukskin geklede MacKenzie die de suite inschreed, gevolgd door een onthutste Aaron Pinkus. 'Er is kennelijk geen spoor van vijandelijke actie, dus kunnen jullie inrukken. Plááts rust-28

rust.' Desi-Een en -Twee gingen erbij hangen. 'Zóveel rust nu ook weer niet, sergeanten!' Onmiddellijk stonden de twee kaarsrecht. 'Zo is het beter,' vermaande de Havik. 'Ogen open! Gevechtsklaar!'

'Wat bedoel je nou?' vroeg Desi-Een.

'Onmiddellijke overgave is het eerste teken van een tegenaanval. Vergeet die lange magere maar; die is waardeloos, maar hou de vrouw in de gaten! Die dragen vaak handgranaten onder hun rokken.'

'Jij voorwereldlijke klootzak!' schreeuwde Redwing terwijl ze opstond en woedend haar haren en haar jurk gladstreek. 'Jij barbáár! Jij brullend overblijfsel uit een vijfderangs oorlogsfilm, wie denk je, verdomme, wel dat je bent?'

'Guerrillatactiek,' zei Mac zacht tegen zijn adjudanten. 'De tweede fase na overgave is luidkeels schelden – dan leiden ze je aandacht af en trekken de pin eruit.'

'Ik zal jouw pin eens uit zijn behaarde hol trekken, jij wandelende mensaap! En hoe dúrf je die kleren te dragen? Je ziet eruit als een vluchteling van een circus, klootviool!'

'Zie je wel, zie je wel?' mompelde de Havik terwijl hij op zijn sigaar kauwde. 'Nou probeert ze mij af te leiden – hou haar handen in de gaten, mannen. Die brammen die ze heeft zijn waarschijnlijk plastic explosieven.'

'Ik zal weleens kijken, generaal!' riep Desi-Een met zijn ogen strak op het doelwit gericht, terwijl zijn gesteven hemd uit zijn broek wipte. 'Zal ik maar even?'

'Als je nog één stap in mijn richting zet,' zei Redwing, en ze trok haar hoofd tussen haar schouders en greep de riem van haar handtas van de stoel. Ineens knipte ze die open met haar linkerhand en rukte er met haar rechter de spuitbus met traangas uit. '... dan ben je een maand lang blind,' maakte ze haar zin af, terwijl ze haar wapen heen en weer zwaaide tussen de twee deftig geklede ondergeschikten en hun als Wopotami geklede meerdere. 'Probeer het maar eens en dan is niet alleen mijn dag goed, maar mijn hele week.'

'Nu wordt het tijd dat ik me ermee bemoei,' kwam Sam Devereaux tussenbeide terwijl hij naar de spiegelbar en de karaf met martini's liep; hij hinkte over het gevallen glas op het hoteltapijt en trapte een paar stukken weg.

'Wácht eens even!' riep Aaron uit. Hij zette zijn stalen bril recht en bekeek de knappe, gebronsde vrouw. 'Ik kén u. ... Zeven of acht jaar geleden – Harvard, de buluitreiking, bij de beste van uw klas ... een uitstekende analyse van de censuur binnen het raamwerk van de constitutionele wetgeving.'

'Stella's Stoute Revuemeisjes, mijn god!' zei Devereaux, terwijl hij zich lachend een borrel inschonk.

'Hou je gemak, Samuel.'

'Is het nu weer Samuel?'

'Hou je bek, meester. ... Ja, meneer Pinkus, u hebt mij geïnterviewd en ik voelde me zeer gevleid door uw belangstelling.'

'Maar u hebt ons afgewezen, beste juffrouw. Waarom was dat? ...

U hoeft me echt geen antwoord te geven omdat het me niet aangaat, maar ik ben nieuwsgierig. Ik weet nog heel goed dat ik mijn compagnons vroeg bij welke firma in Washington of New York u ging werken want – eerlijk gezegd wilde ik wie het dan ook was bellen om te zeggen hoezeer ze boften. De beste en intelligentste trekken meestal naar Washington en New York, al ben ik het daar duidelijk niet mee eens. Maar ik herinner me dat u naar een kleine, maar wel prima firma in Omaha ging.'

'Daar kwam ik vandaan, meneer. Zoals u wel opgemaakt zult hebben ben ik lid van de Wopotami-stam.'

'Dat maakte ik half op, al hoopte mijn andere helft dat u die conclusie zou weerleggen. Het leven zou minder chaotisch zijn, als zoiets mogelijk was.'

'Dat is het niet, meneer Pinkus. Mijn naam is Jennifer Redwing en ik ben een dochter van de Wopotami's. Op dat feit ben ik ook zeer trots.'

'Maar waar hebt u in 's hemelsnaam Samuel ooit ontmoet?'

'In een lift – vanmorgen – in het hotel de Vier Jaargetijden. Hij was verschrikkelijk moe; volgens hem was hij uitgeput en hij maakte verschillende dwaze opmerkingen.'

'Was dat voldoende om hem hier weer op te zoeken, juffrouw Redwing?'

'Ze ging naar mijn huis,' kwam Devereaux tussenbeide. 'Ik maakte mijn excuses – ik gaf de portier zelfs een fooi voor haar – en toen hoorde ik deze krankzinnige dame mijn eigen adres aan de taxichauffeur geven! Wat zou jij gedaan hebben, Aaron?'

'Ik zou haar natuurlijk gevolgd zijn naar jouw huis.'

'Dat heb ik gedaan.'

'Ik ging naar zijn huis, meneer Pinkus, omdat het het laatste adres was dat ik had opgespoord voor dat demente schepsel dat naast u staat!'

'Fel grietje, vind je niet?' merkte de Havik op.

'Jazeker, generaal Hawkins – want u kunt onmogelijk iemand anders zijn – ik ben inderdaad fel en, nee generaal, ik ben géén "grietje" zoals u wel zult merken wanneer ik klaar ben met u. In de rechtszaal of daarbuiten zal ik u te grazen nemen!'

'Scheldpartijen, sergeanten. Blijf op je hoede.'

'Och, hou toch je bek, rotkop op de stomste totempaal. Overigens, dat jasje met kralen dat je draagt vertelt het verhaal van een idiote buffel die zo stom was om in een storm te blijven staan. Heel toepasselijk.'

'Hé, Red,' kwam Sam tussenbeide met een martini aan zijn mond.

'Doe nou eens rustig aan. Denk aan de trust onder rechtspersoon.'

'Rustig aan doen? Als ik maar naar hem kijk wil ik al gaan gillen!'

'Die uitwerking heeft hij op mensen,' mompelde Devereaux en hij nam een slok.

'Even uw aandacht, alstublieft,' zei Pinkus en hij stak zijn hand op. 'Ik geloof dat ik iets heb gehoord dat nader verklaard moet worden.' De geëerde advocaat wendde zich tot Sam. 'Wat voor "trust onder rechtspersoon"? Wat heb je nu weer gedaan?'

'Gewoon wat gratis advies, Aaron. Jij zult dat wel op prijs stellen.'

'Jouw en welke goedkeuring van mijn kant ook zouden weleens wederzijds uitsluitend kunnen zijn. ... Misschien wilt u het uitleggen, juffrouw Redwing?'

'Met het grootste genoegen, meneer Pinkus. Vooral ten behoeve van uw andere gast, generaal Neanderthal. Misschien moet u dit voor hem vertalen maar ik vermoed dat hij op den duur zal snappen waar het op neer komt, al was het alleen maar omdat hij er met zijn vingers af moet blijven.'

'Dat is kort en bondig,' zei Aaron en zijn uitdrukking leek enigszins op die van Eisenhower toen hij hoorde dat MacArthur ontslagen was.

'Het is briljant en ondanks een overvloed van fouten, te veel om op te noemen, kwam het idee van uw werknemer, meneer Pinkus. Dat moet ik toegeven.'

'Het werk van een goede advocaat begint met een hoffelijke advocaat, juffrouw Redwing.'

'Werkelijk? Zo heb ik er nooit over gedacht. ... Waarom? Ik vraag alleen maar, natuurlijk.'

'Omdat hij – of zij – vertrouwen heeft in zijn of haar bekwaamheden. Het is niet nodig een zwak ego te voeden door een ander lof te onthouden. Neem dat meisje of die kerel maar in dienst; geen van beiden zullen ze worden afgeleid door echte of verzonnen vijandigheden.'

'Ik geloof dat ik zojuist iets heb geleerd...'

'Het is nauwelijks origineel, beste juffrouw. Neem het me niet kwalijk, maar ik moet u er opmerkzaam op maken dat onze generaal praktisch hetzelfde heeft gezegd in militaire termen. Afleiding door vijandigheid... de zwakste moet doen alsof, de sterkste kijkt enkel toe, klaar om in te grijpen.'

'Vergelijkt u mij met die ááp daar...?'

'Zeg, luister eens, Indiaans grietje...'

'Alstublieft, generaal! ... Ik zei alleen in *militaire* termen, juffrouw Redwing – troepensterkte, als u wilt. Stel dat er in die mooie borst van u inderdaad springstoffen verborgen zaten – wat ik van harte hoop dat niet het geval is – dan probeerde onze generaal alleen zijn adjudanten te instrueren dat ze op hun hoede moesten blijven en zich niet moesten laten afleiden door uw vijandig optreden. De vergelijking is eigenlijk heel eenvoudig.'

'Wat denk je ervan afgeleid te worden door wat er wél is, hé, man?'

'Zo kan het wel weer, sergeant...'

'Ik ben het met je eens, Desi-Uno...'

'Mairzy doats and dosie doats and little lambs eat ivy...'

'Och, hou toch je kop!'

'Samuel, hou daar mee op!'

'Jongen, je knoeit met je borrel...'

'Wat, mijn beste juffrouw Redwing, wilde u uitleggen over dit idee dat was ontsproten aan het brein van mijn werknemer die er niet bepaald meer bij is?'

'Heel eenvoudig, meneer Pinkus, aangezien de Wopotami-stam staat ingeschreven als een naamloze vennootschap, wordt er op dit moment een trust gevormd en getekend door de wettig gemachtigde Raad van ouderen, waarin wordt verklaard dat alle juridische en vertrouwenszaken alleen behandeld mogen worden via de diensten van de executeurs van de trust, waarbij geen enkele partij waarnaar in eerdere documenten wordt verwezen ook maar enige zeggenschap meer zal hebben. Kort gezegd, de met name genoemde executeurs van de trust zullen, harmonieus samenwerkend, de exclusieve gezamenlijke volmacht hebben.'

'Dat klinkt prachtig juridisch, juffie,' zei Hawkins. 'Wat betekent het?'

'Het betekent, generaal,' antwoordde Redwing met haar kille ogen op de Havik gericht, 'dat niemand, ik herhaal *niemand*, anders dan de executeurs van de Wopotami-trust, enige beslissingen kan nemen of welke overeenkomsten ook aan kan gaan, die betrekking hebben op de belangen van de stam – of enig profijt daaruit kan trekken.'

'Nou, ik moet zeggen dat me dat een verdomd slimme beveiliging lijkt,' zei Hawkins. Hij haalde de misvormde sigaar uit zijn mond en hield ineens zijn hoofd schuin alsof iets hem stoorde. 'Maar ik neem aan dat de volgende vraag is – zijn die executeurs betrouwbaar, juffrouw?'

'Volkomen, generaal. Tot hen behoren twee advocaten, verschillende artsen, een voorzitter van een internationale stichting, drie vice-presidenten van vooraanstaande banken, een paar effectenmakelaars en een bekende psychiater met wie u beslist eens een afspraak moet maken. Bovendien zijn er nog alle ware nazaten van de Wopotami's en ten slotte ben ik de voorzitster van, en tevens de woordvoerster voor de executeurs van de trust. Nog meer vragen?'

'Ja, nog één. Wil de Raad van Ouderen dit?'

'Dat wil ze zeker. Ze luisteren naar ons advies en wij staan pal. Zoals u dus duidelijk zal zijn, generaal Hawkins, zelfs al vordert uw krankzinnige en uiterst destructieve plan maar één centimeter, wij en niet jij zullen volledig de baas zijn om de nadelige uitwerking op een onschuldig volk zo klein mogelijk te maken, dat jij op een afschuwelijke manier hebt bedrogen. Kort en goed, je ligt eruit, maniak.'

Het gezicht van de Havik stond niet alleen verdrietig maar ook diep gekwetst. Het was alsof de wereld die hij met zorg en diepe liefde had gekoesterd hem had uitgekotst en hem had achtergelaten als een eenzame oude man, van alles verstoken, een in de steek gelaten voorvechter die waardig weigerde verbitterd te worden. 'Ik vergeef uw ongerechtvaardigde achterdocht en uw ongebreidelde taalgebruik,' zei hij zacht, 'want u weet werkelijk niet wat u doet.'

'O, mijn god!'

'Je kunt beter zeggen de befaamde Zoon van God,' opperde Devereaux, op weg terug naar de bar.

'Word je eruit gesodemieterd, generaal?' vroeg Desi-Twee.

'Dan moeten die gringo's misschien eens een luchtje happen, hé, man?' zei Desi-Een. 'Via de ramen, oké?'

'Nee, heren,' protesteerde Hawkins, rustig en heldhaftig, met de grafklank van een heilige in zijn stem. 'Deze geweldige vrouw heeft de generaalsmantel omgehangen en het minste wat ik kan doen is iets van die ontzagwekkende verantwoordelijkheid verlichten...'

'Daar komt het,' viel Sam hem in de rede, met zijn vingers in zijn martini om een olijf op te vissen. 'Geloof hem niet, mensen.'

'Jongen, je beoordeelt me werkelijk verkeerd...'

'Dat heb je al eens eerder gezegd, Mac. Toen verstond ik het ook al niet zo goed.'

'Waarom geef je me niet een kans, jongen?'

'Het is jouw preekstoel, dominee. Ga je gang.'

'Juffrouw Redwing.' De Havik knikte even met zijn hoofd, de ene stafofficier die de andere begroet. 'Ik respecteer en begrijp uw scepsis betreffende mijn deelname in de zaak van de Wopotami's. Op dat punt zal ik u nu dus geruststellen. Als aangenomen zoon van de stam, accepteer ik alle beslissingen van de wijze Raad van Ouderen. Ik ben niet uit op profijt voor mijn persoon, ik wil alleen dat er gerechtigheid geschiedt.'

Jennifer Redwing was verbijsterd. De verwachte, felle strijd met een aan grootheidswaanzin lijdende reus was teruggebracht tot het punt waarop ze met een hoop juridische nonsens een lief, zielig jong hondje vermaande. 'Nou ja... generaal... ik weet echt niet wat ik moet zeggen.' Jennifer streek verontschuldigend haar donkere haren naar achteren, heel even te beschaamd om haar gewonde, eerdere tegenstander in de ogen te zien. 'U moet begrijpen, meneer,' begon ze, zich dwingend de oude krijger aan te kijken die zoveel had gegeven voor zijn land... hún land. 'Ik ben heel erg beschermend, misschien wel te erg, waar het mijn volk betreft, omdat onze geschiedenis inderdaad wemelt van ongerechtigheden, zoals de geschiedenis van alle Amerikaanse indianen. In uw geval had ik ongelijk. Ik bied u mijn verontschuldigingen aan. Wilt u die, alstublieft aanvaarden? Ze zijn gemeend.'

'Hij heeft je te grázen!' riep Devereaux en hij slokte de rest van zijn martini naar binnen. 'De brullende leeuw is een zijknat poesje geworden en dat geloof jij.'

'Samuel, zo kan het wel weer! Heb je niet gehoord wat de man heeft gezegd?'

'Ik heb er honderd varianten op gehoord...'

'Hou je bek, meester! Hij is een geweldige man en hij heeft zojuist ingestemd met alles wat ik wilde. Probeer eens aan je eigen woorden te denken, als die in gin gemarineerde hersenen van jou dat toelaten. Een fundamentele waarheid, weet je nog?'

'Je bent de kronkelweggetjes vergeten, meester,' zei Sam en hij liep weer naar de bar. 'De weg die voor ons ligt zit vol kuilen, mensen.'

En natuurlijk ging de telefoon weer over. Aaron Pinkus schudde zijn hoofd, deels geïrriteerd, deels kwaad, liep snel naar het bureau en pakte het indringerige instrument op. 'Ja?'

'Met wie spreek ik op dit moment?' vroeg het piepstemmetje aan de lijn. 'De beroemde jid van een advocaat of die knotsgekke generaal met zijn kralenjasje aan?'

'U spreekt met Aaron Pinkus, en ik ben advocaat, als dat uw vraag beantwoordt.'

'Voor mij genoeg. Ik heb je gevonden via je limousine.'

'Pardon?'

'Nou ja, het is een lang verhaal en ik zou je dat graag vertellen, maar Boem-Boem houdt niet van lange verhalen en om je de waarheid te zeggen, jullie hebben ook niet veel tijd meer.'

'Ik begrijp geen woord van wat u zegt.'

'Nou ja, zie je, jaren geleden had je die debiele smeris die me te grazen nam, maar nu hebben we ons weer verzoend, en omdat hij nog vriendjes heeft in het centrum hoorde hij dat er een boel van die ijsventers op zoek zijn naar jouw limo, *capisce*?'

'Waar hebt u het toch over?'

'Misschien kan ik maar beter met de wildeman praten, oké? Zeg tegen die snotpork dat hij die klotesigaar uit zijn mond neemt en aan de telefoon komt.'

'Volgens mij is dit voor u, generaal,' zei Pinkus. Hij draaide zich om en sprak langzaam, aarzelend. 'Een nogal vreemd kereltje dat praat zoals een kip zou praten – zoals ik me voorstel dat een kip zou praten.'

'*Doorbraak!*' riep de Havik. Met snelle passen was hij bij het bureau en greep hij de hoorn, waarna hij direct zijn hand over het mondstuk legde en tegen de anderen zei: 'Oude soldaten, zelfs rekruten, kwijnen niet weg. Ze herinneren zich de dagen, beste vrienden, omdat daar nooit een eind aan komt! ... Ben jij dat, Kleine Jozef?'

'We moeten praten, flapdrol. Alles is veranderd. Wat mij betreft zijn jullie geen boeven meer, maar de andere boeven zitten jullie wel achterna.'

'Wees eens wat duidelijker, Jozef.'

'Daar is geen tijd voor, flapdrol! De grote man wil over een dag of zo met jullie praten, maar hij moet een tijdje voor lijk spelen, daarom ben ik jullie contact.'

'Voor lijk spelen, Jozef...?'

'Op het graf van mijn tante Angelina. Er wordt oorlog gevoerd in Washington en de grote man heeft een tijdelijke nederlaag geleden. ... Hij zei me dat ik je moest vertellen dat die lamzak die je in de hotellobby in zijn rug ramde, maar die je maar beter zijn nek had kunnen breken, alles heeft uitgekotst in een of andere chemische fabriek in Virginia. Ze weten nu dat jij en je mensen hier in Boston zijn en de jongens met het zijden ondergoed laten de – wacht even, dat heb ik opgeschreven – de SSO's op jullie los.'

'De SSO's? Hannibal in de olifantestront! Zei hij SSO's?'

'Ik kan het niet fout hebben want hij herhaalde het misschien wel drie keer en ik wist niet wat het betekende.'

'De grootste beesten die je je kunt voorstellen, Kleine Jozef. Ik heb hen les gegeven, dus ik hoor het te weten. Speciale Strijdkrachten – *Onverbeterlijken*. Ze zitten nog steeds in kooien en proberen iedereen te vermoorden, op de koks en de verpleegsters na.'

'Nu zijn jij en dat groepje van jou aan de beurt, flapdrol. Ik had er precies eenendertig minuten voor nodig om jullie te vinden – hoe lang zullen die klotecommando's erover doen wanneer ze eenmaal in Boston zijn, waar ze misschien al zijn? Maak dat je daar wegkomt en bel me hier in dit palazzo met etagedienst wanneer je buiten bereik van die freaks bent. ... En laat die kolerelimousine staan! Daar kun je blind op varen!' Joey de Smurf legde op en de Havik keerde terug naar zijn manschappen.

'*Evacuatie*!' bulderde hij. 'Uitleg komt later wel; daar is nu geen tijd voor. Adjudanten, jullie krijgen twee voertuigen op de parkeerplaats van het hotel aan de praat en je wacht op ons bij de zuidoosthoek. *Vamos!*' Mac keek fel naar Aaron Pinkus, terwijl Desi-Een en Twee de deur uitrenden, en dwong zich toen Sam Devereaux en ten slotte ook Jennifer Redwing aan te kijken. 'Jullie vragen me waarom ik tegen de leugenachtigheid van de machthebbers strijd, waarom ik het zwaard opneem tegen de omkopers en de manipulatoren, die van een eeuw geleden of die van nu. Dat zal ik je, verdomme, eens duidelijk maken! Een onzichtbare, niet-gekozen regering heeft een stel psychopaten losgelaten die maar één opdracht hebben, waarvan het succes hun de vrijheid zal geven om de straten onveilig te maken. ... Die opdracht luidt ons te vermoorden, ons allemaal. Waarom? Omdat wij het spookbeeld hebben opgeroepen van een misdaad tegen een onschuldig, gemanipuleerd volk, meer dan honderd jaar geleden en om dat recht te zetten zal het de manipulatoren miljarden kosten!'

'Krijg de kolere met je fundamentele waarheid!' zei Devereaux en hij gooide zijn martiniglas in de gootsteen leeg. 'Laten we maken dat we hier wegkomen!'

'De politie, generaal! Ik ben een gerespecteerd man hier in Boston. Die zal ons wel beschermen.'

'Commandant Pinkus, in dit ongesanctioneerde gevecht zijn civiele autoriteiten waardeloos. Hoe dacht je wel dat ik depots heb opgeblazen, van Normandië tot Kai Song?'

'Ik kan het gewoon niet geloven,' zei Redwing en ze probeerde kalm te blijven. 'Ik *wil* het niet geloven!'

'Wil *jij* het niet geloven, klein Indiaans grietje? Misschien moet ik je herinneren aan die bedrijven aan de Oostkust die jullie mensen overal op de vlakten in het Midden-Westen beloofden dat jullie gingen verhuizen naar veel beter land, terwijl jullie alleen maar dorre grond aantroffen en jullie vee bevroor. Dit is niet anders, jongedame!'

'O, *Jézus*!' riep Jennifer en ze rende naar de slaapkamerdeur.

'Wat ga je doen?' schreeuwde Devereaux.

'Je moeder, idioot!'

'O ja, natuurlijk,' zei Sam met zijn ogen knipperend. 'Is er ergens koffie?'

'Daar is geen tijd voor, jongen!'
'Help juffrouw Redwing, Sammy.'
'Het is tenminste geen Samuel meer...'
'Veel keus is er volgens mij niet,' zei Aaron Pinkus.

De vijf vluchtelingen uit het Ritz-Carlton stonden naast elkaar bij de zuidoosthoek van het hotel te wachten op de komst van Desi-Een en Twee. Ze glimlachten schaapachtig tegen een paar voorbijgangers en deden hun best er niet uit te zien als een vijftal volwassen delinquenten. De deftige Eleanor werd rechtop gehouden door Redwing, terwijl ze bleef worstelen met de woorden van de 'Indian Love Call'.
'Hou toch stíl, moeder!' fluisterde Sam.
'Dit is de dochter die ik altijd gewild had...'
'Wacht daar maar even mee, ma. Misschien is ze een betere advocaat dan ik, en dat zou je nooit willen.'
'Ik vind jou helemaal niet zo geweldig. De helft van de tijd begrijp ik niet wat je zegt...'
'Dat hoor je ook niet te begrijpen, moeder. Zo is de wet nu eenmaal...'
'Stíl!' beval de Havik die het dichtst bij de hoek van het gebouw stond met Pinkus naast zich. Een Lincoln stationcar stopte voor de geluifelde ingang van het hotel, op hetzelfde moment dat Desi-Een en Twee langs de trottoirrand stopten met hun twee gestolen auto's van de parkeerplaats. 'Iedereen blijft waar hij is!' vervolgde de Havik. Hij en Aaron keken toe hoe vier mannen in zwarte regenjassen uit de Lincoln stapten, een van de voorbank en drie via het achterportier. De wagen spoot onmiddellijk weg en parkeerde bij de poort van het park terwijl de vier zwarte regenjassen snel het hotel inliepen. 'D-Een, mélden!' zei de Havik hardop fluisterend. 'Geef door aan de volgende man!' voegde hij eraan toe.
'D-Een, mélden...'
'Desi! Jij daar met die gekke tanden en je opgerolde hemd, ga naar hem toe!' riep Devereaux. 'Ga naar Mac!'
'*Mizerloo, my Arab love who is my deseerloo...*'
'Stil, moeder! Je hebt trouwens de verkeerde woorden en het verkeerde land.'
'Praat niet op die manier tegen mijn vriendin Eleanor...'
'Ze is *mijn* moeder! Stel dat ik weiger haar Jaguar te laten repareren?'
'Ik weet zeker dat ik heel wat meer geld verdien dan jij, meester. Dan zorg ík er wel voor!'
'Wat wil je, generaal!'

'Zien jullie die wagen daar? Die daar voor de poort staat?'
'Jawel, die zie ik. Er zit een gringo voorin.'
'Die wil ik buiten werking, de wagen mag niet meer lopen, begrijp je wat ik zeg?'
'Da's niet zo moeilijk. Hij valt in slaap en ik trek de bougies eruit – gebeurt elke avond in Brooklyn. Tenzij je hem dood wilt hebben maar, eerlijk gezegd, generaal, dat doe ik niet.'
'Verrek, nee! Ik wil een boodschap sturen. Zij willen ons in de poeier schieten, jongen, en ik wil ze laten weten dat zoiets niet kan!'
'Wordt voor gezorgd, generaal. Dan wat?'
'Kom terug naar het hotel, naar de verdieping van meneer Pinkus, maar dek je flanken. Vier mannen in stomme zwarte regenjassen zijn naar boven gegaan om ons allemaal te vermoorden. ... Tegen de tijd dat je daar komt heb ik waarschijnlijk al minstens drie van die rotzakken opgeruimd, maar jij zorgt voor de vierde.'
'Hé! Waarom moet jij alle lol hebben? *Ik* zal er drie pakken, jij neemt er één!'
'Jouw spirit staat me wel aan, jongen.'
'Hoe zit het met Desi-Twee?'
'Dat wil ik net uitleggen,' zei Hawkins en hij richtte zich tot Aaron. 'Vertel me eens, commandant, heb jij ergens een huis dat niemand kent, laten we zeggen een stekkie waar je, laten we zeggen, kansarme vrouwen naartoe brengt die jouw gezelschap wel aardig vinden?'
'Bent u gek? U kent Shirley niet!'
'Goed dan, ik begrijp het. ... Maar er moet toch wel een of ander achteraf plekje zijn waar we een paar dagen kunnen blijven?'
'Kijk eens, de firma heeft een skihut gekocht over de grens van New Hampshire omdat een heel betrouwbare cliënt het ineens verschrikkelijk moeilijk kreeg – veel sneeuw is er niet gevallen...'
'Dat is prima! Daar ontmoeten we jullie.'
'Maar hoe weet u waar het is?'
'Dat is eenvoudig, *comandante*,' kwam Desi-Een tussenbeide. 'Desi-Twee pikte alleen maar auto's met *teléfonos* erin. We hebben de *números* voor je opgeschreven.' Desi-Een trok een stuk papier te voorschijn met twee stel nummers erop geschreven. 'Zie je? Mijn amigo heeft zo'n zelfde papier.'
'Jullie twee zijn werkelijk bijzonder. Ik zou graag hebben dat jullie me belden...'
'Geen tijd voor medailles, commandant!' viel de Havik hem vastberaden in de rede. 'Onze opdracht is nog niet voorbij. Neem Sam, zijn moeder en het indiaanse meisje mee naar je huis in New Hamp-

shire. En nu maken jullie dat je hier wegkomt! Er is werk aan de winkel voor mijn sergeant en mij!'

De eerste twee zwarte regenjassen wisten niet wat hen overkwam. Om de ontsnappingswegen veilig te stellen stonden ze beiden bij de buitendeuren en ieder werd op zijn beurt vanaf de trap gepakt door de Havik, bewusteloos geslagen en van al zijn kleren beroofd, ook van hun onderbroeken. De derde huurmoordenaar sloop naar de suite van Pinkus, maar werd gehinderd door een zwalkende, wankelende dronkelap die, toen hij eenmaal voorbij de killer was, zich omdraaide en hem een verlammende chi-saiklap achter in zijn nek verkocht. De vierde en laatste moordenaar liet Hawkins over aan zijn adjudant, Desi-Een. De staf was er tenslotte verantwoordelijk voor dat de steuntroepen vertrouwen in zichzelf kregen. In werkelijkheid bleek het een les in geduld te zijn, het teken van een werkelijk superieure inlichtingenman in het veld, dacht Mac terwijl hij wachtte in de schaduw van de buitendeur waarachter de bewusteloze, naakte eerste killer van SSO lag. D-Een kwam stil uit de lift met zijn witte das en rokkostuum en liep, eveneens stilletjes, halverwege de gang in. Vervolgens ging hij met zijn rug tegen de muur tegenover de suite van Pinkus staan. Voor wat zowat een uur leek, maar in werkelijkheid nog geen acht minuten duurde, bleef Desi-Een onbeweeglijk staan, nauwelijks ademhalend. Toen ging er, twee deuren links van hem, een deur open en een man in een zwarte regenjas kwam naar buiten met een pistool in zijn hand.

'*Iguana, José!*' brulde D-Een, de killer zozeer verrassend dat die nooit wist hoe het wapen uit zijn hand werd getrapt, noch zou hij ooit weten hoe hij bewusteloos werd geslagen door een snelle harde vuistslag, midden op zijn voorhoofd.

'Buitengewoon!' zei de generaal en hij kwam uit de schaduw te voorschijn. 'Ik wist dat je het in je had, jongen.'

'Waarom deed jij het niet, verdomme!'

'Beoordeling in het veld, jongen! Zo komen we allemaal vooruit.'

'Het had mijn dood wel kunnen zijn!'

'Ik had alle vertrouwen in jou, sergeant. Jij bent zeer geschikt voor een gevorderde inlichtingencursus.'

'Is dat goed?'

'Daar praten we later wel over. Nu moeten we deze clown helemaal uitkleden en maken dat we hier wegkomen. We zitten allemaal in de knoei. We moeten ons concentreren op onze volgende stappen en voor jou en mij betekent dat ons voegen bij de anderen ergens in het noorden.'

'Geen probleem, generaal. Voordat ik hierheen kwam heb ik met mijn amigo gesproken over de auto*teléfono*. Waar ze ook heengaan, Desi-Twee zal in de auto blijven om me te vertellen waar ze zitten.'

'Prima tactiek, jongen...' De Havik zweeg toen hij een deur hoorde opengaan en vervolgens stemmen hoorde. Een echtpaar van middelbare leeftijd, kennelijk hotelgasten, kwam hun kamer uit. 'Snel!' fluisterde Mac en hij pakte het bewusteloze lichaam op de vloer vast. 'Zet hem rechtop, alsof hij net heeft gekotst.'

'Hij kwam uit die deur daar, generaal. Die staat nog open!'

'Kom op!' Samen sleepten Hawkins en zijn adjudant de slappe gestalte naar de open deur onder de verbaasde blikken van de hotelgasten.

'Het is daar beneden een *krankzinnige* bruiloft, amigos!' riep Desi-Een terwijl hij achterom keek. 'Willen jullie soms meedoen?'

'Nee... Nee, dank u,' zei de man en hij liep snel met zijn vrouw naar de liften.

De skihut in de heuvels van Hooksett, New Hampshire, was rustiek en stevig gebouwd, verlaten en vochtig en zou zelfs in haar beste tijd nauwelijks twee sterren waard zijn in de minst imposante reisgidsen. Maar het was een toevluchtsoord en alles werkte er wat elektriciteit, verwarming en telefoons betrof. Bovendien, omdat ze nauwelijks meer dan een uur rijden van Boston lag, vond Aaron Pinkus Associates het een geschikte schuilplaats buiten de stad voor advocaten of teams van advocaten die belangrijke zaken moesten wikken en wegen. Ze was zelfs zo populair geworden dat Aaron besloten had het huis niet te verkopen maar het liever geleidelijk wat bruikbaarder te laten renoveren.

'We moeten echt die twee auto's terugbrengen,' zei Pinkus bezorgd tegen de Havik terwijl ze naast elkaar in diepe leren leunstoelen in de vroegere foyer van de hut zaten. 'De politie zal er overal naar zoeken.'

'Maak je geen zorgen, commandant. Mijn adjudanten hebben ze gecamoufleerd als wagens van uit de jaren veertig.'

'Daar gaat het niet om, generaal. Het is diefstal en Sam en ik – rechtsfunctionarissen, wilt u dat niet vergeten – waren medeplichtig. Ik moet er echt op staan.'

'Och, verrek, al die details! Goed dan, ik zal ze door de sergeanten terug laten rijden en ze in de straat van het hotel laten parkeren. Het is daar nu donker en zelfs wanneer ze opgepikt worden zullen die smerissen niet weten hoe ze zonder broek op de achterbank van hun politiewagens terechtkwamen. Háhá!'

'Hartelijk bedankt, generaal.'
'Vervolgens kunnen ze een paar andere wagens pikken...'
'Alstublieft! Dat zal niet nodig zijn. Mijn firma heeft een permanente afspraak met een autoverhuurbedrijf en mijn chauffeur, Paddy, kan de ene auto hierheen rijden en een vriend van hem de andere.'
'Ze zullen mijn adjudanten moeten oppikken. Ik kan ze nog niet ontslaan.'
'Natuurlijk. Onder de omstandigheden die u hebt beschreven zou ik me veel beter voelen wanneer die twee jongemannen in de buurt waren. Kom, ik zal het adres van het autoverhuurbedrijf opschrijven; dan kunnen ze elkaar daar ontmoeten.' Pinkus haalde een notitieblok uit zijn zak.
'Aaron, voor alles is gezorgd!' zei Devereaux, iets harder dan nodig was terwijl hij naast Jennifer Redwing de namaakAlpenfoyer inliep. 'De supermarkt in Hooksett bezorgt een hele stapel spullen en Red hier zei dat ze kon koken.'
'Hoe willen jullie de krat met half gin en half bourbon?' vroeg Jenny. 'Gebakken?'
'Dat zijn industriële smeermiddelen, jongedame.'
'En waarschijnlijk geboekt op jouw eigen onkostennota,' voegde Pinkus eraan toe. 'Hoe heb je onze aanwezigheid uitgelegd?'
'Ik zei dat ons hele eerste team hier zat te blokken op een ingewikkelde testamentaire verificatie.'
'Waarom dat?'
'Volgens hen klinkt dat sexy. Geloofwaardigheid, Aaron.'
'Meneer Pinkus?' kwam Redwing voor de zestigste keer in twaalf uur tussenbeide en ze keek Sam woedend aan. 'Ik zou graag uw telefoon gebruiken om San Francisco te bellen. Op mijn rekening, natuurlijk.'
'Beste juffrouw, u kunt dan misschien een lucratieve carrière bij mijn firma afwijzen, maar ik laat me niet in verlegenheid brengen door zo'n smoesje van op eigen rekening bellen. U kunt rustig bellen in wat vroeger het kantoortje van de manager was, achter de balie daarginds – veel stelde hij niet voor als manager en veel stelt het niet voor als kantoor, maar u bent er alleen en verzekerd van uw privacy.'
'Dank u hartelijk.' Jennifer draaide zich om en liep naar het vroegere kantoor van de hut terwijl Hawkins opstond.
'Heb je mijn sergeanten gezien, Sam?' vroeg hij.
'Je zult het niet geloven, maar ze zijn hierachter ergens onder aan de heuvel, zowat honderd meter naar rechts, en proberen die oude

verroeste lift weer op gang te krijgen.'

'Heel ondernemend,' zei Aaron.

'Heel stom,' zei Devereaux. 'Die verdomde kabel heeft vanaf het begin nooit behoorlijk gewerkt. Ik heb er eens tien meter hoog bijna een uur vastgezeten terwijl mijn dame voor die dag zeven meter voor me zat te gillen als een speenvarken. We zijn direct toen we weer beneden waren teruggereden naar Boston en ik heb nooit de binnenkant van de slaapkamer gezien.'

'Ik vermoed zo dat je er meer dan een hebt gezien nadat wij de hypotheek hadden overgenomen.'

'Hè, toe nou, Aaron. Je hebt me zelf eens gezegd dat ik uit het kantoor moest verdwijnen en hierheen moest gaan om af te koelen.'

'Je was woedend omdat je een zaak had verloren die je had moeten winnen,' zei Pinkus. Hij schreef wat op het notitieblok, scheurde een velletje eraf en gaf het aan de generaal. 'Omdat de rechter een onwetende politieke druif was die jouw redenering niet kon volgen.'

'Ik kan dat juridisch geouwehoer niet volgen,' verklaarde de Havik. 'Ik ga zelf mijn adjudanten wel zoeken. Ik heb besloten met hen naar Boston te gaan. Kleine Jozef zei dat hij wilde praten en daarom geloof ik dat ik hem maar eens zal gaan verrassen, voordat onze officiële bespreking begint. ... Is dit het adres van het autoverhuurbedrijf?' Aaron knikte en de Havik liep naar de deur. 'Ik kom wel op eigen gelegenheid terug. Ik wil dat jullie hier twee wagens hebben.'

'Prima, generaal. En wanneer juffrouw Redwing klaar is zal ik Paddy Lafferty bellen en alles in werking zetten.'

'Goed idee, commandant.'

'Ik zou op willen staan om te salueren, generaal Hawkins, maar ik geloof niet dat ik dat klaarspeel.'

Redwing sloot de deur van het kantoortje achter de balie, ging aan het bureau zitten en pakte de hoorn van de haak. Ze toetste het nummer van haar flat in San Francisco en schrok ervan dat ze, nog voordat het eerste belsignaal voorbij was, de opgewonden stem van haar broer aan de lijn had.

'Ja?'

'Charlie, met mij...'

'Waar heb jij, verdómme, gezeten? Ik probeer al uren jou te pakken te krijgen!'

'Het is allemaal te absurd, te ongelooflijk en te waanzinnig om te...'

'Probeer ál die adjectieven maar eens op wat ík te weten ben gekomen!' viel haar jongere broer haar in de rede. 'Die halfgare kloteklapper heeft ons allemaal, letterlijk allemaal, mat gezet. We zijn belázerd!'

'Charlie, doe nu eens rustig aan,' zei Jennifer en in tegenstelling tot die woorden voelde ze haar bloeddruk tot ontzagwekkende hoogte stijgen. 'Wees rustig en praat langzaam.'

'Dat is alletwee onmogelijk, zus.'

'Probéér het maar, Charlie.'

'Goed dan.' In San Francisco haalde haar broer een paar keer hoorbaar diep adem en deed zijn best samenhangend te spreken. 'Zonder dat ik het wist, zonder dat iemand me dat vertelde, heeft ons opperhoofd Donderkop de Raad van Ouderen bijeengeroepen met de een of andere voddebaal van een advocaat uit Chicago erbij die het hoogste woord voerde, en heeft hij zichzelf wettig laten verklaren tot tijdelijke en absolute scheidsman van de Wopotami-stam voor een periode van zes maanden.'

'Dat kan hij niet máken!'

'Dat heeft hij gedaan, zusje. Genotariseerd, geautoriseerd en erkend door de rechtbank.'

'Hij moet iets in ruil hebben gegeven!'

'Dat heeft hij ook. Een miljoen dollar, te verdelen onder de vijf leden van de Raad, met binnen zes maanden nog een paar miljoen meer voor de hele stam.'

'Omkoperij!'

'Vertel me eens iets wat ik nog niet weet.'

'We slepen ze voor de rechtbank!'

'En niet alleen verliezen maar ook onze broeders en zusters nog eens voor gek zetten en zwaar in de schulden steken?'

'Wat bedoel je?'

'Om te beginnen, wat dacht je van oom Arendsoog die in een of andere woestijn in Arizona een gemeenschapsverblijf heeft gekocht voor de ouderen van de stam, waar ze in honderd jaar nog geen sanitair zullen hebben, als het er al ooit komt. En tante Herteneus die namens onze vrouwen heeft geïnvesteerd in een oliebron op de hoek van Forty-first Street en Lexington Avenue in New York City, en neef Antilopevoet die een meerderheidsbelang heeft genomen in een distilleerderij in Saoedi-Arabië, waar ze niet alleen geen drank maken maar het niet eens drinken!'

'Ze zijn allemaal boven de tachtig!'

'Mentaal competent verklaard door die luizebol van een advocaat uit Chicago en goedgekeurd door de rechtbank van Omaha.'

'Dat kan ik gewoon niet geloven, Charlie. Ik heb het grootste deel van de middag met Hawkins doorgebracht en na een wat stroef begin bond hij in. Nog maar een paar uur geleden was hij zo berouwvol, zo oprecht. Hij zei me dat het juist was wat we deden met die trust onder rechtspersoon, dat hij zou instemmen met alles wat door de Raad van ouderen werd goedgekeurd.'

'Waarom ook niet? Hij ís de Raad van ouderen.'

16

Jennifer liep niet vanuit het kantoortje de Alpenfoyer in, ze viel er binnen als een vliegende storm. 'Waar is hij?' vroeg ze, en in haar stem klonk naderende donder, haar ogen schoten vuur. 'Waar zít die klootzak?'

'Je bedoelt Sam zeker,' antwoordde Aaron Pinkus. Hij leunde voorover in de leren leunstoel en wees op de deur naar de keuken. 'Hij zei dat hij ineens weer wist waar hij een fles gin had verstopt, op een plek waar zijn kleinere collega's er niet bij konden.'

'Nee, over die klootzak heb ik het niet, ik bedoel die andere! Die zoetgevooisde idioot van een buffel die straks te maken krijgt met de gecombineerde toorn van de Sioux en de Comanches, uit de hand van een ziedende dochter van de Wopotami's.'

'Onze generaal?'

'Daar kun je je tooches onder verwedden!'

'Spreekt u Jiddisch?'

'Ik ben advocaat; dat hoort er zo bij. Waar zit die rotzak?'

'Och, het spijt me, maar het stelt me ook enigszins gerust te kunnen melden dat hij met zijn twee adjudanten naar Boston is vertrokken. Hij zei iets over een bespreking met een man die "Kleine Jozef" heet, kennelijk de man die hem belde in het Ritz-Carlton. Onze twee gestolen wagens scheurden net de oprijlaan af, Abraham zij gedankt. Met Gods zegen zullen ze zonder ongelukken worden teruggebracht.'

'Menéér Pinkus! Weet u wat die onuitstaanbare, afschuwelijke kerel heeft gedáán?'

'Ik denk dat het te veel afgrijselijkheden zijn om een encyclopedie van gemiddelde omvang mee te vullen. Maar de laatste heb ik kennelijk niet gehoord en ik vermoed dat u me die gaat vertellen.'

'Hij heeft onze stam omgekocht!'

'Ongehoord! Hoe kon hij zoiets voor elkaar krijgen?' Redwing vertelde de advocaat uit Boston alles wat ze van haar broer Charlie had gehoord. 'Mag ik u misschien een paar vragen stellen?'

'Natuurlijk,' zei Jennifer en ze liet zich in de leunstoel naast die van Pinkus vallen. 'We zijn belazerd,' voegde ze er zacht en ontmoedigd aan toe. 'We zijn écht belazerd!'

'Dat hoeft nog niet, beste juffrouw. Eerst eens die Raad van Ouderen. Het kunnen verstandige en geweldige mensen zijn, maar zijn ze wettig aangewezen als curator met bevoegdheid om te procederen voor de Wopotami-stam?'

'Ja,' mompelde Red.

'Pardon?'

'Dat was mijn idee,' zei Jennifer, maar iets luider en haar verlegenheid was duidelijk. 'Het gaf hun de trots die ze hard nodig hadden en ik had nooit – nóóit – gedacht dat ze ooit zouden vergaderen over welke belangrijke beslissing dan ook, zonder mij te consulteren of, voor het geval ik overleden was, de anderen van onze groep.'

'Ik begrijp het. Waren er nog codicils bij dat curatorschap met procesbevoegdheid, bijvoorbeeld in de zin van het overlijden van één of alle benoemden? Vervangingen, misschien?'

'Daarover moest worden gestemd door de resterende leden van de Raad.'

'Zijn er dergelijke vervangingen geweest... die, laten we zeggen, door generaal Hawkins zijn "omgekocht"?'

'Nee. Ze leven allemaal nog. Dat komt door dat rode buffelvlees in hun dieet, denk ik.'

'Ik begrijp het. En is er iets in die verklaring tot procesbevoegdheid dat wat zegt over de uitverkoren kinderen van de stam die in feite de fiduciaire beslissingen voor uw stam nemen?'

'Nee, dat zou vernederend zijn geweest. "Gezicht" is verschrikkelijk belangrijk voor een Indiaan, net als bij oosterse volkeren. We wisten gewoon – we namen aan dat we dat wisten – dat een van ons gebeld zou worden als er problemen zouden komen. ... Eigenlijk zou ik gebeld worden.'

'U bedoelt natuurlijk in werkelijkheid.'

'Jazeker.'

'Maar juridisch gezien is er geen voorwaarde in de stichtingsdocumenten die het functioneren van uw groep verheldert en verklaart?'

'Nee. ... Ook hier weer trots, welgemeende trots. Het opnemen van zo'n voorwaarde zou betekenen dat er een raad bóven de ouderen is en dat is voor onze stamtraditie niet aanvaardbaar. Begrijpt u nu wat ik bedoel? Die afschuwelijke man is de baas over mijn stam. Hij kan in hun naam zeggen en doen wat hij wil.'

'Ik neem aan dat u hem altijd kunt aanvallen voor de rechtbank, volgens de artikelen van samenzwering en mogelijke fraude. Maar door dat te doen zou u uw hele verhaal moeten vertellen en dat kan voor om de hand liggende redenen uiterst schadelijk zijn. Uw broer heeft het ook terecht gezegd – u zou kunnen verliezen.'

'Meneer Pinkus, van de Raad van vijf Ouderen zijn drie mannen en een vrouw boven de tachtig, en de vijfde is achtenzeventig. Ze zijn geen van allen in staat met deze juridische complicaties om te gaan, nu niet en dertig jaar geleden niet, nog voor geen cent!'

'Ze hoeven niet "in staat" te zijn, juffrouw Redwing, ze hoeven alleen maar voldoende competent te zijn om de transactie met alle voordelen en risico's te begrijpen. Ik meen te mogen zeggen dat ze dat waren, misschien zelfs enthousiast, zelfs met uitsluiting van uzelf.'

'En ik durf te beweren dat zoiets onmogelijk is!'

'Toe nou, beste juffrouw, een miljoen dollar in contanten met de belofte van nog een paar miljoen binnen afzienbare tijd? In ruil voor wat? Een tijdelijk bezit van wat naar hun weten hooguit een eretitel was? Het moet onweerstaanbaar zijn geweest. ... "Laat dat dwaze bleekgezicht maar een paar maanden lol hebben, wat kan dat voor kwaad"?'

'Het was niet volledig openbaar gemaakt,' hield Jennifer vol.

'Dat hoeft ook niet. Als alle zakelijke onderhandelingen openbaar gemaakt moesten worden door alle betrokken partijen, zou ons economisch systeem ineenstorten, dat weet u.'

'Niet wanneer het om fraude gaat, meneer Pinkus.'

'Zeker niet, maar hoe kunt u fraude bewijzen? Voor zover ik het heb begrepen beloofde hij miljoenen op basis van het feit dat hij de bezittingen van de stam zou verdubbelen, dat hij hen rijker zou maken dan ze zich in hun stoutste dromen hadden voorgesteld; vervolgens heeft hij zijn aanbod versterkt door een eerste compensatie van een miljoen dollar, handje contantje, zoals dat heet.'

'Ze hebben het niet begrepen! Ze beseften niet dat hij van plan was hen tot eisers te maken in het opzienbarendste proces tegen de federale regering in de geschiedenis van het land – mijn god, het *Strategic Air Command*!'

'Kennelijk hebben ze zich er ook niet met enige mate van intense nieuwsgierigheid mee beziggehouden hoe hij hen zo onmetelijk rijk kon maken. In plaats daarvan hebben ze het miljoen aangenomen en het uitgegeven – naar ik vermoed tamelijk onbezonnen. ... En vergeef me, juffrouw Redwing, maar volgens mij was uw broer maar al te goed op de hoogte van de plannen van de generaal. Hij was zelfs duidelijk medeplichtig...'

'Hij dacht dat het allemaal een grapje was!' riep Redwing uit terwijl ze voorover leunde. 'Een onschuldig grápje waardoor de stam een heleboel geld kreeg, de toeristen op hen af zouden komen en ze allemaal veel plezier zouden beleven!'

'Is het Hooggerechtshof een lolletje...?'

'Hij geloofde niet dat het zelfs maar van de grond zou komen,' zei Jennifer verontschuldigend. 'Bovendien had hij geen idee van de miljoen dollar of de afspraak die Hawkins maakte met de Raad. Hij was verbijsterd!'

'Gebrek aan communicatie tussen bevriende partners is geen grond voor fraude of samenzwering, behalve misschien tussen de partijen zelf, waardoor ze vervolgens met elkaar in conflict zouden komen.'

'U beweert dat de Raad mijn broer *met opzet* informatie onthield.'

'Ik vrees van wel. Zoals hij die hun in hoge mate onthield.'

'En als wij, onze groep, ons er nu ineens eens mee gaan bemoeien...'

'Waartoe u geen enkel wettig recht hebt,' viel Aaron haar zacht in de rede.

'...en het hele verhaal vertellen,' vervolgde Redwing, terwijl haar ogen wijd opengingen van verbazing, 'dan zou zoiets geïnterpreteerd worden als een zelfzuchtige daad van onze kant om het geld in handen te krijgen, het van hen te stelen als er ooit geld kwam! ... Mijn god, alles staat op zijn kop! Het is te dol!'

'Ja, beste juffrouw, dol – als een havik. De generaal zou een uitstekende bedrijfsadvocaat zijn geweest.'

Plotseling kwam er op het open balkon van de eerste verdieping boven de Alpenfoyer een gedaante uit een deur en liep naar de leuning. Het was Eleanor Devereaux, met keurig gekapt haar en een vorstelijke houding, helemaal de deftige dame. 'Ik heb zojuist afschuwelijk gedroomd,' verklaarde ze, volledig meester over haar stem en woorden. 'Ik droomde dat die dolle generaal Custer en al die woeste indianen in de slag bij Little Big Horn samenspanden en een volgepakt congres van de Amerikaanse Advocatenvereniging aanvielen. De advocaten werden allemaal gescalpeerd.'

De rijzige, gebogen oudere heer in de lange bruine overjas en met een zwarte baret op, zou thuis kunnen zijn op elk van de verschillende universiteiten in Boston en omgeving, een professor, streng van gezicht maar toch ook wat in verwarring door de weelde van de lobby in de Vier Jaargetijden. Hij bleef maar rondkijken vanachter zijn dikke uilebril en begaf zich ten slotte naar de liften, na kort even doelloos door de ruimte te hebben gedwaald.

Er was natuurlijk niets doelloos aan de verkenning van de Havik en zijn hele uiterlijk was nep. Een eerdere verkenning had hem geleerd waar elk schemerig hoekje was en elke minder opvallende zitplaats, en hij leek in niets op de reus in bukskin die vijf uur geleden een zekere Caesar Boccegallupo uit Brooklyn, New York, zwaar invalide had gemaakt. Een ervaren soldaat trok geen vijandelijk gebied binnen zonder het terrein te verkennen. Er waren geen verrassingen, dus liep de generaal een lift in en drukte de knop in van Kleine Joey's etage.

'Etagedienst,' zei Hawkins en klopte op de deur.

'Die heb ik al!' riep de stem in de kamer. '... O, de in drank gesopte en in brand gestoken appelen en peren? Ik dacht dat die later kwamen!' De deur ging open en een stomverbaasde Joey de Smurf kon alleen maar uitroepen: 'Jíj! Wat doe jij, verdomme, hier?'

'Voordat er vergaderingen tussen commandanten plaatsvinden zijn er meestal voorbesprekingen tussen hun ondergeschikten, om de agenda's af te stemmen,' antwoordde de Havik, Joey opzij duwend terwijl hij de kamer inliep. 'Aangezien ik mijn huidige adjudanten ongeschikt vind voor die taak – zuiver om linguïstische redenen – ben ik maar in hun plaats gekomen.'

'Flapdrol, je kunt voor mijn part onder de tram lopen!' riep de Smurf en hij smeet de deur dicht. 'Ik heb al genoeg te verwerken, jou heb ik niet nodig.'

'Maar heb je dan je appelen en peren *flambé* niet nodig?'

'Heel lekker, een heerlijke combinatie van geschroeid fruit, en de geur is zeer vol, een ware ervaring voor de reukzin.'

'Wat?'

'Het ruikt lekker. Dat heb ik op een menukaart in Vegas gelezen. Tsjonges, mijn mama zou uit haar graf opstaan als ze wist dat ik een peer in brand had gestoken en mijn papa zou me met zijn riem ervan langs hebben gegeven! Maar wat wisten zij nou, moge ze rusten in eeuwige vrede.' Joey sloeg een kruisteken, keek de generaal aan en zei toen fel: 'Laten we nou maar ophouden met al dat deftige gelul, wat doe jij hier?'

'Dat heb ik net uitgelegd. Voordat ik formeel in vergadering ga met jouw meerdere zou ik een paar zaken heel wat duidelijker willen zien. Mijn rang vereist dat en ik sta erop.'

'Je kunt eisen en ergens op staan wat je wilt, generaal Flapdrol, maar de grote baas is geen lullig soldaatje. Ik bedoel maar, hij vliegt hoog in de hemel rond met de aartsengelen van de regering, voel je wat ik bedoel?'

'Ik heb er in mijn tijd de nodige ontmoet, Jozef, en juist om die redenen wil ik een volledig inlichtingenrapport, anders is er geen bespreking.'

'Hé, op het graf van mijn tante Angelina, het is voor je eigen bestwil!'

'Dat zal ik wel beoordelen.'

'Ik kan je niks vertellen zonder toestemming, dat moet je begrijpen.'

'Stel dat ik een voor een je vingernagels uittrek, Kleine Jozef?'

'Hè, toe nou, flapdrol, daar hebben we het al over gehad. Onder al dat geouwehoer ben jij misschien een harde vent, maar je bent geen krijsende nazi. ... Hier, *hier* heb je mijn handen! Moet ik soms de etagedienst bellen om een tangetje?'

'Hou er mee op, Jozef. ... Wat jij zo schrander hebt begrepen moet tussen deze vier muren blijven!'

'Als je soms bedoelt dat je geen tangetje wilt, vergeet het maar. Dat heb ik al gezegd tegen een dozijn *capitanos* in het leger van Mussolini – die vetkwal!'

De telefoon ging over.

'Dat moet jouw verbinding zijn, Jozef. Soms is de waarheid de beste weg. Zeg tegen je meerdere dat ik hier ben – bij jou in de kamer!'

'De tijd klopt,' zei de Smurf en hij keek op zijn horloge. 'Hij moet nu alleen zijn.'

'Doe wat ik zeg.'

'Heb ik soms een keus? Dat je niet gesteld bent op vingernagels kan ik begrijpen, maar die bovenmaatse klauw van jou om mijn nek terwijl je me de hoorn afgraait is wat anders.' Kleine Joey liep naar de telefoon naast het bed en pakte de hoorn op. 'Ik ben het,' zei hij 'en de grote generaal Flapdrol staat maar drie meter van me vandaan, Boem-Boem. Hij wil met je praten, alleen weet hij niet met wie hij praat, maar ik hecht waarde aan mijn vingers als je begrijpt wat ik bedoel, in Vegas-termen gesproken, hè?'

'Geef maar door, Joey,' zei de rustige stem van Vincent Mangecavallo.

'Hier,' riep de Smurf en hij stak Hawkins de hoorn toe, die snel aan kwam lopen en hem afpakte.

'Met Commandant X,' zei de Havik in het mondstuk. 'Ik neem aan dat ik spreek met commandant Y.'

'Jij bent generaal MacKenzie Hawkins, legernummer twee-nul-een-vijf-zeven, Amerikaanse leger, tweemaal begiftigd met de Eremedaille van het Congres en de grootste klootzak die het Pentagon ooit te logeren heeft gehad. Is dat juist?'

'Nou ja, bepaalde beoordelingen zijn niet noodzakelijkerwijs definitief. ... Wie ben jij, verdomme?'

'Ik ben een man die jou nauwelijks een dag geleden in je graf wilde helpen – met volledige militaire eer natuurlijk – maar die nu alleen maar wil dat je in leven blijft en boven de grond, is dat duidelijk?'

'Nee, dat is het niet, hunkiedunk uit Washington. Waarom ben je overgelopen?'

'Omdat de *zabagliones* die jouw overlijdensakte wilden hebben nu achter die van mij aan zitten, en dat vind ik niet leuk.'

'*Zabagliones*? ... Kleine Jozef hier...? Was jíj die clown die die kolerelijer Caesar en-hoe-hij-verder-ook-mag-heten naar de Vier Jaargetijden hebt gestuurd?'

'Tot mijn schande en mijn gebrek aan respect, ja, dat heb ik gedaan. Wat kan ik zeggen?'

'Rustig aan maar, jongen, het was niet jouw fout, het was de zijne. Hij was gewoon niet erg slim en ik had twee hele gewiekste adjudanten.'

'Wat?'

'Ik wil niet dat je jezelf te hard valt. De staf moet nu eenmaal rekenen op onverwachte projectielen, dat soort dingen leer je op de Hogere Krijgsschool.'

'Waar heb je het, verdomme, nou weer over?'

'Ik geloof dat jij nu niet precies in de wieg bent gelegd voor officier. Wat kan ik anders zeggen?'

'Je kunt naar me luisteren, dat kun je. ... Ik ben pisnijdig dat bepaalde mensen van wie ik dacht dat ze groot respect voor me hadden, me nu in dat graf willen zien dat we voor jou bestemd hadden – alleen willen ze mij nu erbij zien liggen, wat ik onbehoorlijk vind, *capisce*?'

'Dus waaraan had je gedacht, meneer Zondernaam?'

'Ik wil gezond en in leven blijven zodat ik die deftige, respectabele types precies zo kan bejegenen zoals zij mij zouden bejegenen. De rotzakken onder de zoden stoppen.'

'Rustig aan, commandant Y. Als u het hebt over een-einde-zonder-enig-voorbehoud bij burgerpersoneel dan zal ik een rechtstreeks bevel nodig hebben van de president, mede ondertekend door de voorzitter van de Gezamenlijke Chefs van Staven en de DCI, dat wil zeggen de directeur van de Centrale Inlichtingendienst.'

'Echt waar?'

'Ik verwacht niet dat u weet hoe die dingen gedaan worden...'

'En ik wil niet gedaan hebben wat jij zojuist zei!' viel Mangecavallo hem heftig in de rede. 'Voor een paar eenvoudige moorden heb ik jou niet nodig. Een man kan altijd drek afkopen en in vrede verder leven; wat ik in mijn hoofd heb voor die hagelblanke bloemkolen is je reinste foltering. Ik wil ze geruïneerd zien, failliet – ik wil ze tussen de daklozen zien met net zo'n kredietgrens als Hobo Pete!'

'"Hobo" wie?'

'Vroeger maakte hij de urinoirs in de ondergrondse van Brooklyn schoon – zoiets wil ik voor die rotzakken! Ik wil dat die grafzeikers voor de rest van hun ellendige leven urinoirs in Cairo schoonmaken!'

'Nu je het daarover hebt, commandant Y, toen ik als jong kapitein in de woestijn tegen Rommel vocht, ben ik goed bevriend geraakt met het Egyptische officierskorps...'

'*Basta!*' brulde Mangecavallo en ging direct weer zachter praten, met een stem waar de charme afdroop. 'Neem me niet kwalijk, grote, beroemde generaal. Ik sta behoorlijk onder stress, als je begrijpt wat ik bedoel.'

'Daar mag je niet aan toegeven,' vermaande de Havik. 'We hebben dat allemaal meegemaakt, commandant, maar je mag er niet aan toegeven. Denk erom, je manschappen kijken naar jou voor de kracht die ze misschien zelf missen. Hou je flink en doe je best!'

'Die woorden zal ik koesteren,' zei een deemoedige Vinnie Boem-Boem. 'Maar nu moet ik je waarschuwen...'

'Bedoel je de sso's?' vroeg Hawkins. 'Kleine Jozef heeft je vorige boodschap doorgegeven en de situatie is op dit moment onder controle. De vijandige troepen zijn geneutraliseerd.'

'Wát? Hebben ze je nú al gevonden?'

'Juister gezegd, commandant, wij hebben hen het eerst gezien en we zijn tot de aangewezen actie overgegaan. Mijn manschappen zijn momenteel in een veilig onderkomen en zullen buiten de gevechtslinie blijven.'

'Wat is er dan gebeurd? Waar zijn de Speciale Strijdkrachten?'

'sso's,' verbeterde de Havik. 'De *Onverbeterlijken.* Niet die andere dappere normale kerels die ik getraind heb en die zoveel hebben gegeven. Dit zijn de psychopaten die we nooit helemaal hebben kunnen uitroeien.'

'Maar waar zijn ze dan?'

'Nou ja, nu onderhand waarschijnlijk in de gevangenis, allemaal wegens zedeloos gedrag en als ze daar niet zitten, lopen er vier piemelnaakte kerels de trappen van het Ritz-Carlton hotel op en neer en doen ze alles om niet te worden gezien. ... O, het vijfde lid zit ongetwijfeld nog in een Lincoln die niet kan starten, ook naakt, met een autotelefoon die eruit is getrokken en in de goot kapot is geslagen.'

'Asjemenou!'

'Ik denk dat die boodschap uiteindelijk zal worden doorgegeven aan Washington. ... Laten we nu onze tactiek eens bespreken, commandant. Jij bent kennelijk op de hoogte van mijn agenda, wat zijn jouw plannen?'

'Dezelfde als de jouwe, generaal. Er is een afschuwelijke rotstreek uitgehaald tegen een kleine, naïeve stam van onschuldige oorspronkelijke bewoners van deze prachtige V.S. van A. en een grootmoedige welgestelde natie moet voor schadeloosstelling zorgen. ... Hoe klinkt dat tot dusver?'

'De spijker op zijn kop, soldaat!'

'Wat u nog niet weet, generaal, is dat verschillende leden van het Hooggerechtshof die conclusie van eis van uw advocaat tamelijk overtuigend vonden. Nog lang geen beslissende meerderheid, maar ze praten erover, privé zogezegd.'

'Ik wíst het wel!' riep de Havik triomfantelijk uit. 'Anders zouden ze nooit de Gouden Goldfarb hebben ingeschakeld – die ik, verdomme, eigenlijk ook nog heb getraind!'

'Kén jij Hymie de Orkaan?'

'Verdomd goeie vent, zo sterk als een olifant en met de hersenen van een professor.'

'Hij is professor geweest.'

'Wat zei ik je nou net?'

'Oké, oké,' zei Mangecavallo kalmerend. 'Maar vanwege de situatie rond het SAC en om redenen van nationale veiligheid, staat het Hof niet toe dat de conclusie de eerste acht dagen openbaar wordt gemaakt en de dag voordat die dat wel doet moeten jij en je advocaat achter gesloten deuren verschijnen om mondelinge vragen te beantwoorden. Dan kun je definitief je zaak bepleiten.'

'Daar ben ik op voorbereid, commandant Y. Ik ben er verdomme zowat een heel jaar op voorbereid! Ik juich die uitnodiging toe. Mijn zaak is zo zuiver als goud.'

'Ja, maar dat zijn het Pentagon, de luchtmacht en heel speciaal de defensieleveranciers nou juist niet. Ze willen je bij je kloten grijpen, generaal, je dooie kloten.'

'Als de delegatie die ze vanmiddag naar Boston hebben gestuurd een aanwijzing is van hun gevechtskracht dan loop ik dat Hof binnen in mijn volledige Wopotami-dracht.'

'Jézus! Ik heb gehoord dat er geen dollere, geen gewelddadiger lui bestaan dan zij, op een groep na die ze in een ommuurd gesticht vasthouden, waar ze graag volleyballen door de bewakers over het net te gooien. Die noemen ze de Smerige Vier – die zullen hierna wel achter je aan komen!'

'In dat geval,' zei de Havik met half dichtgeknepen ogen, 'en aannemend dat je ondersteuningspersoneel onder je commando hebt, zou je misschien een peloton kunnen aanwijzen om ons te helpen. Om je de waarheid te zeggen, commandant Y, heb ik maar twee inzetbare ondergeschikten om onze positie te verdedigen, zogezegd.'

'Dat is het probleem, generaal. Onder normale omstandigheden zou ik een hele ploeg ervaren zware jongens sturen om je te beschermen, maar daar is nu geen tijd voor – er is wat tijd voor nodig om zo'n geheime bescherming voor elkaar te krijgen, want het moet volkomen geheim blijven anders verliezen we alles.'

'Dat klinkt als het mietjesgeklets van die kanten onderbroekjes, meneer Zondernaam.'

'Dat is het niet... op het graf van mijn tante Angelina...'

'Dat is de tante van Kleine Jozef.'

'We hebben een grote familie. ... Luister, ik kan twee, misschien drie heel goede compagnons bijeenschrapen op wie je kunt rekenen dat ze hun mond houden als heilige monniken, maar meer dan dat zou een probleem kunnen zijn. Ze zouden gemist worden, er zouden vragen worden gesteld, en er gaan onsmakelijke geruchten de ronde doen zoals: "Voor wie werkt hij?" of "Gisteren zag hij er nog prima uit, wat bedoel je dat hij in het ziekenhuis ligt?" of misschien zelfs: "Ik hoor dat hij alles verteld heeft tegen de familie in Hartford die onze zaakjes wil overnemen – dáárvoor werkt hij!" ... Begrijp je wat ik bedoel, machtige generaal? Als er veel zijn om jou te beschermen zouden er te veel van dat soort vragen op kunnen komen en daarbij kan mijn naam ook weleens boven komen drijven en dat mag niet gebeuren!'

'Zit jij soms in de stront, commandant Y?'

'Dat heb ik je gezegd. Ik zit tegen mijn eigen overlijden aan te kijken. Ik ben *finito, pólvere*, mijn botten zijn al aan het vergaan!'

'Voel je je niet lekker, soldaat...? Volhouden, commandant, de dokters weten ook niet alles.'

'Mijn dokters wel, want die weten geen klote over geneeskunde!'

'Ik zou een andere en misschien nog wel een andere dokter raadplegen...'

'Generaal, toe nou! Ik heb het al eerder uitgelegd. Bepaalde mensen verwachten dat ik binnen een dag of twee veranderd ben in koud gehakt, en zo moet het ook zijn – misschien moet ik zeggen dat het zo moet *lijken* – want zolang ik dood ben kan ik voor jou en voor mezelf werken.'

'Ik ben niet bijzonder religieus,' opperde de Havik peinzend. 'Eerlijk gezegd heb ik te veel bloed vergoten zien worden door al die fanatiekelingen die zeggen dat ze iedereen koud zullen maken die niet gelooft zoals zij geloven. De geschiedenis is er vol van en ik doe daar niet aan mee. We komen allemaal van hetzelfde slijmdier dat uit het water kroop of dezelfde bliksemflits die een primitief stel hersenen in onze koppen slingerde. Niemand heeft dus het recht te beweren exclusief te zijn.'

'Wordt dit een lang verhaal, generaal? Als dat zo is hebben we daar de tijd niet voor.'

'Verrek, nee, het is kort. Als jij dood bent, commandant, ga je zo zeker als twee keer twee geen vijf is niet vanuit dat graf van jou opereren. Op de een of andere manier zie ik jou niet bepaald als een kandidaat voor heropstanding.'

'Jezus Christus!'

'Hij was dat misschien, maar jij niet, soldaat.'

'Ik zal niet dood *zijn*, generaal – ik ga gewoon onderduiken net alsof ik dood wás, *capisce*?'

'Niet helemaal.'

'Zoals ik al zei werken we er nog aan. Het is essentieel dat mijn vijanden – jouw vijanden – denken dat ik niet verder meer meespeel...'

'Waarmee meespeel?'

'Dat stuk dat gaat over jouw dooie kloten en de dooie kloten van iedereen die betrokken is bij dat Wopotami-gezeik van jou!'

'Die opmerking bevalt me helemaal niet, meneer.'

'Verkeerd woordgebruik, ik zweer het op... och, vergeet het maar! Ik bedoel jouw kruistocht voor een onrechtvaardig behandeld volk, wat dacht je daarvan?'

'Iets beter, commandant.'

'Kijk eens, terwijl ik zogenaamd dood ben en niet meer meespeel, zet ik mijn *capo supremos* aan het werk in Wall Street. Ze gaan die SAC-aandelen opblazen tot boven de wolken, op basis van bepaalde herzieningen van het Pentagon wat Omaha betreft, en dan kom jij dat Hooggerechtshof binnenwandelen en ze donderen allemaal omlaag – als een atoombom op al hun leningen die gebaseerd zijn op projecties, en de mietjes van de country club die hun rekeningen niet meer kunnen betalen, gaan pisbakken schoonmaken in Cairo! Snap je, generaal? We krijgen alletwee wat we hebben willen!'

'Ik bespeur een zekere vijandigheid tegenover die mensen.'

'Dat bespeur je goed, Donderkop! Ze willen ons in de drek duwen – ons allemaal! ... We coördineren de zaak via Kleine Joey. Blijf met hem in contact.'

'Ik moet je wel vertellen, commandant, en ik zeg je dit waar Jozef bij is, maar ik geloof echt dat hij misbruik maakt van zijn dagelijkse onkostentoelage. De enige manier waarop je hem kunt bereiken is wanneer hij niet bezig is de etagedienst te bellen, en dat is meestal.'

'Vuile smeerpijp!' brulde Joey de Smurf.

THE WASHINGTON POST
DIRECTEUR CIA OP ZEE OMGEKOMEN?
Kustwacht meldt vergeefse speurtocht van 18 uur in wateren voor Florida
Keys. Privé-jacht overvallen door storm

Key West, 24 aug. – Men vermoedt dat Vincent F. A. Mangecavallo, directeur van de Centrale Inlichtingendienst en gast aan boord van het jacht *Gotcha Baby*, op zee is omgekomen samen met de kapitein en de bemanning van het 34-voets jacht dat gistermorgen om zes uur van haar aanlegplaats in Key West is uitgevaren voor een noodlottige vistocht. Volgens meteorologen stak om ongeveer 10.30 v.m. Oostkusttijd een onverwachte subtropische storm op vanaf de Muertos Cays, die bijna onmiddellijk omliep naar het noorden, van de kustlijn af, maar precies in de koers van het jacht dat bijna vijf uur lang recht naar het oosten was gevaren naar de visgronden bij de koraalriffen. Het zoeken door vliegtuigen en patrouilleboten van de kustwacht zal bij het aanbreken van de dag hervat worden, maar er is weinig hoop op overlevenden, aangezien wordt aangenomen dat het jacht op de riffen te pletter is geslagen.
Toen de president het nieuws vernam legde hij de volgende verklaring af: 'Goeie ouwe Vincent, een groot patriot en een uiterst bekwaam marineofficier. Ik weet zeker dat hij, als hij dan toch moest gaan, het zilte nat verwelkomd heeft als zijn laatste rustplaats. Hij is nu één met de vissen.'
Bij het ministerie van marine is echter nergens geregistreerd dat de heer Mangecavallo ooit marineofficier is geweest, of dat hij zelfs maar bij de marine heeft gediend. Toen dit werd medegedeeld aan de president maakte hij een korte opmerking. 'Mijn vriendjes moeten hun archief maar eens in orde maken. Vinnie heeft gediend op het Caribisch oorlogstoneel met Griekse partizanen op patrouilleboten. Wat duivekater sakkerloot nogantoe, wat mankeert die nieuwbakken zeelui?' Het ministerie van marine had hierop geen commentaar.

The Boston Globe
VIJF NUDISTEN GEARRESTEERD IN
HET RITZ-CARLTON
Vier naakt op dak aangetroffen. Vijfde viel jogger lastig in
park. Allen
claimen regeringsimmuniteit. Washington ontsteld

Boston, 24 aug. – Tijdens een bizarre serie incidenten, waarbij talloze gasten van het Ritz-Carlton hotel beweren op verschillende tijdstippen naakte gedaanten door de gangen te hebben zien rennen, arresteerde de politie van Boston vier naakte, ongewapende mannen die op het dak van het gebouw waren geklommen. Op onverklaarbare wijze smeekten ze om kleren, zonder uit te leggen waarom ze naakt waren, maar ze claimden wel immuniteit op grond van de nationale veiligheid voor hun pogingen vijanden van de v.s. te vernietigen. Een vijfde naakte man werd overmeesterd door een jogger uit Boston, de beroepsworstelaar die bekendstaat als 'Jaws' Houdgreep, die de politie vertelde dat de aanvaller probeerde hem zijn trainingspak afhandig te maken. Informaties in inlichtingenkringen in Washington leverden enkel consternatie op en de onmiddellijke ontkenning dat men op wat voor manier dan ook betrokken was. Een hooggeplaatste, niet nader genoemde zegsman van het ministerie van buitenlandse zaken sprak echter over de gelijkenis tussen de vijf uit Boston en een sekte in Zuid-Californië die uitsluitend naakt misdaden begaat terwijl ze *Over the Rainbow* zingen en met Amerikaanse vlaggetjes zwaaien. 'Het zijn gedegenereerden,' zei de niet nader genoemde zegsman, 'anders zouden ze die vlaggetjes niet dragen. Dat zijn ze vast en zeker, en we weten niet eens wie ze zijn. Zo zie je maar weer eens!'

17

Het was nacht en de zwaargebouwde man van gemiddelde lengte, met een zonnebril op onder een bovenmaatse ruige rode pruik die over zijn oren viel, liep door een schemerachtig, door gaslantaarns verlicht steegje, enkele straten verwijderd van de vissershaven in Key West, Florida. Langs de straat stonden Victoriaanse huisjes dicht opeen, miniatuurversies van hun grotere zusters langs de kustweg. De man tuurde in het halfdonker naar de huisnummers aan de rechterkant totdat hij het adres vond dat hij zocht. Vanbuiten leek het huis op die ernaast en ertegenover, maar in één opzicht was er een duidelijk verschil. Terwijl achter verschillende ramen beneden en op de eerste verdieping lichten brandden, toonde dit huis maar één zwak lampje achter in een benedenkamer. Dat was deel van de code; dít was de geheime plaats van samenkomst.

De vreemdeling met zijn rode pruik beklom de drie smalle trappen naar de veranda en liep op de deur af. Hij klopte op de houten latten tussen de panelen van gebrandschilderd glas, een tevoren afgesproken teken waardoor hij niet hoefde bellen – één klopje, pauze, vier snelle, weer een pauze en nog twee snelle klopjes. *Pom-pompederompom – pompom.* De man vroeg zich af welke geniale spion dat had bedacht. De deur ging open en Vincent Mangecavallo wist meteen het antwoord. De enorme rinoceros van een man die in het gangetje stond was de man die soms koeriersdiensten voor hem verrichtte, met de toepasselijke bijnaam Meat. Zoals gewoonlijk droeg hij een witte zijden das, een wit hemd en een zwart jasje.

'Ben jij de beste man die we hebben in deze klotenoodsituatie op nationale schaal?'

'Hé, Vinnie – je bént het toch, Vinnie? ... Jawel, je bent het, ik ruik de knoflook en de after-shave.'

'*Basta*!' zei de veteraan van het Caribisch oorlogstoneel en liep naar binnen. 'Waar is de *consiglière*? Die moet ik onmiddellijk spreken.'

'Geen *consiglière*,' werd hij onderbroken door een lange slanke man die opdook vanuit een zijdeur in de donkere gang. 'Geen dons, geen mafia-advocaten, geen wapens van de Cosa Nostra, is dat duidelijk?'

'Verrek, wie ben jij?'

'Het verbaast me dat je mijn stem niet herkent...'

'O... jíj?'

'Ja,' zei Smythington-Fontini, in zijn witte jasje met een gele foulard eronder. 'We hebben elkaar wel een paar honderd keer telefonisch gesproken,' vervolgde de elegante Anglo-Italiaan, 'maar we hebben elkaar nooit ontmoet, Vicenzo. Hier is mijn hand, meneer, heb jij de jouwe pas nog gewassen?'

'Je hebt wel lef voor een lamzak, Fontini, dat moet ik zeggen,' antwoordde Mangecavallo en hij gaf hem de kortste handdruk sinds George Patton zijn eerste Russische generaal ontmoette. 'Hoe heb je Meat gevonden?'

'Laten we zeggen dat hij de zwakste ster was aan jouw firmament en ik ben een expert in het varen op de sterren.'

'Dat is geen antwoord op mijn vraag.'

'Laat ik dan maar zeggen dat de don's van Palermo tot Brooklyn, New York, niets te maken willen hebben met deze onderneming. We hebben hun zegen en ze zullen dankbaar elk gul gebaar dat in hun richting wordt gemaakt aanvaarden, maar in de grond genomen opereren we alleen. Zíj hebben jouw compagnon hier uitgekozen.'

'Ik moet een paar dingen doen in Wall Street, een kwestie van persoonlijke eer en zelfrespect, gezien datgene wat tegen mijn fysieke welzijn besloten is. Ik hoop dat dat begrepen wordt – van Palermo tot Brooklyn.'

'Zeer zeker, Vincenzo, een kwestie van eer waaraan moet worden voldaan, maar niet met gelijke munt. Ik herhaal, geen wapens, geen graven, geen *consiglière* die de geldwolven van Wall Street onder druk zet. Jouw familiecompagnons mogen er op geen enkele manier bij betrokken zijn – ze zijn weliswaar niet mijn compagnons, al verwacht ik wel op de hoogte te worden gehouden van alles wat je doet. Uiteindelijk, ouwe jongen, heb ik betaald voor dat verdomde jacht dat we op de riffen aan diggelen hebben laten lopen en ook voor de onbekende, geen Engelssprekende Venezolaanse bemanning die we hebben laten terugvliegen naar Caracas.'

'Meat,' zei Mangecavallo en hij sprak de man aan die hem nu en dan op een bescheiden niveau van dienst was. 'Ga voor jezelf maar een boterham smeren.'

'Waarmee, Vinnie? Deze vent heeft in de keuken alleen maar wat oeroude crackers die kapotgaan als je ze maar even aanraakt en wat kaas die stinkt als tenenkaas!'

'Laat ons even alleen, Meat.'

'Misschien kan ik bellen om een pizza...'

'Geen telefoontjes,' viel de industriële kosmopoliet hem in de rede. 'Waarom hou je de achtertuin niet in de gaten? We willen geen indringers en men heeft me verteld dat jij een expert bent in het verhinderen van een dergelijke inbreuk op onze privacy.'

'Hé, daar heb je, geloof ik, gelijk in,' zei de gesuste Meat. 'En wat die kaas betreft, verrek, ik hou niet eens van parmezaanse, voel je wat ik bedoel?'

'Jazeker.'

'En maak je geen zorgen over inbreuken,' voegde de *capo subordinato* eraan toe terwijl hij naar de keuken liep. 'Ik kan in het donker net zo goed zien als een vleermuis.'

'Een vleermuis heeft niet zulke beste ogen, Meat.'

'Je méént het!'

'Ik meen het echt.'

'Waar heb je hem gevonden?' vroeg Smythington-Fontini terwijl

Meat de keuken inliep. 'En waarom?'

'Hij knapt bepaalde klusjes voor me op en meestal weet hij nauwelijks wat hij doet. Een betere straatgorilla kun je je niet wensen. ... Maar ik ben hier niet om over Meat te praten. Hoe loopt alles?'

'Efficiënt en volgens plan. Morgen heel vroeg zullen de kustwachtpatrouilles wrakstukken vinden, met nog wat reddingsboeien en verschillende persoonlijke bezittingen, waarbij ook jouw drijvende sigarenkoker met je initialen. Natuurlijk wordt dan het zoeken gestaakt en je zult van het unieke privilege kunnen genieten al die geweldige dingen te kunnen lezen die mensen die je niet kunnen uitstaan na je dood over je zeggen.'

'Hé, weet je, sommige van die dingen kunnen best echt gemeend zijn, heb je daar ooit aan gedacht? Ik bedoel maar, bij bepaalde mensen heb ik een boel respect.'

'Niet bij mensen zoals wij, ouwe jongen.'

'Daar heb je dat "ouwe jongens"-gelul weer, hè? Nou, ik wil je wel vertellen, vriendelijke vriend, dat jij het geluk hebt gehad een aristocratische mama te hebben die meer hersens had dan die hoge titel die ze in Boston oppikte ooit had gedroomd. Als zij er niet was geweest zou het enige footballteam waarvan jij de baas bent een bende magere bajesklanten zijn geweest die een balletje trappen in de straten van Liverlake of Liverpool, of hoe het ook mag heten.'

'Zonder de bankconnecties van de Smythingtons zouden de Fontini's nooit internationaal hebben kunnen uitbreiden.'

'O, dus daarom plakte ze de naam Fontini er voorgoed aan vast, dan wisten de mensen die op de hoogte zijn wie de schuldbriefjes oppikte, omdat die deftige paardejongen dat niet kon.'

'Hier komen we niets verder mee...'

'Ik wil je alleen maar onder je neus wrijven waar je zit, Smythie – niet staat, maar zit! De rest van die jongens met zijden ondergoed van jou gaat de vuilnisbak in!'

'Dat heb ik begrepen. Sociaal gezien is dat natuurlijk geen groot verlies.'

'Natuurlijk, paljas. ... Als dus die uitgebreide zoekactie van de kustwacht voorbij is en ik ben overal herdacht, wat gebeurt er dan?'

'Wanneer de juiste tijd is aangebroken voorzie ik dat je gevonden zult worden op een van de verst verwijderde eilanden van de Dry Tortugas. Twee van die Venezolanen zullen erbij zijn en zullen zweren, onder het voortdurend aanroepen van de Heer, van zichzelf en jou, dat het jouw moed en doorzettingsvermogen waren die jullie levens hebben gered. Ze zullen onmiddellijk worden teruggevlogen naar Caracas en verdwijnen.'

'Niet slecht, helemaal niet slecht. Misschien ben je toch nog een echte zoon van je mama.'

'Conceptueel en artistiek gezien geloof ik dat je gelijk hebt,' stemde de magnaat glimlachend in. 'Moeder zei altijd: "Het bloed van de Caesars zal er altijd zijn, als meer van onze neven uit het zuiden maar blauwe ogen en blonde haren hadden zoals ik..." '

'Een echte koningin, zo vol *tolleranza*. ... En hoe zit het met Donderkont? Hoe houden we hem en zijn geschifte indianen boven de grond? Ik kan er niets mee doen als ze onder de zoden liggen.'

'Dat is jouw werk. Kennelijk sta jij als enige met hen in contact...'

'Precies,' zei Mangecavallo. 'Ze zijn allemaal op hun post en alleen ik weet waar ze zijn en zo gaat dat blijven.'

'Als het echt zo gaat blijven kunnen we ze niet beschermen. Je kunt een prooi die je niet kunt vinden ook niet beschermen.'

'Daar heb ik wat op gevonden. Vertel jij me maar wat je in gedachten hebt en als me dat bevalt organiseer ik een bespreking via mijn contactman. Waaraan had je gedacht?'

'Voordat je hierheen vloog zei je over de telefoon dat de generaal en zijn compagnons wat je noemde "veilig onderdak" hadden gevonden, wat ik als zeiler zoiets als "veilige haven" zou noemen, wat eigenlijk betekent dat het schip onderdak heeft gevonden tegen de storm, meestal in een diepe baai, vandaar "veilig onderdak"...'

'Maak jij het jezelf altijd zo moeilijk? ... Ja, ik hoop van harte dat dat is wat het betekent omdat die grote soldaat het zei en als het iets anders betekent hebben we een leger dat mooi naar de barrebiesjes is. Wat wilde je eigenlijk zeggen?'

'Waarom houden we het niet zo?'

'Hoe zo?'

'Het veilige onderdak,' zei Smythington-Fontini langzaam alsof hij het voor de hand liggende verduidelijkte. 'Tenzij we, zoals jij suggereert, een leger hebben in de barrebiesjes, wat in de hoogste inkoopkringen van het Pentagon helemaal niet onwaarschijnlijk is. Maar gezien de recente successen van de generaal moeten we hem maar geloven dat het onderdak inderdaad veilig is en beschut tegen de storm.'

'De storm?'

'De uitdrukking zoals ik die gebruik houdt het ontkennende in. Ze liggen allemaal in een diepe baai uit de wind en zijn beschermd tegen de elementen. Waarom laten we ze niet waar ze zijn?'

'Ik weet, verdomme, niet waar dat is!'

'Des te beter. ... Weet je contactman dat?'

'Hij kan erachter komen als hij een reden heeft waar Donderkont achterstaat.'

'Je zei over de telefoon dat hij – hoe heet het ook al weer? – "ondersteuningstroepen" nodig had. Zou dat voldoende zijn?'

'Dat mag ik, verdomme, hopen. Die heeft hij nodig. ... Wie had je gedacht?'

'Jouw compagnon met de zeldzame naam Meat, om te beginnen...'

'Vergeet het maar,' zei Mangecavallo. 'Ik heb ander werk voor hem. Wie nog meer?'

'Nou ja, dan hebben we misschien een probleem. Zoals ik al zei staan onze *padrones* van heinde en verre erop dat er geen vindbare connectie is met welke familie ook, zoals wel is gebeurd met de heer Caesar Boccegallupo. Ik neem aan dat Meat een uitzondering vormt omdat hij, als jouw boodschappenjongen, min of meer een ongemeubileerde bovenkamer heeft. Je zei, geloof ik, dat hij jouw "straatgorilla" was.'

'Weet je, ik ga nog eens uit mijn bol van jou, jij bent écht gaga!'

Ik doe mijn best,' zei de magnaat, bijna aan het eind van zijn Latijn. 'Ik vrees dat we op verschillende golflengten zitten.'

'Nou, zorg dan maar dat je op de mijne komt, Smythie! Jij klinkt als die appelflap die de baas is van Buitenlandse Zaken, vriendelijke vriend!'

'Daarom ben ik zoveel waard, zie je dat niet in? Ik begrijp hem; hij is maar net sociaal acceptabel, maar jouw oplossingen, al zijn ze nog zo laag-bij-de-gronds, zijn oneindig produktiever dan de zijne waar het mijn belangen betreft. Ik mag dan de voorkeur geven aan zijn citroen daiquiri's boven jullie zelfgestookte whisky, maar ik weet best hoe ik een biertje met een kopstoot moet bestellen. Waarom denken jullie dat de industriële democratieën zo gezegend tolerant zijn? Misschien eet ik dan liever geen brood met jullie, maar ik wil jullie maar al te graag helpen het te bakken.'

'Weet je, suikerbol, ik geloof dat ik je mama hoor praten. Onder al dat geouwehoer ben je nog de kwaadste niet. Wat gaan we nu dus doen?'

'Aangezien de normale wegen voor jou zijn afgesloten, stel ik voor dat je mannen rekruteert uit een bestaande talententon. Huurlingen.'

'Wie?'

'Beroepssoldaten die te huur zijn. Meestal vormen ze het schuim der aarde, maar ze vechten alleen voor geld en geven geen donder om andere zaken dan geld. Vroeger was het tuig van de richel uit de Wehrmacht, of moordenaars op de vlucht, of militair personeel dat in ongenade was gevallen en dat geen enkel leger nog in dienst wilde nemen, en ik denk dat het voornamelijk om die laatste twee categorieën gaat, omdat de meeste fascisten dood zijn of te oud om nog voor tamboer te spelen of de aanval te blazen. Hoe dan ook, volgens mij is dat het verstandigste.'

'Waar vind ik die brave padvinders? Ik wil daar zo snel mogelijk bescherming hebben.'

'Ik heb de vrijheid genomen een dozijn resumés mee te brengen van een bureau in Washington dat Manpower Plus Plus heet. De bode die ik erheen heb gestuurd, in feite een directeur van mij in Milaan, laat me weten dat alle kandidaten binnen vierentwintig uur beschikbaar zijn, met als mogelijke uitzondering twee lui van wie men verwacht dat ze morgenochtend met succes ui de gevangenis zullen ontsnappen.'

'Ik mag jouw stijl wel, Fontini,' zei de tijdelijk overleden directeur van de CIA. 'Waar zijn die resumés?'

'In de keuken. Kom maar mee. Je kunt tegen Meat zeggen dat hij de veranda aan de voorkant in de gaten moet houden.'

Tien minuten later nam Mangecavallo zijn beslissing, gezeten aan een dikke pijnhouten tafel en met de dossierpapieren uitgespreid voor zich. 'Deze drie,' beval hij.

'Vincenzo, jij bent werkelijk bijzonder,' zei Smythington-Fontini. 'Twee van die drie zou ik zelf ook hebben gekozen, alleen moet ik je zeggen dat die twee op dit moment op het punt staan te ontsnappen uit de Attica-gevangenis, daarom zullen ze erg dankbaar zijn dat ze direct aan het werk kunnen. Maar de derde hoort eigenlijk in een gesticht thuis, een Amerikaanse nazi die aan één stuk door swastika's verbrandt op het terrein van de Verenigde Naties.'

'Die vent die zich voor een bus gooide...'

'Het was geen bus, Vincenzo, het was een politiewagen waar zijn vriend inzat, nog zo'n gek die over Broadway liep in een Gestapo-uniform.'

'Maar toch, hij heeft zich uit de naad gewerkt om te voorkomen dat er iets gebeurde, daarom wil ik hem graag.'

'Toegegeven, al moet betwijfeld worden of hij dat werkelijk wilde doen of daarvóór al verrot was geslagen door een rabbi in Forty-seventh Street.'

'Dat waag ik erop. ... Wanneer kan ik ze in Boston krijgen?'

'Van die eerste twee weten we het morgen pas, na het appel in de gevangenis en onze nazi is erg ongeduldig omdat hij van de bijstand trekt op een kaart die hij gestolen heeft van een uitzuiger die hij in de East River heeft gekieperd.'

'Ik mag hem nu al – niet zijn politiek natuurlijk, dat gezeik bevalt me niet – maar hij kan zijn nut hebben. Al die halfgare kerels kunnen hun nut hebben – zoals je al zei, je hoeft alleen maar op de trom te slaan en op de hoorn te blazen. En als die andere twee ontsnappen zijn ze een geschenk uit de hemel voor onze zaak om een afschuwelijk onrecht te herstellen dat een stam van echte verliezers is aangedaan, die zo dood als een pier zouden zijn als ik niet welwillend tussenbeide was gekomen. Het belangrijkste is dat we de zaakjes zo snel mogelijk voor elkaar krijgen en ze naar Boston sturen en naar dat veilige onderdak, waar dat dan ook is. ... Weet je, het is best mogelijk dat die bloemkolen in Washington de generaal op dit moment al in de peiling hebben.'

'Dat betwijfel ik, ouwe jongen. Als jij niet weet waar hij zit en jouw contactman weet het niet, hoe zou Washington hem dan kunnen vinden?'

'Ik vertrouw die zijden onderbroeken gewoon niet. Die staan voor niets, die duikboten.'

In een vaag verlicht compartiment achter in O'Toole's Bar and Grill, nauwelijks twee straten van Aaron Pinkus Associates, bleef de elegant geklede bankier zacht aandringen bij de secretaresse van middelbare leeftijd door een derde martini aan te bieden.

'O, dat moet ik eigenlijk niet doen, Binky,' protesteerde de vrouw giechelend, terwijl ze nerveus over de linkerkant van haar lange, grijzende haar streek. 'Dat is echt niet zoals het hoort.'

'Wat is niet zoals het hoort?' vroeg de wandelende advertentie voor Brooks Brothers met het correcte hete-aardappel-accent. 'Ik heb je gezegd wat ik voor je voel.'

'Er komen zoveel advocaten van ons kantoor na werktijd hier binnen... en ik ken je eigenlijk pas een uur of zo. Ze zullen gaan praten.'

'Laat ze toch, schat! Wie kan dat wat schelen? Ik heb het duidelijk en volkomen eerlijk gezegd. Die kinderachtige idioten met wie een man als ik verwacht om te gaan interesseren me gewoon niet. Ik geef altijd de voorkeur aan een rijpe vrouw, een vrouw met ervaring en inzicht. ... Kom, proost!' Beiden hieven hun glazen naar hun lippen; maar er was er maar één die dronk, en dat was niet de deftige bankier. 'Och, even iets zakelijks, schat. ... Wanneer denk je dat onze directie met meneer Pinkus kan praten? We hebben het natuurlijk over enkele miljoenen, omdat zijn juridisch advies zeer gezocht is.'

'Binky, dat heb ik je gezegd...' Op dat moment sloot de plotseling verschrikte secretaresse onwillekeurig haar ogen en hikte vier keer achter elkaar. '... Meneer Plinkus heeft me nog niet gebeld.'

'Weet je dan niet waar hij is, liefste?'

'Op dit saxueel – actueel – moment niet, maar zijn chauffeur Paddy Lafferty, belde dat ik bij het autoverhuurbedrijf twee auto's moest bestellen.'

'Werkelijk? Twee?'

'Het ging over de skihut in Hooksett. Dat is in Hew Nampshire, over de grens.'

'Och, nou, het doet er allemaal niet zo toe, gewoon saaie zaken. ... Wil je me even excuseren, schattebout. Zoals ze dat noemen, de natuur roept.'

'Wil je dat ik met je meega?'

'Ik weet niet of dat wel *comme il faut* is, jij erg opwindende dame in volle bloei.'

'*Joehoe*!' gierde de secretaresse en viel op haar martini aan.

Binky de bankier stond op en liep snel naar de telefoon van O'Toole naast de ingang. Hij liet er een munt in vallen en draaide; er werd onmiddellijk opgenomen. 'Oom Bricky?'

'Wie anders?' antwoordde de eigenaar van New Englands grootste bank van lening.

'Met je neef, Binky.'

'Ik hoop dat je je kostje verdiend hebt, jongeman. Voor veel anders deug je niet.'

'Oom Bricky. Ik was écht goed!'

'Ik ben niet geïnteresseerd in je seksuele avontuurtjes, Binky. Wat heb je ontdekt?'

'Het is een skihut in Hooksett. Dat ligt over de grens in New Hampshire.'

Binky de bankier kwam niet meer terug aan het tafeltje en de begripvolle O'Toole zette de beschonken secretaresse in een taxi, betaalde de rit naar haar huis en zwaaide het verwarde gezicht achter het raampje goedendag met een enkel woord. 'Smeerlappen,' zei hij bij zichzelf.

'Met Bricky, ouwe jongen. Het is een skihut in Hooksett, New Hampshire, zowat vijftig kilometer ten noorden van de grens aan Route drieënnegentig. Ik hoor dat er in die buurt maar een paar van die huizen staan, dus moet het niet moeilijk te vinden zijn. Er staan twee auto's met de volgende nummerplaten.' De bankier uit New England met het vale gezicht noemde de nummers en nam de lof in ontvangst die hem werd toegezwaaid door de minister van buitenlandse zaken.

'Prima gedaan, Bricky, het is weer net als vroeger, nietwaar, ouwe jongen?'

'Dat hoop ik maar, ouwe jongen, want als je dit versjteert hoef je het niet te wagen op onze reünie te komen!'

'Maak je geen zorgen, kerel. Ze hebben de Smerige Vier erbij gehaald en dat zijn echte beesten! Ze landen binnen een uur op Logan. ... Denk je dat Smythie er nog op terug zal komen, dat ik mijn jacht bij zijn club mag meren?'

'Ik vermoed dat dat zal afhangen van de resultaten van je bemoeienissen, denk je ook niet?'

'Ik heb alle vertrouwen in ons kwartet, ouwe jongen. Groter gajes heb je nog nooit gezien. Geen enkel medelijden zogezegd. Je zou werkelijk nog op geen kilometer afstand van hen willen komen!'

'Prima gedaan, kerel. Hou me op de hoogte.'

Het was middernacht in de omgeving van Hooksett, New Hampshire, toen een zwarte bestelwagen zonder lichten met afgezette motor de landweg afreed en stopte voor de graveloprit naar de vroegere skihut. Binnen draaide de chauffeur, met de blauwe omtrekken van een uitbarstende vulkaan op zijn voorhoofd getatoeëerd, duidelijk te zien in het maanlicht, zich naar zijn drie metgezellen achter in de wagen. 'Maskers,' zei hij eenvoudig, en de drie haalden uit hun rugzakken maskers van zwarte kousen die ze meteen over hun hoofden trokken. De chauffeur die de leiding had deed hetzelfde op de voorbank en alle vier schikten ze de donkere nylonstof zodanig dat hun ogen dreigend door de uitgesneden gaten tuurden. 'Zwaarste bewapening,' voegde de getatoeëerde meerdere van de ploeg eraan toe, en om zijn lippen speelde een grimmige grijnslach onder de stof. 'Ik wil doden zien, alleen maar doden! Ik wil gruwelen zien, ik wil pijn zien; ik wil bloed zien en vertrokken gezichten, al die fijne dingen die we bij onze training zo goed hebben leren doen!'

'Zoals altijd, majoor!' fluisterde een beer van een man die met zijn handen, evenals de anderen, als een robot in zijn rugzak zocht en er een MAC-10 automatisch geweer uithaalde met vijf magazijnen munitie van elk tachtig schoten, een totaal van vierduizend snel uitgebraakte kogels.

'Vuursteun!' vervolgde de majoor. Hij zag tevreden dat zijn tweede commando al was uitgevoerd. Opnieuw doken handen in rugzakken en er werden handgranaten vastgehaakt aan gevechtsriemen. 'Radio's!' klonk het laatste bevel, en ook dat werd direct gehoorzaamd. Kleine walkie-talkies kwamen te voorschijn en werden in zakken gestoken. 'We gaan! Noord, Zuid, Oost en West, volgens jullie nummers, begrepen?'

Er werd eenstemmig geknikt terwijl de vier Maximaal Onverbeterlijken de wagen uitglipten, op hun buik gingen liggen en vervolgens ieder hun eigen richting opkropen. Dood was hun opdracht en de dood was voor hen het alleenzaligmakende. *Liever dood dan onteerd!*

'Zie jij wat ik zie, amigo?' vroeg Desi-Twee aan Desi-Een. Beiden stonden onder een grote esdoorn en bestudeerden het aflopende landschap in het schaarse maanlicht. 'Krankzinnig, niet?'

'Je moet ze niet zo slecht beoordelen, zoals de gringo's zeggen,' antwoordde Desi-Een. 'Ze hebben nooit 's nacht de kippen of de geiten hoeven bewaken tegen kwaadaardige buren.'

'Dat wéét ik, maar waarom doen ze zo stom? Zwarte koppen die de heuvel opkomen met de maan als een grote kakkerlak, dat is gewoon stom – zoals de gringo's ook zeggen.'

'Zoals de generaal zegt zouden we ze nog wat kunnen leren, maar niet nu. Nu moeten we doen wat hij wil dat we doen. ... En het is ook een zware dag geweest voor al onze aardige nieuwe vrienden, daarom willen we ze niet wakker maken. Ze hebben hun slaap nodig, nietwaar?'

'Er zijn nu geen kippen en geen geiten, alleen maar kwaadaardige buren, wil je dat zeggen?'

'Precies. Dit doen we zelf, oké?'

'Gemakkelijk. Ik neem die twee daarginds en jij pakt die twee aan de andere kant.'

'Oké,' zei Desi-Een terwijl beide mannen in de schaduw hurkten. 'Maar denk eraan, amigo, niemand te erg pijn doen. De generaal zegt dat we aardig moeten zijn tegen krijgsgevangenen.'

'Hé, man, we zijn geen beesten! Zoals de generaal ook zegt, we moeten ons houden aan de jeneverconsequenties. Misschien hadden deze kwaadaardige buren het wel heel moeilijk als kleine jongetjes zoals de generaal van ons zei. Ze hebben waarschijnlijk behoefte aan veel liefde en steun.'

'Hé, man,' vermaande D-Een fluisterend, 'laat al die pastoors die jij zo graag mag jou nou niet doen denken dat je een heilige bent! Geef al die liefde maar wanneer we die slechte *cucarachas* op de keukentafel hebben gelegd, oké?'

'Hé, man, mijn favoriete *padre* zei me altijd wanneer ik Old San Juan inging: "Oog om oog, *niñno, maar zorg ervoor dat jij het eerst schopt – recht in de testiculos...*'

'Een echte man van God, amigo. Kom op!'

'Oproep majoor Vulkaan,' sprak de gedaante met het zwarte masker zacht in zijn radio terwijl hij over de meest zuidelijke route naar de vroegere skihut kroop. 'Meld je, nummer voor nummer.'

'Twee Oost meldt zich, majoor. Geen activiteiten, vijandige of andere.'

'Nummer drie?'

'Drie Noord, meneer. Er brandt een licht in wat een slaapkamer lijkt op de eerste verdieping. Mag ik het uitblazen?'

'Nog niet, soldaat, maar wanneer ik het zeg blaas je iedereen op die binnen zit. Waarschijnlijk een stel gedegenereerden die met elkaar aan het rotzooien zijn. Gedegenereerden zijn het, allemaal primitieve gedegenereerden. Hou je wapen en je granaten gereed.'

'Jazeker, meneer! Ik wil het eerst erop losschieten! Mag ik dat, majoor?'

'Prima houding, soldaat, maar pas wanneer ik het teken geef. Blijf naderen.'

'En ík dan, meneer?' kwam Twee Oost tussenbeide. 'Drie Noord is een verdomde idioot! Weet u nog dat de bewakers hem vonden toen hij bezig was met zijn tanden op het gaas te knauwen? ... *Ik* hoor het eerste lijk te maken!'

'En dan zal ik jou te grazen nemen!' zei Drie Noord. 'Vergeet niet, majoor, Twee Oost heeft afgelopen donderdag bij het eten al die aardbeien afgepakt die voor u bedoeld waren.'

'Daar zit iets in, nummer Drie. Ik had me echt verheugd op die aardbeien.'

'Dat heb ik niet gedaan, majoor. Vier West heeft het gedaan! ... Geef toe klootzak!'

'En, Vier West?' vroeg Vulkaan. 'Heb je echt die aardbeien gejat?'

Stilte.

'Meld je, Vier West!' vervolgde de majoor. 'Betekent je zwijgen dat je schuld bekent? *Antwoord* me, lul. Heb jíj mijn aardbeien gejat?'

Stilte.

'Meld je, Vier West! Geef antwoord!'

Stilte.

'Zijn radio is naar de knoppen,' concludeerde Vulkaan. 'Die verrekte mietjes van inkooplui van het Pentagon! Die verdomde talkie's kosten die hoge omes veertienduizend per stuk terwijl je dezelfde tyfusdingen bij Radio Shack kunt kopen voor zevenentwintig dollar! ... Vier West, ontvang je mij?' Stilte. 'Oké, Drie Noord, hoe dicht zit jij bij hem?'

Stilte.

'Drie Noord, meld je!' Langdurige stilte. 'Verdómme, Drie Noord, geef *antwoord*!' Niets. 'Klootzakken, hebben jullie je batterijen wel gecontroleerd, clowns die jullie zijn?' Opnieuw niets. 'Twee Oost! Meld je nu bij mij.'

Stilte.

'Wat is hier verdomme aan de hand?' schreeuwde majoor Vulkaan bijna en hij vergat even de noodzaak om zacht te communiceren. 'Willen jullie rotzakken mij weleens antwoord geven?'

Stilte, enkele tellen later onderbroken door een vriendelijke stem. 'Aangenaam kennis te maken,' zei Desi-Een en hij kwam vanuit de schaduw het maanlicht inlopen tot hij boven de zwarte gemaskerde indringer stond. 'Je bent krijgsgevangene, amigo meneer, en je zult netjes behandeld worden.'

'Wát?' De majoor klapte zijn hand op zijn wapen maar de beweging was veel te langzaam. De hak van Desi-Eens laars ramde tegen het voorhoofd van Vulkaan, precies midden in zijn getatoeëerde vuurspuwende berg.

'Dat was ik echt niet van plan, meneer de gevangene, maar je zou me pijn gedaan kunnen hebben en dat is niet leuk.'

Jennifer Redwing schrok wakker – er was iets gebeurd; ze kon het voelen, hóren! Natuurlijk kon ze het horen, bedacht ze. Ergens buiten klonken onderdrukt gekreun en schorre kreten. Gewonde honden? Dieren in een val? Ze schoot uit bed en rende naar het raam en ze geloofde haar ogen niet.

Sam Devereaux hoorde lawaai in de verte en trok het tweede kussen over zijn pijnlijke hoofd. Voor ongeveer de vijfhonderdste keer bezwoer hij dat hij nooit meer zou drinken na bij O'Tooles Bar and Grill te zijn weggegaan. Maar het lawaai bleef aanhouden en nadat hij zijn niet bepaald heldere ogen had geopend begreep hij dat het niets te maken had met zijn lichamelijke toestand. Onvast kwam hij uit bed en ging naar het raam. *Holy shit*!

Aaron Pinkus droomde over Shirley, zij het dan een woedende Shirley, wier hoofd bedekt was met elfduizend roze krullers die allemaal tegen hem gilden, elke kruller met zijn eigen mondje dat onophoudelijk open- en dichtging met de snelheid van automatisch vuur. Was hij weer op Omaha Beach? ... Nee, hij was in zijn favoriete slaapkamer in de oude skihut. Wat was dat voor lawaai? Langzaam klom hij uit zijn comfortabele bed en hinkte moeizaam op zijn oude benen naar het raam. *God van Abraham, wat heb Je nu weer gedaan?*

Eleanor Devereaux' slaap werd irriterend onderbroken door de herrie en ze stak instinctmatig haar hand uit naar de telefoon om Cora opdracht te geven de buren te laten arresteren, of wat je dan ook deed aan zo'n schandalig gedrag in Weston, Massachusetts. Helaas was er geen telefoon. In toorn ontstoken zwaaide ze haar benen onder het laken uit, richtte zich in haar volle lengte op en liep naar het raam. *Lieve hemel, dat had ze nog nooit gezien*!

MacKenzie Hawkins was meteen klaarwakker, nog steeds kauwend op zijn sigaar die hij sinds de vroege ochtenduren in zijn mond had gehad. Wat wás dat in 's hemelsnaam? Vietnam? Korea? Varkens die gilden bij de boerderij van een of andere boer die door hun troepen werd beschermd? Jezus! Waar waren zijn adjudanten? Waarom hadden ze hem niet gewaarschuwd voor de vijandelijke aanval? ... Nee, besefte hij toen hij de zachte vulling voelde van het kussen waarop zijn hoofd lag – je had geen kussens in een gevechtsbivak! Waar wás hij dan? ... Bij Hannibals legioenen, hij was in de skihut van commandant Pinkus! Hij sprong uit zijn comfortabele burgerbed, dat hij haatte omdat het de hardheid miste van een militaire krib, en rende in zijn ondergoed naar het raam. *Djengiz Khan, vergeef me, maar zelfs ik zou niet aan zoiets hebben gedacht, grote heer!*

Als voetgangers die getuige willen zijn van het afgrijselijke gevolg van een groot ongeluk daalden de tijdelijke bewoners van de vroegere skihut af via verschillende trappen naar de Alpenfoyer. Ze werden begroet door Desi-Een en Desi-Twee die naast een lange salontafel stonden waarop vier MAC-10 machinepistolen lagen, twintig magazijnen, zestien granaten, vier kleine transistorzenders, twee vlammenwerpers, vier infrarode nachtkijkers en een ontmantelde eivormige bom die minstens een kwart van de staat New Hampshire zou kunnen opblazen – het kleinste zuidoostelijke deel.

'We wilden jullie niet allemaal wakker maken,' zei Desi-Een, 'maar de generaal zei dat we de rechten van krijgsgevangenen in acht moesten nemen. ... Dat hebben we geprobeerd, maar volgens mij waren het hele slechte mensen. Deze wapens en dingen maken wel duidelijk wat ik zeg. ... Kunnen sergeant Desi-Twee en ik nu gaan slapen, grote generaal?'

'Verdómme jongens, jullie zijn luitenants! Maar wat is dat daarbuiten eigenlijk?'

'Señnores y señnoras, komt u alstublieft zelf maar kijken,' zei Desi-Twee en opende de voordeur. 'We dachten dat het zo wel kon met de jeneverintenties toen we al die wapens en zo zagen.'

Buiten, aan de gerepareerde skilift, halverwege de tussenhelling en minstens vijf meter boven de grond, hingen vier bungelende lijven ondersteboven, met plakband over hun monden en hun voeten stevig omwikkeld met touw.

'We laten ze elk uur omlaag en geven ze water,' zei Desi-Een glimlachend. 'Zo behandelen we onze krijgsgevangenen zoals het hoort.'

18

'Wát?' brulde de minister van buitenlandse zaken. Zijn geloei deed zijn stenotypiste opspringen uit haar stoel, zodat haar stenoblok recht naar het hoofd van haar werkgever schoot. Hij ving het verstrooid op in zijn linkerhand die bezig was tegen zijn schedel te kloppen om zijn als dol ronddraaiende linkeroog tot bedaren te brengen. 'Wát hebben ze gedaan? ... Hoe? Dat kán gewoon niet!' De minister begon het stenoblok om beurten tegen zijn slaap en tegen de rand van zijn bureau te beuken totdat de pagina's links en rechts van de spiraalband vlogen.

'Toe nou!' smeekte de stenotypiste terwijl ze rondrende en de rondvliegende velletjes opraapte. 'Dit zijn hoogst vertrouwelijke aantekeningen, menéér!'

'Ik zou best eens met jou op vertrouwelijke voet willen komen!' riep de verdwaasde staatsman met zijn wild ronddweilende oog.

Plotseling bleef de stenotypiste stokstijf staan en staarde neer op haar werkgever. Rustig maar met grote nadruk, zei ze: 'Hou daar mee op, Warren. Beheers je.'

'Warren? ... Wie is Warren? Ik ben excellentie – altijd *excellentie*!'

'Jij bent Warren Pease en hou alstublieft je hand op het mondstuk anders vertel ik het mijn zuster en zij zal tegen Arnold Subagaloo zeggen dat jij gek bent geworden.'

'O, mijn god – Arnold!' Warren Pease, minister van buitenlandse zaken, dekte onmiddellijk met zijn hand het mondstuk af. 'Ik was het vergeten, Teresa, echt waar, even was ik het vergeten!'

'Ik ben Regina Trueheart, mijn jongste zus is Teresa, assistente van Subagaloo.'

'Ik verwar altijd namen maar ik vergeet nooit gezichten. Zeg het niet tegen je zus.'

'Zeg jíj maar tegen wie er dan ook aan de lijn is dat je terug zult bellen zo gauw je de kans hebt gehad je gedachten op een rijtje te zetten.'

'Dat kan ik niet! Hij belt via een openbare telefoon vanuit de gevangenenbarak in Quantico!'

'Vraag hem dan het nummer en zeg dat hij daar blijft totdat je hem terugbelt.'

'Goed dan, Teresa – Regina – mevrouw excellentie!'

'Hou daar mee op, Warren. Doe wat ik zeg!'

De minister deed precies wat Regina Trueheart hem beval, liet zich toen, met zijn hoofd op zijn armen, voorover op zijn bureau vallen en begon tranen met tuiten te huilen. 'Iemand heeft gekletst en ik sta voor lul!' murmelde hij. 'Ze zijn in lijkzakken teruggestuurd naar de barak!'

'Wie?'

'De Smerige Vier. Het is afschuwelijk!'

'Zijn ze dood – wie ze dan ook zijn?'

'Nee, er zaten luchtgaatjes in het linnen. Het is erger dan dood – ze zijn voor schut gezet! We staan allemaal voor paal!' Pease hief zijn betraande gezicht op, alsof hij smeekte om een genadeschot.

'Warren, schat, hou daarmee op. Jij hebt werk te doen en mensen als ik zijn er om te zorgen dat je dat doet. Denk eens aan de secretaresse van de president, onze inspirerende patroonheilige. Zíj zou nooit toestaan dat haar baas door het lint ging en dat zal ik ook niet.'

'Zíj is secretaresse, jij bent een stenotypiste uit de vertrouwelijke typekamer...'

'Veel meer, Warren, o nee, veel meer,' zei Regina. 'Ik ben een rondfladderende vlinder die kan steken als een bij. Ik fladder van de ene strikt geheime opdracht naar de volgende, ik bescherm jullie en help jullie de dag door. Dat is de door God gegeven opdracht voor alle Truehearts.'

'Kun jij *mijn* secretaresse niet zijn?'

'En die baan ontfutselen aan onze dierbare, toegewijde, anticommunistische moeder, Tyrania? Je maakt zeker een grapje?'

'De Tiran is jouw moeder...?'

'Voorzichtig, Warren. Subagaloo, weet je nog wel?'

'O, mijn god, Arnold. Het spijt me, het spijt me echt – een geweldige vrouw, iedereen heeft ontzag voor haar.'

'Laten we ons tot de zaak beperken waarmee we bezig waren, excellentie,' zei de stenotypiste. Ze zat weer stijf rechtop, met haar stenoblok en de opgeraapte losse vellen stevig in de hand. 'Ik bezit de maximale betrouwbaarheidsverklaring, zoals u weet, hoe kan ik u helpen?'

'Nou ja, maximale betrouwbaarheidsverklaring doet hier nu niet precies ter zake...'

'Ik begrijp het,' viel Regina Trueheart hem in de rede. 'Lijkzakken met luchtgaatjes, lijken die niet dood waren...'

'Ik zal je zeggen, de hele erewacht kreeg zowat en bloc een hartverzakking! Twee liggen er in het militair hospitaal, drie hebben onmiddellijk om ontslag gevraagd en vier zijn gedeserteerd. Ze renden de poort uit, luidkeels gillend over soldaten die uit de doden herrezen waren om de officieren te vervloeken die ze nooit in de rug hadden kunnen schieten. ... O, mijn god, als dit ooit bekend wordt...!'

'Ik weet het, excellentie.' De betrouwbare stenotypiste eerste klas Trueheart ging recht staan. 'Hoogst gênant, meneer, dat hebben we allemaal al eens meegemaakt. ... Goed dan, Warren, we moeten dit samen onder ogen zien. Wat moet er versnipperd worden?'

'Versnipperd?' Het linkeroog van Pease schoot nu heen en weer met de snelheid van een laserstraal.

'Ik begrijp het,' zei Regina die onmiddellijk, zonder een spoortje van wellust, haar rok tot aan haar middel omhoogtrok. 'Documenten die verwijderd moeten worden, natuurlijk. Zoals u ziet ben ik er helemaal op voorbereid die opdracht uit te voeren.'

'Hè?' Met een oog dat pal op zijn plaats bleef keek de minister stomverbaasd toe. In de panty's van juffrouw Trueheart zaten, van de knieën tot de dijen, lichtbruine nylon zakken genaaid. 'Hoe... hoe ongelóóflijk,' mompelde Pease.

'We moeten natuurlijk alle nietjes en paperclips verwijderen en als we ruimte te kort komen heeft mijn beha een voering met rits en de achterkant van mijn slipje heeft een dubbele bodem van zuivere zij waarin de bredere documenten verstopt kunnen worden.'

'Je begrijpt het niet,' zei de minister en zijn kin bonkte op de rand van het bureau terwijl de stenotypiste haar rok weer liet zakken. '*Au*!'

'Hou je hoofd bij je zaken, Warren. Zo, wat begrijp ik niet? De meisjes Trueheart zijn op alle onverwachte gebeurtenissen voorbereid.'

'Er is nooit iets opgeschreven!' legde de paniekerige staatsman uit.

'Ik snap het. ... Niet-geregistreerde, hoogst geheime, niet-toegestane communicaties, is het dat?'

'Wat? Heb jij bij de CIA gewerkt?'

'Nee, dat is mijn oudere zus, Clytemnestra. Zij is een heel stil meisje. ... Ons probleem komt dus neer op lekken in de niet-toegestane infrastructuur; het niet-geregistreerde mondelinge woord dat via een omweg in verboden oren terecht is gekomen.'

'Dat moet wel, maar het is onmogelijk! Niemand die op de hoogte was kon ook maar enig voordeel hebben bij het verraden van het geheim dat we die dollemannen naar Boston hebben laten vliegen.'

'Geeft u me nu eens, zonder bepaalde feiten te noemen, excellentie – die natuurlijk door een waarheidsserum aan het licht gebracht zouden kunnen worden, maar nooit, nóóit tegenover zo'n onmenselijk Congrescomité – een kort overzicht van de operatie. Kun je dat doen, Warren? ... Als het je helpt wil ik je mijn zakken nog wel een keer laten zien.'

'Het zou geen kwaad kunnen.' Ze deed het en het linkeroog van Pease kwam langzaam weer tot rust. 'Nou ja, zie je,' begon hij en er kwamen spuugblaasjes op zijn lippen, 'bepaalde onvaderlandslievende slijmballen, onder leiding van een maniak, willen onze eerste verdedigingslinie lamleggen, namelijk onze wapenleveranciers en vervolgens dat deel van onze luchtmacht dat internationaal de boel in de gaten moet houden.'

'Hoe, schat?' Trueheart wipte van het ene been op het andere.

'*Oei!*'

'Wat, Warren? Ik vroeg hoe.'

'O ja, natuurlijk. ... Nou, ze beweren dat het gebied waarop een enorme en uiterst belangrijke luchtmachtbasis is gevestigd misschien mogelijkerwijs zou kunnen behoren aan een groep mensen – barbaren eigenlijk – vanwege een of ander stom verdrag dat meer dan honderd jaar geleden is afgesloten, alleen is dat natuurlijk nooit gebeurd! Het is je reinste waanzin!'

'Daar ben ik zeker van, excellentie, maar is het waar?' Opnieuw moesten de ontblote benen van Regina enkele malen hun evenwicht verplaatsen, vijf keer om precies te zijn.

'Tsjonges...!'

'Ga zitten! Is het waar?'

'Het Hooggerechtshof heeft het in beraad. De opperrechter houdt de bewijsgronden van het Hof nog vijf dagen geheim, op grond van de nationale veiligheid, totdat die slijmballen zich de dag tevoren melden voor een mondelinge ondervraging. We hebben *vier* dagen om die rotzakken te vinden en hen naar hun eeuwige jachtvelden te sturen, ook dat weer om redenen van nationale veiligheid. Verdomde barbaren!'

Regina Trueheart liet onmiddellijk haar rok zakken. 'Zo is het wel genoeg!'

'Oei! ... Wát?'

'Wij meisjes Trueheart gedogen geen vuilbekkerij, excellentie. Het duidt alleen maar op een gebrek van geaccepteerde woordkennis en het is uiterst beledigend voor mensen die naar de kerk gaan.'

'Och, toe nou, Vergyna...'

'Regina!'

'Ik sta aan jouw kant... maar je moet toch begrijpen dat je soms wat krachtige taal nodig hebt. Wanneer je onder spanning staat komt dat er gewoon uit.'

'U klinkt als die afschuwelijke Franse schrijver Anouilh die voor alles een excuus heeft.'

'Annie wie?'

'Laat maar. ... Was die betrouwbare kring van mensen die op de hoogte zijn beperkt tot slechts enkelen van onze hoogste regeringsfunctionarissen en zelfs nog minder burgers?'

'Van elk zo weinig mogelijk!'

'En die maar al te levende lijkzakken, waren die in het geheim gerekruteerd om hun opdracht uit te voeren – wat hun kennelijk niet is gelukt?'

'Zo geheim dat ze het niet eens begrepen! Maar dat hoeven ze ook eigenlijk niet – het zijn maniakken.'

'Blijf hier, Warren,' zei Trueheart. Ze legde het stenoblok op het bureau en trok haar rok glad. 'Ik ben zo terug.'

'Waar ga je heen?'

'Met uw secretaresse, mijn moeder, praten. Ik ben zo terug en waag het niet te telefoneren!'

'Natuurlijk niet, Pantyzak... ik bedoel...'

'Och, hou toch je mond! Jullie hoge ambtenaren zijn heel erg vreemd.' Met die woorden liep de stenotypiste haar eigen kantoortje in en sloot de deur achter zich.

Warren Pease, minister van buitenlandse zaken en eigenaar van een motorjacht dat hij zo dolgraag wilde meren in een sociaal acceptabele jachthaven, werd verscheurd door de wens zijn polsen door te snijden of zijn vroeger effectenkantoor te bellen en allerlei staatsgeheimen aan te bieden om met voorkennis handel te kunnen drijven en zo zijn vroegere compagnonsschap terug te winnen. Lieve hemel, waarom was hij ooit door de knieën gegaan voor de oproep van de president, zijn vroegere slapie, om deel uit te maken van de regering? Maatschappelijk gezien had het natuurlijk zijn voordelen, maar er waren ook nadelen. Je moest beleefd doen tegen zoveel mensen die hij gewoon niet uit kon staan en dan die afschuwelijke officiële diners waar hij niet alleen moest aanzitten maar ook nog zijn foto moest laten nemen met *negers*. O nee, het was lang niet allemaal rozegeur en maneschijn! De offers die je moest brengen zouden het geduld van een heilige nog op de proef stellen... en nu dít! Lijkzakken met *levende maniakken* en zijn eigen vriendenclubje dat op zijn scalp uit was! Wat was het leven ingewikkeld geworden! Hij had natuurlijk geen scheermesje en hij durfde de telefoon niet te gebruiken en daarom kon hij alleen maar wachten, zwetend als een otter. Na enkele folterende minuten was het wachten voorbij. Maar in plaats van Regina Trueheart marcheerde haar moeder, Tyrania, het kantoor binnen en sloot de deur stevig achter zich.

De matriarch van de Trueheart-clan had een legendarische reputatie. Ze was iets meer dan een meter tachtig lang met een indrukwekkend, rijzig en uitdagend lichaam, een opvallende vrouw met scherp gesneden Germaanse trekken en flonkerende blauwe ogen die er jonger uitzag dan haar achtenvijftig jaar deed vermoeden. Zoals haar moeder vóór haar, die tijdens de Tweede Wereldoorlog was verschenen met hele scharen regeringssecretaresses en vrouwelijke kantoorbedienden, was Tyrania een oudgediende van de bureaucratie in Washington; ze bezat een indrukwekkende hoeveelheid kennis van de achterafweggetjes en steegjes in de stad, de dwaasheden en in het oog springende misbruiken. Zoals ook haar moeder had ze haar dochters opgevoed om te dienen in de byzantijnse infrastructuur van de talloze regeringsbureaus, ministeries en afdelingen. Tyrania geloofde dat het de bestemming was van de vrouwen in het gezin om de leiders en de toekomstige leiders door de mijnenvelden van Washington te gidsen zodat ze de paar, meestal zwakke begaafdheden die ze bezaten konden toepassen. In haar hart begreep de opperleidster van de Truehearts dat het vrouwen zoals zij en haar dochters waren die in werkelijkheid het land bestuurden. Mannen waren echt de zwakkere kunne, zo kwetsbaar voor verleiding en dwaas gedoe. Die mening had er ongetwijfeld toe bijgedragen dat er drie generaties lang geen enkele mannelijke baby geboren was in de familie. Zoiets kon eenvoudig niet.

Tyrania nam de duidelijk radeloze minister in zich op, met een lange, zwijgende blik, een mengelmoes van medelijden en berusting. 'Mijn dochter heeft me alles overgebracht wat je haar hebt verteld en ze heeft ook je kennelijk overgestimuleerde lustgevoelens beschreven,' zei ze vastberaden maar zacht, alsof ze een verward jongetje in de kamer van de bovenmeester vermaande.

'Het spijt me werkelijk, mevrouw Trueheart. Echt waar! Het is gewoon een verschrikkelijke dag geweest en ik heb niets met opzet verkeerd gedaan.'

'Het is al goed, Warren, niet huilen. Ik ben hier om je te helpen, niet om je het gevoel te geven dat je stout bent.'

'Dank u wel, mevrouw Trueheart!'

'Maar om je te kunnen helpen moet ik je eerst een erg belangrijke vraag stellen. Zul je me een eerlijk antwoord geven, Warren?'

'O ja, ja, dat zal ik zeker!'

'Goed. ... Vertel me nu maar eens, zijn er in dat kleine kringetje burgers – mensen die niet tot de regering behoren en die op de hoogte zijn van deze tegenaanval – lieden die profijt zouden kunnen trekken uit deze mogelijk bedreigde luchtmachtbasis?'

'Allemáál, verdomme!'

'Dan moet je speciaal letten op één, Warren. Hij verraadt de anderen.'

'Wat... ? Waarom?'

'Op lange termijn weet ik daar pas een antwoord op wanneer ik meer feiten heb – zoals aandelenopties en bedrijfsovernames – maar op korte termijn ligt het antwoord voor de hand.'

'Echt waar?'

'Niemand in de regering, met uitzondering van jou, zou zo'n sluwe oplossing zoeken om mensen te gebruiken die in de gevangenis zitten, een militaire gevangenis, omdat ze zulke gewelddadige neigingen hebben. De lessen van Watergate en Iran-scam hebben hun onuitwisbare tekenen achtergelaten, hoe verachtelijk en onvaderlandslievend ze ook waren. Eenvoudig gezegd waren er te veel tenlasteleggingen.'

'Maar waarom ben ík de uitzondering?'

'Jij bent te nieuw en te onervaren in deze stad. Je zou gewoon niet weten hoe je de adviseurs van de president zou moeten bepraten voor dit soort clandestiene operatie. Ze zouden allemaal op de vlucht slaan vanwege het idee alleen al – met uitzondering misschien van de vice-president die waarschijnlijk niet zou weten waar je het over hebt.'

'Denkt u dat het een van de... búrgers is?'

'Ik heb zelden ongelijk, Warren. ... Nou ja, één keer maar dat was mijn man. Nadat wij meisjes hem het huis hadden uitgegooid vluchtte hij naar de Caribische Zee waar hij vanaf de Maagdeneilanden chartertochten verzorgt met zijn versleten zeilboot. Hij is een uiterst verachtelijk personage.'

'Werkelijk? Waarom dan?'

'Omdat hij beweert dat hij volslagen gelukkig is en we weten allemaal dat zoiets in onze complexe samenleving onacceptabel is.'

'Méént u dat?'

'Excellentie, kunnen we ons concentreren op het probleem dat voor ons ligt? Ik raad u ten sterkste aan de "lijkzakken" totaal te isoleren, alle verhalen die uit Quantico komen rigoureus te onderdrukken als het gevolg van dronkenschap, vervolgens onder te duiken en nul-nul-nul-streepje-nul-nul-zes te bellen in Fort Benning.'

'Wat is dat nu weer?'

'Niet wat maar wie,' antwoordde Tyrania. 'Ze heten het Knettergekke Zestal...'

'Zoiets als de Smerige Vier?' vroeg Pease met gefronste wenkbrauwen.

'Het lijkt er niet op. Het zijn acteurs.'

'Acteurs? Wat moet ik nu met acteurs?'

'Deze zijn uniek,' zei Trueheart. Ze boog zich naar voren en ging zachter praten. 'Ze zouden een moord doen om goede recensies die ze geen van allen veel hebben gehad.'

'Hoe zijn die ooit in Fort Benning terechtgekomen?'

'Omdat ze hun huur niet konden betalen.'

'Wat?'

'Ze hebben in geen jaren vast werk gehad, volgden gewoon de lessen en werkten als kelner in de kantine.'

'Ik begrijp geen woord van wat u zegt.'

'Het is eigenlijk heel eenvoudig, Warren. Ze zijn samen bij het leger gegaan om er een theatergezelschap te beginnen en regelmatiger te kunnen eten. Een creatief denkend inlichtingenofficier zag natuurlijk de mogelijkheden en zette een nieuw programma op voor geheime operaties.'

'Omdat het acteurs waren?'

'Nou ja, volgens de bevelvoerende generaal waren ze – *zijn* ze – ook in geweldige fysieke vorm. Al die Rambo-films, weet je, waarin ze bijrollen hadden. Acteurs kunnen heel ijdel zijn wanneer het om hun uiterlijk gaat.'

'Mevrouw Trueheart!' riep de minister uit. 'Wilt u me nu alstublieft vertellen waarop dit gesprek uitdraait?'

'Op een oplossing, Warren. Ik zal alleen maar in vage termen praten, zodat er volledige ontkenbaarheid zal zijn, maar ik weet zeker dat jouw scherpe en goed getrainde verstand het zal begrijpen.'

'Dat zijn de eerste woorden die ik een beetje begrijp.'

'Het Knettergekke Zestal kan en wil zich voor alles en iedereen uitgeven. Ze zijn meesters in vermomming en dialecten en kunnen op de onmogelijkste plaatsen infiltreren.'

'Dat is krankzinnig! Dan zouden ze ook bij óns kunnen infiltreren!'

'Juist. Zo zie je het precies goed.'

'Wacht eens even.' Pease draaide zich om in zijn zwenkstoel en staarde naar de gekruiste vlaggen van Amerika en van het ministerie van buitenlandse zaken. In zijn verbeelding zag hij tussen beide in een portret van iemand in generaalsuniform. 'Dat ís het!' riep hij uit. 'Geen tenlasteleggingen, geen hoorzittingen van het Congres – het is perfect!'

'Wat is perfect, Warren?'

'Acteurs.'

'Natuurlijk.'

'Acteurs kunnen zijn wie ze willen – andere mensen overtuigen dat ze niet zijn wie ze in werkelijkheid zijn, nietwaar?'

'Dat is zo. Daarvoor zijn ze getraind.'

'Geen killers, geen tenlasteleggingen, niet die verdomde hoorzittingen op de Heuvel.'

'Och, zover zou ik niet gaan, dan zouden we eerst een paar senatoren moeten omkopen, waarin ons rampenfonds voorziet...'

'Ik zie het al voor me,' viel Pease haar in de rede, zijn linkeroog stevig op zijn plaats, beide ogen opgewonden opengesperd. 'Ze landen op Kennedy Airport – rode sjerpen, misschien baarden, en vilthoeden op... een delegatie.'

'Een wat?'

'Uit Zweden! Een delegatie van het Nobelcomité. Ze hebben de militaire geschiedenis van de twintigste eeuw bestudeerd en zijn hierheen gekomen om generaal MacKenzie Hawkins te ontmoeten en hem de Nobelprijs voor de vrede uit te reiken omdat hij de beroemdste militair is van onze eeuw!'

'Moet ik misschien een dokter bellen, Warren?'

'Helemaal niet, mevrouw Trueheart, u brengt me op een idee! Begrijpt u het niet? Die hufter heeft een ego dat groter is dan de Mount Everest!'

'Wie heeft dat?'

'Donderkop.'

'Wie?'

'MacKenzie Hawkins, die bedoel ik! Hij heeft de Eremedaille van het Congres gekregen – twéé keer!'

'Volgens mij moeten we de almachtige God op onze blote knieën bedanken dat hij Amerikaan is en geen commu...'

'Gelul!' vloog de minister op. 'Je hebt in duizend jaar nog nooit zo'n zakkenwasser gezien. Waar hij ook zit, hij zal aan komen rennen om die prijs in ontvangst te nemen. ... Dan óp naar Zweden en verder naar het noorden, helemaal naar het noorden! Een vliegtuig dat vermist wordt – Lapland, Siberië, de toendra, wie kan het wat schelen?'

'Ondanks al je holle gevloek, Warren, wanneer je zegt noorden dan klinkt dat als de briljante waarheid, onze waarheid. ... Wat kan ik doen, excellentie?'

'Om te beginnen moet je uit zien te vinden hoe we de officier kunnen bereiken die de leiding heeft over die streep-streep-nul-zes-acteurs en dan moet je mijn vliegtuig in gereedheid laten brengen om me naar Fort Benning te vliegen. ... Volmáákt!'

De twee huurauto's raasden over Route 93 naar Boston. Paddy Lafferty had het commando over de eerste en zijn vrouw reed de tweede, zowat anderhalve kilometer achter hem. Aaron Pinkus zat voorin bij zijn chauffeur, terwijl Sam Devereaux, zijn moeder en Jennifer Redwing op de achterbank zaten, de indiaanse advocaat tussen moeder en zoon. De tweede wagen vervoerde generaal MacKenzie Hawkins voorin bij mevrouw Lafferty, terwijl Desi-Een en -Twee achterin zaten te eenentwintigen met een spel kaarten dat ze uit de vroegere skihut hadden versierd.

'Luister goed naar me, meisje!' zei de wat gezette Erin Lafferty met de knappe Keltische trekken in de autotelefoon. 'Ik wil dat die wolk van een jongen een heel bord havermout krijgt met volle melk – niet die rommel van een taptemelk die grootvader drinkt – en de kleine meid moet twee sneeën brood krijgen die in eieren zijn gesopt en daarna gebakken – twee eieren, begrepen? ... Goed dan, kind, ik bel straks nog wel een keer.'

'Uw kinderen?' vroeg de Havik wat bedeesd terwijl mevrouw Lafferty de telefoon neerlegde.

'Heb jij ze soms niet alle vijf op een rijtje, man? Zie ik eruit als een vrouw die kleine koters heeft?'

'Ik hoorde alleen maar wat u zei, mevrouw...'

'Dat was mijn jongste, Bridget, die past op de kinderen van mijn oudste -oudste op één na – terwijl die twee zetpillen met hun twee wc's een cruise maken ... Stel je voor, een *cruise*!'

'Heeft je man geen bezwaren gemaakt?'

'Hoe kon hij dat, verdomme? Boyo Dennis is een bekende accountant met een heleboel letters achter zijn naam. Hij doet onze belasting.'

'Ik begrijp het.'

'Dat zul je zo zeker begrijpen als de duvel parfum schijt! Zorg dat je nooit kinderen krijgt met meer hersenen dan jezelf hebt. Dan is het huis te klein.' De autotelefoon zoemde en mevrouw Lafferty pakte hem op. 'Wat is er, Bridgey? kun je de koelkast niet vinden, meisje? ... O, ben jij het Paddy, schat, jouw kop zou ik het liefst in een ton met afgewerkte olie stoppen.' Erin Lafferty stak de telefoon uit naar Hawkins. 'Paddy zegt dat meneer Pinkus met jou wil praten.'

'Dank u, mevrouw. ... Commandant?'

'Nee, ik ben het nog, Paddy, grote generaal. Ik geef u de baas over een paar tellen. Ik wilde u alleen maar zeggen dat u niet op mijn vrouw moet letten. Ze is een beste meid, meneer, maar ze heeft nog nooit echt onder vuur gelegen, als u begrijpt wat ik bedoel.'

'Ik begrijp het, sergeant. Maar als ik jou was zou ik er verdomd goed voor zorgen dat "die wolk van een jongen" zijn havermout krijgt met volle melk en de "kleine meid" haar gebakken brood met twee eieren.'

'O, heeft ze het weer over het ontbijt gehad? Grootmoeders kunnen het einde betekenen van een goed leven, generaal. ... Hier komt meneer Pinkus.'

'Generaal?'

'Commandant? Naar welke kaartcoördinaten gaan we, meneer?'

'Welke wat? ... O, waar we heen gaan. Ja, nou kijk eens, ik heb net geregeld dat we allemaal kunnen logeren in het zomerhuis van mijn zwager in Swampscott. Dat ligt aan het strand en het is er heerlijk, en aangezien hij en de zuster van Shirley in Europa zitten kunnen we er volledig over beschikken.'

'Goed gedaan, commandant Pinkus. Een comfortabel bivak onder gevechtsomstandigheden is goed voor het moreel van de troep. Heb je een adres? Ik moet het doorgeven aan Kleine Jozef in Boston omdat ons ondersteuningspersoneel er aan zit te komen.'

'Het staat bekend als het Worthington-landgoed aan de Beach Road, nu in het bezit van Sidney Birnbaum. Ik weet niet zeker of er huisnummers zijn, maar de hele voormuur is koningsblauw geschilderd omdat Shirley's zuster daar zo dol op is.'

'Dat is wel voldoende, commandant Pinkus. Onze steuntroepen zullen ongetwijfeld tot de elite behoren en die vinden het wel. Verder nog iets?'

'Zeg maar tegen Paddy's vrouw waar we heen gaan. Als we in het verkeer elkaar kwijtraken kent zij de weg.'

De Havik gaf de informatie door en werd begroet door het bondige antwoord van Erin Lafferty: 'De hemel zij geprezen! Nu krijg ik weer te maken met die koosjere jongens, en ik zal je zeggen, generaal, die weten écht waar je het beste vlees en de verste groenten vandaan moet halen.'

'U bent daar al eerder geweest neem ik aan?'

'Of ik daar geweest ben? Vertel het nooit tegen mijn pastoor, maar die geweldige Sidney en zijn lieve vrouw, Sarah, hebben me petemoei gemaakt van hun jongen, Joshua – wel op zijn joods, dat zul je begrijpen. Josh is als een eigen zoon en Paddy en ik blijven bidden dat hij en Bridgey het samen zullen kunnen vinden, als je begrijpt wat ik bedoel.'

'Zou uw pastoor het begrijpen?'

'Wat weet hij verdomme daarvan? Hij drinkt altijd die Franse wijnen en verveelt ons kapot over hun *bouquet*. Een nul.'

'De ware smeltkroes,' zei de Havik zacht. 'Hebt u er ooit aan gedacht u verkiesbaar te stellen als paus?' vroeg MacKenzie grinnikend. 'Ik heb er een gekend die net zo dacht als u.'

'Och, ga nou gauw! Een stomme Ierse griet als ik die daar zelfs maar aan denkt?'

' "De zachtmoedigen zullen de aarde beërven", want op hun schouders rust de deugdzaamheid van het hele mensdom.'

'Hé, wacht eens even! Probeer jij mij voor de gek te houden. Want als dat zo is zal mijn Paddy worst van je maken.'

'Ik zou er niet aan dénken, mevrouw,' antwoordde de Havik en hij keek naar Erin Lafferty's profiel. 'En ik weet zeker dat hij dat zou kunnen,' voegde de militair eraan toe, die veruit de beste officier was in het ongewapend gevecht die ooit in het leger had gediend. 'Hij zou me natuurlijk in de grond stampen.'

'Nou ja, hij wordt een dagje ouder, maar mijn jongen heeft het nog helemaal.'

'Hij heeft u en dat is veel belangrijker.'

'Wat ben je van plan, makker? Verrek, ik ben een oude vrouw.'

'En ik ben een oudere man en het ene heeft niets met het andere te maken. Ik wil alleen maar zeggen dat het een voorrecht is u te kennen.'

'Je brengt me in de war, soldatenjongen!'

'Dat is niet mijn bedoeling.'

Erin Lafferty gaf plankgas en de auto schoot vooruit.

Wolfgang Hitluh, geboren als Billy-Bob Bayou, liep door de aankomsthal en volgde de pijlen in de brede gang van Logan Airport naar de ruimte waar de bagage werd afgehaald. Als een derde van de goed, zij het wat mysterieus, betaalde veiligheidsgroep die gerekruteerd was door Manpower Plus Plus, moest hij zijn twee *Kameraden* op de overdekte parkeerplaats tegenover de taxistandplaats treffen. Als herkenningsteken droeg hij een opgevouwen *Wall Street Journal* onder de arm, waarvan verschillende artikelen duidelijk met rood waren omlijnd, al had hij koppig volgehouden dat het een exemplaar van *Mein Kampf* moest zijn.

Als hij niet zo dringend een baantje nodig had gehad zou hij de opdracht uit principe hebben afgewezen. De *Journal* was een bekend symbool van de decadente, geld graaiende democratieën en zou verbrand moeten worden, net als negenennegentig procent van alle kranten en tijdschriften in het land, om te beginnen met die laag-bij-de-grondse *Amsterdam News* en *Ebony*, die gepubliceerd werden in en voor Harlem, een walmend broeinest van inferieure zwarte oproerkraaiers, net zoals Wall Street een verraderlijk legerkamp was van joods kapitaal! Maar helaas had Wolfgang de baan nodig omdat zijn bijstandsgeld was afgesneden – door een achterdochtige negerklerk van de Sociale Dienst! – en daarom had hij zijn principes zolang op een zacht pitje gezet en het voorschot van tweehonderd dollar en een vliegticket geaccepteerd.

Hij wist alleen dat hij en zijn twee *Kameraden* een groep van zeven ondergedoken mensen moesten beschermen, en drie daarvan waren zelf militairen. Dat betekende dat zes huurlingen vier burgers bewaakten – een fluitje van een cent, en centen had hij volop verdiend tijdens zijn twee glorieuze maanden training in de Beierse Alpen bij de *Meisters* van het Vierde Rijk. Wolfgang Hitluh, met de *Journal* in de ene hand en zijn reistas in de andere, ontweek het verkeer en stak de onoverdekte rijweg over die naar de parkeerplaats leidde. Hij mocht niet opvallen! bedacht hij terwijl hij in het zonlicht van de late middag naar de enorme garage liep. Alles was zo geheim, volgens Manpower Plus Plus, dat hij met geen woord mocht spreken over de baan, zelfs niet tegen zijn *Führer*, als die nog leefde – altijd een mogelijkheid, *natürlich*! De opdracht hield kennelijk de bescherming in van zulke hoge functionarissen dat de regering de slappe, niet-Arische types die de Geheime Dienst hadden geïnfiltreerd niet kon vertrouwen. ... Waar waren zijn *Kameraden*? vroeg hij zich af.

'Ben jij Wolfje?' vroeg een enorme neger die uit de schaduw van een ronde betonnen pilaar te voorschijn kwam en op Hitluh afliep.

'Wat? ... Wíe? Wát zei u?'

'Je hebt me wel gehoord, manneke. Je hebt de krant en ik zag de rode inkt toen je die twee straten openlijk overstak.' De donkere reus stak glimlachend zijn hand uit. 'Leuk je te ontmoeten, Wolf – da's trouwens een erg toepasselijke naam.'

'Ja, och, ik geloof van wel.' De nazi accepteerde de hand alsof hij er een levenslange infectie aan over zou houden.

'Het lijkt me een prima baan, broer.'

'Broer?'

'Wacht,' vervolgde de reusachtige man en hij gebaarde achter zich, 'laat me je even voorstellen aan onze partner en laat je niet afschrikken door zijn uiterlijk. Toen we eenmaal ontsnapt waren kon hij niet gauw genoeg zijn normale kloffie weer aantrekken. Ik zal je zeggen, Wolfje, je zou het niet geloven zoals die ouwe waarzegsters en hun geschifte besnorde mannen praten!'

'Waarzegsters...?'

'Kom hier Roman, en maak kennis met Wolfje.'

Een tweede gedaante kwam achter de pilaar vandaan, dit keer een gespierde man in een opbollende oranje blouse met een blauwe sjerp om zijn middel boven een nauwsluitende zwarte broek en zwarte krulletjes op zijn voorhoofd; hij droeg ook één gouden oorring. Een zigeuner! dacht Wolfgang. De vloek van de Moldaviërs, nog erger dan de joden en de negers! *Deutschland über Alles*, een zigeuner!

'Allo, mineerr Wolfowitz!' riep de man met de oorring en flonkerend witte tanden onder een donkere snor, en hij stak zijn hand uit. Hij was het tegengestelde van wat Wolfgang als een *Kamerad* beschouwde. 'Ik zie aan de vorm van je ogen dat je een lang, heel lang leven zult hebben met veel financiën! Voor die kostbare informatie ben je me geen geld verschuldigd – we werken samen, ja?'

'O, grote *Führer*, waar ben je, verdomme?' fluisterde Hitluh bij zichzelf terwijl hij verstrooid handen schudde.

'Wat zeg je, Wolfje?' vroeg de grote neger en hij klemde zijn enorme sterke hand om Wolfgangs schouder.

'Niets, niets! ... Weet je zeker dat het geen vergissing is? Jullie komen van Manpower Plus Plus?'

'Precies, broer, en voorzover Roman en ik het bekeken hebben ligt het geld hier op straat. Tussen haakjes, ik heet Cyrus – Cyrus M. De naam van mijn vriend is Roman Z en jij bent Wolfje H. Natuurlijk vragen we nooit wat die letters van onze achternamen betekenen – en veel zou dat toch niet uitmaken omdat we zoveel verschillende hebben, nietwaar, broer?'

'*Jawohl*.' Wolfgang knikte en verbleekte. 'Ik bedoel maar, je hebt volkomen gelijk ... *Bruder*.'

'Wat?'

'Broeder,' voegde Hitluh er onmiddellijk verontschuldigend aan toe. 'Broeder, ik bedoel broer!'

'Verrek, maak je niet zo dik, Wolfje, ik heb je verstaan. Ik spreek ook Duits.'

'Spreek jij Duits?'

'Jazeker. Waarom dacht je dat ik in de bak heb gezeten?'

'Omdat je Duits spreekt...?'

'Zo ongeveer, manneke,' zei de donkerhuidige reus. 'Zie je, ik werk als scheikundige voor de regering en ik werd aan Bonn uitgeleend om voor een fabriek in Stuttgart te werken en daar te helpen met een kunstmestproject, alleen was het dat niet.'

'Wat was het niet?'

'Kunstmest. ... O, het was best rotzooi, maar geen kunstmest, alleen maar gas, heel ongezond gas. Op weg naar het Midden-Oosten.'

'*Mein Gott*! Maar misschien was er een reden voor...?'

'Zeker was die er. Geld en het koud maken van een heleboel mensen die volgens de bazen niet al te belangrijk waren. Drie van hen vonden me op een avond toen ik het eindprodukt analyseerde. Ze noemden me een *schwarzer Neger* en overvielen me, twee met revolvers... Dat was dus dat.'

'Dat was wát?'

'Ik gooide alle drie die bleekscheten van moffen in de vaten – en dat betekende eigenlijk dat ze niet voor de rechtbank konden verschijnen om te getuigen voor mijn beroep op zelfverdediging. ... In het belang van de diplomatieke betrekkingen kreeg ik dus vijf jaar in de lik hier in plaats van vijftig daarginds. Ik vond dat ik drie maanden te goed had, daarom zijn Roman en ik afgelopen nacht uitgebroken.'

'Maar we worden verondersteld huurlingen te zijn, geen scheikundigen!'

'Je kunt van alles zijn, manneke. Om in zeven jaar aan twee universiteiten te kunnen studeren heb ik zo nu en dan een paar maanden vrij genomen. Angola – aan beide kanten overigens – Oman, Karachi, Kuala Lumpur. Ik zal je niet teleurstellen, Wolfje.'

'Mineerr Wolfowitz,' kwam Roman Z tussenbeide, terwijl hij zijn in oranje gehulde borst uitzette en zijn voeten neerplantte alsof hij een zigeunerdans ging uitvoeren. 'Je ziet hier voor je de beroemdste man met een mes, een *onhoorbaar* mes, die je ooit kon hopen te ontmoeten! ... *En garde*!' De woorden gingen vergezeld van woeste gebaren en snelle uitvallen terwijl de blauwe sjerp door de lucht danste en de oranje blouse opbolde. 'Je kunt het iedereen in de bergen van Servo-Kroatië vragen!'

'Maar je zat hier in de gevangenis...'

'Ik heb met een paar honderd valse cheques betaald, wat kan ik je zeggen?' voegde Roman Z er met sombere stem aan toe, zijn handen smekend uitgestoken. 'Je immigreert nu eenmaal, op wat voor manier ook, en je gaat ten onder in een vreemd land dat je niet begrijpt.'

'Zo, Wolfje,' zei Cyrus M en zijn stem klonk beslist. 'Nu weet je wie wij zijn, en hoe zit het met jou?'

'Kijk eens, mannen, je moet begrijpen dat ik iemand ben die sommige mensen een *Alleingänger* noemen – zoiets als een geheime onderzoeker...'

'Je bent ook een jongen uit het Zuiden – een jongen uit het Zuiden die Duits spreekt,' viel Cyrus hem in de rede. 'Is dat niet een vreemde combinatie?'

'Kun je dat horen?'

'Volgens mij komt het voor de dag wanneer je wat opgewonden

bent, Wolfje. Waarom ben jij opgewonden, manneke?'

'Je begrijpt me niet, Cyrus. Ik ben er alleen maar op gebrand aan dit baantje te beginnen!'

'O, we beginnen er meteen aan, daar kun je je zenuwenkont onder verwedden. We willen alleen een beetje meer weten over onze partner. Want zie je, we vertrouwen jou ons leven toe, dat kun je toch begrijpen, Wolfje, of niet soms? ... Hoe heeft nu zo'n aardige jongen als jij Duits geleerd? Was dat een onderdeel van die geheime onderzoekingen van je?'

'Precies!' antwoordde Wolfgang, met een starre grijns om zijn lippen. 'Zie je, ik werd getraind om in al die Duitse steden als München en Berlijn te infiltreren, op zoek naar die vuile communisten, maar weet je wat ik ontdekte?'

'Wat heb je ontdekt, *kleiner Mann*?'

'Ik ontdekte dat die melige regering van ons de andere kant opkijkt en er geen barst om geeft!'

'Je bedoelt zoals al die communistische rotzakken bij de Brandenburger poort die daar rondlopen in de Unter der Linden?'

'Ze waren zeker dol op lintjes, dat kan ik je wel vertellen!'

'*Sie sprechen kein gutes Deutsch*.'

'Nou ja, ik heb nooit zoveel geleerd daarom verstond ik het niet zo best, Cyrus, maar ik snap wat je bedoelt.'

'Ik begrijp het. Bepaalde belangrijke woorden en uitdrukkingen...' Zonder waarschuwing stak de enorme neger eensklaps zijn rechterarm schuin omhoog. '*Heil Hitler*!'

'*Sieg Heil*!' brulde Wolfgang, zo hard dat een aantal passagiers dat op Logan aankwam het hoofd omdraaide, staarde en direct van het toneel wegvluchtte.

'Verkeerde deel van de stad, Wolfje, de Brandenburger is aan de andere kant van de muur, voordat die omlaagkwam. Daar waren het allemáál communisten.' Cyrus M trok ineens de verbijsterde Hitluh in de schaduw van de pilaar en sloeg de neonazi met één klap bewusteloos.

'Verrek, waarom deed je dat nou?' riep de verbaasde zigeuner met zijn blauwe sjerp terwijl hij achter zijn vroegere gevangenismaat aan naar de schemerige hoek liep.

'Ik kan die rotzakken van een kilometer afstand ruiken,' antwoordde de grote zwarte scheikundige terwijl hij de roerloze gedaante van Wolfgang tegen de stenen drukte en de reistas van de nazi uit zijn rechterhand trok. 'Maak eens open en gooi de rotzooi op de grond.'

Dat deed Roman Z en de bloedrode omslag van *Mein Kampf* viel op als een diadeem met robijnen. 'Da's geen aardige vent,' zei de zigeuner. Hij bukte zich en raapte het boek op. 'Wat doen we nu, Cyrus?'

'Ik heb gisteren in mijn cel iets over de radio gehoord en dat viel me op. En je kunt het geloven of niet, maar het is hier in Boston gebeurd.'

THE BOSTON GLOBE

NAAKTE AMERIKAANSE NAZI GEVONDEN OP TRAPPEN VAN POLITIEBUREAU
EXEMPLAAR VAN 'MEIN KAMPF' OP BORST GEBONDEN

Boston, 26 aug. – In wat lijkt op een grotesk patroon van naakte misdadige praktijken werd gisteravond om 20.10 uur het kronkelende lichaam van een naakte man met een breed stuk plakband over zijn mond en zijn borst, waaronder een exemplaar zat van Adolf Hitlers *Mein Kampf*, door twee mannen achtergelaten op de trappen van het politiebureau in Cambridge Street.

Zeven getuigen die rond die tijd in de buurt waren en die weigerden hun namen te noemen, zeiden dat er een taxi stopte en twee mannen, de ene opvallend gekleed en de andere een grote zwarte neger, het lichaam naar de trappen droegen, terugkeerden naar de taxi en snel wegreden. Het slachtoffer is geïdentificeerd als Wolfgang A. Hitluh, een gezochte Amerikaanse nazi, geboren onder de wettige naam Billy-Bob Bayou in Serendipity Parish, Louisiana, van wie wordt aangenomen dat hij tot geweld in staat is. De autoriteiten zijn zowel verbijsterd als in verwarring, want de heer Hitluh claimt, evenals de vier naakte mannen die twee dagen geleden op het dak van het Ritz-Carlton hotel werden aangetroffen, regeringsimmuniteit voor strafvervolging, omdat hij zijn taak verrichtte als deel van een hoogst geheime operatie. De persvoorlichter van de FBI ontkende elke betrokkenheid maar had het volgende commentaar: 'We staan onze agenten niet toe hun kleren uit te trekken, onder welke omstandigheden dan ook, liefst niet eens hun stropdassen.' Een woordvoerder van de CIA, die ook elke voorkennis van de activiteiten van de heer Hitluh ontkende, legde de volgende verklaring af: 'Zoals algemeen bekend is verbiedt het Handvest van 1947 het bureau in het binnenland te opereren. In de enkele gevallen waar onze expertise wordt gevraagd door de binnenlandse autoriteiten, kan die alleen worden verstrekt naar goeddunken van de directeur in consult met de toezichthoudende commissie van het Congres. Als de overleden en vaderlandslievende Vincent Mangecavallo dergelijke maatregelen heeft getroffen blijken die niet uit onze dossiers. Daarom moeten alle vragen worden gericht aan die (scheldwoorden [twee] weggelaten) in het Congres.'

THE BOSTON GLOBE

(Pag. 72, advertenties)

Aug. 26 – Een taxi die eigendom is van Aboel Sjirak van Center Avenue 3024 werd gisteravond vroeg voor korte tijd gestolen terwijl hij koffie dronk in het Liberation cafetaria. Hij rapporteerde de diefstal aan de politie; vervolgens belde hij om 20.35 uur opnieuw om te zeggen dat de wagen was teruggebracht. Toen hij aanvankelijk door de politie werd ondervraagd kon hij zich alleen maar herinneren dat hij naast een man zat in een oranje zijden hemd die een gouden oorring droeg en die een druk gesprek met hem aanging, waarna hij ontdekte dat zijn autosleuteltjes verdwenen waren. Er wordt geen verder onderzoek ingesteld, aangezien de heer Sjirak vertelde dat hij een vergoeding had ontvangen.

'Je zult me antwoorden, jij hete Engelse aardappel!' schreeuwde de roodbepruikte Vinnie Boem-Boem in een telefooncel aan Collins Avenue in Miami Beach, Florida. 'Wat is er, verdomme, gebeurd?'

'Vincenzo, ík heb die drol niet uitgekozen, dat heb jíj gedaan,' sprak de stem van Smythington-Fontini vanuit zijn suite in het Carlyle hotel in New York. 'Je zult je vast wel herinneren dat ik je voor hem heb gewaarschuwd.'

'Hij heeft niet eens de kans gekregen om iets te doen! Die idioten kunnen geprogrammeerd worden om met hun blote konten in een mierenhoop te gaan zitten, maar hij was al kortgesloten voordat hij zijn kont kon vinden!'

'Wat verwachtte je dan van een neger en een zigeuner die samenwerken met een fanatieke Hitleraanhanger? Ik geloof dat ik dat heb gezegd.'

'Je zei ook dat die clowns geen zak gaven om wat dan ook, alleen maar om géld, nietwaar?'

'Op dat punt ben ik van gedachten veranderd. Van de andere kant kan ik je nu het goede nieuws geven. Je eerste twee keuzes hebben contact gelegd met de generaal en zijn op dit moment op de nieuwe schuilplaats en hebben hun posities ingenomen.'

'Hoe weet je dat nu verdomme weer?'

'Omdat Manpower Plus Plus me heeft gebeld en me dat heeft verteld. Agent Cyrus M heeft contact met hen gelegd via een telefoon ergens in Swampscott en heeft gezegd dat alles onder controle was. Hij zei ook dat hij liever geen kolonel werd gemaakt door de generaal. Ben je nu tevreden, Vincenzo?'

'Verdomme, néé! Heb je gelezen wat die rotzakken bij de CIA over me zeiden? Ze zeiden dat ik al die maatregelen misschien zelf had getroffen zonder iemand in te lichten! Wat voor geouwehoer is dát nou weer?'

'Niets nieuws, Vincenzo. Wie kun je beter de schuld geven dan een dode – als er schuld gegeven moet worden? En zelfs wanneer jij weer uit de doden opstaat op de eilanden van de Dry Tortugas dan zijn bepaalde dingen nog niet veranderd. Je hebt het inderdaad gedaan.'

'Alles via jou!'

'Ik ben onzichtbaar, Boem-Boem. Van nu af aan, als je tenminste van de Dry Tortugas af wilt komen, werk je alleen voor mij, *capisce*? Je gaat netjes opzitten, Vincenzo, je gaat niet staan.'

'Dit is gewoon niet te gelóven!'

'Waarom niet? Je hebt het zelf gezegd. Ik ben de zoon van mijn moeder. ... Ga maar door met je werk in Wall Street, beste vriend. Ik ga daar steenrijk van worden en jij – nou ja, dat beslissen we later wel.'

'*Mama mia!*'

'Heel goed gezegd, ouwe jongen.'

19

De immense woonkamer van het zomerhuis van de Birnbaums keek uit over het strand door een reeks glazen schuifdeuren die uitkwamen op een breed, roodhouten bordes over de hele lengte van het huis. Het was vroeg in de ochtend en de hemel was betrokken. Beneden zag de zee er ruw uit, met korte felle golfjes die kolkend schuimden, driftig het zand oprolden en zich met tegenzin terugtrokken, om daarna opnieuw op te rukken.

'Het wordt een rotdag, denk je niet?' zei Sam Devereaux die de keuken in kwam lopen met een mok koffie.

'Het ziet er niet erg veelbelovend uit,' antwoordde de enorme ne-

ger, die de avond tevoren aan hen was voorgesteld als Cyrus M.
'Ben je de hele nacht op geweest?'
'Gewoonte, meester. Ik ken Roman Z maar die twee Zuidamerikaanse jongens ken ik niet. Desi-Een en Twee, nota bene, wat stelt dat nou voor als alias?'
'Wat is Cyrus M voor naam?'
'Eigenlijk is het Cyril en de M komt van mijn moeder die me vertelde hoe ik me kon drukken uit zo'n achterafgat in de Mississippidelta. Boeken hoorden daar ook bij, maar ik verzeker u dat hardheid het voornaamste was.'
'Volgens mij had je voor de National Football League kunnen spelen.'
'Of een honkbalbat kunnen zwaaien, of kunnen boksen, of het Zwarte Monster van het worstelen kunnen zijn? ... Toe nou, meneer de advocaat, dat is dom spierenwerk en als je de beste niet bent eindig je met blessures en een half stel hersens en kun je geen kant meer op. Ik kan u ook verzekeren dat ik niet de beste had kunnen worden. Mijn hart was er niet bij.'
'Je klinkt als een onderlegd iemand.'
'Ik heb gestudeerd.'
'Meer vertel je daar niet over?'
'Laten we het even duidelijk stellen, meester. Ik ben aangenomen om jullie te beschermen, niet om u mijn levensverhaal te vertellen,' zei Cyrus vriendelijk.
'Oké. Sorry. ... Hoe zie jij de huidige situatie – aangezien we je daarvoor betalen?'
'Ik heb het hele terrein gecontroleerd, vanaf alle punten op het strand tot door de duinen heen langs de afrastering tot aan de weg. Er zijn zwakke plekken, maar tegen de middag niet meer.'
'Wat bedoel je?'
'Ik heb mijn firma gebeld, de firma die me heeft aangenomen en hun gezegd dat ze zo snel mogelijk zes struikeldraadapparaten op batterijen moeten sturen met antennes tot op leesthoogte – die worden gecamoufleerd door het hoge gras en de waterkant is daarmee gedekt.'
'Wat wil dat nu weer zeggen?'
'Het wil zeggen dat elk bewegend voorwerp met een gewicht van meer dan twintig kilo dat die stralen onderbreekt, een alarminstallatie in werking zal stellen die je minstens 8 kilometer ver kunt horen.'
'Jij kent je zaakjes, Cyrus M.'
'Ik hoop dat u de uwe kent,' mompelde de bewaker. Hij hield een

verrekijker voor zijn ogen en tuurde het terrein buiten af.

'Dat is een vreemde opmerking.'

'Ik denk dat u vrijpostig bedoelt.' De grijns van Cyrus was zichtbaar onder de verrekijker.

'Ja, ik geloof wel dat je dat kunt zeggen, maar het is toch een vreemde opmerking. Zou je die nader willen verklaren?'

'Ik ben waarschijnlijk ouder dan u denkt, meneer D en ik heb een vrij goed geheugen.' Cyrus stelde zijn verrekijker wat scherper en ging rustig en achteloos verder. 'Toen we gisteravond aan elkaar werden voorgesteld – met onze schuilnamen natuurlijk – en we onze instructies kregen van de generaal, dacht ik aan een aantal jaren terug. ... Omdat ik daar een tijdje heb gezeten valt mijn oog nogal eens op berichten over het Verre Oosten. ... Uw generaal is dezelfde die uit China werd gesmeten omdat hij een of ander nationaal monument in Beijing had geschonden, nietwaar? Ik herinner me zelfs de naam – generaal MacKenzie Hawkins – wat aardig klopt met "commandant H.", alleen noemen jullie hem allemaal "generaal", daarom lag de rang van de "commandant" aardig voor de hand. ... Hij is inderdaad dezelfde man, dezelfde generaal die heel Washington de stuipen op het lijf joeg vanwege zijn Chinese rechtszaak.'

'Zonder ook maar toe te geven dat er één woord waar is van jouw belachelijke giswerk, wat wil je eigenlijk zeggen?'

'Nou ja, het heeft te maken met de manier waarop ik voor dit bepaalde karwei werd gerekruteerd.' Cyrus bewoog de verrekijker langzaam heen en weer, waarbij zijn grote hoofd en schouders zich bewogen als het tot leven gebrachte bovenlijf van een imposant standbeeld dat met zijn forse lijnen een dreigende indruk maakte. 'Weet je, ik heb voor deze ploeg een paar jaar op onregelmatige basis gewerkt, eerlijk gezegd vroeger veel vaker, maar ik ken hen en de regels veranderen niet. Bij elk normaal karwei krijgen we korte, maar wel uitgebreide informatie over de opdracht...'

'Wat wil je nu precies zeggen?' vroeg de snel denkende advocaat die Sam in zijn gewone doen was.

'Namen, achtergronden, een korte mondelinge beschrijving van het soort karwei...'

'Waarom?' viel Devereaux hem in de rede.

'Hé, meester,' zei Cyrus zacht. Hij liet de verrekijker zakken en keek Sam aan. 'Je bent nu echt advocaatje aan het spelen, is 't niet?'

'Aangezien je kennelijk weet dat ik jurist ben, wat had je anders verwacht? ... Hoe wist je dat overigens?'

'Jullie jongens zijn allemaal hetzelfde,' antwoordde de bewaker grinnikend. 'Je zou het niet geheim kunnen houden ook al kon je niet praten – je handen zouden van je polsen afvliegen in gebarentaal.'

'Je hebt mij gehoord?'

'Ik heb jullie drieën gehoord – die oude man, de donkere dame die de zon niet nodig heeft om zo te worden en u. U weet dat ik van de generaal gisteravond een paar keer om het huis moest lopen om alle toegangswegen te controleren. Jullie drieën bleven nog op nadat uw moeder – ik neem tenminste aan dat ze uw moeder is – en "commandant H" naar bed gingen. Laten we zeggen dat ik in mijn volwassen leven een paar keer met de wet te maken heb gehad, daarom weet ik het wanneer ik advocaten hoor praten.'

'Oké,' gaf Devereaux toe. 'Op mijn eerste vraag: waarom krijgen jullie informatie over jullie werk terwijl je alleen maar ingehuurde bewakers bent?'

'Omdat we niet alleen maar bewakers zijn, we zijn huurlingen...'

'Wát zijn jullie?' schreeuwde Sam.

'Ervaren soldaten die te huur zijn en wilt u wat zachter praten?'

'O, mijn Gód!' Helaas knoeide Devereaux, met die ongepaste aanroep, de hele mok koffie over de voorkant van zijn broek. 'Jézus, dat is héét!'

'Goede koffie is dat meestal.'

'Hou je bek!' riep Sam terwijl hij zich vooroverboog en vergeefs met zijn broek wapperde. 'Huurlingen?'

'U hebt me gehoord en daarmee hebt u zo ongeveer een antwoord op uw eerste vraag, namelijk waarom we informatie krijgen over onze opdrachten. Ik zal het u uitleggen. ... Men neemt over het algemeen aan dat huurlingen elke opdracht aanvaarden vanwege het geld, maar dat is niet waar. Wanneer het er niet toe deed heb ik voor beide kanten gewerkt, maar dat doe ik niet wanneer het belangrijk is. Ik neem het karwei gewoon niet aan. ... Ik neem het ook niet aan wanneer ik me niet happy voel met de mensen die meedoen – en daarom mist u een derde "bewaker".'

'Had er nog iemand anders bij moeten zijn dan?'

'Hij is er niet, dus het heeft geen zin daar verder op in te gaan.'

'Oké,oké!' Devereaux ging rechtop staan en praatte verder met alle waardigheid die hij op kon brengen. 'Wat me tot mijn tweede vraag brengt, die was – verdomme, wat wás die ook al weer?'

'U hebt die vraag niet gesteld, meester, ik heb die opengelaten.'

'Wilt u dat nader verklaren?'

'Waarom kregen wij niet meer volledige informatie over deze opdracht? ... En omdat ik dat allemaal al eens heb meegemaakt, zal ik proberen u een redelijk antwoord te geven.'

'Graag.'

'We kregen alleen te horen dat jullie met z'n zevenen waren, drie met militaire ervaring, en dat tweede feit moest het werk vergemakkelijken. Geen omstandigheden, geen beschrijving van mogelijke vijanden, geen spatje politiek – politiek in bredere zin, zoals de wettigheid of onwettigheid van een zaak – in wezen niets anders dan aantallen en die hoefden niets te betekenen. Zegt u dat iets?'

'Het voor de hand liggende,' antwoordde Sam. 'De omstandigheden rond deze opdracht, zoals jij die noemt, moeten geheim blijven.'

'Dat is normale regeringstaal, geen huurlingentaal.'

'Huurlingentaal?'

'Wij nemen grote risico's voor veel geld, maar we zijn niet verplicht in het ongewisse te opereren, laten we zeggen alleen op basis van wat we hoognodig moeten weten. Dat is iets voor beroepsinlichtingenjunkies die infiltreren in Cambodja of Tanganyika en die geluk hebben als hun gezinnen het volle pensioen krijgen als ze niet meer thuiskomen. Begint u het verschil te zien?'

'Tot dusver is het niet erg moeilijk te begrijpen, maar ik weet niet waar je heen wilt.'

'Ik zal het u precies uitleggen. De pagina's die mankeren in dit draaiboek wijzen op een of twee mogelijkheden. De eerste is een niet goedgekeurde interventie door de regering, wat wil zeggen dat niemand iets mag weten omdat iedereen die dat wel doet, officieel of onofficieel, in Leavenworth of onder de grond terechtkomt... en de tweede mogelijkheid ziet er nog minder veelbelovend uit.'

'Ik wil ze graag horen,' zei Devereaux met zijn bezorgde ogen op het onbewogen gezicht van Cyrus M gericht.

'Een politieval, meester.'

'Een politie...?'

'Ja, maar niet van het soort waarom je kunt lachen, wanneer een boef die met een zwendeltje bezig is pootje wordt gehaakt, of zelfs een waarmee je slechte mensen vangt die smeergeld aannemen wanneer ze dat eigenlijk niet moesten doen. Deze is veel dodelijker. ... Er is een uitdrukking voor; ze wordt een "politieval met permanente afloop" genoemd.'

'"Permanente"?'

'Zoals in zonder herstel.'

'Bedoel je...?'

Als antwoord neuriede de reusachtige huurling zacht de Dodenmars van Chopin.

'Wát?' schreeuwde Sam.

'Praat nou niet zo hard! ... Ik probeer de tweede mogelijkheid uit te leggen. Er wordt een beschermende muur opgetrokken om het ware doel te verbergen. Executie.'

'Jezus *Christus*!...Waarom vertél je me dat allemaal?'

'Omdat ik en Roman Z er misschien mee ophouden.'

'Waarom?'

'Die derde huurling die ze stuurden beviel me niet en buiten dat, nu ik weet wie commandant H is, zit er echt iemand achter uw generaal aan en waarschijnlijk achter jullie allemaal, omdat jullie in hetzelfde schuitje varen. Jullie mogen dan geschift zijn, maar voorzover ik kan zien verdienen jullie dat niet, zeker niet het meisje en ik wil er niets mee te maken hebben. ... Ik zal die struikeldraadapparaten installeren – als ze hier ooit aankomen – en dan zullen we er eens over nadenken.'

'Mijn god, Cyrus...!'

'Ik dacht dat ik hoorde praten en ook een paar keer hoorde gillen,' zei Jennifer Redwing terwijl ze de keuken inliep met een kop thee in haar hand. '*Sam Devereaux*!' schreeuwde ze en ze staarde naar de broek van de advocaat. 'Het is je weer gelukt!'

De zes mannen liepen in leeftijd uiteen van zesentwintig tot vijfendertig. Sommigen hadden wat meer haar, anderen wat minder en ze waren ook van verschillende lengte. Maar drie dingen hadden ze allen gemeen. Elk gezicht had een uitgesproken 'uitdrukking', met scherp gesneden of brede gelaatstrekken, met doordringende of nietszeggende ogen en het gezicht zelf had iets indringends, iets... laten we het maar noemen, theatraals. En elk lichaam was een getraind lichaam, na jaren acrobatiek te hebben geleerd, schermkunst, dans (modern en klassiek), oosterse vechtsporten (waarvoor ze als stuntmannen betaald werden volgens de richtlijn van het Screen Actors Guild), komische buitelingen (onmisbaar voor komedies en kluchten), en optreden in kostuum (heel belangrijk bij Shakespeare en die Griekse toneelschrijvers), allemaal noodzakelijke dingen. Ten slotte omvatten hun stembanden zowat alle octaven en beschikten ze over een nog breder gamma van dialecten (verplicht voor ingesproken tv-spots). Al het bovengenoemde was onmisbaar voor hun ambacht – nee, hun kunst! – en natuurlijk ook voor de korte samenvattingen van hun ervaring die regelmatig neerdwarrelden op de bureaus van onverschillige agenten en producenten. Want ze waren acteurs, de meest verguisde en onbegrepen menselijke wezens op de hele aarde – vooral wanneer ze geen werk hadden. In één woord, ze waren uniek.

Ook hun eenheid was uniek in de annalen van de geheime operaties. Ze werd aanvankelijk opgericht door een wat oudere inlichtingenkolonel in Fort Benning die verzot was op alles wat met film, televisie en theater te maken had. Het was van hem bekend dat hij hele nachtoefeningen afgelastte als ze plaats moesten vinden wanneer hij een bepaalde film wilde zien in Pittsfield, Phenix City of Columbus; men zei ook dat hij regelmatig meeliftte met transportvliegtuigen van de luchtmacht om bepaalde toneelstukken te zien in New York en Atlanta. Maar zijn persoonlijke drug was de televisie, omdat die zo bereikbaar was. Zijn vierde vrouw verklaarde in hun echtscheidingsproces dat hij zonder ophouden de hele nacht opbleef voor het televisietoestel om soms drie of vier nachtfilms te bekijken, door met zijn afstandsbediening van het ene kanaal naar het andere te schakelen. Toen er dus zes acteurs, acteurs van het zuiverste water, opdoken in Fort Benning liet hij natuurlijk zijn fantasie de vrije loop – sommige collega-officieren beweerden zelfs dat de ouwe helemaal op hol sloeg.

Hij begeleidde elke man tijdens zijn basistraining en bewonderde hun individuele fysieke eigenschappen, vooral omdat ze allemaal in staat waren in een menigte de aandacht op zichzelf te vestigen, maar altijd op een positieve manier. Hij stond stomverbaasd over de manier waarop ieder van hen zich zo instinctief en natuurlijk mengde in zijn onmiddellijke en veranderende omgeving, de ene minuut het straatjargon sprekend met stadsrekruten, het volgende de plattelandstaal van de jongens van buiten.

Kolonel Ethelred Brokemichael – ex-brigadegeneraal Brokemichael, totdat die smerige advocaat van Harvard op het bureau van de Inspecteur-Generaal, hem ten onrechte had beschuldigd van drugshandel in Zuidoost-Azië! Drugs? Hij kende het verschil niet eens tussen coke en Cola! Hij had gezorgd voor het transport van medische voorraden en wanneer hij geld kreeg aangeboden had hij het meeste aan weeshuizen gegeven en een onbelangrijk bedrag achtergehouden om later theaterkaartjes voor te kopen. Maar met deze acteurs wist hij dat hij zijn weg terug had gevonden naar de rang die hij zo echt verdiende. (Hij vroeg zich vaak af waarom zijn neef Heseltine had gekozen voor ontslag terwijl hij degene was geweest die een ernstige berisping had gekregen en in rang was teruggezet, niet Heseltine, niet die huilerige debutant die altijd de meest extravagante operette-uniformen wilde hebben.) Maar hij had het gevonden! Een volledig originéél recept voor clandestiene operaties: een eenheid van getrainde beroepsacteurs, die als kameleons hun uiterlijk en hun houdingen konden veranderen in overeenstemming met wat voor doelen ze ook moesten infiltreren. Een springlevend theatergezelschap van *agents provocateurs*! Het kon niet kapot!

Dus kreeg de gedegradeerde kolonel Ethelred Brokemichael, via een paar Pentagon-connecties op de juiste plaats, zijn groepje toneelspelers geheel tot zijn eigen beschikking, om ze naar eigen believen te promoveren en ze in te zetten naar de aard van de geheime operaties. Hij had eraan gedacht hen 'Het Z-team' te noemen, maar de acteurs verwierpen die naam als één man. Ze weigerden de laatste letter van het alfabet te accepteren en aangezien er ongetwijfeld een copyright rustte op de eerste letter, stonden ze erop anders genoemd te worden, want als er ooit een televisieserie gemaakt zou worden wilden ze de zeggenschap hebben over de rolverdeling, de scenario's en alle rechten, in die volgorde.

Ze vonden de naam bij hun derde infiltratie binnen een periode van negen maanden, toen ze binnendrongen in een beruchte bende van de Brigate Rosse in Colonna, Italië, en een gegijzelde Amerikaanse diplomaat bevrijdden. Ze hadden dat gedaan door een advertentie in de krant te plaatsen waarin ze beweerden dat ze het beste communistische cateringbedrijf in de stad waren, wat niemand ooit eerder had gedaan. Daarop werden ze ingehuurd door de Brigate om het diner te verzorgen voor een verjaarspartijtje van hun boosaardige terroristenbaas in hun geheime hoofdkwartier. De rest was, zoals het cliché luidt, kinderspel. Maar binnen de geheime operaties werd een legende geboren. Met het *Knettergekke Zestal* moest voortaan rekening worden gehouden.

Latere operaties in Beiroet, de Gazastrook, Osaka, Singapore en Basking Ridge, New Jersey, droegen alleen maar bij tot de reputatie van de groep. Ze waren erin geslaagd velen van de meest barbaarse misdadigers van de hele wereld te grijpen, van drugkoeriers en wapenhandelaars tot huurmoordenaars en projectontwikkelaars en tijdens al die gevaarlijke opdrachten was er niet één gesneuveld.

Ze hadden ook nog nooit een wapen afgevuurd of een mes gebruikt of een granaat gegooid. Maar dat wist slechts één man – de in zijn vroegere waardigheid herstelde brigadegeneraal Ethelred Brokemichael. Wat was dat een schande! Het beroemde Knettergekke Zestal, dat zogenaamd model stond voor die dodelijke moordbrigades, had nog nooit iemand koud gemaakt – ze hadden zich met een vlotte babbel een weg gebaand in en uit elke mogelijk dodelijke opdracht die ze hadden gekregen. Het was uiterst vernederend!

Toen dus de minister van buitenlandse zaken in Fort Benning aankwam en in een tweemansjeep naar de verste uithoek van de veertigduizend hectares van het legerdomein daar was gereden om zijn hoogst geheime instructies over te dragen aan Brokemichael, toen had Ethelred het licht gezien aan het eind van zijn eigen donkere tunnel, zijn geheel eigen wráák! Het gesprek verliep als volgt.

'Ik heb het geregeld met onze mensen in Zweden,' zei Pease. 'Zij zullen tegen het Nobelcomité zeggen dat het een nationale crisis is, en hoeveel haring importeren we nu eigenlijk helemaal? Dan komen jouw jongens uit Washington vliegen, niet uit Stockholm, na zogenaamd met de president gesproken te hebben en de burgemeester van Boston begroet hen op het vliegveld met een persconferentie en limousines en een motorescorte, de hele santenkraam.'

'Waarom Boston?'

'Omdat het het Athene van Amerika is, de zetel van geleerdheid, de plaats van waaruit een dergelijke delegatie hoort te spreken.'

'En misschien ook waar Hawkins toevallig is?'

'We denken dat dat mogelijk is,' zei de minister. 'Het is echter wel zeker dat hij die prijs niet zal laten schieten.'

'Wat dacht u, de Havik zou nog uit een gevangenkamp in Hanoi ontsnappen en over de Stille Oceaan zwemmen om die te krijgen! Verrek, de Soldaat van de Eeuw! Die ouwe Georgie Patton gaat vast met bliksemschichten smijten.'

'En wanneer hij eenmaal opduikt grijpen jouw jongens hem en vliegen we de Atlantische Oceaan over naar het noorden, ver naar het noorden. Samen met al die onvaderlandslievende rotzakken die voor hem werken.'

'Wie zijn die dan wel?' vroeg generaal Brokemichael, slechts ten dele geïnteresseerd.

'Och, de eerste is een advocaat uit Boston die Hawkins in Beijing heeft verdedigd, een advocaat die Devereaux heet...'

'*Amaaai!*' schreeuwde de generaal en zijn gebrul klonk als een atoomontploffing in de woestijn. 'Die lul van Harvard?' krijste hij en de aderen in zijn gerimpelde hals zwollen zo op dat de minister vreesde dat hij ter plekke in de bloemenstruik naast hen de geest zou geven.

'Ja, ik geloof dat hij op Harvard heeft gestudeerd.'

'Die is er geweest, geweest, gewéést!' schreeuwde de generaal en ineens begon hij de lucht van Georgia met zijn vuisten te bewerken en schopte hij met zijn volkomen overbodige parachutistenlaarzen wild in het zand. 'Hij is *vergane glorie*, dat beloof ik u! ... Brian Donlevy zei dat op Château Neuf in *Beau Geste*.'

Marlon, Dusty, Telly en de Duke zaten tegenover elkaar in de vier voorste zwenkstoelen van de Air Force II, terwijl Sylvester en sir Larry aan het conferentietafeltje zaten, midden in het vliegtuig. Allen bestudeerden ze hun rollen en ook hun geïmproviseerde inleidingen die moesten leiden tot spontane, onsamenhangende gesprekken. Toen het regeringstoestel begon te dalen richting Boston hoorde men het gesnater van zes verschillende stemmen, alle doorspekt met de individuele interpretaties van hoe een Engelsman Zweeds spreekt. Voor elk gezicht stond een grote spiegel waarin de krijgers van het Knettergekke Zestal hun make-up controleerden – drie sikken, twee snorren en een pruik voor sir Larry.

'Hallo daar!' schreeuwde een jeugdig uitziende, blonde man die uit een gesloten afdeling achter in het toestel kwam. 'De piloot zei dat ik nu naar buiten mocht komen.'

De kakofonie van stemmen verstomde terwijl de vice-president van de Verenigde Staten grijnzend de brede cabine van het toestel inwandelde. 'Is dit niet leuk?' zei hij stralend.

'Wie is dat?' vroeg Sylvester.

'Hij,' corrigeerde sir Larry terwijl hij zijn pruik rechtzette. 'Wie is *hij*, Sly.'

'Ja, natuurlijk, maar wat is dit?'

'Dit is mijn *vliegtuig*,' antwoordde de kroonprins van het Ovalen Kantoor. 'Is het niet geweldig?'

'Ga zitten, pelgrim,' zei de Duke. 'Als je wat te vreten wilt of een fles bocht moet je op een van die knopjes daar drukken.'

'Dat weet ik, dat wéét ik. Al die geweldige jongens vormen mijn bemanning!'

'Hij-hij-hij-hij is de-de-vice-vice-vice... je weet wel,' riep Dustin, met zijn hoofd zwaaiend, maar niet heen en weer, in de rondte. 'Hij is geboren om precies-precies-precies elf uur tweeëntwintig 's morgens in negentien eenenvijftig-eenenvijftig-eenenvijftig, precies zes-zes-zes jaar, twaalf dagen, zeven uur-uur-uur en twee-twee-tweeëntwintig minuten nadat de Jappen-Jappen-Jappen zich overgaven op het slagschip-schip-schip Missouri.'

'Hou op, Dusty!' riep Marlon en hij krabde met zijn rechterhand in zijn linkeroksel. 'Ik heb genoeg van die act-act-act, je weet zeker wel waar ik vandaan kom, hè, Dusty?'

'Jij komt uit de boesj-boesj-boesj!'

'Hé, kom op, babysmoeltje, wil je soms een lolly?' vroeg Telly met een grijns naar de vice-president maar met ogen die helemaal niet lachten. 'Het zit wel goed met jou, jongen, maar ga nu zitten en hou je kaken op elkaar, oké? We zijn aan het werk, snappie?'

'Ik hoorde dat jullie acteurs waren!' zei de vice-president en hij liet zich in een stoel naast het gangpad vallen, tegenover het viertal. Zijn gezicht stond uitgelaten. 'Ik heb vaak gedacht dat ik acteur wilde worden. Weet je, een boel mensen vinden dat ik op die filmster lijk...'

'Hij kan niet acteren!' verklaarde sir Larry woedend, met een zwaar Engels accent vanaf de tafel achter hem. 'Hij heeft geluk gehad en een paar kruiwagens en dat stomme onmogelijke smoel van hem waaruit geen enkel karakter spreekt.'

'Een redelijke regi-regi-regisseur,' waagde Dustin.

'Ben jij helemaal gék?' brulde Marlon. 'Dat lag aan de rolverdeling. De acteurs hebben hem erdoor gesleept!'

'Misschien heeft hij de rollen verdeeld,' opperde Sylvester. 'Weet je, dat zou best eens kunnen, man.'

'Luister nou eens naar mij, pelgrims,' zei de Duke en hij liet zijn half dichtgeknepen ogen over de stoelen dwalen. 'Het zijn allemaal smerige zaakjes in die kantoren van die veedieven, die landje-pikagenten. Dat noemen ze "piramidezaken". Je krijgt de ster maar je moet ook alle rotzooi nemen die eronder ligt.'

'Sjonges, nu hoor ik echte acteurs praten!' riep de vice-president uit.

'Het is shit, baby, en blijf er met je mooie gezichtje maar vanaf.'

'Telly!' riep sir Larry kwaad. 'Hoe vaak heb ik je niet gezegd dat sommige mensen vuile taal kunnen gebruiken, maar jíj niet, schat! Uit jouw mond klinkt het beledigend.'

'Hé man,' kwam Marlon tussenbeide, gekke gezichten trekkend voor de spiegel. 'Wat wil je dan, verdomme, dat hij zegt? "O, foei, grote Caesar"? Ik heb dat een paar keer geprobeerd maar het haalde niets uit.'

'Jij praat ook niet zo best, Marley,' zei Sylvester terwijl hij zijn sik vastlijmde. 'Je moet écht goed kunnen praten om die stomme woorden verstandig te laten klinken.'

'Moet je jou horen praten, stomme klojo!'

'Ik drink ook niet zoveel van dat Jake's bier, dat mij een dollar per kroes kost!'

'Hé, heel goed, Sly!' riep Marlon met zijn volkomen normale stem uit het Mid-Westen, zonder enig gebrabbel of gezwijmel. 'Werkelijk fenomenaal!'

'Prima repliek, jongen,' zei Telly, alsof hij een beschaafde professor Engels was.

'We kunnen álles,' voegde Dustin eraan toe en hij streek zijn snor glad.

'Nou ja, we kunnen maar beter verrekte goed zijn daar beneden op Logan, heren,' zei de Duke, die zijn lichtelijk roze neus controleerde en met een stem sprak die paste bij een hoge directeur van een onderneming.

'Verdulleme, wij zijn geweldig!' riep sir Larry op een toon die deed denken aan het Okefenokee-moeras.

'Lieve hemel,' riep Sylvester uit met het deftig accent van een afgestudeerde van de toneelschool van Yale, terwijl hij naar de vicepresident staarde. 'U bent hem werkelijk!'

'Het, Sly!' verbeterde Larry hem opnieuw en hij viel weer even terug in zijn aristocratische Engels. 'Dat geloof ik tenminste.'

'Een natuurlijk ontwikkeld idioom staat dat gebruik toe,' kaatste Sylvester terug terwijl hij nog steeds de vice-president aankeek. 'We stellen het gebruik van uw vliegtuig op prijs, meneer, maar waarom?'

'Minister van buitenlandse zaken Pease dacht dat het een aardige indruk zou maken in Boston en aangezien ik toch niets deed – ik bedoel maar, ik doe heel veel maar deze week deed ik niets – zei ik: "Natuurlijk, waarom niet?"' De kroonprins boog zich samenzweerderig voorover. 'Ik heb zelfs de "bevinding" getekend.'

'De wat?' vroeg Telly en hij keek even niet naar zijn gezicht in de spiegel.

'De inlichtingenbevinding voor jullie operatie.'

'We weten wat dat is, jongeman,' zei de Duke en uit zijn keurige stem werd duidelijk dat hij de leiding had. 'Maar ik geloof dat alleen de president zo'n document mag ondertekenen.'

'Och, die zat net op de wc en ik was er wel, daarom zei ik: "Natuurlijk, waarom niet?"'

'Collega-toneelspelers,' oreerde Telly. Hij wendde zich weer naar de spiegel en zijn vibrato-stem kwam recht uit dat beroemde theaterinstituut 'The Players' in New Yorks Gramercy Park. 'Als ons dit niet lukt zal het Congres deze jongeman een dankbetuigingsdiner aanbieden dat hij nooit zal vergeten.'

'Ik heb daar zelfs een paar nieuwe vrienden gemaakt...'

'Met hem aan het spit-spit-spit,' maakte Dustin de zin af, met rukkende bewegingen zijn hoofd ronddraaiend om in zijn rol te blijven natuurlijk. 'Precies-precies-precies vier-vier uur, twintig-twintig-twintig minuten en twee-twee-tweeëndertig seconden. Dan zal zijn kont net lekker gaar zijn.'

'Ik mag dat wel als ze mij voor de gek houden. Dat is een teken dat ze je echt mogen!'

'Ga jij ons voorstellen bij de persconferentie op het vliegveld?' vroeg Marlon sceptisch, met een uitgesproken hartelijk Midwesters accent.

'Ik? Nee, de burgemeester haalt jullie af. Ik word zelfs niet verondersteld het eerstkomende uur uit het vliegtuig te komen, en dan nog helemaal zonder pers.'

'Waarom zou je eigenlijk uit het toestel komen,' zei de ontwikkelde Yale-man die zich Sylvester noemde. 'We gebruiken materiaal van de luchtmacht om ons naar...'

'Zeg me niets!' riep de vice-president die zijn handen voor zijn oren sloeg. 'Ik mag niets weten!'

'Jij mag niets weten?' vroeg de Duke. 'Jij hebt de bevinding ondertekend, *meneer.*'

'Och, natuurlijk, waarom ook niet? Maar wie leest die stomme dingen nou, verdikke?'

'Pore Jud is daid, a candle lights his haid,' zong Telly zacht vanuit zijn zwenkstoel, zijn diepe bariton geknipt voor het ontroerende liedje van Rodgers en Hammerstein.

'Ik herhaal,' herhaalde Sylvester. 'Waarom zou je het toestel verlaten?'

'Dat moet ik wel. Want zie je, een of andere druiloor heeft thuis de wagen van mijn vrouw gestolen – háár auto, niet de mijne – en die moet ik identificeren.'

'Je méént het!' zei Dustin en zijn stem klonk normaal. 'Is die hier in Boston?'

'Men vertelde me dat hij werd gebruikt door een paar zeer onsmakelijke types.'

'Wat ga je nou doen?' vroeg Marlon.

'Ik ga een of andere zultkop voor zijn kloten schoppen zodat hij zijn leven lang de hoge C kan halen, dát ga ik doen!'

Opnieuw was het even stil. De Duke richtte zich op in zijn volle lengte, zag hoe zijn kameraden zwijgend naar de vice-president keken en sprak toen in het jargon van zijn naamgenoot. 'Jij bent misschien achteraf toch een toffe jongen, pelgrim. Misschien kunnen wij je wel helpen.'

'Nou ja, ik vloek natuurlijk nooit, tenminste bijna nooit...'

'Vloek maar, baby,' viel Telly hem in de rede en hij haalde een draderig snoepje uit zijn vestzak. 'Neem een lolly en krabbel niet terug. Misschien heb je zojuist hier een paar vrienden gemaakt. Volgens mij kun je die wel gebruiken.'

'*Klaarmaken voor landing op Bostons Logan Airport,*' klonken via de luidspreker de woorden vanuit de cockpit van de Air Force II. '*Geschatte aankomsttijd over achttien minuten.*'

'Er is nog tijd voor een borrel, meneer,' zei de vriendelijke Marlon terwijl hij de blonde politicus aankeek. 'U hoeft alleen maar de steward te roepen.'

'Waarom ook niet?' De vice-president van de Verenigde Staten drukte opstandig op de knop en binnen enkele tellen – misschien wel te veel tellen – verscheen de steward van de luchtmacht – misschien niet al te enthousiast.

'Wat wil je?' vroeg de korporaal en de jonge vice-president kroop direct voor hem ineen.

'Wát zei je daar, pelgrim?' schreeuwde de Duke, nog steeds op de been.

'Pardon?'

'Weet jij wel wie die man is?'

'Jawel, meneer, natuurlijk, meneer!'

'Ga dan recht in je zadel zitten en ga in galop, niet in draf!'

In veel kortere tijd dan zijn eerdere komst brachten de steward en een tweede bemanningslid voor iedereen drankjes. En iedereen glimlachte terwijl ze hun glazen hieven.

'Op u, meneer,' toostte Dustin met zijn heldere, afgemeten stem.

'Daar doe ik als tweede aan mee,' zei Telly. 'En vergeet de lolly maar, beste vriend.'

'Als derde...!'

'Vierde...!'

'Vijfde...!'

'Zesde!' kwam de Duke als laatste en hij knikte deftig zoals zijn rol dat betaamde.

'Jeminee, jullie zijn echt geweldige kerels!'

'Het is voor ons een gepast en onderdanig voorrecht vrienden te worden van de vice-president van de Verenigde Staten,' zei de aardige Marlon en hij keek de anderen aan terwijl hij dronk.

'Gossie, ik weet niet wat ik moet zeggen. Ik voel me echt als een van jullie!'

'Dat ben je ook, pelgrim, dat ben je,' zei de Duke en hij hief zijn glas voor de tweede keer. 'Ze hebben op jou net zo gescheten als op ons.'

Jennifer Redwing creëerde, met de enthousiaste hulp van Erin Lafferty en het werk als sous-chefs van Desi-Een en Twee, een multinationale barbecue op de roodhouten veranda. Daar de metalen kuil vier grillgedeeltes had, elk geregeld door een eigen thermostaat, kon aan ieders smaak worden voldaan. De vrouw van Paddy Lafferty belde de koosjere jongens in Marblehead en liet hen de fijnste zalm en de verste kippen afleveren en vervolgens belde ze de boyo's in Lynn om de beste lendestukken te sturen die ze in voorraad hadden.

'Ik weet niet wat ik voor jou kan doen, jij ongehoord knappe meid,' riep Erin uit terwijl ze in de keuken met grote ogen naar Jennifer keek. 'Moet ik proberen voor jou wat buffelvlees te krijgen?'

‘Nee, lieve Erin,’ antwoordde Jenny lachend terwijl ze de grote aardappelen uit Idaho schilde die ze in de kelder gevonden hadden. ‘Ik grill wel een paar moten zalm.’

‘O, zoals jullie indiaanse vissen in die snelstromende rivieren?’

‘Ook nu weer nee, Erin. Zoals die maaltijden met minder cholesterol die we allemaal verondersteld worden te eten.’

‘Ik heb er op Paddy een paar uitgeprobeerd en weet je wat hij zei? ... Hij zei me dat hij het Onze Lieve Heer zelf zou vragen – van aangezicht tot aangezicht, moet je nagaan – waarom Hij, als Hij niet wilde dat zijn stevige boyo’s lendestukken aten, dan verdomme al die beesten op de aarde had gepoot die wij mochten opeten?’

‘Heeft je man ooit antwoord gekregen?’

‘Volgens hem wel. Twee jaar geleden hebben we, dank zij meneer Pinkus, onze voorouders in Ierland opgezocht en Paddy ging op zijn krent zitten om de Blarneysteen te kussen. Toen hij opstond zei hij tegen me: “Ik heb de boodschap ontvangen, wijffie. Voor wat betreft lendestukken vorm ik de uitzondering en dat is de heilige waarheid!” ’

‘En dat heb je geaccepteerd?’

‘Toe nou, meid,’ antwoordde Erin Lafferty met een lieve glimlach, nu niet direct onschuldig. ‘Hij is mijn boyo, de enige boyo die ik ooit wilde hebben in mijn hele leven. Na vijfendertig jaar zal ik daar gaan twijfelen aan zijn visioenen!’

‘Geef hem dan zijn lendestukken maar.’

‘O, maar dat doe ik, Jenny, alleen snijd ik al het vet eraf en hij gilt als een speenvarken dat de slager ons bedondert of dat ik ze verkeerd braad.’

‘Wat doe je dan?’

‘Een extra glaasje whisky, meid, en misschien een paar keer aaien op bepaalde plekken zodat hij niet direct meer aan eten denkt.’

‘Je bent een bewonderenswaardige vrouw, Erin.’

‘Och, schei uit met dat gelul, kind!’ zei Paddy Lafferty’s vrouw terwijl ze de sla fijnhakte. ‘Wanneer je een eigen vent krijgt dan leer je een paar dingen. Het eerste is hem in leven te houden; het tweede is te zorgen dat zijn batterijen niet leeg raken en meer komt er niet bij kijken.’

‘Ik benijd je, Erin.’ Redwing bestudeerde het fijnbesneden, zij het wat mollige gezicht van mevrouw Lafferty. ‘Jij hebt iets wat ik denk dat ik nooit zal krijgen.’

‘Waarom niet, meid?’ Erin hield op met hakken.

‘Ik weet het niet. ... Misschien wil ik sterker zijn dan elke man die me op die manier wil – als echtgenote, bedoel ik. Ik laat me niet ondersneeuwen.’

'Je bedoelt dat de kerel die met je trouwt boven ligt, niet dubbelzinnig bedoeld?'

'Ja, ik geloof dat ik dat bedoel. Ik kan niet serviel zijn.'

'Ik weet niet zeker wat ser-serviel betekent, maar ik denk dat het zoiets is als lagere klasse, of geen klasse, bedoel je dat?'

'Dat bedoel ik nu precies.'

'Er is toch wel een betere manier? Zoals ik nu doe met Paddy – met wie ik graag de rest van mijn leven wil delen – door hem te zeggen dat hij toch zijn lendestukken krijgt, maar *hij* weet niet dat ik het vet eraf snijd. Hij krijgt zijn vlees – zodat hij niet meer kan klagen – maar die vette rotzooi gooi ik weg totdat hij zijn tanden zet in de laatste halve centimeter bot. Begrijp je wat ik bedoel? Laat de gorilla even van het bot proeven en hij vergeet de rest. Hij is gelukkig.'

'Wil jij zeggen dat wij vrouwen onze mannelijke tegenpolen manipuleren?'

'Wat hebben we dan jarenlang gedaan? ... Voordat jullie zo'n misbaar begonnen te maken hadden we het goed voor elkaar. Vertel ze maar wat ze willen horen, maar geef hun je eigen parfum.'

'Merkwaardig,' zei de dochter van de Wopotami's peinzend.

Plotseling klonken vanuit de enorme woonkamer achter de keukendeur opgewonden en bange kreten, of een combinatie van beide – dat was onmogelijk uit te maken. Jennifer liet een aardappel op de vloer vallen terwijl Erin onwillekeurig een krop sla uit haar handen liet schieten tegen een armatuur aan, zodat er een tl-buis kapotsprong en de scherven in haar slabak terechtkwamen. Desi-Een verscheen in de deuropening en smeet de deur met zoveel kracht open dat ze van de muur terugsprong in zijn gezicht en de tijdelijke tandvoorziening in zijn mond ontregelde.

'Hé!' riep hij. 'Kom hier eens kijken naar de *teledifusión*! Het is té gek – het is zo gek als *vacas* met *testiculos*!'

Beide vrouwen renden naar de deur en de woonkamer in en staarden verbijsterd naar het televisiescherm. Er waren zes kennelijk belangrijke bezoekers van Boston te zien, allen deftig gekleed, sommigen met sikken, anderen gladgeschoren of met snorren. Allemaal droegen ze zwarte vilthoeden. Ze werden begroet door de burgemeester van Boston, die al even duidelijk niet bij machte was de groeten van de stad over te brengen.

'Daarom verwelkomen wij u in Boston, heren van het nobele comité van Zwedenland en we brengen u onze diepgevoelde dank over omdat u de beroemde universiteit van Harvard hebt uitgekozen voor uw concert over internationale verrekkingen en uw zoeken naar de Soldaat van de Eeuw, namelijk een zekere generaal MacKenzie

Hawkins, van wie u aanneemt dat hij in ons verre westen verkeert en deze uitzending zal zien of horen ... wie heeft dit gelul geschreven?'

'Wij onderbreken de uitzending om u nauwkeurig op de hoogte te brengen!' klonk de stem van de omroeper terwijl het beeld van het scherm verdween. 'Het beroemde Nobelcomité is in Boston aangekomen om deel te nemen aan het symposium op Harvard over internationale betrekkingen. De woordvoerder, sir Lars Olafer, verklaarde echter bij aankomst, enkele minuten geleden, dat een tweede doel was de verblijfplaats te vinden van generaal MacKenzie Hawkins, die tweemaal begiftigd is met de Eremedaille van het Congres en die door het Nobelcomité is uitverkoren als Soldaat van de Eeuw. ... De autocolonne van de burgemeester zal spoedig vertrekken naar het hotel de Vier Jaargetijden waar het Zweedse comité zal verblijven tijdens het symposium op Harvard. ... Heel even, alstublieft. We hebben de rector magnificus van Harvard University aan de lijn. ... Wát voor symposium? Verrek, hoe weet ík dat nou, jij bent daar de baas, niet ik! ... Sorry, mensen, een kleine communicatiestoornis in Cambridge. ... We gaan nu over naar ons normale programma, een herhaling van ons populairste programma, "Pak wat je krijgen kunt".'

'*Laat iemand de dwergen het toneel opsturen...!*'

MacKenzie Hawkins kwam bulderend uit zijn stoel. 'Verdómme, Soldaat van de Eeuw! Hebben jullie dat gehoord? ... Natuurlijk moest dat vroeg of laat gebeuren, maar het feit dat het nu echt gebeurd is maakt mij tot de meest trotse gevechtsofficier die ooit heeft geleefd! En laat ik jullie dit vertellen, meisjes en jongens, ik ben van plan die grote eer te delen met elke rekruut die ooit onder mij heeft gediend, want zij zijn de échte helden en dat zal ik wereldkundig maken!'

'Generaal,' zei de reusachtige negerhuurling rustig, zelfs beminnelijk. 'Kunnen u en ik even praten?'

'Waarover, kolonel?'

'Ik ben geen kolonel en u bent niet de Soldaat van de Eeuw. Dit is doorgestoken kaart.'

20

De gespannen stilte die volgde had iets aangrijpends. Het leek of allen getuige waren van het verdriet van een groot en trouw dier, verraden door een onzichtbare meester, die het in de steek had gelaten en had uitgeleverd aan de moordlust van een horde wolven. Jennifer Redwing liep rustig naar het tv-apparaat en zette het af terwijl

MacKenzie Hawkins Cyrus aanstaarde.

'Ik geloof dat u dat weleens nader mag verklaren, kolonel,' zei de generaal uit wiens ogen zowel verbazing als verdriet sprak. 'U en ik hebben zojuist een nieuwsuitzending van de televisie gezien en we hebben de woorden gehoord die werden uitgesproken door een hoge buitenlandse gast, een woordvoerder van het Zweedse Nobelcomité; en tenzij mijn oren mij hopeloos hebben bedrogen, kondigde hij aan dat mij de titel van Soldaat van de Eeuw zou worden toegekend. Aangezien deze uitzending en wat erin werd gerapporteerd, ongetwijfeld gezien zal worden door miljoenen mensen in heel de beschaafde wereld, is bedrog volgens mij volkomen uitgesloten.'

'De permanente valstrik in zijn uiterste vorm,' zei Cyrus M zacht. 'Ik heb geprobeerd het uit te leggen aan uw collega's, juffrouw R en meneer D'

'Probeer het mij dan ook maar eens duidelijk te maken, kolonel.'

'Ik zeg het nog maar eens, ik ben geen kolonel, generaal...'

'En *ik* ben niet de Soldaat van de Eeuw,' zei Hawkins. 'Ik neem aan dat je dat ook graag zou willen herhalen.'

'U zult best recht hebben op die eretitel, meneer, maar die eer zou u nooit worden bewezen door iemand van het Nobelcomité.'

'Wát?'

'Ik zal het u precies vertellen, zodat er geen misverstand ontstaat.'

'Bent u soms jurist?' vroeg Aaron Pinkus ertussendoor.

'Nee, maar naast andere zaken ben ik wel scheikundige.'

'Scheikundige?' vroeg Hawkins die van de ene verbazing in de andere viel. 'Wat weet je dan over dit soort zaken?'

'Nou ja, ik ben zeker niet van het niveau van Alfred Nobel, die ook chemicus was en die ook het dynamiet heeft uitgevonden en die – zoals velen menen – om zijn schuldgevoelens over die uitvinding tot rust te brengen, de Nobelprijzen creëerde waarvan er niet één ooit met oorlog te maken mocht hebben. Het idee van een Soldaat van de Eeuw zou een gruwel zijn voor het Nobelcomité.'

'Wat wil je nu precies zeggen, Cyrus?' vroeg Jennifer.

'Een aanvulling op wat ik vanmorgen zei. Dit is de valstrik die bestemd is voor generaal Hawkins...'

'Ken jij mijn naam?' riep MacKenzie uit.

'Hij weet hoe je heet, Mac, laat nu maar,' zei Devereaux.

'Hoe?'

'Vergeet het maar, generaal,' antwoordde Redwing. 'Voorlopig is hij mijn getuige... Oké, Cyrus, het is een valstrik. Wat nog meer? Want uit de klank van je stem maakte ik op dat er inderdaad nog meer is.'

'Dit zijn geen knullige halfzachten meer, die denken dat ze Alexander de Grote zijn. Dit is een eenmansoperatie van een of andere verrekte hoge pief in de regering.'

'*Washington*?' vroeg een ongelovige Aaron Pinkus.

'Iemand in Washington,' verbeterde de huurling. 'Dit is niet het werk van een groep, daarvoor is het gevaar van uitlekken te groot, maar van een hoog geplaatste regeringsautoriteit die zoiets zelf kan opzetten.'

'Waarom zegt u dat?' hield Aaron aan.

'Omdat het Nobelcomité in Zweden onkreukbaar is en alleen het ingrijpen van een zeer belangrijk iemand zou het zelfs maar tijdelijk kreukbaar kunnen maken. Elke fatsoenlijke journalist kan hierover tenslotte in Stockholm om een bevestiging vragen. Ik vermoed dat die bevestiging al gegeven is.'

'Sjónges!' riep Sam Devereaux. 'Dit wordt méénes!'

'Ik geloof dat ik vanmorgen al iets in die geest zei.'

'Je hebt me ook gezegd dat je eraan dacht samen met Roman Z aan de kuierlatten te trekken, zodra die struikeldingen met batterijen waren aangebracht. ... Die zijn er nu, Cyrus. Wat nu? Ga je ons in de steek laten?'

'Nee, meester, ik ben van gedachte veranderd. We blijven.'

'Waarom?' vroeg Jennifer Redwing.

'Ik denk dat jullie een of andere welluidende verklaring verwachten die met ras te maken heeft, zoiets dat wij nikkers de Klan alleen maar konden overleven door een zesde zintuig te ontwikkelen en dat we helemaal van de kaart raken wanneer de regering zo handelt. Dat is voodoo.'

'Hé, die grote jongen is niet op zijn mondje gevallen!' kwam mevrouw Lafferty tussenbeide.

'Later, lieve Erin,' zei Redwing die zich helemaal op Cyrus had geconcentreerd. 'Oké, meneer de huurling, geen rassenvoodoo, waar ik ook het een en ander van weet. Waarom blijven jullie?'

'Is het belangrijk?'

'Voor mij wel.'

'Dat kan ik begrijpen,' zei Cyrus glimlachend.

'Ik snap er geen mallemoer van!' explodeerde MacKenzie Hawkins. Hij verkreukelde een sigaar tussen zijn vingers en stak die daarna in zijn mond.

'Laat meneer dan antwoord geven,' zei Aaron Pinkus. 'Neem me niet kwalijk, generaal, maar hou nou alsjeblieft eens je bek.'

'De ene commandant geeft zo'n bevel niet aan een andere!'

'Och, krijg de kolere,' zei Aaron, ineens hoofdschuddend alsof hij zich afvroeg waar hij die woorden vandaan haalde. 'Lieve hemel, het spijt me verschrikkelijk!'

'Laat maar,' kwam Sam tussenbeide. 'Je zei, Cyrus?'

'Oké, meester,' zei de huurling en hij keek Devereaux aan. 'Hoeveel hebben u en de dame tegen de anderen gezegd?'

'Alles wat jij ons hebt verteld, maar niet tegen de anderen, alleen tegen Aaron. We hebben Mac en zijn "adjudanten" erbuiten gehouden en mijn moeder hier...'

'Waarom heb je dat, verdomme, niet tegen mij verteld?' schreeuwde de generaal. '...wat het dan ook is wat je niet hebt verteld!'

'We hadden meer bevestiging nodig voordat jij bevelen zou gaan uitdelen,' antwoordde Sam kortaf en hij wendde zich weer tot Cyrus. 'We hebben het ook gehad over je moeilijkheden in Stuttgart en de nawerking daarvan. Jouw "vrijlating" uit de gevangenis zullen we maar zeggen.'

'Dat doet er niet toe. Als dit de rotzooi is die ik denk dat het is en Roman Z en ik kunnen jullie helpen, dan denk ik zo dat jullie zoiets niet tegen ons zullen gebruiken.'

'Daar kun je, wat mij betreft, van op aan,' zei Redwing nadrukkelijk.

'Ik heb niets gehoord,' voegde Devereaux eraan toe.

'U zou ook niets hebben gehoord,' zei de huurling ad rem. 'Uw vragen waren onbeholpen terwijl die van juffrouw R gericht waren en zin hadden. Ze maakte het duidelijk dat ze, om mij te kunnen geloven, achtergrondinformatie moest hebben. Die heb ik haar gewoon gegeven.'

'Wat mij betreft is het allemaal van horen zeggen en niet toelaatbaar als bewijsmateriaal,' zei Pinkus.

'Mijn ondervragingen zijn nooit stuntelig,' mompelde Sam.

'Nou ja, je was nogal verstrooid... en er was het een en ander over je broek gestrooid,' zei Jennifer rustig. 'Je zegt dat je beslissing niets te maken had met je ras, Cyrus, maar jij bent als enige daarover begonnen. Protesteer je niet een ietsje te veel? Jij was een neger die ten onrechte werd veroordeeld; als zoiets met mij als indiaanse gebeurd was zou ik verdomde kwaad zijn en dat lange tijd blijven. Ik zou me willen wreken op elk symbool van autoriteit en de zaak waarom het ging zou er, geloof ik, weinig toe doen. Blijf je *daarom* soms?'

'Uw psychologie is correct maar in dit geval niet van toepassing. In feite kwam ik, ondanks mijn verweer van zelfverdediging, in de gevangenis terecht niet omdat ik een neger was, maar omdat ik een verdomde goede scheikundige was. Nu dachten er misschien een paar idioten in Stuttgart dat een *Schwarzer* niet in staat was hun laatste fase van chemische samenstellingen...'

'Hé, moet je toch eens horen!' riep mevrouw Lafferty uit.

'Alsjeblieft, lieve Erin.'

'Maar toch,' vervolgde Cyrus. 'De opdracht voor dat leveringscontract werd goedgekeurd door de topman van de commissie voor wapencontrole, die ik persoonlijk op de hoogte had gesteld door een brief via een diplomatieke contactman die ik nooit persoonlijk heb ontmoet. Een of andere smerige regeringsambtenaar met zijn vingers in de kassa zorgde ervoor dat mijn verdenkingen nooit bij de rest van de commissie belandden. Ik werd – vergeef me de uitdrukking – zwart gemaakt en dat had niets te maken met mijn huidkleur want analytische rapporten vermelden die informatie niet.'

'Wat voor verband is er tussen uw ervaring in Stuttgart en de persconferentie van vanavond op Logan Airport?' vroeg Pinkus.

'Samen met alles wat ik uw collega's vertelde over de vreemde omstandigheden van deze opdracht, moet ik teruggaan naar dat zesde zintuig dat ik ontkend heb omdat dit niets met ras te maken heeft – het heeft te maken met corruptie, regeringscorruptie. Eén machtige man in de commissie voor wapencontrole was in staat mijn zwarte kont uit een Duitse gevangenis te krijgen, waar die tot op de laatste maand toe vijftig jaar gebleven zou zijn, door de rechtbank in Bonn onder druk te zetten en met mij een deal te maken. Ineens was het stil en kon je in die chemische fabriek een speld horen vallen en de afspraak met mij was dat ik vijf jaar zou krijgen en misschien maar één als ik mijn mond hield – allemaal uiterlijk vertoon. En zeg me niet dat er niet het nodige smeergeld aan te pas kwam.'

'Maar je hebt de afspraak wél gemaakt,' zei Jennifer onvriendelijk. 'Een strafvermindering in ruil voor het bekennen van schuld.'

'Het trok me niet bijster aan als enige neger in een Duitse gevangenis te zitten waar een boel gevangenen maniakken zijn die wachten tot er weer een Adolf uit de doden opstaat.'

'Het spijt me, ik begrijp het. Wij hebben ook zo'n zesde zintuig ontwikkeld.'

'Nee, alstublieft, geen spijtbetuigingen,' protesteerde de huurling zacht. 'Toen ik in de gevangenis die televisiebeelden zag van al die mensen die waren omgekomen door de chemicaliën waarvan ik op de hoogte was, schaamde ik mezelf.'

'Hè, toe nou, kolonel...'

'Hou daar in godsnaam mee op, meester. Ik ben geen kolonel.'

'Nee, ik meen het!' vervolgde Devereaux snel. 'Wat had je vijftig jaar in de gevangenis kunnen doen, stel dat je het vijftig minuten had uitgehouden met die skinheads?'

'Zo redeneerde ik ook en daarom ben ik met Roman Z uitgebroken. Er moet een eind komen aan die rotzooi, man!'

'En u gelooft dat er zoiets als u hebt ervaren nu aan de hand is met generaal Hawkins?' vroeg Aaron terwijl hij zich vooroverboog in zijn stoel. 'En dat het bewijs daarvoor de nieuwsuitzending is die we zojuist hebben gezien?'

'Ik zal u zeggen dat ik onmogelijk kan geloven dat er ooit een Nobelprijs zou zijn voor de Soldaat van de Eeuw. Ten tweede, waarom is dit zogenaamde comité naar Boston gevlogen, het enige vliegveld in de buurt waar jullie al eens zijn aangevallen, wat betekent dat jullie zijn ontdekt door de verfijnde middelen van een officiële inlichtingeninstantie. Ten derde was er dat kwartet van verwarde psychopaten, die jullie te grazen probeerden te nemen in Hooksett, je reinste gajes – volgens mij heeft iemand die jullie nooit zullen vinden een gevangenbewaarder omgekocht. Jullie hebben dat ontdekt toen je een wasmerk uit de gevangenis vond in een broek en hen in lijkzakken terugstuurde.'

'Verdomde hufters!' bulderde MacKenzie Hawkins. 'Wat we teruggestuurd hebben was een *boodschap*! ... Wil iemand mij nu eens vertellen waarover we het eigenlijk hebben?'

'Jou brengen we later wel op de hoogte, Mac,' antwoordde Sam, met zijn hand op de schouder van Cyrus. 'Als ik je goed begrijp,' zei hij, 'moeten we proberen te ontdekken wie de leiding heeft van deze operatie, klopt dat?'

'Precies,' zei de huurling. 'Want de aanval op jullie in New Hampshire komt misschien uit dezelfde hoek, maar ze zijn een trapje hoger gegaan – misschien iets te hoog, en dat betekent dat ze weleens kwetsbaar konden zijn.'

'Waarom zegt u dat?' vroeg Pinkus.

'Die lui kwamen in de Air Force Two,' antwoordde Cyrus. 'Het zijn buitenlanders die het op één na belangrijkste vliegtuig van het land krijgen toegewezen, en dat betekent dat zoiets moet zijn goedgekeurd door een van drie bronnen: het Witte Huis, en die kunnen we wel vergeten omdat ze al genoeg te stellen hebben met die jongen; de CIA, en die is het zeker niet omdat de helft van de Amerikanen terecht meent dat de initialen betekenen *Clowns In Actie* en omdat die lui niet de kans willen lopen nog eens voor paal te staan; en ten slotte het ministerie van buitenlandse zaken waarvan niemand weet wat ze doen, maar ze doen het toch. Volgens mij is het één van de laatste twee; en als we dat ontdekt hebben kunnen we een lijstje maken van de mensen die iets te zeggen hebben over dat vliegtuig. Tussen hen zit de kwaaie pier.'

'Misschien is het zowel Buitenlandse Zaken als de CIA?' opperde Pinkus.

'Onmogelijk. Het Bureau vertrouwt Buitenlandse Zaken niet en omgekeerd. Verder is de kans op uitlekken te groot wanneer je je krachten bundelt.'

'Stel dat we ontdekken dat het een van beide is?' vroeg Sam. 'Wat dan?'

'Dan gaan we aan de botten van elke mogelijke hoge pief in Washington schudden totdat ze gaan rammelen. We moeten uitvinden wie er achter deze operatie zit – ik bedoel echt naam en toenaam vaststellen van hem of haar: naam, rang en legernummer – omdat we alleen zo voor jullie veiligheid kunnen zorgen.'

'Hoe?'

'Ontmaskering, Sam,' zei Jennifer. 'In Washington zijn we nog steeds een land dat de wet eerbiedigt, geen maniakken.'

'Wie zegt dat?'

'Een openstaande vraag,' stemde Redwing in. 'Wat moeten we doen, Cyrus?'

'Het beste zou zijn als we iemand naar dat hotel dat ze noemden sturen die zich uitgeeft voor de generaal, met mij en Roman Z als burger-adjudanten. Het is normaal dat een generaal die twee Eremedailles van het Congres heeft gekregen adjudanten heeft.'

'Hoe zit het met Desi-Een en Twee?' vroeg Aaron. 'Die zullen zich gepasseerd voelen.'

'Waarom? Zij moeten bij de echte Hawkins blijven.'

'Och, natuurlijk. Mijn zwakke verstand begint oud te worden. Alles gebeurt ook zo snel.'

'Bovendien zijn het goede jongens en jullie moeten hier bescherming hebben.' Cyrus zweeg, zich ineens bewust van de vernietigende blik van Eleanor Devereaux vanaf de sofa. 'Mozes, die dame mag me niet,' fluisterde hij.

'Ze is niet aan je voorgesteld,' zei Sam zacht. 'Wanneer dat wel het geval is zal ze een grote donatie schenken aan het United Negro College Fund, dat beloof ik je.'

'Zeker, een zwarte huurling moet je te vriend houden. ... Verdómme, we hebben niemand die zich kan uitgeven voor de generaal. We moeten iets anders bedenken.'

'Wacht eens even!' riep Pinkus. 'Shirley en ik ondersteunen plaatselijke toneelgezelschappen – ze laat zich graag bij de premières fotograferen. Ze heeft één speciale favoriet, een oudere acteur die in veel stukken op Broadway heeft gespeeld; hij is, zo zou je het kunnen noemen, half gepensioneerd. Ik weet zeker dat ik hem kan overhalen ons te helpen, tegen een honorarium, vanzelfsprekend. ... Maar alleen als hij volkomen veilig was, natuurlijk.'

'U kunt op mij vertrouwen, meneer,' zei Cyrus. 'Hem kan niets gebeuren omdat Roman Z en ik naast hem zullen staan.'

'Een acteur?' riep Devereaux uit. 'Dat is krankzinnig!'

'Dat lijkt hij vaak een beetje, om je de waarheid te zeggen.' De telefoon ging over op de tafel naast Aarons stoel; hij nam direct de hoorn op. 'Ja? ... Het is voor jou, Sam. Volgens mij is het jullie dienstbode, nicht Cora.'

'O, mijn god, ik ben haar helemaal vergeten!' zei Devereaux terwijl hij om de tafel heen naar de telefoon liep.

'Ik niet,' zei Eleanor. 'Ik heb gisteravond met haar gesproken maar ik heb haar niet gezegd waar we waren en haar ook dit nummer niet gegeven.'

'Cora!' riep Sam. 'Hoe ben... heb jij met haar gesproken, moeder? Waarom heb je me dat niet gezegd?'

'Je hebt het me niet gevraagd. Maar alles is prima thuis. De politie is er voortdurend geweest en volgens mij heeft ze het hele bureau te eten gegeven.'

'Cora? Moeder zegt dat thuis alles prima is.'

'De kakmadam zit vol met thee, Sammy. Die verrekte telefoon staat de hele dag al te rinkelen en niemand kon of wilde me zeggen waar jullie verdomme zaten.'

'Hoe ben je daar dan achter gekomen?'

'Bridget, de dochter van Paddy Lafferty. Ze zei dat Erin haar dit nummer heeft gegeven voor het geval er iets met haar kleinkinderen was.'

'Dat kan kloppen. Wat is er? Wie heeft mij gebeld?'

'Niet jou, Sambo – iedereen, behalve jou!'

'Wie?'

'Eerst die geschifte generaal over wie jij het altijd hebt, dan dat indiaanse meisje met die lange benen die ze eigenlijk niet los op straat mogen laten lopen. En ik zal je zeggen, er zijn zowat twintig gesprekken voor ieder van hen geweest, allemaal van dezelfde twee kerels, zowat elk halfuur.'

'Hoe heten ze?'

'De ene wilde me dat niet zeggen en de andere zou je niet geloven. De eerste klonk helemaal in paniek, zoals jij dat ook weleens kunt zijn, Sammy. Hij blijft maar gillen dat zijn zuster haar broer direct moet bellen.'

'Oké, ik zal het tegen haar zeggen. Hoe zit het met die andere vent, die voor de generaal?'

'Kijk eens, je zult wel denken dat ik weer aan de fles heb gezeten wanneer ik je dat zeg, maar dat is niet zo omdat er te veel smerissen in de buurt waren. ... Sjonges, wat zullen jullie een slagersrekening krijgen...'

'De naam, Cora?'

'Johnny Kalfsneus, heb je het ooit zo zout gegeten, Sammy?'

'Johnny Kalfsneus?' zei Devereaux zacht.

'Kalfsneus...?' hijgde Jennifer.

'*Kalfneus*!' schreeuwde de Havik. 'Heeft mijn inlichtingendienst geprobeerd mij te bereiken? Leg die telefoon neer, luitenant!'

'Mijn vroegere cliënt probeert míj te bereiken!' riep Redwing en ze botste tegen de generaal op toen ze beiden op Sam afliepen.

'Nee!' brulde Devereaux. Hij draaide zich om en hield de hoorn buiten hun bereik. 'Kalfsneus is voor Mac. Je *broer* wil dat je hem belt.'

'Geef me die telefoon, jongen!'

'Néé, ik eerst!'

'Als jullie je beiden nu eens rustig hielden,' zei Pinkus met verheffing van stem. 'Mijn zwager heeft minstens drie, waarschijnlijk vier lijnen op zijn toestel, minstens twee voor Shirley's zuster en er staan overal telefoons. Zoek er ieder maar een uit en druk op een onverlicht knopje.'

Het was alsof er een kleuterklas naar buiten kwam rennen voor hun speelkwartier toen de Havik en Jennifer rondrenden, ieder op zoek naar een telefoon. Mac zag er een op de roodhouten veranda, rende naar een glazen deur en rukte die met een daverende klap open; Redwing zag een andere op een antiek wit bureau tegen de achtermuur en viel er op aan. De kakofonie van stemmen die volgde verbrijzelde de stilte van de avond in Swampscott.

'Tot ziens, Cora.'

'Charlie, ik ben het!'

'Kalfsneus, met Donderkop!'

'Je belazert me, broertje, zeg dat je me belázert!'

'Verdómme, uur nul min vier dagen!'

'Je belazert me echt niet...?'

'Zeg dat ik het accepteer en onderteken het met T.C. Opperhoofd van de meest onderdrukte stam van dit land.'

'Stuur me een vliegticket naar Amerikaans Samoa, Charlie. Ik zie je daar wel.'

De ene triomfantelijk, de andere terneergeslagen legden de Havik en Jennifer hun respectievelijke hoorns op de haken. De generaal kwam door de veranda deur lopen als de commandant van een Romeins legioen dat Carthago binnentrekt, terwijl Redwing van het elegante witte bureau kwam als een verdwaasd klein vogeltje dat door stormwinden heen en weer wordt geslingerd.

'Wat is er, beste juffrouw?' vroeg Aaron zacht, duidelijk bezorgd door Jennifers houding.

'Het ergste,' antwoordde ze, nauwelijks hoorbaar. 'De lift naar de hel.'

'Toe nou, Jennifer...'

'Lear jets en limousines, oliebronnen op Lexington Avenue en distilleerderijen in Saoedi-Arabië.'

'O, mijn gód...' fluisterde Sam. 'Het Hooggerechtshof.'

'Precies in de roos!' brulde de Havik. 'Alle kogels zuiver in het midden van het doel! Het Hooggerechtshof.'

'Stuur je ons terug naar de gevangenis?' riep Desi-Een uit.

'Generaal, waarom doe je dat nou?' zei de verbijsterde Desi-Twee.

'Dat hebben jullie fout, kapiteins. Jullie zijn op weg naar een pico bello militaire carrière.'

'Wil iedereen nu eens stil zijn!' schreeuwde Devereaux en hij schrok er een beetje van dat er naar hem werd geluisterd. 'Oké, Red, jij eerst. Wat zei je broer?'

'Wat die Cro-Magnon-kerel zojuist bevestigde. Charlie belde Johnny Kalfsneus om te horen of daar alles oké was en Johnny probeerde alles om die mesjokke baviaan van jou te vinden. Gistermorgen kwam er een telegram waarop een onmiddellijk antwoord werd geëist, telefonisch of per fax. ... Generaal Bommenberend, alias Donderbal, moet over vijf dagen vanaf gisteren, om drie uur 's middags, in de kamers van het Hof verschijnen om zijn autoriteit als stamhoofd te laten vaststellen en zijn zaak voor te leggen. Alles is voorbij, nu komt alleen nog dat lange, martelende proces een volk geruïneerd te zien. De argumenten van het Hof worden openbaar gemaakt.'

'Het is ons gelukt, Sam! Het oude team is er nog helemaal bij!'

'Niets!' schreeuwde Devereaux. 'Ik heb absoluut niets gedaan! Ik heb niets met jou te maken!'

'Nou ja, ik spreek je niet graag tegen, jongen...'

'Ik ben jouw jongen niet!'

'Nee, hij is van mij,' zei Eleanor. 'Wil iemand hem soms overnemen?'

'...jij bent inderdaad de wettige advocaat,' maakte Hawkins zijn

zin af, iets minder luid dan voorheen.
'O nee, die uitnodiging was voor jou, níet voor mij!'
'Opnieuw fout, meester,' zei Jennifer bedroefd. 'Jij hebt niet alleen de plaats ingenomen van mijn onbevoegde broer maar ook van mij, een gril van die aapmens van jou. Charlie zei het heel duidelijk en hij klonk ook persoonlijk opgelucht. De uitnodiging was ook voor een zekere Samuel L. Devereaux, Esquire, advocaat voor de stam van de Wopotami's.'
'Dat kunnen ze niet máken!'
'Ze hebben het gemaakt en Charlie wil wie S.L. Devereaux ook is uit de grond van zijn hart bedanken. Zoals hij het uitdrukte: "Ik zou dolgraag die klootzak een borrel aanbieden maar ik denk niet datie daarvoor lang genoeg zal leven." '
'Generaal,' zei de rustige stem van Cyrus M en de woorden die volgden klonken als donderslagen. 'Vergeten we de Soldaat van de Eeuw?'
De Havik verbleekte; zijn ogen dwaalden met spastische bewegingen nietsziend in het rond en verrieden de innerlijke strijd die in hem woedde. 'O, Jezus en Caesar!' mompelde hij en liet zich in een stoel tegenover Pinkus zakken. 'Mijn god, wat moet ik doen?'
'Het is een valstrik, meneer,' zei de reusachtige huurling. 'Daar ben ik vast van overtuigd.'
'Stel dat je je vergist?'
'Niets in de geschiedenis van het Nobelcomité wijst op een dergelijke vergissing.'
'Geschiedenis? Verrek, kerel, er is helemaal niets in de laatste veertig jaar van de geschiedenis dat wijst op het afbreken van de Berlijnse Muur of het uiteenvallen van het Oostblok! Dingen veranderen overal.'
'Sommige dingen veranderen niet. Stockholm verandert niet.'
'Verdomme, kolonel, ik heb mijn leven gegeven, mijn leven gewijd aan het leger en ik ben belazerd door die snollen van politiekelingen met hun kanten onderbroekjes! Weet je wel wat die onderscheiding voor mij zou betekenen – voor elke man die onder mij heeft gediend, in drie oorlogen!'
'Heel even, generaal.' Cyrus keek naar Devereaux. 'Mag ik je iets vragen – Sam ... en mag ik je Sam noemen, aangezien we volgens mij nu geen gehuurde bewakers meer zijn?'
' "Massa" past van geen kanten. Natuurlijk, wat?'
'Heeft die valstrik – en ik weet verdomd goed dat het er een is – iets te maken met die zaak van het Hooggerechtshof waarover jullie allemaal lopen te gillen? Ik begrijp jullie geheimhouding, maar

jullie hebben mijn hulp nodig en die kan ik als beroepsman echt niet geven zonder meer te weten dan ik nu weet. Als scheikundige eis ik accurate reactievergelijkingen van de componenten van mijn ondergeschikten; als huurling moet ik de fundamentele componenten kennen, punt uit, om goed te kunnen optreden.'

Devereaux keek eerst naar Aaron, die onmiddellijk knikte, toen naar Jennifer die even wachtte en toen met tegenzin knikte. Ten slotte liep Sam naar Eleanor op de sofa. 'Moeder, je zou me een enorm plezier doen wanneer jij en mevrouw Lafferty in de keuken iets te doen zouden vinden.'

'Bel Cora maar,' zei de deftige dame uit Weston, Massachusetts, zonder een vin te verroeren.

Hè, toe nou, mooie dame!' riep Erin Lafferty. 'Ik moet die slakom opruimen en jij kunt wat thee voor ons zetten. Raad eens wat ik heb gevonden, mevrouw Ammehoela? Hennessy, VSOP!'

'Ze heeft met die onbeschaamde nicht van ons gepraat,' zei Eleanor en ze stond direct op. 'Theetijd is ook eigenlijk al lang voorbij, nietwaar? Kom op, Aaron, we gaan thee drinken.'

'Ik heet Erin, juffertje...'

'Ja, natuurlijk, je ziet er helemaal niet joods uit. Hou je van kamille?'

'Nee, ik houd van Hennessy.'

'Precies Cora. Ken je haar al lang?'

'Nou ja, ik ben van de roomse kant en zij van de andere, maar we hebben samen dat comité gevormd om die idioten bij elkaar te krijgen...'

'We zullen dat bespreken onder een lekker kopje thee, Errol, en misschien word ik wel lid van jullie comité. Ik ben natuurlijk wel anglicaans.'

'Cora zou het niet kunnen spellen.' De twee dames liepen arm in arm de keukendeur door.

'Desi-Een en -Twee,' zei Sam. 'Willen jullie nu eens ophouden zo te kijken! Alles wat generaal Mac heeft beloofd zal gebeuren – geloof mij nu maar, ik weet dat, zowel het goede als het slechte, en voor jullie is dat alleen maar goed.'

'*Privado*,' legde de Havik uit. '*Confidencial. Comprenden Ustedes?*'

'Natuurlijk, man, wij gaan naar buiten met de *romano gitano*. Hij is knots, weet je dat, man? Hij draait alsmaar in het rond en lacht altijd. Maar hij moet goed zijn op straat, vat je wat ik bedoel? We zouden het samen best maken.'

'Denk erom, kapiteins!' schreeuwde MacKenzie. 'Jullie staan nu onder mijn bevel! Niets meer "op straat"; geen overvallen meer en geen jatterijen en niet meer rot doen tegen burgers! Hebben jullie dan helemaal niets geleerd?'

'Je hebt gelijk, generaal,' antwoordde Desi-Een berouwvol. 'Soms vervallen we in oude gewoonten, zonder na te denken. We zijn nu heren officieren en dus moeten we anders denken. Je hebt gelijk. ... We gaan naar buiten met de *loco gitano*.' Desi-Een en -Twee liepen door de betegelde hal en naar buiten.

'Waar ging dat allemaal over?' vroeg Cyrus en hij keek naar de verlaten hal. 'Het Spaans heb ik verstaan, maar niet uw "bevel" en het feit dat ze kapiteins waren. In welk leger?'

'In het leger van de Verenigde Staten, kolonel, och, sorry, daar houdt u niet van. ... Laten we zeggen dat ik hen aan het trainen ben, want het zijn lang de kwaadsten niet.'

'Laat maar zitten, generaal,' zei de huurling en hij schudde zijn hoofd. 'Het gaat me boven mijn pet en op dit moment zou ik me liever willen concentreren op – dit moment, op waar we nu mee bezig zijn. Wil iemand me dat uitleggen?'

Er werden blikken gewisseld maar het was Jennifer Redwing, dochter van de Wopotami's, die haar hand opstak en erop stond het woord te voeren. Ze beschreef alles wat ze wisten over de conclusie van eis van de Wopotami's aan het Hooggerechtshof en legde vervolgens met veel overtuigingskracht uit hoe volgens haar de Wopotami's hun ondergang tegemoet zouden gaan als gevolg van het optreden van het Hof, wat de uitslag ook zou zijn.

'Als het ook maar even lijkt dat er een rechtszaak van komt zal de hele federale regering woedend reageren, ze zal onze mensen uitmaken voor verraders en paria's en zorgen dat ons land wordt afgekeurd, het reservaat sluiten en allen die daar wonen uiteenjagen. Dat moet Washington wel doen, want het absoluut in stand houden van het Strategic Air Command is van het allerhoogste belang en zowat vlak er achteraan volgt het leger van wapenleveranciers – verrek, het Pentagon zelf – dat op ons bloed uit zal zijn. ... Van de andere kant zullen er hele horden opportunisten van elke gezindte neerdalen op de stam en iedereen omkopen, in de hoop een brok mee te pikken van de onwaarschijnlijke maar mogelijk wettelijke koek, maar allemaal met alleen maar oog voor het geld dat eraan vastzit. Mijn god, er zullen meer smerige zaakjes worden afgesloten dan bij een revolutie in een bananenrepubliek. ... Ten slotte zullen we allemaal vervallen tot schande en decadentie, een volk dat overladen is met laster, hebzucht en verrotting, totdat we uiteindelijk de strijd die we niet kunnen winnen zullen verliezen en uiteengedreven worden. Dat wil ik niet voor mijn broeders en zusters die me zo dierbaar zijn. ... Ziezo, nu heb ik het gezegd en ik hoop dat je goed hebt geluisterd, generaal Djengiz Khan-met-je-vingers-in-de-suikerpot.'

'Afgezien van je laatste commentaar,' zei Aaron Pinkus die als vastgenageld in zijn stoel zat, 'was dat een prachtige samenvatting. ... Ik zal geen oordeel vellen over dat commentaar, beste juffrouw, alleen op de uitwerking ervan op een jury die, naar ik vermoed, negatief zou zijn.'

'Dat weet ik nog niet zo zeker, commandant.' MacKenzie Hawkins zat onbeweeglijk met zijn ogen strak op die van de Wopotami-dochter gericht. 'Ik meen dat ik hier deel uitmaak van de jury, en het had op mij een vrij positieve uitwerking.'

'Wat bedoel je, Mac?' vroeg Devereaux die, te oordelen naar zijn gezichtsuitdrukking, het onverwachte verwachtte.

'Mag ik mijn kant naar voren brengen, dametje,' zei de Havik terwijl hij opstond. '...Neem me niet kwalijk, u bent geen "kleine dame" in welke zin ook, maar u bent een dame en ik bedoel niets denigrerends met die uitdrukking.'

'Ga uw gang,' zei Jennifer kil.

'Ik begon ongeveer drie jaar geleden aan deze onderneming met een paar gedachten in mijn hoofd, geen van alle overduidelijk want ik ben een soldaat, geen denker, behalve wanneer het om militaire strategie gaat. Wat ik daarmee bedoel is dat ik geen intellectueel ben en ik verspil niet al te veel tijd aan het analyseren van dingen als motieven of moraliteit of rechtvaardiging en al dat soort dingen. Als ik dat deed zou ik een verdomde hoop meer prachtkerels in het gevecht verloren hebben dan het geval is geweest. ... Zeker was ik op zoek naar een groots thema – ik kan niet klein denken – omdat zo'n uitdaging aantrekkelijk is voor deze aan de kant gezette oude soldaat. Het moest bovendien leuk zijn en iemand die iets verkeerds had gedaan of nog aan het doen was, moest de rekening betalen. Ik geloof dat ik probeer te zeggen dat ik nooit van plan was de *middelen* voor de vergelding schade te berokkenen, alleen degenen die ik het betaald wilde zetten, namelijk degenen die iets verkeerds hadden gedaan.'

'Maar je berokkent de "middelen" wel degelijk schade,' viel Jennifer hem kwaad in de rede. 'Namelijk *mijn* volk en dat weet je verdomd goed!'

'Mag ik mijn verhaal alsjeblieft afmaken? ... Toen ik hoorde wat er meer dan honderd jaar geleden met de Wopotami's was gebeurd deed dat me zo'n beetje denken aan wat er met mij was gebeurd –

en van wat ik kan opmaken uit kolonel Cyrus hier – wat er met hem is gebeurd. ... We zijn allemaal het slachtoffer van hoge regeringspiefen, die of met hun vingers in de echte suikerpot zaten, of hun eigen politieke ambities bevorderden, of gewoon leugenaars waren die misbruik maakten van het in hen gestelde vertrouwen! Het doet er niet toe of het een eeuw geleden was, tien jaar geleden, drie maanden geleden of gisteren. Zoals onze ingehuurde vriend hier zegt, er moet een eind aan komen! We leven hier beter dan wie ook ter wereld, maar er is altijd iemand aan het proberen een spaak in het wiel te steken.'

'We zijn geen van allen engelen, Mac,' zei Devereaux zachtjes.

'Verrek, nee, Sam, maar niemand heeft ons gekozen of aangesteld en heeft ons laten zweren ons netjes te gedragen ten behoeve van een paar miljoen mensen die we niet kennen. Als de kolonel gelijk heeft dan is er iemand die heel hoog zit aan het proberen een ingezetene van dit land – niet alleen mij, maar een *ingezetene* – te beletten zijn constitutionele recht uit te oefenen om voor de rechtbank te verschijnen. Daar heb je het al weer! ... En als onze vriend hier, die niet graag "kolonel" wordt genoemd, ongelijk heeft en ik werkelijk de Soldaat van de Eeuw ben, nou ja, dan zou ik die onderscheiding niet kunnen aanvaarden als ik wist dat ik weigerde uit te vinden of er wel of niet een of andere hoge regeringspief probeert die ingezetene tegen te houden, namelijk mij.'

'Vrij aardig gezegd, generaal,' zei Aaron en hij leunde achterover in zijn stoel. 'Voor een man die geen rechten heeft gestudeerd eigenlijk vrij opmerkelijk.'

'Wat bedoelt u, "die geen rechten heeft gestudeerd", meneer Pinkus?' wierp Jennifer tegen en er klonk iets van jaloezie door in haar stem. 'Hij heeft die verdomde conclusie geschreven.'

'Ik beweer dat hij die heeft samengesteld, beste juffrouw. Hij heeft nauwgezet teksten en uitdrukkingen uit studieboeken aangepast aan wat hij wilde zeggen. Dat is vertalen, niet scheppen.'

'En ik beweer,' zei Sam, 'dat dit, afgezien van een bepaald ego, er niets mee te maken heeft.' Hij wendde zich tot de Havik. 'Maar het verbaast me dat je bepaalde punten niet naar voren hebt gebracht en als die je niet bewijzen dat iemand die verdomde belangrijk is probeert ons allemaal tegen te houden, dan weet ik niet wat dat dan wel bewijst. Mag ik je erop wijzen...'

'Jongen, ik lig mijlen op jou voor,' viel Hawkins hem snel en vastberaden in de rede. 'Je hebt het over die vorige aanvallen.'

'Precies, Mac. De twee hotels, een zwarte overvalwagen die naar mijn huis scheurde en vier tot de tanden bewapende militaire gorilla's bij de skihut. Wie heeft hen gestuurd? Het mannetje in de maan?'

'Dat zouden we nooit te weten zijn gekomen, jongen, neem dat maar van mij aan. Jij weet niet hoe dit soort zaken in elkaar wordt gestoken – met spiegels en rook en zoveel doodlopende straatjes dat het langer zou duren dan dat Iran-contra gedoe om erachter te komen wie waar zit en wat zijn functie is. Verrek, Sam, die procedures heb ik uitgedacht achter zo'n goede vijftig vijandelijke linies. Daarom heb ik dat gedaan en iedere keer heb ik de boodschap teruggestuurd dat ze het niet konden *doen*!'

'Ik vrees dat ik het niet begrijp,' zei een verbijsterde Aaron.

'Ik ook niet,' voegde een perplexe Jennifer eraan toe.

'Zijn jullie juristen of patatboeren?' riep MacKenzie vertwijfeld uit. 'Als je midden in een rechtszaak zit waarbij het om leven of dood gaat en je hebt informatie nodig waarvan je weet dat ze er is maar niemand wil ze je geven, hoe kom je daar dan achter?'

'Energiek kruisverhoor,' antwoordde Pinkus.

'Met zware nadruk op meineed,' voegde Redwing opnieuw eraan toe.

'Nou ja, ik neem aan dat jullie wel gelijk hebben, maar we werken hier niet in een rechtszaal. Er is een andere manier...'

'Je lokt ze uit,' zei Devereaux en zijn ogen rustten even geamuseerd op de Havik. 'Je legt een extravagante verklaring af, of een reeks verklaringen, die een vijandige reactie oproept die de informatie bevestigt.'

'Verdomme, Sam, ik heb altijd al gezegd dat jij de beste was! Denk maar eens aan Londen, op Belgravia Square, waar ik je zei hoe je die klojo van een verrader moest aanpakken...'

'We zullen het niet gaan hebben over uw vroegere relatie, generaal!' beval Aaron. 'We willen er *niets* over horen.'

'Het doet ook niet ter zake,' zei Jennifer verontschuldigend.

'O, *ík* snap het!' riep Sam uit en hij grijnsde gemeen tegen zijn indiaanse Aphrodite. 'Je kunt het niet uitstaan wanneer ik met iets kom wat jij niet hebt bedacht!'

'Ter zake alsjeblieft!'

'Wanneer die twee kinderen ophouden met kibbelen,' zei Pinkus, 'wilt u dan alstublieft doorgaan met uw strategie, generaal?'

'Als de kolonel hier – mijn kolonel – gelijk heeft dan staat de verklaring op een startbaan op Logan Airport. De *Air Force Two*, commandant! Wie heeft die gestuurd? ... Tenzij ik natuurlijk inderdaad de Soldaat van de Eeuw ben, en in dat geval zitten we weer in een landingsvaartuig zonder motor en drijven we naar een zwaar verdedigde kust zonder te kunnen manoeuvreren.'

'Ik zal maar niet proberen dat te volgen, maar...' Ineens zweeg Aaron, draaide zijn hoofd verschillende kanten op totdat hij zag wie hij miste. Het was de huurling, Cyrus M, die met zijn enorme lijf in een antiek stoeltje zat naast het elegante witte antieke bureau, en hen aanstaarde met open mond en opengesperde, donkere ogen. 'O, daar bent u, kolonel.'

'Wat?'

'Hebt u geluisterd?'

Cyrus knikte met zijn grote hoofd en antwoordde langzaam en precies. 'Ja, ik heb geluisterd, meneer Pinkus,' begon hij zacht, 'en ik heb zojuist het meest krankzinnige verhaal gehoord sinds twee clowns beweerden dat atoomfusie tot stand gebracht kon worden in ijswater voor twaalf cent per liter. ... Jullie zijn debiel! Jullie zijn knettergek, krankzinnig, je hoort opgesloten te worden! ... Is iets van dit alles waar?'

'Het is allemaal waar, Cyrus,' zei Devereaux.

'Waar ben ik verdomme in terechtgekomen?' brulde de reusachtige zwarte chemicus. '...Vergeef me mijn taalgebruik, juffrouw Redwing, ik probeer het allemaal in één vergelijking onder te brengen en het is niet gemakkelijk.'

'Laat die verontschuldigingen maar, Cyrus, en waarom noem je me geen Jenny? Dat gejuffrouw maakt me een beetje van streek.'

'Voodoo,' zei de huurling terwijl hij opstond uit zijn stoeltje, maar wel even schuldig omkeek of hij het kapot had gemaakt. 'Als het waar is,' vervolgde hij en hij liep op het trio juristen en de waanzinnige 'Soldaat van de Eeuw' af, wiens gespannen gezichtsuitdrukking hem heel onbehaaglijk maakte. '...als het inderdaad waar is, dan geloof ik dat er niets anders opzit dan het Nobelcomité aan de tand te voelen. Neem uw acteur maar aan, meneer Pinkus. Het doek gaat op.'

21

In het zomerhuis in Swampscott, Massachusetts, werd een wapenstilstand gesloten, een passend voorspel op de strijd die ging komen. Met Aaron Pinkus als bemiddelaar werd een document opgesteld tussen generaal MacKenzie Hawkins, alias Donderkop, momenteel opperhoofd van de Wopotami's, en Zonsopgang Jennifer Redwing, ad hoc woordvoerster voor genoemde Amerikaanse stam, waarbij alle volmachten werden overgedragen aan mevrouw Redwing, na ondertekening en notariële bekrachtiging. Samuel Lansing Devereaux, tijdelijk optredend als advocaat, verklaarde zich bereid al zijn functies over te dragen na een gezamenlijk verschijnen met de vaste advocaat van de stam, bovengenoemde mevrouw Redwing, voor het Hooggerechtshof van de Verenigde Staten, mocht een dergelijk gezamenlijk verschijnen vereist worden.

'Ik weet nog niet of ik dat laatste wel zo leuk vind,' had Jennifer gezegd.

'Ik vind het helemaal niet leuk!' zei Sam.

'Dan teken ik niet.' De Havik had voet bij stuk gehouden. 'Als we op het laatste moment van advocaat veranderen zou dat een probleem kunnen geven, een vertraging, en ik heb te veel bloed, zweet, geld en geduld in deze onderneming gestoken om dat te accepteren. Bovendien, juffrouw Red, heb ik u de volledige zeggenschap gegeven over alle onderhandelingen, verd..., verroest, wat wilt u dan nog méér?'

'Wat meer? ... Helemaal geen verschijnen, geen conclusie van eis, geen Hooggerechtshof.'

'Toe nou, beste juffrouw,' zei Aaron. 'Daar is het nu te laat voor. De zitting staat niet alleen op de rol van het Hof, maar u zou ook een echte kans voor uw volk kunnen verliezen. Nu uzelf de leiding hebt kan die lift naar de hel toch zeker wel onklaar worden gemaakt?'

'Ja, natuurlijk,' stemde Jennifer in. 'Als de zaak werkelijk serieus in behandeling wordt genomen, kunnen we snel met het Bureau voor Indiaanse Zaken tot overeenstemming komen, misschien voor twee of drie miljoen dollar en dan kan het leven verdergaan, niets aan de hand. Dan zouden we vier of vijf scholen in het reservaat kunnen bouwen en een paar goede leerkrachten aannemen...'

'Ik teken absoluut niet!' had de Havik gebruld.

'Waarom niet, generaal? Is dat niet genoeg om u af te kopen?'

'Mij af te kopen? Wie heeft er, verdomme, over gehad mij *iets* betalen? Ik heb geen geld nodig – Sam en ik hebben in Zwitserland meer dan we ooit kunnen uitgeven!'

'Mac, hou je kop!'

'...alles wettig verkregen van het schuim der aarde dat, daar kun je van op aan, ons daarvoor nooit voor het gerecht zal slepen!'

'Genoeg, generaal!' Aaron Pinkus sprong – zo goed en zo kwaad als dat ging – overeind. 'Er zullen geen toespelingen meer zijn, mondelinge of schriftelijke, op vroegere gebeurtenissen waarvan wij niets weten.'

'Prima, commandant, maar ik zal toch nog even duidelijk maken waar ik sta. Ik heb geen drie jaar van mijn leven opgeofferd om genoegen te nemen met een paar dollar die elke leverancier aan het SAC ons los uit zijn zak kan geven.'

'Ons?' riep Jennifer uit. 'Ik dacht dat u niets wilde?'

'Ik heb het niet over mij. Ik heb het over het principe dat ermee gemoeid is.'

'Hoe spelt u dat?' vroeg Redwing sarcastisch. 'Met de P van Poen, misschien?'

'U weet wat ik bedoel, dametje. U gooit de stam – mijn stam overigens – in de uitverkoop.'

'Waaraan had je dan gedacht, Mac?' had Devereaux gezegd, wetend dat het niets zou uithalen als je probeerde de Havik van gedachte te laten veranderen – in principe.

'We zullen beginnen met vijfhonderd miljoen, een mooi rond bedrag – voor het Pentagon is het kattenpis – en dat is nog verdomde goedkoop.'

'Vijfhónderd... ' Jennifers gebronsde gezicht werd nog donkerder toen het bloed haar naar het hoofd steeg. 'U bent knettergek!'

'Je kunt altijd nog minder kanonnen opstellen, maar je kunt er geen bijzetten als je geen reserves hebt. ... Jazeker, vijfhonderd megaton, anders teken ik niet. Misschien moeten we dat er nog bijzetten, commandant, zoiets als een P.S. of hoe je dat ook noemt.'

'Dat zou niet verstandig zijn, generaal,' zei Pinkus en hij keek Sam even aan. 'Als het ooit nauwkeurig wordt bekeken zou het kunnen worden uitgelegd als een voorwaarde die op collusie lijkt.'

'Dan wil ik een apart document,' zei MacKenzie met gefronste wenkbrauwen. 'Zij gaat *mijn* volk niet in de luren leggen waar ze al een week lang in hebben gepoept.'

'*Jouw* ... O, mijn god!' Jennifer liet zich op de sofa zakken. 'Luiers waarin ze een week lang ... o, shít!'

'Wij ouderen keuren het gebruik van dergelijke taal door onze squaws ten zeerste af.'

'Ik bén geen... och, vergeet het maar! ... Vijfhónderd – daar kan ik niet eens aan dénken! We zullen geruïneerd worden, in de grond gestampt, ons land zal worden afgekeurd en voor een paar centen van ons gekocht, de belastingbetalers zullen woest zijn, hoofdartikelen in alle media die ons aan de kaak stellen als onwetende barbaren en dieven...'

'Meester Redwing,' was Aaron haar in de rede gevallen en het gebruik van de titel, haar achternaam en zijn strenge stem deden Jenny vragend kijken naar de bekende advocaat die haar altijd zo vriendelijk behandelde.

'Ja... meneer Pinkus?'

'Ik zal een intentieverklaring opstellen, waarin duidelijk komt te staan dat u naar beste vermogen de onderhandelingen zult voeren – als en wanneer dergelijke onderhandelingen zullen plaatsvinden – volgens de wensen van opperhoofd Donderkop, ook bekend als generaal MacKenzie Hawkins. Neemt u die zware verantwoordelijkheid op u?'

'Verrek... ' Jennifer had Verrek, ja! willen zeggen maar de flonkering in Aarons ogen hield haar tegen. 'Heel goed, meneer, geen onbetamelijke woorden meer. Ik weet wanneer ik moet buigen voor superieure gerechtelijke taal. Ik zal beide documenten ondertekenen.'

'Zo is het beter, dametje,' zei de Havik. Hij stak een verfrommelde sigaar op door zijn been op te tillen en een zwavellucifer tegen de rechterdij van zijn bukskin broek te strijken. 'U zult merken, juffrouw Red, dat de bevelsverantwoordelijkheid niet ophoudt met een enkele overwinning. We gaan onverdroten voort en zorgen steeds voor die prima troepen die ons volgen!'

'Dat klinkt erg bemoedigend, generaal,' zei Jennifer met een vriendelijke glimlach.

'Straks vallen jullie elkaar nog in de armen,' zei Sam. 'Jij zeker, Pocahontas.'

Aaron Pinkus was dus naar de werkkamer van zijn zwager in het zomerhuis gegaan en had zijn privé-secretaresse gebeld met de boodschap dat Paddy Lafferty haar naar Swampscott moest rijden en dat ze haar lakstempel moest meenemen. De grijze dame was aangekomen, met rode, omwalde ogen, ongetwijfeld het gevolg van een heersend griepvirus, en had de twee documenten uitgetikt. Ze werden plechtig ondertekend en toen Aaron zijn kennelijk zieke secretaresse naar de voordeur begeleidde en haar bedankte omdat ze ondanks haar conditie had voldaan aan zijn verzoek, vroeg de enigszins wazig kijkende vrouw: 'Kent u iemand die Bricky heet, meneer Pinkus? Hij heeft naar u gevraagd.'

'Bricky? ... Hebt u geen achternaam?'

'Ik weet niet zeker of ik die heb – ze leek te veranderen.'

'U bent een beetje ziek, mijn beste. Ik wil dat u een paar dagen vrij neemt en ik zal mijn dokter naar u laten kijken. Abraham, vergeef me, ik eis wel heel erg veel van u.'

'Het was een heel knappe jongeman. Glanzend zwart haar, onberispelijk gekleed...'

'Wees nu maar voorzichtig, kijk uit waar u loopt.'

'Hij wilde alsmaar weten waar u was...'

'Voorzichtig nu, nog twee treden tot op de flagstones. ... Paddy, waar ben je?'

'Ik ben hier, baas,' klonk Lafferty's antwoord vanaf de ronde oprit. De chauffeur kwam uit de schaduw en liep het pad op naar de veranda. 'Weet u, volgens mij heeft ze een beetje een kater, meneer Pinkus.'

'Het is griep, Paddy.'

'Als u het zegt, meneer.' Lafferty nam de secretaresse over en legde haar linkerarm over zijn schouders toen hij haar naar de auto leidde.

'*Bricky is my darling, my darling, my darling...!*' De woorden van het liedje klonken op en stierven weg tussen de hoge pijnbomen die langs de ronde oprit stonden. '*...he's the only boy for me – only boy for me!*'

Opgelucht draaide Aaron zich naar de voordeur, op het punt naar binnen te stappen, maar bleef toen staan en hield zijn hoofd verbaasd schuin. ... Bricky? ... Binky? ... Binghamton Aldershot, aan de Kaap ook bekend als Binky, de man die je in Boston een internationale financier zou kunnen noemen en die zich schuilhield achter de ijzeren poort van zijn bank op Beacon Hill? ... Had die niet ergens een neefje? Een vrij jonge rokkenjager, die de Aldershots aan een korte financiële teugel hielden, al was het alleen maar om te voorkomen dat de idioot zijn familie te schande maakte. ... Nee, dat was onmogelijk. Zijn privé-secretaresse die al vijftien jaar voor hem werkte was een vrouw van middelbare leeftijd; ze was novice geweest maar had haar geloften gelaten voor wat ze waren en had gekozen voor een wereldser leven. Maar desondanks een diep gelovige vrouw. Beláchelijk. Een toeval. Pinkus had de deur geopend en was de hal ingelopen waar juist de telefoon overging.

'Oké, Cyrus!' had Sam Devereaux in het apparaat geroepen. 'Denk erom, hij is acteur, dus word nu niet driftig, oké? Breng hem maar gewoon hierheen. ... Wát? Wil hij een contract waarin vastligt dat hij als ster wordt vermeld? Met wie – wát? Zijn naam gedrukt ... boven en met even grote letters als de titel van het stuk? Gossammekrake! ... Hoe zit het met geld, heeft hij daarover iets gevraagd? ... Niets, alleen zijn naamsvermelding? Verrek, schrijf maar op wat hij wil en zorg dat je hem meebrengt! ... Een "looptijd-van-het-stuk", geen ontslag tijdens repetities zonder volledige compensatie? Wat wil dat nu weer zeggen? ... Ik weet het ook niet, maar zet het maar in zijn contract.'

Een uur en tweeëntwintig minuten later ging de voordeur open en de zigeuner in zijn oranje hemd met de lange blauwe sjerp om zijn middel danste pirouetten draaiend de hal binnen tot hij bij de deur naar de reusachtige woonkamer kwam waar de drie advocaten en generaal MacKenzie Hawkins in een halve cirkel bijeenzaten. Alle hoofden draaiden zich om toen Roman Z zijn aankondiging deed.

'Schone, schóne dame en u heren van – nou ja, van hetzelfde voorkomen. Ik stel nu aan u voor kolonel Cyprus, een man met de kracht van een cipres, die iets heeft aan te kondigen.'

'Genoeg over hém!' klonk sissend het gefluister vanuit de donkere hal. 'Het gaat om mij, proleet die je bent!'

De enorme gedaante van de zwarte huurling werd zichtbaar, wat verlegen met zichzelf. 'Hallo allemaal,' zei Cyrus, nu met de mond vol tanden terwijl hij anders zo vol zelfvertrouwen was. 'Ik zou graag aan u voorstellen een artiest die is opgetreden in vele recente beroemde stukken op Broadway, wiens vele briljante kritieken het land afgestroopt hebben...'

'Dat moet "overstroomd" zijn, idioot!'

'Een acteur van het zuiverste water en alom verbreide perversiteit...'

'*Di-ver-si-teit, ezel!*'

'Verrek, man, ik sta hier mijn best te doen...'

'Lange introducties die bovendien slecht worden voorgedragen verpesten een entree. Ga opzij!'

De lange, rijzige man zweefde de paar treden af naar de woonkamer, met een flair en een energie die je van iemand van zijn leeftijd niet zou verwachten. Met golvende grijze haren, een scherp gesneden gezicht en flonkerende ogen, overrompelde hij de kleine groep voor hem, zoals hij dat in het verleden met talloze uitverkochte zalen had gedaan. Zijn blik bleef rusten op Aaron Pinkus; hij liep met een elegante buiging op de advocaat af.

'U hebt mij ontboden, edele heer, en ik heb gehoorzaamd. Uw dienaar en dapperste dolende ridder, heer!'

'Hé, *Henry*,' zei Aaron terwijl hij opstond en de acteur de hand schudde. 'Dat was weer geweldig! Het deed me denken aan die keer dat je je eenmansshow weggaf voor Shirley's Sokkes, het stukje uit *The Student Prince*, geloof ik.'

'Ik herinner me niet al die kleinere – neem me niet kwalijk – voorstellingen in de provincie, beste jongen. ... Maar volgens mij moet dat ongeveer zesenhalf jaar geleden zijn – op twaalf maart, als ik me niet vergis, om twee uur 's middags. Ik herinner het me vaag, want ik geloof niet dat ik die dag al te best bij stem was.'

'Dat was je wel degelijk, je was geweldig. ... Kom, laat ik je eens voorstellen aan mijn vrienden...'

'Mijn hoge C was niet vol genoeg,' vervolgde de acteur, 'maar van de man aan de piano deugde ook niets. ... Wat zei je, Aaron?'

'Mijn vrienden, die zou ik graag aan je voorstellen.'

'Kennismaken zou ik ook graag willen, zeker met dit aanbiddelijke schepsel.' Sir Henry pakte Jennifers linkerhand vast en bracht die naar zijn lippen; zijn ogen keken in de hare terwijl hij zacht de rug van haar hand kuste. 'U maakt mij onsterfelijk door uw beroering, lieve Helena. ... Hebt u ooit gedacht aan een carrière op het toneel?'

'Nee, maar ik heb weleens model gestaan,' antwoordde Redwing, die niet alleen overrompeld was maar ook een beetje genoot van het moment.

'Slechts één stap, mijn beste meid, slechts één stap, maar wel in de goede richting. Misschien moeten we eens gaan lunchen. Ik geef privé-lessen en in sommige gevallen is het honorarium, laten we zeggen, te verwaarlozen.'

'Ze is advocaat, verdorie!' zei Sam, niet helemaal zeker waarom hij zo op zijn strepen stond.

'Wat een afschuwelijke verspilling,' zei de acteur en hij liet langzaam de hand los die hij nog vast had. 'Zoals de Bard het zei in Henry de Zesde, tweede akte: "Laten we eerst alle juristen vermoorden." ... Jou niet natuurlijk, Aaron, want jij hebt de ziel van een artiest.'

'Ja, nou, laat ik je maar eens voorstellen, Henry. De actrice – de advocaat – is juffrouw Redwing.'

'*Enchanté de nouveau, mademoiselle...*'

'Voordat u haar hand weer fijnknijpt, ik ben Sam Devereaux en ik ben ook advocaat.'

'Shakespeare wist heel goed wat hij zei...'

'En deze heer, in indiaanse dracht, is generaal MacKenzie Hawkins...'

'O, bent ú dat!' riep de acteur uit. Hij greep de hand van de Havik en schudde die stevig. 'Ik heb die film over u gezien – hoe hebt u dat kunnen uitstaan? Had u helemaal niets te zeggen over de rolverdeling, over het scenario? Mijn Gód, man, die ezel die u speelde had lipstick moeten dragen!'

'Volgens mij deed hij dat ook,' zei de generaal bedachtzaam, maar wel enigszins onder de indruk.

'Jullie allemaal,' kwam Pinkus tussenbeide. 'Ik stel jullie voor aan Henry Irving Sutton, zoals in Sutton Place in Engeland – het huis van zijn voorouders – en in de kranten vaak sir Henry Irving S. genoemd, naar de beroemde acteur uit de tijd van Elizabeth met wie hij vaak wordt vergeleken. Een uitstekende toneelartiest...'

'Wie zegt dat?' vroeg Sam nukkig.

'Kleine geesten maken grote twijfelaars,' antwoordde Henry Irving Sutton en hij keek Devereaux wat verstrooid aan.

'Wie zei dat, Felix de Kat?'

'Nee, het was een Franse toneelschrijver, Anouilh. Ik betwijfel of u ooit van hem hebt gehoord.'

'O ja? Wat dacht u van "Je kunt alleen maar schreeuwen!" ... Hé? Wat dacht u daarvan?'

'*Antigone*, maar uw vertaling is niet goed.' Sutton wendde zich tot Hawkins. 'Generaal, wilt u mij een plezier doen? Ik vraag dat als een vroegere tweede luitenant in de Afrikaanse *t o*, waar ik u vaak heb horen spreken, meestal tekeergaand tegen Montgomery.'

'Was u dáár?'

'Gevechtsinlichtingen, verbonden aan OSS-Tobroek.'

'Jullie jongens waren de béste! Jullie hielden die moffen in de grote Sahara aardig voor de gek. Ze wisten niet waar onze tanks waren!'

'De meeste van ons waren acteurs die een beetje Duits spraken. Echt, we werden overschat – het was zo gemakkelijk om soldaten uit te beelden die van dorst stierven en die de verkeerde informatie fluisterden terwijl ze buiten westen raakten. Eigenlijk doodsimpel.'

'Jullie waren in vijandelijke uniformen. Je had doodgeschoten kunnen worden!'

'Misschien, maar waar krijg je de kans om dergelijke rollen te spelen?'

'Verrek! Wat je ook wilt, soldaat, ik zal het doen!'

'Die is erin getrapt,' mompelde Devereaux. 'Dat doet hij bij mij nu ook altijd.'

'Ik wil dat u iets zegt, generaal, het liefst iets opzegt dat we misschien beiden kennen, laten we zeggen een rijmpje of een gedicht of misschien de tekst van een liedje, u kunt herhalen wat u wilt. U moet ook normaal spreken of roepen, als het maar natuurlijk is.'

'Eens kijken,' zei de Havik met half dichtgeknepen ogen. 'Ik heb altijd nogal gehouden van dat oude legerdeuntje, u kent het wel. *Over hill, over dale, we will hit the dustee trail...*'

'Niet zingen, generaal, gewoon opzeggen,' beval de acteur, die met zijn gezichtsuitdrukking direct die van MacKenzie nadeed, waarbij vaak geluiden hoorbaar werden terwijl de oude ijzervreter op martiale toon de woorden declameerde van *The Caissons Go Rolling Along*. Toen sprak Henry Irving Sutton ineens alleen, alsof de twee stemmen van een rondeel ineenvloeiden waarbij de ene wegstierf en de andere bleef klinken. Zijn stemklank en cadans, zijn gebaren en gezichtsuitdrukkingen waren haast niet te onderscheiden van die van de Havik.

'Verdómme!' riep de generaal stomverbaasd uit.

'Frappant, Henry!'

'Niet slecht, al zeg ik het zelf.'

'U bent een gewéldige acteur, meneer Sutton!'

'O nee, lief kind van Elysium,' protesteerde sir Henry Irving S bescheiden. 'Dat is geen acteren, dat is gewoon mimiek, elke tweederangs acteur kan dat. U verkijkt u op de gebaren en de uitdrukkingen, net als op de stembuiging. ... Ik leg dat uitgebreid uit tijdens mijn privé-lessen. Lunch?'

'Waarom hebben ze u niet gevraagd mijn rol te spelen in die verdomde film?'

'Een vreselijke impresario, *mon général*, u hebt geen idee wat dat betekent. ... Stel u een uitstekende stafofficier voor die in het gevecht niet mag tonen wat hij waard is omdat zijn zogenaamde superieur bang is dat zijn organisatie in de soep zal draaien – in mijn geval was het een vast salaris van een melodrama.'

'Ik zou de rotzak laten neerknallen!'

'Dat heb ik geprobeerd. Gelukkig miste ik. ... Lunch, juffrouw Redwing?'

'Ik geloof dat we ons maar weer eens bezig moesten houden met de onderhavige kwestie,' zei Pinkus vastberaden en hij gebaarde dat iedereen moest gaan zitten. Dat deden ze en Sam nam bliksemsnel plaats tussen Jennifer en Sutton.

'Natuurlijk, Aaron,' stemde de acteur in en hij keek kwaad naar de spelbederver. 'Ik wilde alleen een bekrompen geest geruststellen die kennelijk thuishoort op de Kleine Antillen, als u de kromme vergelijking kunt volgen.'

'Ze is buitengewoon duidelijk, Kermit de Kikker,' zei Devereaux.

'Sám!'

'Oké, Jenny, ik reageer overdreven. In de rechtszaal doe ik dat nooit.'

'Zullen we ter zake komen?' Pinkus gaf Cyrus een teken, die met opzet zo ver mogelijk van Henry Irving S vandaan bleef. De rit vanaf Boston had zijn geduld, zo niet zijn gezonde verstand, zwaar op de proef gesteld. 'Moet uw collega er niet bijkomen?' vroeg Aaron.

'Ik zal hem alles wel vertellen wat hij moet weten,' zei Cyrus zacht terwijl hij ging zitten. 'Ik zou dit graag zo eenvoudig mogelijk houden. Eerlijk gezegd zie ik de combinatie van Roman Z en uw nieuwe rekruut nu niet direct zitten. Ik zal het wel doen.'

'U hebt een prima diepe stem, jongeman,' viel sir Henry hem in de rede, kennelijk geërgerd dat hij niet kon horen wat er tussen Cyrus en de oudere advocaat werd gezegd. 'Hebt u ooit "Ole Man River" gezongen?'

'Bemoei je met je eigen zaken, man,' zei de huurling.

'Nee, ik meen het serieus. Een heropvoering van *Showboat*... '

'Henry, beste jongen, dat komt allemaal later wel,' kwam Aaron tussenbeide en hij hield beide handen omhoog in een poging er een einde aan te maken. 'We hebben niet al te veel tijd.'

'Natuurlijk, jongen, het doek moet op.'

'Zo snel mogelijk,' stemde Cyrus in. 'Zelfs vanavond, het liefst eigenlijk vanavond, als dat kan.'

'Hoe denk je dat alles in zijn werk moet gaan?' vroeg Jennifer.

'Ik zal dat zogenaamde Nobelcomité in dat hotel bellen als de burgeradjudant van de generaal,' antwoordde de huurling. 'Ik heb fatsoenlijke kleren in mijn koffer, maar we moeten nog iets hebben wat Roman aan kan trekken.'

'Mijn zwager heeft een hele kast vol kleren en hij heeft ongeveer de maat van uw collega – hij doet aan gewichtheffen, zelfs op zijn leeftijd. Bovendien kan mevrouw Lafferty uitstekend naaien...'

'Dat is dan geregeld,' kwam de ongeduldige Cyrus tussenbeide. 'We moeten alleen mijn verhaal wat bijvijlen zoals het die clowns van de Air Force II ter ore moet komen.'

'Dat heb ik al gedaan,' zei MacKenzie Hawkins en hij stak opnieuw zijn verfrommelde sigaar op.

'Wat?'

'Hoe?'

'Wanneer?'

De chaos van verbaasde stemmen overrompelde de Havik die enkel zijn zware wenkbrauwen optrok en een rookkringetje uitblies boven zijn hoofd.

'Toe nou, generaal!' drong Cyrus aan. 'Dit is belangrijk. Wat hebt u gedaan?'

'Jullie advocaten en scheikundigen denken dat je zo slim bent, maar je hebt verdomde slechte geheugens.'

'Mac, in hemelsnaam...'

'Vooral jij, Sam. Jij bent de man die het heeft uitgevlooid; ik had het natuurlijk al lang door maar ik was trots op jouw impromptu analyse.'

'Waar heb je het in godsnaam over?'

'Kleine Jozef, jongen! Die is daar nog...'

'Wie? ... Wáár?'

'Dat hotel, de Vier Jaargetijden. Ik heb een half uur geleden nog met hem gesproken en hij is helemaal op de hoogte.'

'Op de hoogte van wat? Je kunt die kleine rotzak niet vertrouwen, Mac, dat heb je zelf gezegd!'

'Nu kan ik dat wel,' zei de Havik met nadruk. 'Hij maakt schandelijk misbruik van zijn onkostentoelage, een duidelijk teken van een onafhankelijke ondergeschikte en hij probeert mij voortdurend uit mijn tent te lokken – dat is een man waarop je kunt vertrouwen.'

'De logica ontgaat me,' zei Pinkus.

'Hij is geschift,' zei Jennifer zacht, met haar ogen vol ongeloof op de generaal gericht.

'Dat weet ik nog niet zo zeker,' zei Cyrus. 'Een vijandige ondergeschikte zegt alles recht voor zijn raap. Je wordt niet zo gemakkelijk door hem in je rug geschoten omdat hij dat nu net heeft gedaan.'

'Jij bent ook geschift,' merkte Devereaux op.

'Niet echt.' De huurling schudde zijn hoofd. 'Er is een gezegde dat nog stamt uit de kozakkenoorlogen. "Je kust de laars voordat je die afhakt met je sabel."'

'Geweldig, gewéldig,' riep de acteur. 'Een volmaakt eind van de tweede akte!'

'Misschien ben ik ook wel geschift,' voegde de dochter van de Wopotami's eraan toe, 'maar ik geloof dat ik je begrijp.'

'Dat mag ik hopen,' zei Sam spottend. 'Om het even duidelijk te stellen, meester, je laadt geen verdenking op jezelf voordat je een misdaad gaat plegen.'

'Pedante kwast,' mompelde Redwing. 'Ik snap wat je bedoelt, Cyrus, wat doen we dus?'

'De vraag is, wat heeft de generaal gedaan?'

'Het is heel aannemelijk,' zei de Havik. 'En gezien jouw achtergrond denk ik dat je het wel zult goedkeuren. ... Ik heb Kleine Jozef, die ondanks zijn gevorderde jaren een uitstekende infanterieverkenner is, opdracht gegeven de situatie vanuit alle kanten van het slagveld te bekijken. Hij zal hun bivak verkennen, waar de ondersteuningstroepen uithangen en wat hun vuurkracht is, als die er al is, jullie ontsnappingsroutes, indien nodig, en de beste camouflage die jullie kunnen aannemen om doel Nul te bereiken.'

'Doel wát?' riep sir Henry uit.

'Nee, néé, Henry, ik weet zeker dat de generaal overdrijft!' kwam Pinkus tussenbeide, eerst MacKenzie aanstarend en toen zijn intense blik op Cyrus richtend. 'Jullie hebben gegarandeerd dat er geen geweld aan te pas zal komen, dat er geen gebrek aan voorzorgsmaatregelen zal zijn!'

'Dat zal er ook niet, wat beide zaken betreft, meneer Pinkus. De generaal gebruikt alleen militaire uitdrukkingen om de hotelkamer van dit zogenaamde comité te beschrijven en de juiste kleding.'

'Je hebt míj misverstaan, Aaron, beste jongen!' De acteur ging staan, zijn profiel naar rechts gekeerd, zijn kaak vastberaden, zijn ogen flonkerend. 'Ik neem de opdracht graag aan, een glorieuze achtervolging – wat dat dan ook is. Weet u nog, generaal, toen we ons bij de Britten voegden en ons naar El Alamein vochten?'

'Zeker, majoor Sutton! ... Ik heb u zojuist een paar rangen bevorderd op het slagveld – het voorrecht van het oppercommando, natuurlijk.'

'Ik neem die rang aan, meneer.' Sir Henry draaide zich om en salueerde terwijl de Havik opstond en hetzelfde deed. 'Laat de rotzakken maar komen! We gaan de muren weer op en dempen de bres met acteurslijken. We vrezen *niemand* – daar gaat je bloed van koken, nietwaar, generaal?'

'Jullie jongens waren echt de besten in die grote Sahara. Jullie hadden al het lef van de wereld, soldaat.'

'Lef, ammehoela, het was de juiste synthese van klassieke techniek en het beste van Stanislavski, niet die onzin die wordt voorgeschreven door vijfderangs goeroes die leren dat je beter in je neus kunt peuteren dan hem snuiten.'

'Wat het ook was, majoor, je hebt het overleefd. Herinner je je nog buiten Benghazi toen de brigade...'

'Ze zijn volslagen máf!' fluisterde Sam tegen Jennifer. 'Ze zitten in een tyfoon in een kano te peddelen die lek is geslagen.'

'Pas op je woorden, Sam! Het zijn reuzen en dit is tamelijk verfrissend.'

'Wat bedoel je daarmee?'

'Nou ja, in een wereld vol gelegaliseerde doetjes in streepjespakken, is het goed te weten dat er mannen zijn die nog op de mensetende tijgers kunnen jagen.'

'Dat is pedant, voorwerelds gelul!'

'Ja, ik weet het,' zei Redwing glimlachend. 'Is het niet fijn te zien dat het nog steeds bestaat?'

'En jij noemt jezelf een vrouw met een onbekrompen blik...?'

'Ik heb die wel, maar ik geloof niet dat ik het ooit zo heb gezegd, dát is voorwerelds. Deze oude mannen zijn dat niet, ze leven gewoon in de wereld die ze hebben gekend. Ik erken die wereld en wat zij gedaan hebben om hem beter te maken, wie zou dat niet?'

'Je loopt over van vriendelijkheid, Rebecca!'

'Waarom niet? Afgezien van het Hof heb ik op alle fronten gewonnen. Ik heb zelfs te véél gewonnen, en dat betekent dat ik erkend word.'

'Met wat "spiegels en rook", zoals onze generaal dat noemt. "Naar beste vermogen" is nog steeds een eufemisme voor "Oké, ik zal het proberen, maar als ik niets bereik trek ik me terug. Snel." '

'Als je dat zegt zal ik je laten zien hoe onbekrompen mijn blik is, meester,' zei Jennifer zacht en opnieuw met een glimlach. 'Dan zul je niets meer over hebben waarmee je je broek kunt benatten. ... Laten we ophouden met die oorlogsverhalen, oké?'

'Mác!' riep Devereaux en hij bracht beide veteranen van de campagne in Noord-Afrika er toe hem aan te kijken alsof hij een lelijke zwarte worm was die uit een bord rode spaghetti kwam gekropen. 'Hoe weet je nu eigenlijk dat Kleine Jozef zal doen wat je hem hebt gezegd? Je hebt een slijmbal beschreven – misschien eentje die je niet in je rug zal schieten – maar toch een slijmbal. Stel dat hij je gewoon vertelt wat je graag wilt horen?'

'Dat zou hij niet kunnen, Sam. Weet je, ik heb met zijn hogere officier gesproken, en ik kan je zeggen dat die héél hoog is, op hetzelfde niveau als commandant Pinkus en ik – met misschien iets meer invloed waar het erop aankomt.'

'Wat dan nog?'

'Dus heeft die heel belangrijke persoon heel sterke privé-redenen waarom hij wil dat we onze opdracht volbrengen, wat we niet kunnen wanneer we niet over zevenentachtig uur van nu af in het Hooggerechtshof verschijnen.'

'Zevenentachtig wat?' vroeg Aaron verward.

'We zijn aan het aftellen, commandant. Grond Nul over ongeveer iets minder dan zevenentachtig uur.'

'Is dat zoiets als "doel Nul"?' bleef de oudere advocaat aandringen.

'Kunt u zich voorstellen, majoor Sutton, dat deze man op Omaha Beach heeft gevochten?'

'Waarschijnlijk als zandhaas, generaal... '

'Ja, dat was ik en ik heb een geweer gedragen, geen codeboek.'

'Doel Nul, beste Aaron, is het onmiddellijke doel,' legde de acteur uit. 'Grond Nul is het uiteindelijke doel. Zo moesten we, bijvoorbeeld, bij de opmars naar El Alamein, eerst Tobroek innemen, dát was dus doel Nul, Alamein was grond Nul. Er wordt in feite in de kronieken van Froissart – waarop Shakespeare zijn verhalen baseerde, samen met Holinshed – melding gemaakt van die uitdrukkingen...'

'Oké, oké!' riep een vertwijfelde Devereaux uit. 'Wat heeft al dat geouwehoer nu te maken met een slijmbal in de Vier Jaargetijden die Kleine Jozef heet? Om het nog eens te zeggen, Mac, waarom denk jij dat hij zal doen wat je hem hebt opgedragen? Hij heeft al eerder tegen je gelogen.'

'Kennelijk onder andere omstandigheden,' zei Jennifer voordat de Havik kon antwoorden. 'Ik neem aan dat hij verplichtingen heeft tegenover die heel belangrijke hogere officier van hem.'

'In de roos, juffrouw Red. Zoiets als, gaat Jozef door met ademhalen of niet.'

'Nou ja, als dat het geval is...'

'Dat is het geval, Sam,' bevestigde de Havik. 'Zoals je heel goed weet maak ik op dat gebied geen fouten. Moet ik jou behalve aan Belgravia Square in Londen, soms ook nog herinneren aan die countryclub op Long Island, of de kippenboerderij in Berlijn, of die maffe sjeik in Tizi Ouzou die mijn derde vrouw wilde kopen voor twee kamelen en een paleisje?'

'Zo is het wel weer genoeg, generaal!' zei Pinkus vastberaden. 'Ik wil u er nogmaals op wijzen dat er er géén herinneringen worden opgehaald aan voorbije gebeurtenissen. Gaan u en Henry nu eens zitten en laten we doorgaan met dat waar we mee bezig zijn.'

'Zeker, commandant.' De twee veteranen van El Alamein gingen zitten en de Havik ging verder. 'Maar we kunnen niet zo heel veel doen voordat Kleine Jozef gerapporteerd heeft.'

'Hoe gaat hij dat doen?' vroeg Devereaux. 'Stuurt hij een gecodeerde boodschap per postduif die vanuit zijn hotelkamerraam rechtstreeks naar het sjeikdom van Tizi Ouzou vliegt?'

'Nee, jongen, per telefoon.' En precies op dat moment ging de telefoon over. 'Ik neem hem wel,' zei de Havik. Hij stond op en liep snel naar het witte antieke bureau tegen de muur. 'Basiskamp Dampende Wigwam,' vervolgde hij met de hoorn tegen zijn oor gedrukt.

'Hé, flapdrol,' klonk de opgewonden stem van Kleine Joey de Smurf over de lijn. 'Je zult het niet gelóven in wat voor varkensstront je terecht bent gekomen! Ik zweer het op het graf van mijn tante Angelina, geen enkele clown van een schoenmaker, ook mijn oom Guido niet, kan het er afschrapen!'

'Rustig maar, Jozef, en praat duidelijk. Geef me alleen maar de verkenningsob-tech, plaatselijke factoren.'

'Wat is dat nou weer voor brabbeltaal?'

'Het verbaast me dat je je dat niet herinnert van de Italiaanse campagne...'

'Ik was nog lager dan wijndroesem. Waar heb je het nou weer over?'

'De technische gegevens die je hebt geobserveerd in het hotel...'

'Geen wonder dat jullie flapdrollen de belastingbetalers uitzuigen! Geen enkele klootzak kan jullie verstaan – jullie brengen ons alleen maar aan het schrikken!'

'Wat heb je ontdekt, Jozef?'

'Om te beginnen, als die grapjassen Zweden zijn, dan heb ik nog nooit een Noorse gehaktbal gegeten, wat ik nu en dan wel heb gedaan, want dat blonde stuk waarmee ik een paar eeuwen geleden uitging maakte ze om te bewijzen dat de Guineese versie niet zo geweldig was..'

'Jozef, wordt dit een lang verhaal? Wat heb je ontdekt?'

'Oké, oké. ... Ze hebben drie suites, elk met twee slaapkamers en door wat geld te verdelen onder de kamermeisjes en de kelners kwam ik te weten dat ze gewoon Amerikaans spreken, weet je wel, Engels. En ze zijn ook krankjorum, weet je wel, echte lamzakken. Ze lopen in spiegels te kijken en gek in zichzelf te praten, alsof ze niet wisten naar wie ze keken.'

'Hoe zit het met de ondersteuningstroepen, de vuurkracht?'

'Ze hebben helemaal niks! Ik heb elke trap gecontroleerd, zelfs de kamers in de buurt met een of andere mafkikker die Raul heet en het heeft me tweehonderd ballen gekost om het register na te kijken. De enige mogelijkheid was een of andere lamzakkerino die Brickford Aldershotty heette, en dat bleek een vluggertje te zijn.'

'Ontsnappingsroutes?'

'De nooduitgangen zijn op de trappen aangegeven, wat wil je nog meer?'

'Je zegt dus dat de kust veilig is...'

'Welke kust?'

'Doel Nul, het hotel, Jozef!'

'Wie je ook hebt, hij kan daar binnenwandelen alsof het een kerk was in Palermo op eerste paasdag.'

'Nog iets?'

'Ja, hier zijn de kamernummers.' De Smurf gaf ze door en voegde eraan toe: 'Je moet wel wat zware jongens meebrengen, snap je wat ik bedoel?'

'Leg eens uit, Jozef.'

'Nou ja, Beulah, een kamermeisje dat haar ogen niet in haar zak heeft, zei me dat die grapjassen flessenhalzen breken, ze neerzetten met de scherpe punten omhoog en zich daarboven opdrukken, soms wel tweehonderd keer. Ik bedoel maar, het zijn lamzakken!'

22

'Meat' D'Ambrosia liep door de glazen klapdeuren van het Axel-Burlap-gebouw aan Wall Street, Manhattan, nam de lift naar de achtennegentigste verdieping, wandelde door een ander stel glazen deuren en gaf zijn kaartje aan een kille Engelse receptioniste.

Salvatore D'Ambrosia, Conzulent. Het kaartje was gedrukt door zijn neef die een drukkerij had in Rikers Island.

'Ik zou graag spreken met een zekere Iwan Salamander,' zei Salvatore.

'Verwacht hij u, meneer?'

'Dat maakt niks uit, poes, meld me maar aan.'

'Het spijt me, meneer D'Ambrosia, maar je bezoekt de president van Axel-Burlap niet zonder voorafgaande kennisgeving en zeker niet persoonlijk zonder een tevoren gemaakte afspraak.'

'Probeer me maar eens tegen te houden, schat, of moet ik soms je bureau in tweeën breken?'

'Wát?'

'Bel nu maar, *capisce*?'

De heer D'Ambrosia werd onmiddellijk toegelaten in het met walnoothout gelambrizeerde heilige der heiligen van een zekere Iwan Salamander, president van het derde grootste effectenkantoor van Wall Street.

'Wat... wáát?' krijste de schriele, gebrilde Salamander, terwijl hij het zweet afwiste dat uit zijn haargrens bleef druppelen. 'Moet jij zo nodig een waardeloze receptioniste het in haar broek laten doen van schrik, eentje met klasse, waarvoor ik het vliegticket heb betaald en die ik een nertsjas heb gegeven en een salaris dat mijn vrouw nooit te weten mag komen?'

'We moeten eens praten, meneer Salamander, en wat nog belangrijker is, jij moet luisteren. Bovendien was jouw privésecretaresse niet zo erg bang.'

'Natuurlijk, natúúrlijk, ik heb haar gezegd dat ze ijskoud moet blijven!' schreeuwde Iwan de Verschrikkelijke, zoals hij in de Street werd genoemd. 'Denk jij soms dat ik stom ben? ... Stom ben ik niet, meneer Kleerkast, en ik zou er heel erg de voorkeur aan geven dat je me in een of andere spaghettitent in Brooklyn verteld had wat je me te zeggen hebt!'

'Mijn compagnons en ik zijn niet zo dol op die stinkende salami van jullie en evenmin op jullie *gefilter fisch*. Die delicatessenwinkels van jullie stinken een uur in de wind.'

'Over onze culinaire verschillen zijn we het dus eens; wat heb je verder nog, dat ik mijn kostbare tijd moet verspillen aan een pakslinger? Hè, hè?'

'Wat ik voor je heb komt van de grote baas zelvers en als je dit soms op band opneemt knijpt hij je keel dicht. *Capisce*?'

'Op mijn woord van eer, helemaal niet! Denk je soms dat ik gék ben? ... Wat zegt de grote baas?'

'Koop defensieaandelen, vooral vliegtuigen en aanverwante – wacht even, dat moet ik oplezen.' D'Ambrosia haalde een stukje papier uit zijn zak. 'Ja, dit is het. Vliegtuigen en alle aanverwante accessoires – dat is het, accessoire, dat woord kon ik niet onthouden.'

'En dat is krankzinnig! Defensie gaat de pot op, in alle budgetten wordt gesnoeid!'

'Hier komt de rest en ik herhaal het, als je een band hebt lopen hang je zo aan een vleeshaak.'

'Nooit van mijn leven, ben jij mesjogge?'

'De zaken zijn geweldig veranderd.' Meat bekeek opnieuw zijn instructies met bewegende lippen terwijl hij zwijgend las. 'Oké, dit is het. ... Er zijn alarmerende gebeurtenissen voorgevallen,' vervolgde D'Ambrosia, met een stem die even uitdrukkingsloos was als zijn ogen, een man die zijn lesje opdreunde, 'waarvan het land niet al te veel weet mag hebben vanwege de paniek die eruit zou kunnen voort...'

'Bedoel je misschien voortvloeien?'

'Precies. Wat het dan ook zeggen wil.'

'Ga verder.'

'Er is veel storing geweest van de sub... substratisforische militaire salletietzendingen, waaruit gecloncudeerd wordt dat hoogvliegende vliegtuigen... de zaak aan het verneuken zijn.'

'Hoogvliegende...U-2 types? Komen de rooien terug op hun lieve woordjes?' '"De specifieke vijandige toestellen zijn nog niet afdoende geïdentificeerd",' antwoordde Meat die nu het papiertje had opengevouwen en het zo goed hij kon oplas. '..."aangezien echter de incidenten in aantal en hevigheid zijn toegenomen en de ... Russische Kremlins... in het geheim dezelfde gebeurtenissen hebben bevestigd..."' Nu vouwde Salvatore D'Ambrosia, alias 'Meat', het papiertje weer op en ging hij zelf verder. 'De hele verdomde planeet, vooral de V.S.van A. is in het geheim in hoogste staat van alarm gebracht. Het kunnen de Scheefogen zijn of de Arabieren of de Kromneuzen die al die rotzooi de lucht inslingeren...'

'Dat is geouwehoer!'

'Of...,' Salvatore D'Ambrosia ging zachter spreken en sloeg een kruisteken dat bijna op de juiste manier op zijn brede borst terechtkwam, 'dingen waarover we niets weten – van daarboven.' Meat sloeg zijn ogen ten hemel en er lag een smekende blik in, een blik die bijna om genade vroeg.

'Wáát?' krijste Salamander. 'Dat is het grootste gelul dat ik ooit heb gehoord! Het is... hó, hó, wácht eens even... het is gewoon absoluut briljant. Geen uitgever van junkbonds had daar ooit aan kunnen denken! ... We hebben een heel nieuwe vijand waarvoor we heel de verdomde wereld moeten bewapenen! UFO's!'

'Je snapt zo'n beetje wat de grote baas wil?'

'Of ik het snap? Ik ben er gek op! ... Hé, daar schiet me ineens iets te binnen. Welke grote baas. Hij woont immers tegenwoordig bij de vissen!'

Dat was het moment waarop Meat was voorbereid; hij had het gerepeteerd totdat hij het kon onthouden met zijn hoofd vol chianti. Hij haalde uit een andere zak een kleine envelop met zwarte rand, qua afmeting en uiterlijk lijkend op een uitnodiging voor een begrafenis. Hij gaf die aan de verbijsterde Salamander met elf eenvoudige woorden, die er zo waren ingestampt bij de repetitie dat Salvatore ze ongetwijfeld op zijn doodsbed nog zou kunnen herhalen. 'Als je hierover één woord fluistert... zul je nooit meer fluisteren.'

Iwan de Verschrikkelijke keek omzichtig van Meats gezicht naar de dreigend uitziende envelop, pakte een glimmende koperen briefopener, stak die onder de flap van de envelop, sneed het papier door en haalde de boodschap eruit. De blik van de effectenmakelaar viel onmiddellijk op de onderkant van het kaartje, op de gekrabbelde initialen die hij zo goed kende. Zijn adem stokte in zijn keel, zijn hoofd ging met een ruk omhoog en zijn opengesperde ogen waren op Salvatore D'Ambrosia gericht. 'Dit is *godsonmogelijk!*' fluisterde hij.

'Wees voorzichtig,' zei Meat, niet luider dan Salamander, en hij trok langzaam zijn wijsvinger over zijn hals. 'Denk eraan, geen wóórd. Lees maar.'

Verstijfd van angst en met trillende handen begon Iwan bovenaan te lezen. *Volg de instructies op zoals die mondeling door de koerier zijn overgebracht. Denk er geen moment aan ook maar iets ervan niet uit te voeren. We bevinden ons midden in een geheime, voor-uw-ogen-alleen, hoogst vertrouwelijke operatie. Alles zal u binnen een redelijk tijdsbestek worden uitgelegd. Nu moet u, waar de koerier bij is, de boodschap en de envelop verbranden, anders zal hij, met een hart vol liefde, gedwongen zijn u te verbranden. Ik zal terugkeren. vm* (onleesbaar gekrabbeld)

'Heb je een lucifer?' vroeg de verbijsterde Salamander zacht. 'Ik heb de sigaretten eraan gegeven voor mijn gezondheid. Het zou vrij stom zijn als ik koud word gemaakt omdat ik niet rook.'

'Natuurlijk,' zei Meat en hij gooide een doosje lucifers op het bureau. 'Nadat je het papier hebt verbrand moet je nog iets doen voordat ik vertrek.'

'Zeg het maar. Wanneer ik boodschappen krijg uit het graf ga ik niet pietluttig doen.'

'Pak de telefoon en plaats een order voor vijftigduizend aandelen Petrotoxic Amalgamated.'

'Wáát?' schreeuwde Iwan de Verschrikkelijke, met dikke druppels zweet op zijn voorhoofd. Toen zag hij met doodsangst hoe de enorme klauw van D'Ambrosia in zijn jasje verdween. 'Natuurlijk, vanzelfsprekend! Waarom ook niet? Laten we er vijfenzeventig van maken, ik bedoel maar, waarom ook niet?'

De koerier Meat legde nog vijf van zulke beleefdheidsbezoekjes af, allemaal met dezelfde resultaten – op een paar schreeuwen na – leidend tot een *koop-koop-koop*!-woede die zijn weerga niet kende sinds de Dow Jones-index drieduizend was gestegen en nog steeds klom. Als een vanzelfsprekend gevolg bungelden in directiekamers over het hele land de wortels voor de ezelsneuzen (paarden zijn misschien niet zo slim maar wel slimmer dan muilezels). Onbeheerste diversificatie en totale overbesteding waren aan de orde van de dag en de kooporders werden met miljarden tegelijk verstrekt. Er was iets *enorms* aan de hand en de handige geldjongens en de broederschap van ondernemers belandden op die fantastische wip van economisch evenwicht.

Koop die computerfirma's op, kan niet verdommen wat het kost!

Zie alle toeleveranciers in Georgia in handen te krijgen en verveel me niet met cijfers!

We zitten in een machtspositie, idioot! Ik wil een meerderheidsbelang in McDonnell Douglas, Boeing en Rolls-Royce Aeroengines en hou in godsnaam pas op met bieden als je ze allemaal hebt!

Koop heel Californië!

Zo werden er dus, op basis van een opgeblazen fictie, gehuld in een mysterie dat Kleine Joey zou imponeren, laat staan Houdini en Raspoetin, miljarden aan schulden aangegaan door de vijanden van Vincent Franciscus Assisi Mangecavallo, die op het strand van Miami, Florida, onder een parasol zat, met een dikke sigaar in zijn hoofd, een draadloze telefoon en een draagbare radio naast zich, een margarita-cocktail op het plastic dienblad voor hem en een brede grijns op zijn gezicht. 'Loop maar mee met de massa, jullie achterlijke countryclubgladiolen,' zei hij bij zichzelf, terwijl hij met zijn vrije hand zijn rode pruik rechtzette. 'Wacht maar tot de zee is opgedroogd, zoals Mozes dat heeft gedaan, moge hij rusten in vrede. Jullie zullen in het zand worden gezogen, rotzakken! Als jullie opdracht geven om mij te vermoorden kun je maar beter de kleine lettertjes lezen. Pisbakken schoonmaken in Cairo, dat horen jullie straks te doen!'

Sir Henry Irving Sutton zat stijf en kwaad op de keukenstoel terwijl Erin Lafferty erop los knipte aan zijn golvende kruin van grijze glorie. 'Bijknippen, deerne, alleen maar bijknippen, anders zit je voor de rest van je leven in de bijkeuken!'

'Mij maak je niet bang, ouwe schijterd,' zei Erin. 'Ik heb jou gezien in dat middagprogramma *Forever All Our Forevers* – hoe lang geleden? Tien jaar? – dus ik weet alles over jou, boyo.'

'Pardon?'

'Je liep altijd te brullen en te schreeuwen tegen die jonge kinderen tot je ze gek maakte. Dan ging je in die grote bibliotheek zitten janken dat ze het te gemakkelijk hadden in het leven en dat ze stevig moesten worden aangepakt zodat ze de afschuwelijke tegenspoeden aankonden die op hen af zouden komen – en, Jezus, Maria en Jozef, wat jij zei gebeurde! Wat een rottijd hadden die! Ik bedoel maar, je jankte echt, je had spijt van al die slechte dingen die je tegen hen moest zeggen en je wilde dat dat niet nodig was. ... Nee, diep in je hart ben je een zacht ei, grootvader Weatherall!'

'Ik speelde alleen maar een rol, mevrouw Lafferty.'

'Je kunt het noemen wat je wilt, meneer Sutton, maar voor mij en alle meiden in het Zuiden was jij de enige reden waarom we naar die stomme serie keken. We waren allemaal verliefd op jou, boyo.'

'Ik wíst wel dat die klootzak me nooit een fatsoenlijk contract heeft gegeven!' mompelde de acteur binnensmonds.

'Wat zei u, meneer?'

'Niets, lieve dame, niets. Knipt u er maar lustig op los! U bent kennelijk een dame met zeer goede smaak.'

De keukendeur vloog open en de enorme Cyrus kwam binnen met een gezicht vol verwachting. 'We moeten óp, "generaal"!'

'Prima, jongeman! Waar is mijn uniform? Ik zag er altijd prachtig uit in militaire pluimage.'

'Geen pluimen, geen uniformen, dat is uitgesloten.'

'Waarom in 's hemelsnaam?'

'Om te beginnen is de generaal geen generaal meer, op verzoek van het Pentagon en van zowat iedereen die in Washington wat te vertellen heeft, waarbij ook het Witte Huis. Ten tweede zou u de aandacht op ons vestigen en dat is niet erg praktisch.'

'Het is nogal moeilijk in een rol te komen zonder de geschikte uitrusting, wat natuurlijk betekent de juiste kleding – een uniform, bijvoorbeeld. ... Eigenlijk ben ik als generaal hoger in rang dan u, kolonel.'

'Als u dat spelletje wilt spelen, meneer de acteur, u spéélt een generaal; u werd op het slagveld tot majoor gepromoveerd en ik kreeg de rang van kolonel. U verliest, sir Henry.'

'Verdomde onbeschofte burgers... '

'Verrek, bent u nog steeds met die Tweede Wereldoorlog bezig?'

'Nee, ik ben een artiest. De rest van jullie zijn burgers... en chemici.'

'Man, jij en Hawkins hebben meer gemeen dan El Alamein. Toen waren de meeste generaals die ik gekend heb ook acteurs. ... Kom op, we moeten opschieten. Ze verwachten ons om tweeëntwintighonderd.'

'Tweeëntwintighonderd wat?'

'Uúr, majoor, of generaal, als u dat liever hebt. Dat is de militaire uitdrukking voor tien uur 's avonds.'

'Ik heb nooit goed met die verdomde getallen overweg gekund...'

De drie hotelsuites van het 'Nobelcomité' lagen naast elkaar en de kamers in het midden dienden als ontmoetingsplaats voor de verheven generaal MacKenzie Hawkins, Soldaat van de Eeuw, en de voorname 'bezoekers uit Stockholm'. Zoals was overeengekomen door de adjudant van de generaal, een zekere kolonel Cyrus Marshall, Amerikaanse leger, gepensioneerd, zou de bespreking plaatsvinden in de privé-sfeer, zonder journalisten of persberichten. Want, zoals de kolonel uitlegde, de beroemde krijger was weliswaar enorm vereerd met de onderscheiding, maar hij had zich momenteel teruggetrokken om zijn memoires te schrijven, 'Vrede door bloed', en hij wilde weten hoe ver hij moest reizen en hoe het zat met de pers, voordat hij de uitnodiging accepteerde. De woordvoerder van het comité, een zekere Lars Olafer, reageerde met zoveel enthousiasme op de geheime bespreking dat kolonel Cyrus wat bussen traangas had toegevoegd aan het toch al volledige arsenaal, dat Roman Z en hij bij zich droegen. Het moest een valstrik met een dubbele bodem worden tegen de samenspanners, volgens de beste traditie van ondergrondse ratten en Cyrus wist precies hoe hij dat moest doen. Krijg de ratten te pakken, breng ze weer tot hun positieven met gebonden handen en voeten en laat ze een ondervraging ondergaan die meestal wordt beschreven als psychologisch macaber maar waarbij geen fysiek letsel wordt toegebracht. Je houdt alleen maar ijspriemen voor hun ogen.

'Ik zou veel imposanter zijn in uniform!' zei Sutton kwaad terwijl hij door de hotelgang liep in een streepjespak dat hij uit zijn flat in Boston had meegenomen. 'Deze verrekte kleren waren goed voor Shaws "De miljonairsvrouw", maar niet voor deze opdracht.'

'Hé, je ziet er geweldig uit,' zei Roman Z en tot stomme verbazing van de acteur kneep hij in diens wang. 'Misschien had je nog een bloem in je knoopsgat moeten hebben, dan was je nog mooier geweest.'

'Schei uit, Roman,' zei Cyrus zacht. 'Hij ziet er prima uit. ... Bent u klaar, generaal?'

'Je hebt het tegen een prof, beste jongen. De adrenaline vloeit naarmate het moment nadert. Het toveren gaat beginnen! ... Klop op de deur, loop voor me uit, zoals het hoort, en dan maak ik mijn entree.'

'Denk eraan, opa,' vermaande de huurling voor de deur. 'Je bent een verrekte goede acteur, dat moet ik toegeven, maar laat je alsjeblieft niet gaan, anders maak je ze doodsbenauwd. We willen alles te weten komen voordat we onze gang kunnen gaan.'

'Ben je nu ook al regisseur, kolonel? ... Mag ik jouw ongeschoolde referentiekader er misschien op wijzen dat er op het toneel drie zaken zijn van afnemende belangrijkheid: talent, ervaring en een sterk geheugen en tot die tweede categorie behoort Hamlets advies aan de spelers. Ik herinner me een keer in Poughkeepsie...'

'School me maar een andere keer, meneer Sutton. Laten we nu maar beginnen met toveren, oké?' Cyrus klopte op de deur van de hotelsuite en richtte zich kaarsrecht tot zijn volle militaire lengte op. De deur werd geopend door een man met een witte haardos, een grijs gespikkeld sikje en een pince-nez op zijn neus geklemd. 'Kolonel Marshall, meneer,' vervolgde Cyrus, terwijl hij zich voorstelde. 'Hoofdadjudant van generaal MacKenzie Hawkins.'

'*Velkommen*, kolonel,' zei de oudere nepgedelegeerde uit Zweden; hij sprak met zo'n overdreven Scandinavisch accent dat de bereisde Cyrus ervan ineenkromp. 'Wij zijn met het uiterste plezier om de grote generaal te ontmoeten.' De gedelegeerde boog onderdanig en stapte achteruit om de beroemde Soldaat van de Eeuw binnen te laten, die door de deur schreed als een tot leven gekomen Colossus van Rhodos, terwijl een geagiteerde Roman Z snel achter hem aan scharrelde.

'Ik ben zéér vereerd, meneer!' riep de acteur uit en zijn schorre blafstem leek verbazingwekkend veel op die van MacKenzie Hawkins. 'Niet alleen vereerd maar ook zeer deemoedig door uw uitverkiezing van deze onaanzienlijke speler in de belangrijke conflicten van onze tijd. Ik heb alleen maar mijn best gedaan, en als een oude soldaat die gehard is in de strijd, kan ik alleen maar zeggen dat we de bres in onze muren zullen opvullen met onze heldhaftige doden terwijl de dappere zielen die nog in leven zijn optrekken naar de overwinning!'

Ineens brak er een kakofonie van stemmen los, met allerlei accenten die niets met Zweeds te maken hadden.

'Verrek, het is hém!'

'Je vergeet je grammatica weer, maar, verdomd, hij ís het!'

'Ik kan het niet geloven! Ik dacht dat hij al járen dood was!'

'Nooit op het toneel, nee! Op het toneel is hij nog nooit gestorven – hij was altijd groots!'

'De beste karakterspeler van onze tijd! De Walter Abel van de jaren zeventig en tachtig. Briljant gepersonifieerd!'

'Wat is hier, verdomme, aan de hand?' schreeuwde kolonel Cyrus en tegen zijn van nature begaafde maar ongetrainde stem kon de clandestiene groep acteurs van Ethelred Brokemichael niet op. 'Wil iemand me dat eens vertellen?' schreeuwde hij en probeerde zich boven het lawaai uit verstaanbaar te maken terwijl de mannen van het Knettergekke Zestal zich verdrongen rond 'generaal MacKenzie Hawkins', hem de hand schudden en hem op de schouders sloegen. Een overspannen man kuste zelfs zijn ring van de Players Club. 'Godverdómme! Wil iemand me eens uitleggen wat dit allemaal betekent?'

'Ik zal het proberen,' zei Dustin terwijl hij zich met een verbijsterde blik losmaakte van de anderen. 'U bent kennelijk pas laat in deze operatie gerekruteerd daarom kunt u onmogelijk weten dat dit niet die clown van een Hawkins is, maar een van de beroemdste artiesten van het theater! We hebben hem gezien toen we jonger waren, we hebben zijn optredens bestudeerd, zijn hem nagelopen naar Joe Allen's – dat is een artiestenkroeg – en hebben hem gebombardeerd met vragen in een poging alles op te zuigen wat hij ons kon vertellen.'

'Wat vertellen? Waar hebt u het over?'

'Deze man is Henry Irving Sutton! Dé Sutton, sír Henry...'

'Ja, dat weet ik,' viel Cyrus hem zacht in de rede en zijn stem klonk verslagen. 'Genoemd naar een Engelse acteur van lang geleden die Irving heette. ... Wácht eens even!' riep de huurling plotseling. 'Wie zijn jullie dan verdomme wel?'

'Ieder van ons geeft alleen zijn naam, rang en legernummer,' antwoordde Marlon, die de vraag van Cyrus had gehoord en zich nu met tegenzin afwendde van de geadoreerde Sutton, die de loftuitingen van zijn gelijken met briljante bescheidenheid accepteerde. 'Ik zeg dit met droefheid in mijn hart, kolonel, want ik heb eens een kleine rol gespeeld in een film met Sidney Poitier en ook hij is een geweldige acteur.'

'Naam, rang en... Waar hebben jullie het eigenlijk over?'

'Precies wat ik zei, kolonel. Naam, rang en legernummer, volgens de voorschriften van de Conventie van Genève. Meer niet.'

'Zijn jullie militairen?'

'Zeer ervaren militairen nog wel,' antwoordde Dustin en hij keek even naar zijn held, Henry Irving Sutton, die zijn aanbidders helemaal in de ban had bij het verhalen over zijn triomfen uit het verleden. 'We accepteren het risico van strijd zonder uniformen, maar tot nu toe heeft dat nooit een rol gespeeld.'

'Strijd?'

'Zorgvuldig gekozen geheime operaties, in het schemerdonker of het donker – en de verwijzing naar "donker" heeft natuurlijk niets met ras te maken.'

'Ik wéét wat operaties "in het donker" zijn, ik weet alleen niet wie jullie verdomme zijn!'

'Ik heb u zojuist gezegd dat wij een militaire eenheid zijn, gespecialiseerd in clandestiene activiteiten, opdrachten die met de grootste geheimhouding moeten worden uitgevoerd.'

'En dit gesodemieter met het Nobelcomité is een van die operaties?'

'Niet verder over praten,' zei Dustin vertrouwelijk en hij boog zich naar Cyrus, 'maar u hebt geluk dat we zijn wie we zijn anders zou u dat weleens uw pensioen kunnen kosten. Die man is generaal Hawkins niet! U bent in de boot genomen, kolonel, bedonderd, als u begrijpt wat ik bedoel.'

'Ik ben...?' zei Cyrus, star van verbijstering.

'Dat bent u inderdaad, meneer, en dat was meneer Sutton – sir Henry – duidelijk ook. Hij zou nooit zijn magnifieke reputatie bezoedelen door betrokken te raken bij een wereldomvattend komplot om de eerste verdedigingslinie van dit land te ruïneren. Nóóit!'

'Eerste verdedigingslinie... een wereldomvattend komplot...?'

'Dat is alles wat ze ons hebben verteld, kolonel.'

'Nou breken alle twee mijn klompen!' zei Cyrus, alsof hij uit een trance ontwaakte. 'Wie zijn jullie nu precies en waar komen jullie vandaan?'

'Fort Benning, onder bevel van brigadegeneraal Ethelred Brokemichael, maar het is voldoende te zeggen dat wij het Knettergekke Zestal worden genoemd.'

'Het Knettergekke...! Mijn Gód, die eenheid van supercommando's? De meest effectieve antiterroristeneenheid die ooit in het veld is gebracht?'

'Ja, zoiets hebben we gehoord.'

'Maar jullie zijn... jullie zijn...'

'Precies, wij zijn acteurs.'

'Acteurs?' schreeuwde Cyrus met zo'n daverend stemgeluid dat Henry Irving Sutton en de aanbiddende groep om hem heen zwegen en de huurling verbaasd aankeken. 'Jullie zijn... jullie zijn allemaal acteurs?'

'En zo'n prachtige groep collega's heb ik in jaren niet ontmoet, kolonel. Ze spelen hun rollen perfect. Let eens op de zorg die ze aan hun kleding hebben besteed, de juiste Europese snit, de gedempte kleuren zoals past bij voorname academici. Let u ook eens op de buitengewone aandacht die ze hebben gewijd aan hun haren – een paar grijze lokken, niets overdrevens, om een paar jaar toe te voegen aan hun leeftijd. En hun houdingen, kolonel, die nét even gebogen schouders en de wat ingevallen borsten zoals we die zagen toen we de kamer betraden; en de pince-nez, de uilebrillen, allemaal tekenen van mannen die voor hun beroep hun ogen hebben ingespannen door veel te lezen. ... Ja, kolonel, dit zijn inderdaad acteurs – uitstekende acteurs!'

'Hij merkt ook alles!'

'Wat een observatievermogen!'

'Tot in de kleinste details... '

'Details, heren,' doceerde Sutton 'vormen onze geheime wapenen, vergeet dat nooit.' Een koor van 'Nooit!' 'Zeer zeker niet!' en 'Hoe zouden we?' volgde op die proclamatie totdat de oudere acteur zijn handen opstak. 'Maar dat hoef ik jullie natuurlijk niet te vertellen. Ik begrijp dat jullie al een paar miljoen mensen overtuigend voor de gek hebt gehouden met jullie optreden op het vliegveld. ... Prima gedaan, schaapherders van Thespis! Nu wil ik ieder van u leren kennen. Uw namen, alstublieft.'

'Ja, kijk eens,' begon de woordvoerder, Lars Olafer, en hij knikte niet al te subtiel naar de huurlingen, 'als bepaalde mensen er niet bij waren zouden we ons enthousiast voorstellen met onze echte namen, maar onze bevelen luiden dat we ons aan onze schuilnamen moeten houden, wat ik persoonlijk erg gênant vind.'

'Waarom dan?'

'Om het eerlijk te zeggen, een onterechte titel, een die u verdiend hebt maar ik niet. ... Ik word "sir Larry" genoemd omdat mijn voornaam inderdaad Laurence is.'

'Met een *u*?'

'O, natuurlijk.'

'Dan zeg ik dat u die wel degelijk hebt verdiend. Toen Larry en Viv samen waren hebben we met z'n drieën heel wat biertjes achterovergeslagen, en u lijkt in uw uiterlijk inderdaad wat op die magere maar verschrikkelijk aardige kerel. Ik speelde natuurlijk "Eerste ridder" in de Becket van hem en Tony Quinn.'

'Ik mag hier ter plekke doodvallen...'

'U was gewéldig!'

'Magnifíek!'

'Uitnémend!'

'Het kon ermee door al zeg ik het zelf.'

'Kunnen we nu eens ophouden met dat gelul, als ík eens iets mag zeggen?' schreeuwde Cyrus met de aderen in zijn hals vervaarlijk opgezwollen.

'Ik heet de Duke.'

'Ik ben Sylvester...'

'Marlon is mijn naam.'

'Dustin – weet je wel, weet je wel... heb ik, heb ik gelijk, gelijk, gelijk?'

'Telly is mijn alias, generaal, baby. Zin in een lolly?'

'Jullie zijn allemaal geweldig!'

'En dit is allemaal belachelijk!' schreeuwde Cyrus en greep Dustin en Sylvester bij hun lapellen vast. 'Willen jullie rotzakken nu eens naar mij luisteren?'

'Hé, mijn beste zwarte gabber,' zei Roman Z. terwijl hij voorzichtig op de brede rug van zijn vroegere celgenoot klopte. 'Straks schiet je bloeddruk nog omhoog, man!'

'Mijn bloeddruk kan me niks verdommen, ik zou ieder van die rotzakken moeten neerschieten!'

'Toe nou, Pelgrim, doe niet zo primitief,' zei de Duke. 'U moet weten, meneer, wij geloven niet in geweld. Dat is niet goed voor onze geestestoestand.'

'Wat voor toestand?' brulde de donkere huurling.

'Van de geest,' legde de Duke uit. 'Freud noemde het de bezeten extensie van de verbeelding – wij gebruiken het vaak bij acteerlessen, gewoonlijk met improvisatie natuurlijk.'

'Natuurlijk!' Cyrus liet zijn hulpeloze gegijzelden los. 'Ik geef het op,' mompelde hij en hij ging op de dichtstbijzijnde stoel zitten terwijl Roman Z zijn schouders masseerde. 'Ik geef het op!' herhaalde hij schreeuwend en liet zijn opengesperde ogen over de groep gekken dwalen die voor hem stond. 'Zijn jullie het Knettergekke Zestal? Die antiterroristische commando-eenheid waarover liederen geschreven zijn? Ik snap er niks meer van!'

'Op een bepaalde manier hebt u gelijk, kolonel,' antwoordde Sylvester met zijn normale stem van de toneelschool van Yale, 'want we hebben nog nooit een geweer hoeven afschieten of echt iemand moeten verwonden, op een gekneusde pols of hooguit een gebroken rib na. ... Zo werken we nu eenmaal niet. Het is gemakkelijker voor iedereen, ziet u. Door ons voor iemand uit te geven tijdens onze opdrachten dringen we binnen en ontsnappen we weer, daarbij intimideren we vaak onze doelen, maar nu en dan maken we ook een paar vrienden.'

'Jullie zijn ontsnapt uit een gekkenhuis,' zei Cyrus. 'Of misschien komen jullie helemaal niet van deze planeet,' voegde hij er terneergeslagen aan toe.

'U beoordeelt ons te hard, kolonel,' protesteerde Telly met zijn normale, beschaafde stem. 'Als alle legers in de hele wereld bestonden uit acteurs zouden oorlogen kunnen worden opgevoerd als beschaafde toneelprodukties, niet als onbeschaafde bloedbaden. Je zou punten moeten uitdelen voor het individuele en collectieve optreden – de beste voordrachten, de meest overtuigende grauwen, de beste reacties van de toeschouwers...'

'Vervolgens,' viel Marlon hem in de rede, 'moeten er natuurlijk punten worden gegeven voor de kostumering en het decor, voor de meest creatieve rekwisieten, zoals wapens en de plaats van de *mise-en-scène*...'

'En ook voor het opbouwen van de plot en het verhaal,' zei de Duke. 'Ik denk dat je zoiets militaire tactieken kan noemen.'

'Laten we in 's hemelsnaam de regie niet vergeten,' riep sir Larry.

'En de choreografie,' voegde Sylvester eraan toe. 'Een choreograaf zou onder die omstandigheden het organische verlengstuk moeten zijn van elke regisseur.'

'Geweldig, gewoon geweldig!' riep Henry Irving Sutton. 'Er zou een internationale jury van theaterdeskundigen moeten worden gevormd om te oordelen over de troepen op de grond, in de lucht en op het water. Er moeten natuurlijk militaire consulenten bij zijn om de authenticiteit vast te stellen, maar hun consult moet op de tweede plaats komen; de voornaamste beoordelingen moeten plaatsvinden op basis van creativiteit – van overtuiging, karakterisering, hartstocht! ... Kunst!'

'Precies, Pelgrim!'

'Hé, Stella, hij slaat de spijker op zijn kop!'

'Jij... jij... jij... zegt... zegt... zegt... het precies!'

'Spreek de taal, smeek ik u!'

'Lieve schat, wil je een lolly?'

'Ja, ja, wij hebben geen houwitsers nodig om die spleetogen weg te blazen!'

'Wat?'

'Natuurlijk heeft hij gelijk, vat je me? Niemand wordt doodgeschoten. Niemand komt onder de zoden terecht!'

'Ieieoowieieaaah!' brulde Cyrus en zijn kreet was de uitspraak van Anouilh waardig. 'Nou heb ik er genoeg van! Nou heb ik er écht genoeg van! ... Jij, sir Henry Paardevijg! Jij was in het leger – ik hoorde die maffe Hawkins zeggen dat je een verdomde held was in Noord-Afrika! Wat is er met die man gebeurd?'

'In primitieve zin, kolonel, zijn alle soldaten acteurs. We zijn doodsbang, maar we doen net alsof we dat niet zijn; we weten dat we elk moment ons kostbare leven kunnen verliezen, maar we schuiven die kennis opzij om de irrationele reden dat het onmiddellijke doel vóór alles gaat, ofschoon we in ons achterhoofd begrijpen dat het niets meer is dan een kaartcoördinaat. De moeilijkheid met soldaten is dat ze acteurs moeten worden zonder de juiste training, de juiste beroepstraining. ... Als al die doorweekte, bemodderde zandhazen de regels begrepen zouden ze doen wat Telly zegt en met een gemene grauw op hun gezicht schieten over de hoofden van andere jonge kerels die ze niet kennen maar met wie ze misschien op een andere tijd en een andere plaats een borrel zouden drinken in een kroeg.'

'Gelul! Hoe staat het met waarden en overtuigingen? Ik heb voor verschillende kanten gevochten, maar nooit tegen iets waarin ik geloofde!'

'Nou ja, dan bent u een ethisch mens, kolonel, en dat apprecieer ik in u. Maar u vecht ook voor het meest verdachte motief van alles. Geld.'

'Waarvoor vechten deze clowns dan?'

'Ik heb niet het flauwste idee, maar ik betwijfel of het voor financieel gewin is. Voorzover ik het begrijp vervullen ze de toneelambities die ze hun hele leven hebben gekoesterd – op een tamelijk onorthodoxe manier, maar kennelijk met aanzienlijk succes.'

'Dat geef ik helemaal toe,' zei Cyrus en hij wendde zich tot Roman Z. 'Heb je alles?' vroeg hij.

'Alles en iedereen, mijn beste vriend.'

'Goed.' De reusachtige scheikundige wendde zich opnieuw tot de acteurs, pikte Dustin eruit en zei: 'Hé, onderdeurtje, kom eens hier.' De kleine toneelspeler keek zijn kameraden vragend aan. 'In godsnaam, man, ik wil alleen maar even privé met je praten. Denk je soms dat mijn vriend en ik het zouden opnemen tegen het hele Knettergekke Zestal?'

'Ik zou je afraden er zelfs maar aan te denken het tegen hém op te nemen, Pelgrim. Hij is misschien niet jouw maat maar hij heeft de hoogste zwarte karateband die je halen kunt.'

'Och, toe nou, Duke, die gebruik ik nooit, tenzij we echt in de nesten zitten. En zeker niet tegen zo'n aardige kerel als de kolonel. Hij is gewoon een beetje van streek, dat kan ik begrijpen. ... Maak je geen zorgen, kolonel, ik zal je niks doen. Wat is er?' Dustin liep met de verbijsterde Cyrus naar een hoek van de suite terwijl de huurling omlaag – helemaal omlaag – bleef staren naar de acteur. Ze stonden naast een raam. De lichten van Boston wierpen een gloed over de nachtelijke stad, en Cyrus sprak zacht.

'U had waarschijnlijk gelijk toen u even geleden zei dat ik mijn pensioen zou kunnen verliezen. U moet begrijpen dat ik inderdaad laat hierbij ben betrokken, in feite pas een paar dagen geleden en ik had geen enkele aanleiding om te denken dat deze man Hawkins niet was. Verrek, wat ik van hem op de televisie heb gezien lijkt hij op hem en praat hij hetzelfde – waarom zou hij het dan niet zijn? Ik ben je echt dankbaar, Dustin.'

'Da's prima, kolonel. Ik weet zeker dat u hetzelfde voor mij zou doen wanneer de posities omgekeerd waren – bijvoorbeeld als iemand Harry Belafonte imiteerde en jij wist dat hij het niet was omdat je een neger ben, maar ik wist dat niet.'

'Wat...? O ja, dat zou ik zeker, Dustin, heel zeker. Maar om me nu een duidelijker beeld te geven van heel dit vuile zaakje – officieel, begrijp je, en aangezien we beiden aan dezelfde kant staan – wat wás eigenlijk jullie opdracht?'

'Kijk eens, omdat we niet meer weten dan we moeten weten en omdat u een kolonel bent, zal ik u vertellen wat ik kan en dat is dan ook alles wat wij weten. We moeten contact leggen met generaal Hawkins, hem ontvoeren en iedereen die bij hem hoort en naar een luchtmachtbasis van het SAC in Westover rijden, dat is hier in Massachusetts.'

'Niet terug naar de Air Force Two op de startbaan op Logan?'

'O, nee, dat was voor de persconferentie. ... Weet je, die vice-president is zo'n kwaaie kerel nog niet. Ik geloof natuurlijk niet dat hij kan acteren...'

'Was hij in dat toestel?'

'Jazeker, maar hij mocht er pas later uit.'
'Waarom was hij er dan?'
'Een paar gangsters hebben een van zijn auto's gestolen en die was ergens hier in Boston teruggevonden...'
'Vergeet dat maar... Ik bedoel, dat heeft er niets mee te maken. Jullie kidnappen dus de generaal en iedereen die bij hem is, rijden naar de SAC-basis in Westover, en wat dan?'
'LTB, kolonel.'
'Pardon?'
'"Later te beslissen", maar ze hebben ons gezegd truien en lange onderbroeken mee te nemen in onze bagage, zodat je mag aannemen dat het klimaat kouder zal zijn.'
'Zweden,' zei de huurling.
'Dat dachten wij ook, maar toen zei Sylvester, die in Scandinavië een buitenlandse tournee heeft gemaakt met "Annie" – we hoorden dat hij geweldig was, vooral van hem – dat het zomerweer daar niet zo veel verschilde van het onze.'
'Dat doet het ook niet.'
'Dus dachten we een heel stuk verder naar het noorden...'
'Zoals bijvoorbeeld in de ijskoude fjorden,' maakte Cyrus de zin af.
'Waar dan ook... we zouden verdere bevelen krijgen wanneer het zover was.'
'Zoals bijvoorbeeld het achterlaten van bevroren lijken die dan in het jaar drieduizend worden ontdekt voor medisch onderzoek.'
'Dat zou ik echt niet weten, meneer.'
'Ik mag hopen van niet... En behalve die brigadegeneraal Broke... Brokehethel...'
'Dat is Brokemichael, kolonel. Brigadegeneraal Ethelred Brokemichael.'
'Oké, ik heb het. Maar behalve hem hebben jullie geen idee wie er verantwoordelijk is voor deze opdracht?'
'Dat ligt niet in ons gezichtsveld, meneer.'
'Daar kun je je kont onder verwedden.'
'Kolonel...?'
'We gaan ervandoor, Roman,' zei Cyrus kortaf terwijl hij snel naar de suitedeur liep, met de zigeuner vlak naast hem. Achter zich hoorde hij een harde metaalachtige klap. 'Probeer niet ons te volgen, dat zou niets uithalen; wij zijn in ons beroep even ervaren als jullie op het toneel, geloof dat maar. En u, meneer Sutton, ik weet niet veel over toneelspelen maar ik vermoed dat u een van de besten bent, daarom kunt u hier blijven en met uw makkers kletsen zolang u wilt.

... Ik vrees dat we vanavond bij u allen een oude huurlingentruc hebben uitgehaald. U hebt zich misschien afgevraagd waarom mijn vriend hier maar in het rond bleef springen en ieder van u bleef bekijken, daarom zal ik u dat nu vertellen. Die rode anjer in zijn knoopsgat bevat een miniatuurcamera met hoge opnamesnelheid; we hebben minstens een dozijn foto's van al uw gezichten. En onder mijn jasje heb ik een bandrecorder die nu nog steeds draait; elk woord hier vanavond is opgenomen.'

'Heel even, graag!' riep sir Henry.

'Wát?' Cyrus stak zijn hand in de plooien van zijn jas en rukte een grote, gevaarlijk uitziende .357 Magnum te voorschijn terwijl Roman Z zijn hand achter zijn rug vandaan haalde met een mes van dertig centimeter erin.

'Mijn honorarium,' zei Sutton. 'Laat Aaron dat per bode naar mijn flat brengen. En laat hij er een paar honderd bovenop doen want ik ben van plan mijn nieuwe vrienden en collega's mee te nemen naar het beste restaurant in Boston.'

'Sir Henry!' zei Sylvester en hij raakte de mouw van de grote man even aan. 'Ben u echt gepensioneerd?'

'Half, beste jongen. Zo nu en dan doe ik nog wel wat voor de mensen in de provincie, om in vorm te blijven, weet je. Toevallig heb ik een vrij welgestelde zoon hier in Boston uit een van mijn huwelijken – ik weet niet meer precies welk – die er eenvoudig op stond dat ik een van de honderden flats aannam die hij heeft gebouwd. En dat was natuurlijk ook verdomd billijk; in de goede tijd heb ik hem verschillende universiteiten laten doorlopen voor al die letters achter zijn naam. Een aardige knul, dat moet ik zeggen, maar totaal geen acteur! Verdomd teleurstellend eigenlijk.'

'Hoe zit het met het leger? U zou onze regisseur kunnen zijn! Ze zullen u waarschijnlijk meteen generaal maken!'

'Och, vergeet niet, jonge makker, wat Napoleon heeft gezegd: "Geef me maar genoeg medailles en ik win elke oorlog voor u." Maar om het als acteur helemaal te maken heb je naamsvermelding nodig, je naam! Steeds groter tot die net zo groot is als de titel van het stuk. En hoe kan het leger daarvoor zorgen, zolang jullie in het geheim optreden?'

'O, *shit*,' fluisterde Cyrus tegen Roman Z. 'Laten we als de sodemieter maken dat we hier wegkomen.'

Ze vertrokken en niemand in de suite had het in de gaten.

23

'Het is allemaal duidelijk!' riep Jennifer, terwijl ze naar de geluidsband luisterde en de vergrotingen bekeek op de salontafel in het zomerhuis aan het strand in Swampscott. 'Het is inderdaad een komplot, weliswaar een versjteerd komplot, maar de regering is er tot op het hoogste niveau duidelijk bij betrokken!'

'Daar valt niet aan te twijfelen,' stemde Aaron Pinkus in vanuit zijn stoel, 'maar achter wie gaan we aan? De geheimhouding zit ons dwars.'

'Hoe zit het met die Brokemichael?' vroeg Devereaux. 'Dat is die rotzak die ik betrapte in de Gouden Driehoek...'

'En van wie je de voornaam verwisselde met die van zijn neef,' viel Jennifer hem in de rede. 'Ezel!'

'Hé, luister, hoe vaak kom je voornamen tegen als Ethelred en Heseltine? Ze zijn allebei zo buitenissig dat je ze haast wel moet verwarren.'

'Een oplettend advocaat doet zoiets niet...'

'Toe nou, Pocahontas, jij kent het verschil niet eens tussen een hard kruisverhoor en je reinste provocatie!'

'Willen jullie nu eens ophouden,' zei een vertwijfelde Pinkus.

'Ik wilde alleen maar zeggen dat hij weleens achter míj aan kon zitten,' legde Sam uit. 'Verrek, als hij mijn naam heeft gezien in het dossier van de Havik, gaat hij vuur spugen als een draak.'

'Aangezien jij formeel vermeld staat als de advocaat van de Wopotami's, neem ik aan dat zoiets heel goed mogelijk is.' Aaron zweeg even, fronste zijn wenkbrauwen en hield zijn hoofd schuin. 'Van de andere kant zou Brokemichael niet het bevel kunnen geven om deze zeer speciale eenheid in te zetten, en hij zou zeker niet kunnen beschikken over de Air Force Two...' 'En dat wil zeggen dat hij die opdracht kreeg van iemand die zowel de volmacht als de beschikking had,' maakte Redwing de zin af.

'Precies, mijn beste, en dat is voor ons nu juist de vraag. Die Brokemichael zou nooit zeggen wie zijn opdrachtgever is, ook al kon hij het, en, om generaal Hawkins te parafraseren, de bevelsketen zal zo ingewikkeld zijn dat je er onmogelijk uitkomt. In elk geval niet binnen het tijdsbestek dat ons ter beschikking staat – zowat tachtig uur en aftellend, zoals ik het begrijp, maar niet heus.'

'We hebben het bewijsmateriaal,' zei Devereaux. 'De foto's en de geluidsband waarop de hele operatie wordt beschreven door twee deelnemers-daders, als je wilt. We zouden die openbaar kunnen maken, waarom niet?'

'De stress heeft je normale inzicht aangetast, Sam,' antwoordde Pinkus zacht. 'In deze hele operatie zit ontkenbaarheid ingebouwd. Precies zoals onze vriend Cyrus het heeft gezegd, die nu op het strand met Roman Z ongetwijfeld een paar flessen wodka soldaat maakt: "Ze zijn allemaal gek." ... Dát is de ontkenbaarheid. Waanzin, absurditeit – krankzinnige lui. Acteurs.'

'Wacht eens even, Aaron. De Air Force Two kunnen ze niet ontkennen, die is te belangrijk.'

'Dat is waar, meneer Pinkus. Toestemming om dat vliegtuig te gebruiken moet van heel hoog komen.'

'Dank je, prinses.'

'Wanneer het verdiend is kom ik over de brug.'

'Ho maar, wat een inleiding!'

'Och, hou toch je kop.'

'Echt waar, ik zei dat je in de war was, maar met mij is het veel erger. Wat je zegt staat als een paal boven water...'

'Nee, dat staat het niet,' klonk de schorre stem van MacKenzie Hawkins vanuit de donkere, half openstaande deur naar de keuken. De deur werd verder opengetrokken en de gedaante van de Havik verscheen, gekleed in een groen-zwart gecamoufleerde onderbroek en een T-shirt. 'Neem me mijn voorkomen niet kwalijk, juffrouw Redbird.'

'Ik heet Redwing.'

'Nogmaals sorry, maar wanneer ik om drie uur 's morgens stemmen hoor in het bivak, dan zegt mijn instinct me snel op onderzoek uit te gaan en me niet te kleden voor een officiersbal.'

'Dans jij, Mac?'

'Vraag het mijn meisjes maar, jongen. Ik heb ze allemaal alles geleerd, van de mazurka tot de echte Weense wals. Soldaten zijn altijd de beste dansers geweest; ze mogen bij de dames geen tijd verliezen – verloven zijn maar kort.'

'Toe, Sam, graag de opmerking van de generaal als je wilt,' zei Aaron en hij keek de Havik aan. 'Waarom heeft mijn onderlegde employé ongelijk wat betreft het vliegtuig van de vice-president? Het is het tweede belangrijkste vliegtuig van het land.'

'Omdat de Air Force Two om allerlei redenen gebruikt kan worden door een dozijn bureaus en afdelingen. Wat het ook is, de staf van de vice-president grijpt elke gelegenheid aan om te pronken met de spullen die ze hebben, of hij het nu is of de outillage die ze hem zo gul hebben verstrekt. ... Verrek, jongen, weet je nog toen ik op Travis landde, vanuit Beijing via de Filippijnen, na die rechtszaak met die Chinezen, en toen ik die misselijke speech hield over "oude, vermoeide soldaten"? Toen moest ik erbij zeggen dat ik de vice-president eeuwig dankbaar was omdat hij zijn persoonlijke vliegtuig had gestuurd.'

'Ik weet het nog, Mac.'

'Weet je waar die vice-president was, Sam?'

'Nee, dat weet ik niet,' zei Devereaux.

'Die had stiekem een afspraakje met een van mijn vrouwen die hem in L.A. in het zestienmetergebied onderuithaalde, zo zat als een vlo in een whiskyfles en zowat even weinig in staat te doen wat hij van plan was.'

'Hoe weet je dat?'

'Omdat ik dat hele zwendeltje met die Chinese rechtszaak rook en wilde weten hoe hoog het in Washington ging. Ik zette mijn meisje aan het werk om daarachter te komen.'

'En is het haar gelukt?' vroeg een ongelovige Pinkus.

'Daar kun je gif op innemen, commandant. Die brabbelende redenaar viel plat op zijn smoel toen hij zijn broek om zijn enkels had en hij vroeg Ginny wie ik wás! Toen wist ik precies hoe hoog die vuile hond zat in Washington die me bij mijn staart had en smerige streken uithaalde met deze oude soldaat. ... Toen besloot ik pas echt een ander leven te gaan leiden en rekruteerde ik jou, Sam.'

'Ik had liever dat je daar niet over begon. ... Heeft Ginny de *vice-president* verleid?'

'Je hebt niet geluisterd, jongen. Die meid heeft klasse en die gecastreerde vetzak kon geen kant meer op.'

'Los van al die herinneringen,' kwam Aaron tussenbeide, zijn hoofd schuddend alsof hij verboden beelden van zich af wilde zetten. 'Wat wilde u nu precies zeggen, generaal?'

'Ik beweer dat we nu deze tegenstoot direct kunnen ondervangen, commandant. Het zal niet gemakkelijk zijn, maar we spelen het wel klaar.'

'Praat je moerstaal eens, Mac.'

'Verrek, jongen, het heeft gewerkt vanaf Normandië tot in Saipan! Vanaf Pinchon tot de Mekong – zolang die verdomde bobo's op de achtergrond tenminste hun mond maar hielden.'

'Ik herhaal, je moerstaal.'

'Opzettelijk verkeerde informatie, Sam, binnen die schijnheilige bevelsketen.'

'Daar had ik het zojuist nog over,' kwam Pinkus tussenbeide. 'De bevelsketen, bedoel ik.'

'Ik weet het,' bevestigde de Havik. 'Ik heb alles gehoord wat jullie de laatste twintig minuten hebben gezegd, ik ben alleen even weg geweest om kolonel Cyrus op het strand nog een fles wodka te brengen. ... Die toneeljongens hadden hem echt meteen door, hè?'

'Wat is uw opzettelijk verkeerde informatie, generaal?' drong Aaron aan.

'Nou ja, ik heb alles nog niet helemaal uitgewerkt, maar de weg is zo duidelijk als een oliespoor in versgevallen sneeuw. ... Brokey de Tweede?'

'Wie?'

'Wat?'

'Ik geloof dat ik het weet,' zei Jennifer. 'Brokemichael – niet de Heseltine van Indiaanse Zaken, maar de man die in Fort Benning de leiding heeft over die smoelen hier op tafel. Ethelred.'

'De dame heeft gelijk. Ethelred Brokemichael had nooit op West Point moeten zitten. Hij had nooit in het leger moeten gaan maar het zat van beide kanten in hun familie, je weet wel, zoons van broers in het leger. Het krankzinnige is dat Ethelred eigenlijk een officier was met meer verbeeldingskracht dan Heseltine, maar hij had één zwak punt. Hij zag te veel films waarin generaals een vorstelijk leven leidden en hij probeerde dat op het salaris van een generaal, waarvoor je geen kastelen kunt kopen.'

'Dus had ik gelijk,' zei Devereaux. 'Hij verdiende geld aan de Gouden Driehoek.'

'Natuurlijk had je dat, Sam, maar hij was geen supermisdadiger; hij was eigenlijk niet meer dan een onbewuste tussenpersoon. Net alsof hij in een film speelde waarin hem persoonlijk eer werd bewezen door een boel mensen die hij niet begreep maar voor wie hij klusjes klaarde.'

'Hij heeft de buit in zijn zak gestoken, Mac.'

'Iets ervan, maar nou niet direct een hele smak geld en lang niet zoveel als jij beweerde. Als het leger dat had kunnen bewijzen was hij eruit gesmeten. Hij gaf veel ervan aan weeshuizen en vluchtelingenkampen. Dat ligt vast en dat heeft hem gered. Er waren anderen die het heel wat bonter maakten.'

'Dat is nauwelijks ontlastend,' zei Pinkus.

'Ik denk van niet, maar zoals Sam zegt: we zijn niet allemaal engelen.' De Havik zweeg even en liep in zijn gecamoufleerde ondergoed naar een raam dat over het strand uitzag. 'Bovendien is het verleden tijd en ik ken Brokey de Tweede. Hij is niet bijzonder op mij gesteld omdat ik Heseltine beter kende en ze konden niet met elkaar opschieten, maar we praten tegen elkaar. ... En we zullen ook praten en ik zal er om de verdommenis achter komen wie er achter deze zwendelzaak zit, anders wordt de Tweede in het openbaar te drogen gehangen en kan hij wel dag met zijn handje zeggen tegen zijn gouden galons.'

'U vergeet een paar negatieve zaken, generaal,' zei Aaron. 'Om te beginnen, wanneer bekend wordt dat dit "Knettergekke Zestal" gefaald heeft, weet ik zeker dat Brokemichael buitenspel gezet zal worden, buiten bereik van iedereen, om de simpele reden dat via hem de naam van de hoge functionaris bekend zal worden die de Air Force Two heeft opgetrommeld.'

'Die zal niet bekend worden, commandant,' zei Hawkins en hij liep bij het raam weg. 'In elk geval niet binnen de komende vierentwintig uur en ik weet zeker dat jij voor een privé-jet kunt zorgen die me morgenvroeg naar Fort Benning kan vliegen.'

'Vierentwintig uur?' riep Jennifer. 'Dat kun je onmogelijk garanderen. Die acteurs mogen dan gek zijn, maar geheime operaties zijn deel van hun beroep.'

'Ik zal het uitleggen, juffrouw Redwing. Mijn adjudanten, Desi-Een en Twee, staan via de radio met mij in contact. ... Sir Henry Sutton en het zogenaamde Knettergekke Zestal verlaten momenteel Joseph's restaurant in Dartmouth Street, goed in de olie en bijzonder goedgemutst. Mijn adjudanten zullen hen, niet naar het hotel, maar naar de skihut rijden waar ze de rest van de dag bij kunnen komen. En wanneer hun koppen net weer zowat recht op hun lijven staan zal Desi-Twee, die niet alleen een prima monteur is maar ook, zoals ik hoor van Desi-Een, een ervaren kok, hun eten oppeppen met een pesco-saus bestaande uit tomaten, tequila, gin, cognac, medicinale graanalcohol en een vloeibaar kalmeringsmiddel van onbepaalde kracht die ons de garantie zal geven waaraan juffrouw Redwing twijfelt. Misschien hebben we wel meer dan vierentwintig uur, misschien eerder een week als we daar wat aan hebben.'

'Echt, generaal,' wierp de dochter van de Wopotami's tegen, 'zelfs mannen die geveld zijn door drugs en alcohol – vooral getraind militair personeel – vinden nog voldoende heldere momenten om te telefoneren.'

'De telefoons zullen onklaar zijn – de draden zijn geknapt omdat de bliksem is ingeslagen tijdens de storm.'

'Welke storm?' vroeg Aaron.

'De storm die is opgestoken nadat ze op hun britsen waren geploft om lekker te gaan snurken.'

'Wanneer ze wakker worden zullen ze in de limousine stappen en als de sodemieter maken dat ze daar wegkomen,' opperde Devereaux.

'De stuurstang zal gebroken zijn ten gevolge van het rijden over ruw terrein.'

'Ze zullen denken dat ze ontvoerd zijn en maatregelen nemen, fysieke maatregelen!' zei Pinkus.

'Daar is niet al te veel kans op. Desi-Een zal hun uitleggen dat u, commandant, in uw wijsheid gedacht hebt dat het verstandiger zou zijn als de groep de kater van vannacht uitslaapt in uw vakantiehuis in plaats van moeilijkheden te riskeren in het hotel.'

'Hoe zit het eigenlijk met het hotel, Mac,' vroeg Sam bezorgd. 'Brokemichael en zijn mensen zullen contact houden met de groep om te horen hoe alles ervoor staat, dat op z'n minst.'

'Kleine Jozef zit op dit moment bij de telefoons in de middelste suite.'

'Wat gaat hij dan zeggen?' bleef Devereaux aandringen. '"Hallo, ik ben de Zevende van het Knettergekke Zestal en de rest van de jongens zit ladderzat in Joe's Bar"?'

'Nee, Sam, hij zal het duidelijk maken dat hij alleen is ingehuurd om boodschappen aan te nemen en dat zijn tijdelijke werkgevers voor zaken zijn weggeroepen. Meer niet.'

'Je lijkt aan alles te hebben gedacht,' gaf Aaron met een knikje toe. 'Heel bijzonder.'

'Tweede natuur, commandant. Dit soort anti-oproermaatregelen is kinderspel.'

'O, Mac, je bent wat vergeten.' Devereaux vertoonde de spottende glimlach van een advocaat. 'Tegenwoordig hebben alle limousines telefoon.'

'Goed bedacht, jongen, maar Desi-Een dacht daar een paar uur geleden al aan...'

'Ga me nou niet vertellen dat hij de antenne eraf gaat breken. Dat zou een beetje voor de hand liggend zijn, nietwaar?'

'Dat is niet nodig. Hooksett, New Hampshire, ligt buiten het zendbereik; de toren is daar nog niet klaar. Desi-Twee ontdekte dat tot zijn nadeel; hij zei ons dat hij eergisteravond twintig minuten de snelweg moest afrijden om contact te maken met Desi-Een in Boston – om hem precies te zeggen waar de skihut was.'

'Nog meer bezwaren, meester?' vroeg Redwing.

'Er gaat iets verschrikkelijks gebeuren,' piepte Sam met een benauwd stemmetje. 'Dat is altijd zo wanneer hij de zaken heeft dóórgedacht!'

De Rockwell-jet hing hoog boven het Appalachisch gebergte en maakte zich gereed voor de afdaling naar het gebied van Fort Benning, meer exact een privé-vliegveld op iets minder dan twintig kilometer ten noorden van de legerbasis. De enige passagier was de

Havik, opnieuw gekleed in een onopvallend grijs pak, met zijn fondsbrilletje op en zijn grijze borstelkapsel onder zijn dofrode pruik die nu perfect was bijgeknipt door Erin Lafferty. De ex-generaal was in Swampscott vanaf ongeveer vier uur 's morgens tot half zes aan het telefoneren geweest om maatregelen te treffen. Het eerste gesprek was met Heseltine Brokemichael, die alleen maar in vervoering was over elke poging om zijn walgelijke neef Ethelred 'te naaien'. Zeventien gesprekken later, alle gepleegd en ontvangen op de lijnen van het zomerhuis, was alles geregeld voor een zekere tijdschriftjournalist, die momenteel onderzoek pleegde naar de post-perestrojka militaire aanpassing op de basis. Om 08.00 uur was brigadegeneraal Ethelred Brokemichael, wiens dekmantel public relations voor de basis was, gewaarschuwd door de pr-afdeling van het Pentagon dat hij een zeer invloedrijke journalist kon verwachten die hij het hele legercomplex moest laten zien. Voor Brokey de Tweede was dat een vrij normale opdracht waarbij hij goed gebruik kon maken van zijn zwakke toneeltalenten, volgens hem natuurlijk helemaal niet zwak. Om 10.00 uur legde Ethelred Brokemichael de interne telefoon op, na zijn WAC-adjudant instructies te hebben gegeven de verslaggever binnen te laten. De generaal was er helemaal op voorbereid een pr-voorstelling weg te geven die hij nu al een aantal jaren zo succesvol had opgevoerd.

Waarop hij niet was voorbereid was het zien van de lange, wat gebogen, gebrilde, roodharige oudere man, die verlegen zijn kantoor kwam binnenlopen en de vrouwelijke sergeant die de deur voor hem openhield uitbundig bedankte. Er was iets vaag bekends aan die man, misschien een uitstraling die het beeld van overdreven beleefdheid tegensprak; er klonk zelfs een abstract geluid van verre donder, alleen gehoord door Brokey de Tweede, maar wel heel duidelijk aanwezig. *Wat was er toch aan deze vreemde kerel die recht uit de film* Great Expectations *had kunnen wandelen, een lange, onhandige, onderdrukte kantoorbediende die probeerde in de gunst te komen bij een oude dame... of verwarde hij de rol met die lange man op het toneel in* Nicholas Nickelby?

'Het is heel vriendelijk van u, generaal, uw waardevolle tijd te besteden voor mijn bescheiden onderzoek,' zei de journalist met zachte, zij het wat schorre stem.

'Dat is mijn werk,' zei Brokemichael met een plotselinge grijns die volgens hem Kirk Douglas hem niet had kunnen verbeteren. 'Wij zijn de wapens dragende dienaren van het volk en willen dat het volledig begrip krijgt voor onze bijdragen aan de verdediging van ons land en de wereldvrede. ... Gaat u toch zitten.'

'Dat is een prachtige, ontroerende uitspraak.' De roodharige verslaggever ging voor het bureau zitten, haalde een notitieblok en een balpen te voorschijn en krabbelde een paar woorden neer. 'Mag ik u citeren? Ik zal het toeschrijven aan een "gezaghebbende bron" als u dat prefereert.'

'Zeer zeker niet – ik bedoel u mag het zeker aan mij toeschrijven.' *Dit was een zeer invloedrijke journalist en de pr-afdeling van het Pentagon werkte zich uit de naad om hem van dienst te zijn. Waarom? Deze wat oudere, rare snuiter met zijn schorre stem was duidelijk een burger die ontzag had voor een uniform. De ochtend zou een makkie worden.* 'In het leger verstoppen wij ons niet achter secundaire, ongenoemde bronnen, meneer ... meneer...'

'Harrison, generaal, Lex Harrison.'

'Rex *Harrison...*?'

'Nee, Alexander Harrison. Mijn ouders noemden me vele jaren geleden "Lex" en ik heb mijn artikelen altijd ondertekend met die naam.'

'O, ja natuurlijk – het is alleen even een schok, als u weet wat ik bedoel... ik bedoel Rex Harrison.'

'Jazeker. Meneer Harrison vond die overeenkomst erg leuk. Hij vroeg me eens of we niet konden ruilen – hij zou een artikel schrijven en ik zou in zijn plaats het toneel opgaan als "Henry Higgins". Veel te vroeg gestorven; hij was zo'n aardige man.'

'Hebt u Rex Harrison gekénd?'

'Via wederzijdse vrienden...'

'Wederzijdse vrienden?'

'New York en Los Angeles zijn eigenlijk net dorpen als je schrijver of acteur bent... maar mijn redacteuren zijn niet geïnteresseerd in mij en mijn drinkkompanen in de Polo Lounge, generaal.'

'Polo Lounge... ?'

'Het is een favoriete bar waar de welgestelde en beroemde mensen uithangen en verder iedereen in Los Angeles die dat wil zijn. ... Maar nu terug naar mijn redacteuren, die zijn geïnteresseerd in het leger en hoe het reageert op de bezuinigingen die worden opgelegd. Kunnen we het interview beginnen?'

'Jazeker... natuurlijk. Ik zal u alles vertellen wat u wilt, ik heb alleen altijd zo'n enorme belangstelling gehad voor het toneel en de film... en zelfs voor de televisie.'

'Mijn schrijvende en acterende vrienden zouden de televisie vooropzetten, generaal. Ze noemen dat "overlevingsgeld". Aan het toneel is geen droog brood te verdienen en van de films zijn er veel te weinig.'

'Ja, dat heb ik gehoord van – och, dat doet er niet toe – maar dit is echte *inside information* van iemand die werkelijk op de hoogte is.'

'Ik heb geen geheimen verklapt, dat mag u van mij aannemen,' zei de journalist. 'Zelfs Greg, Mitch en Michael geven het toe.'

'O, mijn god... natuurlijk!' *Geen wonder dat de pr-mensen van het Pentagon de oude, schorre verslaggever invloedrijk achtten. Hij draaide kennelijk al jaren mee en ging vriendschappelijk om met beroemde mensen die het Pentagon altijd probeerde in de watten te leggen voor zijn tv-spots. Verrek! Rex Harrison, Greg, Mitch en Michael – hij kende iedereen!* 'Ik vlieg vaak naar ... Los Angeles... meneer Harrison. Misschien kunnen we elkaar eens treffen... in de Polo Lounge.'

'Waarom niet? Ik hang daar de helft van mijn tijd rond en de andere helft in New York, maar om u de waarheid te zeggen speelt het echte leven zich af aan de Westkust. Wanneer u daar bent, gaat u dan maar naar de Po-Lounge en zeg tegen Gus de barkeeper dat u naar mij op zoek bent. Ik meld me altijd eerst bij hem om te zeggen of ik in het Beverly Hills logeer of niet. Zo weten de mensen in de stad dat ik er ben – zoals Paul ... dat wil zeggen Newman, en Joanne en de Pecks, Mitchum, Caine en zelfs een paar nieuwelingen als de Toms – Selleck en Cruise – en Meryl en Bruce – de mensen waar het om gaat.'

'De mensen waar het om gaat...?'

'Och, u weet wel, de meisjes en jongens met wie ik optrek...'

'Die zou ik dolgraag ontmoeten!' viel Brokemichael hem in de rede, zijn ogen als twee witte schoteltjes met glimmende bruine kringen van kopjes. 'Ik kan er mijn tijd altijd naar schikken!'

'Ho, ho, generaal, wacht even,' zei de verslaggever met schorre stem. 'Die mensen zijn beroeps. Ze weten van wanten en ze zijn niet bijster gesteld op amateurs.'

'Wat bedoelt u?'

'Nou ja, belangstelling voor de film of de televisie of wat dan ook, wil nog niet zeggen dat je tot de broederschap behoort, als u begrijpt wat ik bedoel. Verrek, iedereen wil wel kennismaken met die gezichten – soms noemen ze zich "gezichten" alsof ze zichzelf willen beledigen – maar in hun hart zijn het echte mensen die op hun eigen terrein blijven, maar die geen landjepik verdragen.'

'Wat wilt u daarmee zeggen?'

'Kort gezegd, u bent geen prof, generaal, u bent een fan – en die kunnen ze op elke straathoek krijgen, meer dan ze aankunnen. Profs gaan niet om met fans, ze verdragen ze. ... Kunnen we nu weer doorgaan met het interview, alstublieft?'

'Nou ja, natuurlijk,' riep de gefrustreerde Brokemichael uit, 'maar ik denk – ik weet eigenlijk verdomd zeker – dat u te min denkt over mijn toewijding aan de uitvoerende kunsten!'

'Och, was uw moeder actrice in een dorpstoneelvereniging, of is uw vader opgetreden in een stuk op de middelbare school?'

'Geen van beide, al had mijn moeder altijd actrice willen worden, maar haar ouders zeiden tegen haar dat dat de weg naar de hel was, daarom deed ze vaak imitaties. ... Mijn vader was kolonel – verdomd, ik ben nog hoger dan die rotzak! ... Maar ik heb het toneelbloed van mijn moeder – ik ben werkelijk dol op het toneel en op goede films en op de tv – vooral die films van vroeger. Ik krijg kippevel wanneer ik naar een voorstelling kijk die me iets doet, echt iets doet. Ik huil, ik lach, ik speel ieder van die rollen op het toneel of het witte doek. Het is mijn tweede leven!'

'Ik vrees dat zoiets een reactie is van een amateur met veel fantasie,' zei de journalist schor en hij pakte zijn notitieblok weer.

'Zo, denkt u dat?' protesteerde Brokemichael en zijn eigen stem klonk gespannen en sloeg over van emotie. 'Dan zal ik u eens wat vertellen – kunnen we vertrouwelijk praten, geen pen, geen aantekeningen – alles hoogst vertrouwelijk?'

'Waarom niet? Ik ben alleen hier om het algemene militaire plaatje te krijgen...'

'Stil!' fluisterde Brokey de Tweede. Hij kwam achter zijn bureau vandaan, dook ineen, sloop naar de deur en luisterde alsof hij een rol speelde in Berthold Brechts 'Dreigroschenoper'. 'Ik heb de leiding over het meest exclusieve acterende toneelgezelschap in de annalen van de militaire geschiedenis! Ik heb hen getraind, hen geleid en hen tot de toppen van hun talent gevoerd, zodat ze nu beschouwd worden als een antiterroristische eenheid van wereldklasse, die slaagt wanneer iedereen heeft gefaald! Nu vraag ik u, is dat het werk van een amateur?'

'Toe nou, generaal, dat zijn soldaten die voor zoiets worden opgeleid...'

'Nee, dat zijn ze *niet*!' viel Brokemichael uit en zijn gefluister werd bijna een gesis. 'Het zijn acteurs, echte beroepsacteurs! Toen ze als groep in dienst kwamen zag ik onmiddellijk de mogelijkheden. Wie konden er nu beter achter de vijandelijke linies infiltreren en daar rotzooi trappen dan mannen die getraind zijn om zich voor anderen uit te geven? En wie kan dat beter dan een eenheid van acteurs die elkaars werk kennen, een toneelgezelschap dat in staat is op elkaar in te spelen om de illusie te wekken van spontaneïteit, van naturalisme – realiteit? ... Clandestiene operaties, meneer Harrison. Zij zijn ervoor in de wieg gelegd en ik heb dat mogelijk gemaakt!'

De reactie van de journalist was als die van een zuurpruim die met tegenzin iets toegeeft waarvan hij dacht dat het er niet was. 'Zo, daar sta ik van te kijken...! Dat is een geweldig idee, generaal – ik zou zelfs zover kunnen gaan te zeggen dat het briljant is.'

'Nou niet precies het werk van een amateur, nietwaar? Tegenwoordig wil iedereen van hun diensten gebruikmaken. Zelfs nu, op dit eigenste moment, hebben ze een opdracht voor een van de machtigste mannen van het land.'

'O?' De man die Harrison heette fronste vragend zijn wenkbrauwen terwijl een cynisch glimlachje zijn lippen krulde. 'Dan zijn ze dus niet hier zodat ik hen kan ontmoeten... en wij spreken vertrouwelijk, zodat ik niet over hen kan schrijven?'

'Mijn god, hoogst vertrouwelijk, geen wóórd!'

'Dan heb ik als verslaggever, eerlijk gezegd, generaal, maar één bron – u. Geen enkele redacteur zou één enkele bron accepteren en mijn vrienden in de Polo Lounge zouden grinnikend hun Eggs Benedict eten en zeggen dat het een geweldig scenario zou zijn als het waar was – en dat zou het ook als het dat was.'

'Het ís waar!'

'Wie zegt dat, behalve u?'

'Nou ja, ik... ik kan het niet!'

'Jammer. Als er ook maar een greintje waarheid zat in dat idee, zou u waarschijnlijk een synopsis kunnen verkopen voor een paar honderdduizend dollar. En met wat ze noemen een "filmbehandeling" – dat wil zeggen zo'n maffe samenvatting, zoals we die op de middelbare school maakten over boeken, – voor misschien een half miljoen. U zou de lieveling van Hollywood worden.'

'O, mijn god, het is echt waar! Geloof me maar!'

'Ik geloof u misschien wel, maar mijn vertrouwen zou nog geen spa-roodje waard zijn in de Po-Lounge. Wil dit ding van de grond komen dan moet je geloofd worden. ... Nu moeten we toch echt terugkeren naar ons interview, generaal.'

'Nee! Ik ben te dicht bij mijn dromen. ... Paul en Joanne, Greg en Mitch en Michael – al die mensen waar het om gaat!'

'Dat zijn ze...'

'U *moet* me geloven!'

'Hoe kan ik dat nu?' gromde de oude journalist. 'Ik kan niet eens iets erover schrijven – we praten vertrouwelijk.'

'Nou, wat zegt u dan hiervan?' riep Brokey de Tweede uit, met vlammende ogen terwijl het zweet van zijn gezicht gutste. 'Binnen de komende vierentwintig uur zal mijn antiterroristisch toneelgezelschap van acteurs een van de meest geduchte vijanden gevangennemen die ons land ooit heeft gekend.'

'Daar zegt u nogal wat, generaal. Is er iets als bewijs hiervoor?'

'Is er iets tussen vertrouwelijk praten en open praten?'

'Nou ja, ik neem aan dat er zoiets bestaat als vertrouwelijke onthulling na het gebeuren – dat wil zeggen dat niets mag worden gedrukt tot de gebeurtenis heeft plaatsgevonden en zelfs dan alleen "informeel".'

'Wat is dát?'

'Er worden geen specifieke namen genoemd of als bronnen vrijgegeven.'

'Dat accepteer ik!'

'U zult het krijgen ook,' mompelde de journalist.

'Pardon?'

'Niets. Gaat u verder, generaal.'

'Ze zijn in Boston, Massachusetts,' zei Brokemichael snel en op monotone toon, waarbij zijn lippen zich nauwelijks bewogen.

'Dat is leuk.'

'Hebt u de kranten gelezen of naar de televisie gekeken?' vroeg de generaal, opnieuw snel en geheimzinnig.

'Zo nu en dan, je kunt aan geen van beide ontkomen.'

'Hebt u iets gelezen of gehoord over het Nobelcomité dat in het vliegtuig van de vice-president in Boston is gearriveerd?'

'Ja, ik geloof van wel,' antwoordde de journalist met nadenkend gefronste wenkbrauwen. 'Iets over een toespraak op Harvard en het aankondigen van de een of andere onderscheiding voor een generaal... de Soldaat van het Decennium, of zoiets. Ik heb het op het journaal gezien.'

'Nogal imposant, vindt u niet?' zei Brokey de Tweede weer op monotone toon.

'Nou ja, elk comité dat de Nobelstichting vertegenwoordigt is nu niet bepaald tweedehands.'

'U bent het dus eens dat het een voorname groep academici en militaire geschiedkundigen was, nietwaar?'

'Zeker. Die Nobeljongens klooien niet met schooiers, dat hoeven ze niet. Wat heeft dat alles nu te maken met uw... uw toneelgezelschap van antiterroristen?'

'Zij zijn het!'

'Wat zijn ze?'

'Dat Nobelcomité! Dat zijn mijn mensen, mijn acteurs!'

'Generaal, ik zal nu strikt vertrouwelijk praten, maar hebt u vanmorgen misschien al aan de fles genipt? ... Moet u luisteren, ik ben niet een of andere jonge knurft die verzot is op journalistenwerk – net als mijn vrienden in de Po-Lounge weet ik ook van wanten, en ik heb ook weleens een fles in mijn zak...'

'Ik vertel u de waarheid!' fulmineerde Brokemichael en zijn rauwe zachte stem was zo intens dat de aderen in zijn hals paars opzwollen. 'En ik drink nooit ook maar één druppel alcohol voordat om twaalf uur de officiersclub opengaat. Dat "Nobelcomité" is in werkelijkheid mijn clandestiene eenheid, mijn acteurs!'

'Misschien moeten we dit interview op een ander tijdstip houden...'

'Ik zal het u bewijzen!' De leider van het Knettergekke Zestal rende naar een archiefkast, trok een la open en rukte er een aantal dossiers uit. Hij kwam snel terug bij zijn bureau en smeet ze door elkaar op het blad, waarbij er een paar openvielen en tientallen foto's over het bureau verspreid werden. 'Daar zijn ze dan! We houden bij wat voor vermommingen ze toepassen om die niet een tweede keer te gebruiken bij volgende operaties, voor het geval er in het geheim foto's zijn gemaakt. ... Hier, hier! Dit zijn de laatste foto's, het haar, de paar korte baarden, de brillen en zelfs de wenkbrauwen. Dít zijn de mannen die u op de televisie hebt gezien bij de persconferentie op Logan Airport in Boston! Moet u nu eens kijken!'

'Ik mag doodvallen,' zei de journalist die was gaan staan om de vergrotingen te bekijken. 'Ik geloof dat u gelijk hebt!'

'Ik héb gelijk! Dit is het Knettergekke Zestal, míjn schepping!'

'Maar waarom zijn ze in Boston?'

'Dat is hoogst geheim, maar enkele mensen weten het.'

'Nou ja, generaal, ik zeg u dit niet graag, maar alles wat u me hebt laten zien zijn visuele mogelijkheden die niets met elkaar te maken hebben. Zonder uitleg stellen ze niets voor. Denk erom, we hebben het over "onthullingen na het gebeuren", daarom is het oké, u kunt het mij wel vertellen.'

'Mijn naam zal niet worden genoemd – behalve misschien tegenover je vrienden uit de Po-Lounge, die ik zo dolgraag zou ontmoeten?'

'Mijn woord als journalist,' stemde de man die zich Harrison noemde in.

'Luister, die generaal die u noemde – die in ongenade gevallen *ex*-generaal – is een landverrader. Ik ga u niet alle details vertellen, maar als hij zijn plan uitvoert gaat dit land zijn voornaamste eerste en tweede aanvalsmogelijkheden verliezen.'

'Is hij die... Soldaat van wat dan ook?' viel Harrison hem in de rede.

'"Soldaat van de Eeuw", maar het is allemaal bedrog, een zwendel om hem in handen te krijgen! En mijn mannen, mijn acteurs zijn daar op dit moment mee bezig!'

'Het spijt me werkelijk verschrikkelijk dit te moeten horen, generaal, het spijt me echt.'

'Waarom? Hij is dement.'

'Wát is hij?'

'Hij is een lijperd, rijp voor het gesticht...'

'Waarom is hij dan zo verdomd belangrijk?'

'Omdat hij en een strafpleiter van Harvard, eentje die zelf gestraft hoort te worden – en daar weet ik het nodige van – bezig zijn met een groots opgezette fraude tegen onze volmaakte regering die ons – vooral het Pentagon – meer miljoenen zou kosten dan we in honderd jaar van het Congres kunnen losweken!'

'Wat voor fraude?'

'Ik heb geen bijzonderheden, alleen de essentie, en ik zal u vertellen, het is een Rocky Horror-show – hebt u die ooit gezien?'

'Sorry,' gromde de journalist nu duidelijk openlijk vijandig, wat Brokey de Tweede niet opmerkte. 'Wie is die generaal?' vroeg de man die Harrison heette, met verstikte stem.

'Een maffe klootzak die Hawkins heet, een echte herrieschopper, dat is hij altijd geweest.'

'Ik herinner me die naam. Heeft hij niet twee keer de Congresmedaille gekregen?'

'Hij is ook een maniak. Tachtig procent van de mensen die die medaille verdient, krijgt hem na hun dood. Waarom is hij niet gesneuveld – misschien zit daar wel een verhaal in.'

'Ahum!' kuchte de journalist en het waren nu zíjn ogen die vlamden. 'Hoe kan het dat de Air Force Two die bedriegers naar Boston heeft gebracht?' vroeg hij toen hij zich weer wat in de hand had.

'Misleiding voor de persconferentie. Dat vliegtuig kun je niet negeren.'

'Je kunt het ook niet bij Hertz huren. Dat toestel is heilig.'

'Niet voor sommige mensen...'

'O ja, u had het over een belangrijke pief... "een van de machtigste mensen van het land" zei u, geloof ik.'

'Heel hoog in rang, bijna de hoogste. Hoogst geheim.'

'Dat soort vertrouwelijke informatie zou nu mijn vrienden in Hollywood echt imponeren. Ze zouden u waarschijnlijk per vliegtuig naar de Westkust laten komen voor een paar besprekingen – alles zeer vertrouwelijk, natuurlijk.'

'Besprekingen?'

'Ze kijken vooruit, generaal, heel ver vooruit, dat moeten ze wel. Een film begint ergens bovenaan met een idee; het ontwikkelen ervan duurt een paar jaar. Lieve god, elke grote ster in de filmwereld zou aan uw voeten liggen – u zou hen allemaal moeten ontmoeten voordat de rollen worden verdeeld.'

'Met... allemaal... kennismaken?'

'Natuurlijk, maar volgens mij is dat onmogelijk omdat u me niet kunt vertellen – op vertrouwelijke basis van na het gebeuren – wie die hoge pief is. Later kan iedere gek die naam onthullen en zal dat waarschijnlijk doen ook; nu is het voor u de tijd om toe te slaan. ... Nou ja, je wint eens en je verliest eens. Laten we maar doorgaan met het interview, generaal. De bezuinigingen in het defensiebudget zijn van invloed op de mankracht en dat moet uitwerking hebben op het moreel van de troep...'

'Wacht eens even!' Een Brokey de Tweede, die dicht bij een beroerte was, ijsbeerde door het kantoor en keek naar de foto's van zijn magnifieke, obsederende creatie. 'Zoals u zegt, wanneer het verhaal bekend wordt – en dat moet een dezer dagen gebeuren – zal ik helemaal niet opvallen en iedere gek kan gaan strijken met wat ik gedaan heb. Mijn god, en dat zullen ze ook! Ze zullen een film maken en ik zal erbuiten staan. Ik zal waarschijnlijk vijftig dollar moeten betalen alleen om in een bioscoop te zitten en te kijken naar wat ze met mijn meesterwerk hebben gedaan. O, mijn god, het is verschrikkelijk!'

'Zo is het leven nu eenmaal, zoals die man met die blauwe ogen zingt in dat liedje,' zei de journalist, met zijn pen gereed boven zijn notitieblok. 'Eigenlijk is het wel zo dat Francis Albert op zoek is naar een goede karakterrol – hij zou zelfs u kunnen spelen.'

'Francis Albert...?'

'Ik bedoel Frank, natuurlijk, Sinatra, vanzelfsprekend.'

'Néé!' bulderde de brigadegeneraal. 'Dit heb ik allemaal gedaan en ik heb het op mijn manier gedaan!'

'Wat was die?'

'Goed dan, ik zal het u vertellen,' zei de transpirerende Brokemichael. 'Later, wanneer we verder zijn, zal hij me waarschijnlijk bedanken en misschien een andere ster voor me vinden en doet hij dat niet, dan kan hij zelf vijftig dollar betalen om naar die film te kijken, *mijn* film.'

'Ik kan u niet volgen, generaal.'

'De minister van buitenlandse zaken!' fluisterde Brokey de Tweede. 'Hij is degene voor wie mijn Knettergekke Zestal die opdracht in Boston uitvoert. Hij kwam hier gisteren incognito, niemand op de basis wist wie hij was, zijn identiteitsbewijs was vervalst!'

'*Bingo!*' schreeuwde de Havik. Hij sprong op van zijn stoel, richtte zich op tot zijn volle lengte en rukte de dofrode pruik van zijn hoofd. 'Ik heb je te pakken, Brokey!' bleef hij roepen, terwijl hij zijn boord en das losscheurde en het fondsbrilletje van zijn neus rukte. 'Hoe is het met je, ouwe makker, jij ellendige klootzak?'

Ethelred Brokemichael kon geen woord meer uitbrengen; hij was in één woord verlamd. Een reeks grauwen achter uit zijn keel, gecombineerd met schel gesnuif uit zijn neus, ontsnapte aan zijn gapende mond in zijn vertrokken gelaat. 'Ahhh... *ahhh*!'

'Is dat de manier om een ouwe gabber te begroeten, ook al is hij rijp voor het gesticht en een klojo die waarschijnlijk die medailles niet had moeten krijgen?'

'Amai... amaai!'

'O, dat vergat ik nog, hij is ook een verrader en een herrieschopper en misschien zit er wel een verhaal achter die medailles, misschien wil hij zelf wel met de eer gaan strijken?'

'Neejuh ... neejuh!'

'Je bedoelt dat je gelooft dat zoiets niet zal werken, pisvent?'

'Mac, hou op!' riep Brokey de Tweede die voldoende hersteld was om te protesteren. 'Je weet niet wat ik allemaal heb doorgemaakt... een echtscheiding – dat kutwijf perst me helemaal leeg – en Washington lastig vallen om geld, en mijn eenheid tevredenstellen – Jezus, ik moet een geboeid publiek bijeenscharrelen voor dat verdomde rol lezen van hen, waarbij de rekruten er geen woord van begrijpen en gekke sigaretjes roken om de beproeving te kunnen doorstaan. ... Heb medelijden, Mac, ik probeer alleen maar in leven te blijven! Wat zou jij gedaan hebben, zou jij de minister gezegd hebben dat hij de pot op kon?'

'Waarschijnlijk wel.'

'Ja, maar jij hebt nooit een cent alimentatie hoeven betalen.'

'Natuurlijk niet. Ik heb mijn meisjes geleerd hoe ze voor zichzelf moesten zorgen en dat hebben ze verdomme gedaan. Als ik blut ben komt ieder van hen me te hulp.'

'Dat zal ik nooit begrijpen, nooit.'

'Het is eenvoudig. Ik heb van ieder van hen gehouden en ik heb hen geholpen beter te worden dan ze waren. Jij gaf niets om zoiets en je hebt ook niet geholpen.'

'Verdomme, Mac, die schele Pease had een waterdichte zaak tegen jou! En toen hij me vertelde dat die smerige punkadvocaat van een Devereaux erbij betrokken was, toen ging ik door het lint – helemaal door het lint.'

'Dat is dan jammer, Brokey, want die "punk" van een Devereaux is de reden waarom ik hier ben... om jou te helpen het vege lijf te redden.'

'Wat?'

'Het wordt tijd voor jou om genade voor recht te laten gelden, generaal. Sam Devereaux weet nu dat zijn aanklacht tegen jou te zwaar geladen was en hij wil zijn jeugdige indiscreties goedmaken. Denk jij dat ik het zou riskeren hierheen te komen en recht het vijandige kamp binnen te lopen, als hij er niet op had aangedrongen?'

'Waar heb je het, verdomme, toch over?'

'Je wordt voor paal gezet, Brokey. Sam heeft dat ontdekt en heeft me letterlijk bevolen hierheen te vliegen en jou te waarschuwen.'

'Wat? Hoe?'

'Er loopt een onbelangrijk proces tegen de regering – iemand spant altijd wel een proces aan tegen de regering – maar dit is een heel vervelende zaak voor Warren Pease, en hij is een politicus die zijn imago boven alles stelt. Hij wil dat proces onder de tafel vegen en hij heeft jou en je team gerekruteerd om het vuile werk te doen, omdat hij je overtuigde dat het een geweldige nationale crisis is, en zo gauw je het hebt opgeknapt kent hij je niet meer! Het proces wordt niet-ontvankelijk verklaard omdat de eisers niet komen opdagen, iemand gaat natuurlijk protesteren en het spoor leidt recht naar het Knettergekke Zestal – en naar jou. Een opperofficier die maar net is ontsnapt aan serieuze aanklachten in de Gouden Driehoek. Je bent er geweest, Brokey.'

'Holy *shit*! Misschien kan ik ze beter terugroepen.'

'Als ik jou was zou ik ook een officieel memo in je dossier leggen – geantidateerd – dat je, na heroverweging, je troepen hebt teruggetrokken omdat je meende dat de opdracht buiten de constitutionele autoriteit van het leger viel. Als er een onderzoek komt van het Congres kun je maar beter Pease de das omdoen, niet jezelf.'

'Verdomme, dat ga ik doen! ... Mac, hoe wist jij zoveel over Los Angeles – de Westkust en de Polo Lounge en al die andere dingen waarover je praatte?'

'Je vergeet, ouwe gabber, dat ze een film over mij hebben gemaakt. Ik was daar tien krankzinnige weken lang adviseur, met welwillende toestemming van die zultkoppen van het Pentagon die dachten dat zo'n film wonderen zou verrichten om nieuwe rekruten te krijgen.'

'Ze zijn op hun kont gevallen, dat weet iedereen. Het was de slechtste film die ik ooit heb gezien en ik weet er het nodige van. Ik bedoel maar, hij was echt afschuwelijk en ook al had ik nog zo de pest aan jou, ik had ook medelijden met je.'

'Ik had er ook de pest aan, maar er waren compensaties zoals je die alleen daar kunt vinden. ... Trek je troepen terug, Brokey. Je wordt naar de slachtbank geleid.'

'Dat zal ik zeker doen. Ik moet alleen een manier vinden.'

'De telefoon pakken en het bevel geven, meer hoef je niet te doen.'

'Zo gemakkelijk is dat niet. Verrek, ik herroep een bevel van de minister van buitenlandse zaken! Misschien moet ik gewoon ziek worden...'

'Krabbel je terug, Brokey?'

'In hemelsnaam, laat me nadenken!'

'Terwijl je daar mee bezig bent moet je hier eens aan denken.' De Havik knoopte zijn jasje los en spreidde het open. Er werd een bandrecorder zichtbaar die op zijn borst zat vastgemaakt. 'Een kolonel die ik pas nog op het slagveld heb bevorderd suggereerde dat ik zoiets moest doen. Elk woord dat hier is gezegd staat op de band.'

'Je bent een rotzak, Mac!'

'Toe nou, generaal, we zijn gewoon een stel ouwe rotten en ik moet ook in leven blijven. ... Hoe luidt dat gezegde ook al weer? "Als de duivel je niet pakt, verzuip je wel in het diepe"?'

'Dat heb ik nog nooit eerder gehoord.'

'Ik ook niet, maar het is wel toepasselijk, vind je niet?'

24

Vincent Mangecavallo liep over de witmarmeren vloer van het flatgebouw in Miami Beach, op weg naar de gymzaal. Opnieuw huiverde hij bij het zien van het roze gekleurde meubilair dat overal verspreid stond, stoelen, sofa's, lampen, kleedjes en zelfs een plafondluchter, gemaakt van een paar honderd roze schelpen, die eruitzag alsof hij elk moment op iemands hoofd terecht kon komen. Vinnie was geen binnenhuisarchitect, maar de eindeloze combinatie van roze en wit bracht hem alleen maar op het idee dat de beroemde *decoratore* die zijn neef Ruggio in de arm had genomen ook een prima balletdanser moest zijn.

'Het is geen roze, Vin,' had Ruge eergisteren over de telefoon gezegd. 'Het is perzik, maar je noemt het *pêche*.'

'Waarom?'

'Omdat roze goedkoop is, perzik is al duurder en met *pêche* rijst de prijs de pan uit. Zelf zie ik het verschil niet en om je de waarheid te zeggen geloof ik ook niet dat het Rose wat uitmaakt, maar ze is er tevreden mee, vat je wat ik bedoel?'

'Zoals jij leeft, *cugino*, moet je je vrouw altijd te vriend houden. Maar toch, ik stel het op prijs dat ik de tent van je mag gebruiken.'

'Zolang je wilt, Vin. We kunnen daar voorlopig minstens een maand niet naartoe en tegen die tijd ben jij weer terug onder de levenden. We hebben dringende zaken met de El Paso-familie – maar, hé, wat zeg je van die gymzaal die ik heb laten bouwen, met sauna en alles.'

'Daar ben ik juist naar op weg wanneer ik klaar ben met dit telefoontje – ik draag zelfs een roze jas van badstof, een beetje kort.'

'Die is voor de meisjes, in de gymzaal heb ik blauwe.'

'Wat is er met de jongens van El Paso, Ruge?' had Vincent gevraagd.

'Die willen de hele markt voor leren zadels in hun klauwen hebben, en dat zijn niet alleen die nepvakantieboerderijen in New York en Pennsylvania, maar ook al die deftige clubs die op vossen jagen in het westen van Jersey en New England.'

'Nou ja, met alle respect, Ruge, paarden horen immers bij het Wilde Westen. En misschien moet het met de zadels net gaan als met de cowboys, die moeten ook uit het westen komen.'

'Da's geouwehoer, Vin. Die meeste zadels worden gemaakt in Brooklyn en de Bronx. Als je die kaffers van jippie-jee-jee's een vinger geeft dan grijpen ze in no time je hele hand en zoiets kunnen we niet toestaan.'

'Ik snap wat je bedoelt. Ik zal me nooit met jou bemoeien, dat zweer ik op het graf van mijn overleden moeder.'

'Jouw mama is niet dood, Vinnie. Die is in Lauderdale.'

'Het is gewoon een uitdrukking, neef.'

'Hé, Vin, raad eens? Morgen ga ik naar jouw herdenkingsdienst! Wat zeg je me daarvan?'

'Ga je nog iets zeggen?'

'Verrek, nee, ik ben maar een klein manneke. Maar de kardinaal gaat wat zeggen, Hé, een kardinááI, Vinnie!'

'Die ken ik niet.'

'Je mama belde hem en huilde een potje en deed het nodige in de collectezak. Die spreekt wel.'

'Ze zal er nog meer ingooien wanneer ik verrezen ben. Nogmaals bedankt voor je optrekje, *cugino*.'

Mangecavallo bleef even onder de luchter van roze schelpen staan en dacht na over het telefoongesprek dat hij twee dagen geleden met Ruggio had gevoerd. Ook toen was hij op weg geweest naar de kleine, goed uitgeruste gymzaal, waar hij van plan was de splinternieuwe apparatuur zorgvuldig uit de weg te gaan, alsof je de tering kon krijgen als je die alleen maar aanraakte. De herinnering aan dat telefoongesprek, waartoe dat mietjesachtige paaseierendecor de aanleiding was geweest, deed Vincent eraan denken dat het tijd werd voor een ander telefoontje. Hij had er niet bijster veel zin in maar het was nodig en de informatie die hij misschien kreeg zou hem even gelukkig maken als een eerlijke amateur die een bank in Las Vegas liet springen. Maar er zat een addertje onder het gras. Het nieuws dat hij springlevend was en zijn invloed deed gelden was beperkt tot heel weinig mensen, namelijk die slijmballen van Wall Streeters op het lijstje van Meat die hun monden dichtgepleisterd zouden krijgen met cement of later de rest van hun leven zouden doorbrengen in verschillende norren zonder het geld dat ze dachten te verdienen, en zijn neef Ruggio. Ruge was ook nodig geweest omdat Vincent een privé-woning moest hebben waar hij veilig uit het zicht kon blijven totdat het tijd werd voor Smythington-Fontini om hem op te pikken en naar het punt van zijn miraculeuze 'redding' op de Dry Tortugas te brengen.

Maar Aboel Khaki stond niet op die exclusieve lijst, en dat hoorde ook niet; nu was het echter voor hem ook nodig. In de wereld van de internationale financiën was Aboel even sluw als Iwan Salamander; wat hem gevaarlijker maakte, of succesvoller, afhankelijk van hoe je het bekeek, was het feit dat hij geen ingezetene was van de Verenigde Staten en meer buitenlandse holdings had, zoals op de Bahama's en de Kaaiman-eilanden, dan iemand anders sinds de meer succesvolle piraten een paar duizend kisten hadden begraven in het Caribisch gebied. Verder was Khaki een Arabier uit een van die sjeikdommen die Washington altijd stiekem trachtte te beïnvloeden, hij was aan alle kanten gedekt zoals dat ging wanneer de regering in het geheim onderhandelde met politiek onpopulaire mensen. Mensen die, bijvoorbeeld, konden zorgen voor een paar duizend raketten en een King James bijbel voor drie gevangenen en een prostituée uit Damascus. Aboel Khaki kon overal ongestraft rondwandelen.

Toen Mangecavallo had gehoord over Aboels ongeadverteerde geloofsbrieven was hij met de Arabier een handeltje aangegaan dat voor hen beiden voordelig was. Khaki had een groot aantal scheepvaartbelangen en zijn tankers liepen in allerlei havens binnen, soms met meer dan alleen olie en na een paar gênante politieovervallen had Vinnie Aboel laten weten dat hij en zijn vrienden behoorlijk wat invloed hadden in de havens... 'van New York tot New Orleans en alles daartussenin – die hebben we in onze zak, meneer Cocky'.

'Mijn naam is Khaki, meneer Mangecuvulo.'

'Mijn naam is Mangecavallo.'

'Ik weet zeker dat we elkaars namen wel zullen leren kennen.'

Dat deden ze en zoals dat gaat kwam van het een het ander, waaronder ook bepaalde financiële diensten die door Aboel werden verleend aan zijn vriend Vincent. En toen de dons aan de Oostkust en in Palermo met nadruk suggereerden dat Mangecavallo moest proberen directeur van de CIA te worden, ging Vinnie naar Khaki.

'Ik heb een probleempje, Aboel. De dons pakken de zaken groots aan, en dat is goed, maar ze letten niet zo op de details en dat is niet zo best.'

'Het probleem, alsjeblieft, beste vriend die de ogen en de snelheid heeft van de woestijnvalk – al moet ik je eerlijk zeggen dat ik nog nooit in de woestijn ben geweest. Heel erg heet heb ik gehoord.'

'Dat is het probleem. Op heterdaad. ... Ik heb onder verschillende namen een boel pegulanten verstopt in rekeningen over het hele land. Zodra ik die baan in Washington heb, en die krijg ik, kan ik onmogelijk naar zo'n achtendertig staten vliegen om te beschikken over mijn kleingeld waarvan ik het meeste geheim wil houden.'

'Een absoluut vereiste zou ik zeggen.'

'Heel zeker.'

'Heb je je chequeboekjes?'

'Alle vierduizend tweehonderdtwaalf.' Vinnie had zich een strafbare grijns veroorloofd.

'Ach, de blik van de kameel houdt meer in dan kan worden opgemaakt uit het rommelen van zijn verschillende magen.'

'Zoiets, geloof ik.'

'Vertrouw je mij, Vincent?'

'Natuurlijk, dat moet ik wel – net zoals jij mij moet vertrouwen, *capisce*?'

'Absoluut. De staart van de bedoeïenenhond kwispelt triomfantelijk omdat hij nog leeft. ... Heb jij ooit een bedoeïen ontmoet? Doet er ook niet toe, maar ik kan je wel zeggen dat ze een uur in de wind stinken.'

'De bankrekeningen? De boekjes?'

'Je zet je handtekening om er een aantal op te heffen en het geld te innen en je geeft ze allemaal aan mij. Ik heb een artiest in dienst, een man met een buitengewoon talent, die de handtekeningen van iedereen, levend of dood, na kan maken en dat heeft hij al heel vaak gedaan en er veel geld mee verdiend. Ik zal zelf jouw portefeuille behandelen, Vincent, een blinde trust zullen we maar zeggen, onder het zegel van een van de meest respectabele advocatenkantoren in Manhattan.'

'Alles?'

'Doe niet zo belachelijk. Alleen een bedrag dat overeenkomt met de bezittingen van een redelijk succesvolle importeur. Met de rest ga je echt geld verdienen en ik kan je verzekeren dat er op papier niets te vinden zal zijn.'

Zo was Aboel Khaki dus Mangecavallo's onofficiële privé-manager geworden met ruwweg vier miljoen op de markt en zeven keer dat bedrag in buitenlandse holdings. Maar het was niet de vriendschap met zijn dienstverlener of de verleende diensten zelf, die Vincent ertoe brachten Aboel te bellen. Het was, heel eenvoudig, omdat Khaki een groter inzicht had in de effectenbeurzen over de hele wereld dan iedereen die Mangecavallo kende. De meeste kennis was vergaard via illegale kanalen, de rest door financiële scherpzinnigheid. En Aboel Khaki zou zeker zijn mond houden. Dat was een vast gegeven, want zijn eigen overleven was daarvan eeuwig afhankelijk, los van alle bedoeïenenhonden.

'Dat kan ik niet gelóven!' schreeuwde de Arabier nadat Vincent een van de codenamen had gebruikt om hem te bereiken – op het ogenblik in Monte Carlo.

'Geloof het maar, Aboel, ik vertel je later wel meer...'

'Ik begrijp het gewoon niet. Ik heb net telegrafisch tienduizend dollar overgemaakt voor bloemen voor die herdenkingsdienst van jou, gisteren, en het ondertekend namens mezelf en de regering van Israël, via mijn kantoor in New York!'

'Waarom heb je dat gedaan?'

'Och, ik heb een paar sjekels verdiend bij de Likoed en door mijn naam aan de hunne te koppelen kom ik misschien tot verdere overeenkomsten.'

'Het kan nooit kwaad,' zei Vincent. 'Ik heb altijd goed kunnen opschieten met de Mossad.'

'Dat zou ik denken ... maar je bent dus opgestaan uit de doden! Ik ben me rot geschrokken, ik zit helemaal te beven – ik zal ieder potje baccarat verliezen en dat gaat me tonnen kosten!'

'Speel dan niet.'

'Met drie Grieken aan de tafel met wie ik zaken doe? Ben jij mesjoche? ... Wat ben je aan het doen, Vincent? Wat gebeurt er allemaal? Het opstuivende zand van de woestijn verblindt mijn heelal!'

'Je bent nooit in de woestijn geweest, Aboel.'

'Ik heb foto's gezien – afgrijselijk, net zo afgrijselijk als jouw stem die nu tegen mij praat, ik weet niet waarvandaan maar ik moet aannemen dat het niet vanuit de hemel is.'

'Ik zei je toch, ik zal het later uitleggen... nadat ik gered ben.'

'Gered...? Dank je, beste Vincent, maar ik wil geen woord meer horen. Daar stá ik zelfs op.'

'Doe dan maar net alsof ik het niet ben, gewoon een belangstellende investeerder. Hoe staat de markt in Amerika?'

'Hoe die staat? Die is helemaal over de rooie gegaan. Al dat geheimzinnig gedoe, niets anders dan geheime onderhandelingen – fusies, verzelfstandigingen, meerderheidsbelangen; het begint weer helemaal opnieuw! Het is wáánzin!'

'Wat zeggen de orakels?'

'Die praten niet, zelfs niet tegen mij. Vergeleken met de markt is de spiegelwereld van Alice een plaats van onweerlegbare logica. Niemand snapt er iets van – zelfs ik niet.'

'Hoe zit het met de bedrijven die aan Defensie leveren?'

'Zoals jullie Italianen het uitdrukken, die zijn *pazzo*! Ze horen uit te drogen, moeten aan alle kanten omschakeling van bewapening verwachten, maar ze gaan door het dak. De Sovjets hebben me gebeld, zowel woedend als bang, en vroegen wat ik ervan dacht en ik had geen antwoord. En mijn contacten met het Witte Huis vertellen me dat de president met iedereen in het Kremlin heeft getelefoneerd om hen ervan te verzekeren dat het moet liggen aan het openen van de markten aan de Oostkust én aan de omschakelingen, omdat op het budget van het Pentagon nog steeds drastisch wordt besnoeid. ... Ik zal je zeggen, Vincent, alles is *pazzo*!'

'Nee, dat is het niet, Aboel. Het is volmaakt. ... Je hoort nog van me, ik ga nu een sauna nemen.'

Warren Pease, minister van buitenlandse zaken, was buiten zichzelf, overrompeld. Zijn linkeroog was op het ogenblik totaal op hol geslagen, het schoot heen en weer als een laservlekje dat zich probeerde te richten op een onbereikbaar doel. 'Wat bedoel je dat je generaal Ethelred Brokemichael niet kunt vinden?' schreeuwde hij in de telefoon. 'Hij staat onder *mijn* bevel – correctie – onder het bevel van de president van de Verenigde Staten die verwacht dat hij rapporteert op dit hoogst geheime telefoonnummer dat ik jou zowat tien keer heb gegeven! Hoe lang denk je dat de president van de Verenigde Staten gaat wachten op een waardeloze brigadegeneraal?'

'We doen ons uiterste best, meneer,' zei de bange, uitgeputte stem vanuit Fort Benning. 'We kunnen niet voor de dag brengen wat er niet is.'

'Hebben jullie opsporingspatrouilles uitgestuurd?'

'Naar elke bioscoop en elk restaurant van Cuthbert tot Columbus en tot helemaal in Warm Springs. We hebben zijn agenda nagekeken, zijn uitgaande gesprekken gecontroleerd...'

'Zit daar niets bij?'

'Niets waar we iets aan hebben maar ze zijn wel ongewoon. Generaal Brokemichael heeft zevenentwintig keer gebeld, over een periode van tweeënhalf uur, naar een hotel in Boston. Natuurlijk hebben we het hotel gebeld en gevraagd of de generaal nog boodschappen had achtergelaten...'

'Verrek, je hebt toch zeker niet gezegd wie je was?'

'Alleen dat het officiële staatszaken waren, niets specifieks.'

'En?'

'Ze lachten alleen maar om die uitdrukking – bij vier verschillende gelegenheden. We kregen de verzekering dat hij er niet was en dat ze nog nooit van hem hadden gehoord – als er al iemand met zo'n naam bestond.'

'Blijf zoeken!' Pease klapte de hoorn op de haak, stond op van zijn bureau en begon boos en doelloos te ijsberen door zijn kantoor op Buitenlandse Zaken. Wat had die stomme Brokemichael gedaan, waar was hij gebleven? Hoe durfde hij te verdwijnen in de lambrizering van de militaire inlichtingen, waarin meer spleten en knoesten zaten dan in heel het Sequoia National Park! Wat dacht hij wel dat hij zich kon veroorloven weg te kruipen voor de minister van buitenlandse zaken? ... Misschien was hij dood, dacht Pease... Nee, dat zou niet helpen en het zou de zaken alleen maar ingewikkelder maken – maar toch, als er iets verkeerd was gelopen, was er niets dat verband kon leggen tussen hém en die excentrieke generaal die dat dodelijk apparaat had gecreëerd van het Knettergekke Zestal. Warren was natuurlijk met de juiste papieren op de legerbasis gekomen, maar zijn naam was er niet op vermeld en bovendien had hij een korte rode pruik gedragen die zijn schaarse haren bedekte. Voorzover het het bezoekersboek van Fort Benning betrof, was er een nietszeggende boekhouder van lage rang van het Pentagon op bezoek gekomen om de generaal goedendag te zeggen. ... De rode pruik, bedacht Pease, was echt geniaal geweest, omdat zelfs de politieke cartoonisten zijn wijkende haarlijn accentueerden. Waar zat die rotzak toch?

De telefoon onderbrak zijn gedachten; hij rende eropaf en zag dat er drie lijnen oplichtten, toen ineens nog een vierde. Hij drukte het flikkerende knopje van zijn secretaresse in en pakte de hoorn van de haak in de hoop de woorden te horen: 'Fort Benning aan de lijn!' Maar zijn hoop werd de bodem ingeslagen toen, na ongeveer dertig martelende seconden, de trut hem koeltjes meedeelde: 'U hebt drie, nu vier gesprekken die ik alleen maar kan beschrijven als van persoonlijke aard, excellentie, omdat niemand wil zeggen waar het over gaat en ik de namen niet herken – als het al namen zijn.'

'Wat voor namen?'

'Bricky, Froggie, Buffel en...'

'Oké, *oké*,' viel Warren haar in de rede, niet alleen in verwarring maar woedend. Het waren allen zijn sociale kennissen – sociaal, nou ja – van de Fawning Hill Country Club! Ze mochten hem nóóit bellen op zijn kantoor, dat was een wet van Meden en Perzen! Maar natuurlijk belden ze niet; ze hadden zich gemeld als 'Bricky', 'Froggie', 'Buffel' en ongetwijfeld 'Doozie'. Wat was er in hemelsnaam gebeurd dat ze hem nu allemaal wilden bereiken? 'Ik zal ze in volgorde aannemen, moeder Tyrania,' zei hij en hij klapte tegen zijn hoofd om zijn overspannen oog tot stilstand te brengen.

'Ik ben Tyrania niet, excellentie. Ik ben haar jongste dochter, Andromeda Trueheart.'

'Ben je nieuw?'

'Sinds gisteren, meneer. De familie vond dat u op dit moment uiterst efficiënt bediend moest worden en moeder is op vakantie in Libanon.'

'Echt waar?' Visioenen van jarretelgordels vulden het beetje gat dat er nog in de verbeelding van Pease bestond. 'Ben jij de jongste dochter...?'

'Uw gesprekken, meneer.'

'Ja, ja, natuurlijk. Ik zal met de eerste beginnen – "Bricky", klopt dat?'

'Jazeker, excellentie. Ik zal tegen de anderen zeggen dat ze aan de lijn moeten blijven.'

'Bricky, waarom bel je me in hemelsnaam hier?'

'Jij ouwe vos van een Peasie,' zei Bricky, de bankier uit New England, met een van charme druipende stem. 'Ik ga jou tot de meest geëerde oud-leerling maken van onze klassereünie.'

'Ik dacht dat je zei dat ik niet mocht komen.'

'Dat is natuurlijk allemaal veranderd. Ik had er geen idee van wat die ongelooflijke hersenen van jou aan het uitbroeden waren. De hele klas is trots op jou, jongen. ... Ik houd je niet langer op, ik weet dat je het druk hebt, maar als je ooit een lening nodig hebt, voor welk bedrag dan ook, dan hoef je maar te bellen. Bel maar gauw en laten we eens gaan lunchen – op mijn rekening, natuurlijk.'

'Froggie, wat is er toch aan de hand? Ik heb net Bricky aan de lijn gehad...'

'Ik weet zeker dat ik dat jou niet hoef te vertellen, jij ouwe Midas, en zeker niet over deze telefoon,' antwoordde de blonde cynicus van Fawning Hill. 'We hebben met elkaar gesproken en ik wil je laten weten dat Daphne en ik hopen jou en je lieve vrouw volgende maand als gasten te mogen ontvangen op het introductiebal voor debutantes in Fairfax. Jij zult natuurlijk de eregast zijn.'

'Echt waar?'

'Natuurlijk. Je kunt niet genoeg doen voor je eigen mensen, nietwaar?'

'Dat is erg vriendelijk...'

'Vriendelijk? De ongelooflijke vriendelijkheid komt van jouw kant, ouwe jongen. Je bent gewoonweg gewéldig! Je hoort nog van me.'

'Buffel, wil je me, alsjeblieft vertellen...'

'Verrek, piskop, je kunt op mijn club komen spelen wanneer je maar wilt!' riep de president van Petrotoxic Amalgamated. 'Vergeet maar wat deze stomme klootzak eerder heeft gezegd, het zal me een voorrecht zijn een golfclubje met jou te zwaaien.'

'Ik begrijp echt niet...'

'Dat weet je donders goed en ik weet donders goed waarom je niets kunt zeggen. Ik wil je alleen maar zeggen, mijn allerbeste studiegenoot, jij staat bovenaan op mijn lijst van vrienden, dat mag je nooit vergeten. ... Ik moet nu weg; ik heb mezelf zojuist benoemd tot voorzitter van de Raad, maar als jij die baan wilt hoef je het maar te zeggen.'

'Doozie, ik heb zojuist gesproken met Bricky, Froggie en Buffel en ik moet zeggen, ik weet niet hoe ik het heb.'

'Dat begrijp ik, beste kerel. Er zijn mensen bij je op kantoor, nietwaar? Zeg alleen maar "ja" en dan zal ik het wel zeggen.'

'Ik zeg "nee" en je kunt zeggen wat je wilt!'

'Hoe zit het met afluisterapparatuur op je telefoon?'

'Absoluut verboden. Het kantoor wordt elke morgen "schoongeveegd" en aan de buitenkant staan loodplaten om elektronisch afluisteren tegen te gaan.'

'Heel goed, knul, je hebt de zaak daar behoorlijk in de hand.'

'Het is gewoon de normale procedure. ... Doozie, wat is er toch aan het gebeuren?'

'Stel je me op de proef, Piskop?'

De minister zweeg even; aangezien al het andere niet leek te werken was dit misschien de manier om het aan te pakken. 'Misschien doe ik dat wel, Doozie. Misschien wil ik zeker weten dat jullie het allemaal begrijpen.'

'Laten we het zo zeggen, meneer de minister, ouwe jongen. Jij bent de meest creatieve denker die onze club heeft voortgebracht sinds we in de jaren twintig de vakbonden kleinkregen. En je hebt het alleen gedaan door je hersens te laten werken, niet één schot afgevuurd tegen een rottige socialist of een links Congreslid!'

'Ik moet even doordrukken, Doozie,' zei een stomverbaasde Warren Pease aarzelend terwijl het zweet op zijn voorhoofd begon te parelen. 'Hoe heb ik dat precies gedaan?'

'De UFO's!' riep Doozie uit. 'Zoals die sociaal onacceptabele Iwan Salamander het uitdrukte – zeer vertrouwelijk natuurlijk – zullen we nu de hele wereld moeten bewapenen! Briljant, Piskop, absoluut briljant!'

'UFO's? Waar heb je het toch over?'

'Van de bovenste plank, knul, echt van de bovenste plank.'

'UFO's...? O, mijn god!'

De Rockwell-jet die de Havik vervoerde landde op het vliegveld in Manchester, New Hampshire, ongeveer zestien kilometer ten zuiden van Hooksett. Het besluit om Boston voorbij te vliegen en rechtstreeks naar Manchester te gaan had Sam Devereaux genomen. Hij redeneerde daarbij dat Mac op Logan al eerder door iemand was opgemerkt en dat het opnieuw zou kunnen gebeuren, dus waarom zouden ze dat risico nemen? Bovendien begon er nu snel schot in de zaak te komen en als ze een uur of twee rijden konden uitsparen moesten ze dat doen. De volgende zet van Mac was het Knettergekke Zestal onschadelijk te maken dat, volgens Desi-Een, volledig uitgeteld in de lappenmand lag, dank zij de culinaire talenten van Desi-Twee; de rest hing af van de overredingskracht van de Havik.

Paddy Lafferty, met een van trots en heldenverering gezwollen borst, haalde de generaal in de limousine op en, wonder boven wonder, verkoos de grote man opnieuw voorin te komen zitten naast Paddy.

'Vertel me eens, sergeant,' zei de Havik terwijl ze snel naar Hooksett reden, 'wat weet jij over acteurs, ik bedoel echte?'

'Behalve sir Henry niet zo heel veel, generaal.'

'Nou ja, hij is ook wel een speciaal iemand, geloof ik. Hij heeft zijn sporen verdiend. Hoe zit het met de anderen die dat nog niet hebben?'

'Van alles wat ik heb gelezen in de kranten en tijdschriften die mevrouw Pinkus in de wagen laat liggen, wachten ze allemaal om ontdekt te worden zodat ook zij hun sporen kunnen verdienen. Misschien is dat niet zo handig bedacht, maar zo denk ik erover.'

'Het is heel handig bedacht, Paddy. Dat is het antwoord.'

'Waarop meneer?'

'Om bepaalde mensen van gedachte te laten veranderen zonder al te veel na te denken.'

Acht minuten later liep de Havik de skihut binnen. Het was een heldere zomermiddag en Desi-Twee had zojuist een heel late brunch opgediend; de resultaten waren maar al te duidelijk. De doodgevaarlijke leden van het Knettergekke Zestal lagen erbij als lijken in hun kisten. Ze hingen in de foyer voor zich uit te staren als vissen aan een lijn op een kade in New Bedford. De enige uitzondering vormde sir Henry Irving Sutton die dat kennelijk allemaal al eens eerder had meegemaakt en die even walgelijk kwiek was als een krassende zwarte kraai die een collectieve kater onderbrak.

'Kom op, heren!' riep sir Henry en hij sloeg hier en daar op wangen en porde in ribben terwijl hij door het vertrek liep. 'Onze vaak gedecoreerde generaal van de veldtocht in Noord-Afrika wil met ons praten!'

'Goed gezegd, majoor,' zei de Havik goedkeurend. 'Ik zal niet veel van jullie tijd vergen, mannen, net genoeg om jullie op de hoogte te brengen.'

'Op de hoogte?'

'Welke hoogte?'

'Heb jij de hoogte, Marlon?'

'Ik weet niet wat hij bedoelt.'

'Wie is hij?'

'Geef hem een lolly, baby.'

Een voor een richtten de opengesperde ogen van de zes onversaagde vissen zich op Hawkins die naar de trap liep, twee treden beklom en de leden van de antiterroristische eenheid toesprak. 'Heren,' zo begon hij met zijn beste stentorstem, 'en u bent inderdaad zowel heren als uitstekende toneelspelers en soldaten, mijn naam is Hawkins, MacKenzie Hawkins, de gepensioneerde generaal die u moest opzoeken en arresteren.'

'Mijn god, hij ís hem!'

'Hij lijkt op de foto's...'

'Laten we maken dat we wegkomen...'

'Vergeet het maar.'

'Mijn poten weigeren dienst, Pelgrim.'

'Stilte, mannen!' riep de Havik uit. 'Al geloof ik niet dat dat bevel werkelijk noodzakelijk is, te oordelen naar wat ik vóór me zie. Ik ben zojuist teruggekeerd uit Benning waar ik een bespreking heb gehad met mijn goede vriend en wapenbroeder van lang geleden, generaal Ethelred Brokemichael, uw commandant. Hij feliciteert u met een uitstekend verrichte opdracht en stuurt u nieuwe en duidelijke instructies. ... Deze opdracht is geannuleerd, afgebroken, in de prullenmand gegooid.'

'Hola, Pelgrim!' zei de Duke en hij klapte zonder resultaat op zijn knieën. 'Wie zegt dat?'

'Generaal Brokemichael.'

'Waarom belt hij ons, ons, ons zelf, zelf, zelf niet?'

'U moet die Dusty zijn.'

'Ik ben dat niet, hufter!' zei Sly dreigend. 'Je staat daar als een zielige imitatie van Rosencranz in Elsinore, maar waarom en waarvoor en om welke reden zouden we jou geloven, hè, hè? Waarom heeft hij ons niet zelf gebeld?'

'Hij – wij – hebben dat herhaaldelijk geprobeerd vanuit Fort Benning. De telefoons hier doen het niet.'

'Hoezo niet, baby?'

'De storm?'

'Wat voor storm, beste jongen? Ik herinner me geen rukwinden of donderslagen boven de heide.'

'Sir Larry...?'

'Ouwehoer nou niet tegen mij of Stella, we hebben het al moeilijk genoeg!'

'Marlon...?'

'Het gaat erom, Pelgrim, waarom zouden we jou geloven? Indianen spelen voortdurend zo'n spelletje. De oorlogstrommels zwijgen en je denkt dat je even rust hebt en dan vallen de bloeddorstige barbaren aan. En zo word je afgeslacht.'

'Daar zou ik maar eens over nadenken, Duke. Ik heb de echte ontmoet toen ze die film maakten over mij en ik kan je verzekeren dat hij geen vijandig bot in zijn lijf had.'

'Heb jij de *Duke* ontmoet...?'

'Willen jullie nu weleens luisteren!' bulderde de Havik en de mannen van het Knettergekke Zestal schrokken van dat rauwe bevel – genoeg in elk geval om hun onverdeelde aandacht te schenken, voorzover die er was. 'Generaal Brokemichael en ik hebben niet alleen een eervolle wapenstilstand gesloten, maar we hebben ook een duidelijke conclusie getrokken. Kortom, mannen, we zijn beiden in de boot genomen door corrupte politici die jullie unieke mogelijkheden gebruikten om hun eigen ambities te bevorderen. Zoals jullie weten wordt er nooit iets op schrift gesteld over jullie geheime operaties; de doelen worden mondeling opgegeven en om die strategie te blijven volgen ben ik gevolmachtigd door mijn goede makker, Brokey de Tweede – dat is overigens een koosnaampje – om jullie te zeggen dat deze opdracht wordt geannuleerd. Gezien jullie magnifieke prestaties in de laatste vijf jaar heeft hij het zo geregeld dat jullie allemaal worden overgebracht naar suites in het Waldorf-Astoria hotel in New York.'

'Wat is dáár te doen?' vroeg Marlon zonder te brabbelen.

'Waarom?' vroeg Dusty zonder zich te herhalen.

'Dat is een buitenkansje,' voegde sir Larry eraan toe.

'Het is eigenlijk heel eenvoudig,' zei de Havik. 'Jullie diensttijd is over een half jaar voorbij en gezien jullie buitengewone bijdragen aan het leger en aan het verminderen van de spanningen in de wereld, heeft generaal Brokemichael ervoor gezorgd dat jullie allemaal een interview krijgen met de hoofden van verschillende studio's die uit Hollywood komen vliegen. Ze willen dolgraag jullie verhaal in een film verwerken.'

'En ik dan?' schreeuwde een verontruste sir Henry.

'Ik vermoed dat u generaal Brokemichael zult spelen.'

'Dat is beter.'

'Jandome, ik heb er geen woorden voor, pelgrims,' zei de Duke.

'Dat hebben we nu altijd gewild,' zei Marlon in perfect Engels. 'Daar hebben we altijd van gedroomd!'

'Het is sensationeel...!'

'Kolossaal...!'

'We zullen onszelf spelen...!'

'En sámen nog wel...!'

'Hoera voor Hollywood...!'

Als een troep gewonde leeuwen die gered was van een stormvloed in het Afrikaanse veld, worstelden de mannen van het Knettergekke Zestal zich overeind, strompelden onzeker op elkaar af en vormden een verre van volmaakte cirkel. Als zwaaiende, onsamenhangende marionetten begonnen ze te dansen in die onvolmaakte cirkel. Hun lijven botsten op elkaar en er werd hard, zij het pijnlijk gelachen. In de hal van de vroegere skihut creëerden ze een *hora* die voortkwam uit een *tarantella* met grote brokken uit een dans in een mijnwerkerskamp om de zaak te vervolmaken. Steeds luidere triomfkreten vulden het vertrek toen Desi-Een naar de trap liep en met de Havik sprak.

'Jij bent werkelijk geweldig, generaal! Kijk eens hoe gelukkig ze zijn – jij geeft hun zo'n geweldig gevoel!'

'Ja, maar ik zal je eens wat zeggen, Desi-Een,' zei MacKenzie terwijl hij een verkreukelde sigaar uit zijn zak trok. 'Zelf voel ik me niet zo geweldig. Ik voel me zowat zo groot als een rioolrat en tien keer zo smerig.'

Voor het eerst sinds hun eerste ontmoeting in het herentoilet op Logan Airport keek Desi-Een de Havik afkeurend aan. Lang en doordringend.

Warren Pease vloog in zijn pyjama de trappen af van zijn redelijk deftige huis in de buitenwijk Fairfax. Hij rende de woonkamer door bij het schijnsel van de ganglamp, misrekende zich met de deur van zijn werkkamer en beukte tegen de muur. Hij herstelde zich paniekerig en rende naar binnen naar zijn flikkerende telefoon. Hij drukte drie knoppen in totdat hij de juiste vond, tastte naar zijn bureaulamp, knipte die aan en liet zich schreeuwend in de stoel vallen.

'Waar heb jij, verdomme, gezeten? Het is vier uur in de morgen en niemand heeft je de hele dag en nacht kunnen vinden! Elk uur zijn we dichter bij de catastrofe en jij verdwijnt. Ik eis een verklaring!'

'Het begon met buikpijn, meneer.'

'Wát?' krijste Pease.

'Maagklachten. Gas, excellentie.'

'Dit kan ik niet geloven! Het land staat aan de rand van de afgrond en jij hebt last van gás?'

'Zoiets heb je niet in de hand...'

'Waar zít je? Waar is die verdomde eenheid van jou? Wat gebeurt er?'

'Nou ja, het antwoord op uw eerste vraag heeft rechtstreeks te maken met uw tweede en derde.'

'Wat zei je...?'

'Ziet u, mijn maagzuur – het gas – werd veroorzaakt doordat ik de eenheid in Boston niet kon bereiken, daarom ben ik ondergedoken om ze te vinden.'

'Ondergedoken, waar ondergedoken?'

'In Boston, natuurlijk. Ik kreeg een lift in een verkenningsvliegtuig van de luchtmacht vanuit Macon en arriveerde daar ongeveer drie uur afgelopen middag – gistermiddag dus. Natuurlijk ging ik rechtstreeks naar het hotel – het is een heel fijn hotel...'

'Ik ben blij dat te horen. En toen?'

'Kijk eens, ik moest natuurlijk heel voorzichtig zijn omdat we geen officiële band mochten hebben, volgens mij bent u het daar wel mee eens.'

'Met elke geruïneerde zenuw in mijn lijf!' brulde de minister. 'Je droeg toch, in godsnaam, geen uniform?'

'Alstublieft, excellentie, ik was ondergedoken. Ik droeg een burgerpak en voor het geval ik gepensioneerd personeel van het Pentagon dat daar werkt mocht tegenkomen, had ik een geweldig idee. Ik doorzocht de toneelbenodigdheden van mijn groep en vond een pruik die precies paste. Een ietsje te rood naar mijn smaak, maar met grijze plekken...'

'Oké, oké!' viel Pease hem in de rede. 'Wat heb je gevonden?'

'Een vreemd mannetje in een van de suites – ik wist natuurlijk de kamernummers. Ik herkende zijn stem direct omdat ik een paar keer met hem had getelefoneerd vanuit Benning. Hij is een ongevaarlijke oude man die de jongens hebben ingehuurd om boodschappen aan te nemen, heel handig van hen. Hij heeft niet veel hersens en dat is een voordeel; hij neemt alleen maar boodschappen aan.'

'Wat zei hij, in hemelsnaam?'

'Hij herhaalde wat hij al toen ik belde vanuit mijn kantoor tegen me had gezegd, vaker dan ik kan tellen . Zijn tijdelijke werkgevers waren weggeroepen voor zaken; meer dan dat wist hij niet.'

'Is dat alles? Ze zijn gewoon verdwenen?'

'Ik moet aannemen dat ze hun doel in het vizier hebben, excellentie. Zoals ik heb uitgelegd hebben ze de vrije hand bij hun opdrachten omdat er zoveel afhangt van onmiddellijke reacties waarvoor ze getraind zijn.'

'Spionnengelul!' schreeuwde Pease.

'Nee, meneer, het wordt improvisatie genoemd – afgekort "improv".'

'Je vertelt me dus dat je niet weet wat er gebeurt. Er is geen enkele communicatie, in godsnaam!'

'Het gebeurt vaak dat de telefoonapparatuur niet vertrouwd kan worden, zowel de civiele als die van de staat.'

'Wie heeft dat uitgevonden, de Roze Panter? Waarom heb je mij niet teruggebeld?'

'In dat verkenningstoestel dat me naar Boston bracht, excellentie? Wilt u dat alle vliegtuigen in de lucht uw geheime nummer in hun computers krijgen?'

'Verrek, néé!'

'En toen ik in Boston kwam kon ik onmogelijk weten dat u gebeld had...'

'Heb je je kantoor niet gebeld om uit te vinden of die onzichtbare eenheid van jou je niet had gebeld?'

'We opereren in het allergrootste geheim. Ze hebben maar twee nummers: een van een toestel in mijn kantoor in Benning, dat op mijn toilet staat maar verbonden is met een lampje onder mijn bureau; en het andere in mijn huis, in mijn kleerkast, en daar gaat, als het gebeld wordt, een band op lopen "There's No Business Like Show

Business". Natuurlijk kan ik beide antwoordapparaten met afstandsbediening afluisteren en daar stond ook niets op.'

'Misschien snijd ik mijn polsen wel door. Al dat geavanceerde gelul betekent dat niemand met iemand kan praten die nog een polsslag heeft.'

'Met zo'n tussenschakel, meneer, ben je dubbel verwijderd van onthulling. ... Dat is een tekst uit de film "Thirty-Two Rue Madeleine". Hebt u die ooit gezien? Cagney en Abel, gewoon geweldig.'

'Ik wil niets horen over die verdomde films van jou, soldaat. Ik wil horen dat jouw gorilla's Hawkins in hun klauwen hebben en hem naar de SAC-basis in Westover hebben gebracht! Meer wil ik niet horen, want als ik het niet vrij gauw te horen krijg zou dat het eind van ons allemaal kunnen betekenen! Daar is niet meer voor nodig dan dat twee van die knotse rechters van het Hof zich aansluiten bij die voorspelbare linkse radicalen die maar niet dood willen gaan!'

'Ons allemaal, excellentie, of slechts een paar van ons? Zoals een ooit gedegradeerde legergeneraal en een heel succesvolle eenheid die hij gecreëerd heeft?'

'Wat? ... Jij hebt je sterren niet om spelletjes met míj te spelen, soldaat!'

'Welnu dan, excellentie, als ik u mag vragen vanuit een militair gezichtspunt, waarom maakt u zich zoveel zorgen over de activiteiten van Mac Hawkins, wat die dan ook zijn? De wereld is aan het veranderen, er is minder vijandschap tussen de grootmachten en tussen de kleinere landen die we samen kunnen krijgen en de lucht in kunnen blazen, zoals we met Irak hebben gedaan. Overal, aan alle kanten, zijn we aan het bezuinigen, ons personeel en onze bewapening worden elke dag minder. ... Gisteren kwam er zelfs een beroemde journalist per vliegtuig bij mij om me te interviewen in Benning; hij schrijft een artikel over de reactie van het leger op de bezuinigingen die worden opgelegd aan de krijgsmacht in de tijd na de perestrojka.'

'N...n...na de perestrojka?' stotterde de minister en hij viel voorover op zijn bureau, waarbij zijn transpiratie het zwabberen van zijn linkeroog alleen maar erger maakte. 'Luister goed, soldaat! Hoe zit het met een veel gevaarlijker bedreiging, de grootste bedreiging die we ons kunnen voorstellen?'

'China, Libië, Israël?'

'Nee, idioot die je bent! De groene mannetjes – wie weet hoe ver die zullen gaan?'

'De wát?'

'De...de...UFO's!'

25

Het was vroeg in de ochtend en Jennifer Redwing sprong uit de branding op het strand in Swampscott. Ze trok de bandjes van het badpak recht dat ze in een van de gastenkleedhokjes had gevonden en rende over het zand naar de terrastrappen waar ze een handdoek over een leuning had gehangen. Verwoed droogde ze haar armen en benen, schudde haar haar achterover en masseerde haar hoofdhuid. Toen ze haar ogen opende zag ze Sam Devereaux glimlachend naar haar kijken vanuit een stoel op het zonneterras.

'Je zwemt lang niet slecht,' zei hij.

'Dat hebben we geleerd door kolonisten in de stroomversnelling te lokken en toe te kijken hoe ze verdronken terwijl wij de rivier overzwommen,' antwoordde Jenny lachend.

'Dat wil ik best geloven.'

'Het is waarschijnlijk nog waar ook.' Jennifer beklom de trap en liep het terras op terwijl ze de handdoek om zich heen wikkelde. 'O, lekker,' zei ze, toen ze de ronde tafel van mat plexiglas zag. 'Een pot koffie en drie koppen.'

'Mokken, eigenlijk. Ik kan geen koffie drinken uit kopjes.'

'Da's gek, ik ook niet,' zei Jenny terwijl ze ging zitten. 'Ik denk dat ik ze daarom koppen noem; voor mij betekent het hetzelfde. Ik heb er misschien wel een dozijn van in mijn flat, en heel weinig dezelfde.'

'Ik heb er wel twee dozijn en maar vier dezelfde. Die komen natuurlijk van mijn moeder, ze zijn van een soort groen kristal en ik gebruik ze nooit.'

'Dat heet Iers glas en het is verschrikkelijk duur; ik heb er twee en ik drink er ook nooit uit.'

Beiden keken ze elkaar lachend in de ogen; het duurde maar even maar het leek belangrijk. 'Lieve hemel,' zei Sam, 'we hebben bijna een minuut met elkaar gepraat en nog niets rots tegen elkaar gezegd. Daar zal ik je een kop – een mok – koffie voor inschenken.'

'Dank je. Gewoon zwart, alsjeblieft.'

'Dat helpt. Ik vergat de room of de melk of dat witte poeder dat ik nooit gebruik omdat het er uitziet alsof je in de lik kunt belanden als je het in huis hebt.'

'Voor wie is de derde kop – mok?' vroeg de Indiaanse Aphrodite terwijl ze de koffie aannam.

'Aaron. Mijn moeder is boven; ze is verliefd geworden op Roman Z die zei dat hij een zigeunerontbijt voor haar zou maken en het haar zou brengen. Cyrus wil het niet toegeven, maar hij zit in de keuken een kater uit te zieken.'

'Vind je niet dat hij Roman in het oog moet houden?'
'Je kent mijn moeder niet.'
'Misschien ken ik haar beter dan jij, daarom vroeg ik het.'
Opnieuw keken ze elkaar aan en hun lachen klonk luider... warmer. 'Jij bent een slechte indiaanse dame en ik zou je je koffie af moeten pakken.'
'Als je het maar laat. Eerlijk gezegd vind ik dat dit zowat de beste koffie is die ik ooit heb gedronken.'
'Vooruit maar, leg er nog maar een schepje bovenop. Roman heeft hem gezet. Natuurlijk heeft hij de duinen afgestroopt en ongetwijfeld een paar slijmerige zeeëgels uit zee gevist om door de koffie te doen, maar als je gaat gillen ga ik een scheermes zoeken om je baard af te scheren.'
'O, Sam,' proestte Jenny terwijl ze haar mok op de tafel zette. 'Soms ben je echt leuk, ook al ben je een van de lastigste mannen die ik ooit heb gekend.'
'Lastig? Ik? De hemel beware me. Maar betekent leuk in wigwamtaal dat we wapenstilstand hebben gesloten?'
'Waarom niet? Voordat ik gisteravond in slaap viel lag ik te bedenken dat we een paar ruige bergen moeten overtrekken en dat lukt ons niet wanneer we elkaar in de haren blijven zitten. Van nu af zal het vuur op ons zijn gericht, wettig en waarschijnlijk ook ander vuur en dat andere doet mijn bloeddruk weinig goed.'
'Waarom laat je mij dan niet vooroplopen zoals de Havik het zou uitdrukken? Ik zal je tijdens de hoorzitting niet dwarszitten.'
'Dat weet ik, maar waarom denk je dat je beter in staat bent met dat "andere" om te gaan dan ik? En als je gaat zeggen omdat je een man bent vliegen we elkaar weer in de haren.'
'Nou ja, afgezien daarvan, geloof ik dat zoiets natuurlijk is, maar het is onbelangrijk. Waar het op neerkomt is dat ik Mac Hawkins ken, dat ik weet hoe hij in gevaarlijke situaties reageert. Ik kan hem zelfs de wind uit de zeilen nemen en ik wil je wel vertellen dat ik niemand in de hele wereld liever naast me zou hebben dan Mac wanneer het erom gaat spannen.'
'Je bedoelt te zeggen dat jullie goed als team kunnen werken.'
'Mijn aandeel is wat minder, maar in het verleden hebben we het wel gedaan. Ik heb hem vaker een sluwe rotzak genoemd dan een computer zou kunnen berekenen, maar wanneer puntje echt bij paaltje komt, dan dank ik de maan en de sterren voor zijn enorme sluwheid. Ik kan zelfs aanvoelen wanneer hij iets uit die ongelooflijke militaire ransel van hem gaat trekken. Ik voel het aan en laat me meedrijven.'

'Je zult mij moeten leren hetzelfde te doen, Sam.'

Devereaux zweeg even en bekeek zijn koffiemok; hij keek haar weer aan. 'Vind je het erg als ik zeg dat zoiets dwaas zou kunnen zijn – zelfs een belemmering?'

'Je bedoelt dat ik de ouwe jongens in de weg zou kunnen lopen?'

'Om het heel eerlijk te zeggen, ja.'

'Dan zullen we gewoon mijn onbekwaamheid moeten riskeren.'

'Trek je weer aan mijn haren?'

'Och, toe nou, Sam, ik weet wat je doet en ik waardeer het, zelfs je sluimerende bombast. Ik ben niet gek en ik zie mezelf niet als een vrouwelijke commando, maar dit zijn *mijn* mensen. Ik kan me gewoon niet terugtrekken; ze moeten weten dat ik erbij ben – erbij was. Als ik wil dat ze naar me luisteren, dan moeten ze me respecteren en of je dat nu leuk vindt of niet, dat zullen ze niet doen als ik me verstop terwijl iemand anders de juridische kastanjes uit het vuur haalt, de juridische kastanjes van de stam.'

'Ik snap wat je bedoelt, het bevalt me niet maar ik begrijp het.' Ze hoorden een deur open- en dichtgaan, gevolgd door voetstappen in de woonkamer. Even later kwam Aaron Pinkus het huis uitlopen. Zijn tengere lijf was gehuld in een witte korte broek en een blauw hemd met korte mouwen en hij droeg een gele golfpet. Hij knipperde in het heldere zonlicht en liep naar de tafel. 'Goedemorgen, welwillende werkgever,' zei Devereaux.

'Goedemorgen, Sam, Jennifer,' antwoordde Aaron terwijl hij ging zitten en Jenny hem koffie inschonk. 'Dank je, beste meid. ... Ik dacht dat ik buiten stemmen hoorde, maar omdat ze niet luid klonken en ik helemaal geen scheldwoorden hoorde, had ik geen idee dat jullie het waren.'

'We hebben onderhandeld over een wapenstilstand,' zei Devereaux. 'Ik sta aan de verliezende kant.'

'Tot nu toe beginnen de zaken er goed uit te zien,' opperde de bekende advocaat. Hij knikte en nam een slokje uit zijn mok. 'Mijn hemel, dit is uitstekende koffie!'

'Gezet met kwallen en smerig zeewier.'

'Wat?'

'Let maar niet op hem, meneer Pinkus. Roman heeft hem gezet en Sam is jaloers.'

'Waarom, vanwege Roman en mijn moeder? Hé, zo ben ik niet.'

'Roman Z en Eleanor?' Onder de klep van zijn gele golfpet sperde Aaron zijn ogen wijdopen. 'Misschien kan ik maar beter naar binnen gaan en opnieuw naar buiten komen. De zaken zijn wat verward.'

'Laat maar, dit is gewoon onzinnig geklets.'

'Of het geklets is weet ik niet, beste meid, maar onzinnig is het heel erg... Het is bijna even onzinnig als de mentale gymnastiek waar onze vriend generaal Hawkins mee bezig is. Ik had hem zojuist aan de telefoon.'

'Wat gebeurt er?' vroeg Devereaux snel. 'Hoe is het in de skihut?'

'Kennelijk is de skihut, of tenminste het probleem dat ze bevat, haar "bivak" aan het verhuizen naar drie suites in het Waldorf-Astoria in New York.'

'Hè?'

'Veel meer ben ik ook niet te weten gekomen, Sam.'

'Het betekent dat hij het probleem heeft opgelost,' zei Jennifer vrolijk.

'En er een paar nieuwe bij heeft gekregen volgens mij,' voegde Pinkus eraan toe en hij keek Sam aan. 'Hij vroeg of jij in het Waldorf een krediet kunt regelen van honderdduizend dollar en of je je geen zorgen wilt maken. Aangezien het zijn dilemma is zal hij geld overmaken van Bern naar Génève – iets waarover ik *niets* wens te weten. ... Kan jij zoiets doen, of hij? Och, laat maar, niets!'

'Het is eigenlijk een eenvoudige overschrijving per computer, een bankcheque die door de aangewezen crediteur geïnd kan worden...'

'Ik weet wel hoe dat werkt, dat was de vraag niet! ... Och, laat maar, niets!'

'Dat is dus één probleem,' zei Redwing. 'Wat zijn de andere?'

'Zeker weet ik het niet. Hij vroeg me of ik filmproducenten kende.'

'Waarvoor?'

'Ik heb géén idee. Toen ik hem zei dat ik een jongeman heb gekend in de synagoge – hij werd eigenlijk de synagoge uitgezet – van wie ik later hoorde dat hij een aantal pornofilms had gemaakt, maar behalve hem niemand anders in de filmwereld, zei hij dat ik me geen zorgen hoefde te maken, hij zou het wel ergens anders proberen.'

'Dit is een van die momenten waarop ik aanvoel dat hij een sluw plannetje aan het uitbroeden is.'

'Het voorgevoel van Devereaux?' vroeg Jenny.

'De voorspelling van Devereaux,' antwoordde Sam. 'Wat nog meer, Aaron?'

'Nog vreemder. Hij wilde weten of wij cliënten hadden die iets aan hun ogen hadden, in het bijzonder linkerogen die niet op hun plaats bleven en het liefst iemand die onmiddellijk om geld verlegen zat.'

'Vreemd?' vroeg Redwing. 'Dat klinkt krankzinnig!'

'Onderschat nooit sluwe mensen, zoals het evangelie volgens Oliver North zegt met kruiperige oprechtheid.' Devereaux zweeg even. 'Ik kan zo'n cliënt niet bedenken, maar als dat wel zo was zou ik hem direct in bescherming nemen tegen wat Mac dan ook in zijn ransel heeft. ... Behalve die waardeloze bagatellen, wat gaan we nu doen, baas? Heb je het daarover gehad met de Havik?'

'Heel kort. We hebben nog tweeënhalve dag vóór de hoorzitting en op dat moment moeten jij, Jennifer en de generaal uit een voertuig, of voertuigen, stappen, de trappen oplopen van het Hooggerechtshof, door de griffiers worden toegelaten, de veiligheidscontrole passeren en meegenomen worden naar de kamers van de opperrechter.'

'O, o, ik kan het Mac horen zeggen,' interrumpeerde Sam.

'Precies,' stemde Pinkus in. 'Volgens mij waren dat zijn woorden, of iets in die geest, afgezien van een paar grove opmerkingen. Hij zei tegen me dat hij de situatie moest benaderen alsof hij met drie man een guerrillaoverval beraamde achter de vijandelijke linies.'

'Dat klinkt erg bemoedigend,' zei Jennifer een beetje benauwd. 'Wat verwacht hij, een tegenaanval van guerrillo's waarbij ze ons neerknallen?'

'Nee, hij sluit openlijk geweld uit, omdat zoiets averechts zou kunnen werken. Ze zouden weleens gesnapt kunnen worden.'

'Daar mogen we dan blij mee zijn,' voegde Jenny eraan toe.

'Maar hij sloot verhindering niet uit, dat heb je juist gezegd, zelfs het juiste woord gebruikt. Volgens hem zal de tegenaanval eruit bestaan dat men hem of Sam of beiden "verhindert" de kamers van de opperrechter te bereiken, want zonder hen heeft de behandeling geen enkel wettelijk nut. Eiser en advocaat moeten samen verschijnen.'

'En ik dan?'

'Uw verschijnen, beste juffrouw, is een kwestie van keuze – van volhouden als u dat wilt, als geïnteresseerde partij – en is wettelijk niet vereist. In deze situatie heeft de geïnteresseerde partij de zeggenschap over de zaak van de eiser – iets wat wel vaker voorkomt.'

'Dat is dan zoiets als in volksprocessen waarbij bepaalde toeschouwers bij de tafels van de aangeklaagden rondhangen,' zei Devereaux tegen Jenny terwijl hij Pinkus weer aankeek. 'Waarom blijven we niet hier tot overmorgenmiddag, nemen ons eigen vliegtuig naar Washington en stappen we niet in een paar gewone taxi's naar het Hof? Ik zie daar geen probleem in. Niemand weet waar we zijn, op de man na die Cyrus en Roman inhuurde als onze lijfwachten, die man met wie Mac heeft gesproken. Zelfs Cyrus is het nu met de Havik eens; wie de man ook is, hij wil ons gezond en wel houden en zorgen dat we heelhuids bij die hoorzitting komen.'

'Cyrus wil ook weten waarom,' zei Redwing. 'Of heeft hij dat niet gezegd?'

'Mac heeft het hem verteld; ik was erbij. Deze "Commandant Y" heeft een appeltje te schillen met de mensen die de behandeling van de zaak stop willen zetten, wat inhoudt dat ze ons willen verhinderen daar te komen.'

'Kennelijk, beste juffrouw, is onze onbekende weldoener vroeger een trouwe vriend geweest van de mensen die tegen ons zijn, totdat hij hoorde dat diezelfde mensen andere plannen met hem hadden. Zoiets als een politiek offer, misschien wel een mensenoffer, wat, volgens de generaal, geen van beide in Washington erg ongewoon is.'

'Maar meneer Pinkus...' Jennifer kneep haar ogen halfdicht, gedeeltelijk tegen het vroege zonlicht, gedeeltelijk vanwege een verontrustende gedachte. 'Er ontbreekt iets, iets essentieels volgens mij. Misschien ben ik paranoïde waar het opperhoofd Donderkop betreft en misschien ook niet zonder reden. Maar Hawkins heeft ons gisteravond alleen maar gezegd dat alles onder controle was – "onder controle". Wat wil hij daarmee zeggen? ... Goed dan, ergens heeft hij kans gezien die acteurs-guerrillo's te verhinderen ons te grazen te nemen – maar hoe? Wat is er in Fort Benning gebeurd? We waren allemaal zo opgelucht toen we hoorden dat we weer rustig konden slapen dat we het hem nooit hebben gevraagd.'

'Dat is niet helemaal juist, Jennifer. Vóór vanmorgen waren hij en ik overeengekomen dat we via de telefoon niet te veel in details zouden praten; zoals hij zei was er al eerder in Hooksett een aanvalsteam achter ons aangestuurd en een telefoon afluisteren zou een normale zaak zijn.'

'Ik dacht dat de lijn daar kapot was,' zei Devereaux.

'Dat hebben we gezegd, maar dat was niet waar. Gisteravond kon hij niet zeggen wat hij vanmorgen zei.'

'Werd er toen niet meer afgeluisterd? Hoe kon hij dat weten...'

'Dat deed er niet toe. Vanmorgen belde hij vanuit een cel in Sophie's Cafetaria langs Route drieënnegentig. Hij zei zelfs dat ze zulke lekkere eieren met spek hadden.'

'Toe nou, meneer Pinkus,' zei Redwing. 'Wat heeft hij u verteld over Fort Benning?'

'Heel erg weinig, beste juffrouw, maar genoeg voor deze oudere advocaat dat hij zich afvraagt wat er met de gerechtigheid was gebeurd bij die beschermers van het begrip. ... Achteraf bekeken vraag ik me nu af waarom ik eigenlijk nog verbaasd ben.'

'Daar zeg je nogal wat, Aaron.'

'Wat de generaal me vertelde was niet mis, jongeman. Om onze zwaar gedecoreerde generaal te parafraseren, de vijandelijke actie tegen ons – in feite tegen de wetten om met klachten in de openbaarheid te treden – stamt uit het kantoor van een van de machtigste publieke personen die zijn sporen zo goed heeft verborgen tot ze haast niet meer bestaan. Hij kan niet op het matje worden geroepen, want er is niets om hem te belasten...'

'Verdómme!' viel Devereaux uit.

'Met alles wat er gebeurd is, moet er toch zeker wel *iets* zijn!' riep Jennifer. 'Wacht eens even... die gangster uit Brooklyn, die man die Hawkins in het hotel k.o. heeft geslagen, Caesar of zoiets. Die was toch gearresteerd!'

'En het spoor leidde naar de overleden directeur van de CIA,' zei Pinkus.

'Dat klinkt bekend,' merkte Sam op.

'Die naakte kerels in het Ritz...?'

'Niemand in Washington wil iets van hen weten, ook de dierentuin niet. Daarna zijn ze op borgtocht vrijgelaten, betaald door iemand die beweerde dat hij lid was van een naturistenclub in Californië en verdwenen.'

'Verdomme,' zei Jenny en de krachtterm verried zowel teleurstelling als woede. 'We hadden nooit mogen toelaten dat Hawkins die vier gewapende gekken in de skihut terugstuurde naar waar het dan ook was. We hadden hen voor poging tot moord, schending van eigendommen, het bezit van maskers, vuurwapens, granaten – zelfs een getatoeëerd voorhoofd. We zijn gek geweest ons te laten bepraten door Klapsigaar!'

'Beste meid, ze wisten van toeten noch blazen; we hebben hen lang ondervraagd – en alleen maar onsamenhangende dingen gehoord. Zijzelf waren krankzinnig geprogrammeerde psychopaten, even ontkenbaar als de nudisten. En als we hen hadden overgeleverd aan de politie hadden we onze schuilplaats verraden. ... Erger nog, moet ik tot mijn schande zeggen, er zou nogal wat belangstelling van de pers zijn geweest, aangezien de hut op naam stond van mijn firma.'

'Bovendien,' voegde Devereaux eraan toe, 'en ik ben niet gewend Mac in de bloemetjes te zetten, maar hij had gelijk. Door hen terug te sturen hebben we het klimaat geschapen dat er rechtstreeks toe leidde dat dat geschifte Knettergekke Zestal naar Boston vloog.'

'En dat leidde naar generaal Ethelred Brokemichael,' zei Aaron, met een gemene grijns, voorzover hij daartoe in staat was.

'Wat bedoelt u, meneer Pinkus? Gisteren zei u nog dat Brokemichael buiten bereik zou zijn, zou worden overgeplaatst naar een onbekende buitenpost, als hij ooit te voorschijn komt. U zei dat Washington het zich niet kon veroorloven de naam van de functionaris die de Air Force Two had opgecommandeerd boven water te laten komen – ik weet het nog omdat ik het met u eens was.'

'En we hadden beiden gelijk, Jennifer, maar het ontbrak ons aan de sluwheid van de generaal, zoals ik meen dat Sam dat noemde. Die geweldige militaire tacticus had een bandrecorder op zijn borst bevestigd tijdens zijn hele interview met generaal Brokemichael. Het Pentagon had "Brokey de Tweede" ver genoeg weg kunnen sturen om onbereikbaar te zijn. ... Ik moet jullie echter wel vertellen dat generaal Hawkins wil laten weten dat dat apparaat gesuggereerd werd door onze huurling-scheikundige, kolonel Cyrus.'

'Ik neem aan dat de naam van die machtige persoonlijkheid op de band staat,' zei Sam, met een gezicht waaruit weinig hoop sprak.

'Heel zeker. Met zelfs het feit erbij dat hij op de basis kwam zonder herkend te worden.'

'Wie ís hij dan, verdomme?' drong Devereaux aan.

'Ik vrees dat onze generaal weigert die naam nu te noemen.'

'Dat kan hij niet máken,' riep Redwing uit. 'We zitten allemaal in hetzelfde schuitje, we moeten het weten!'

'Hij zegt dat Sammy, als hij dat wist, een stier in een porseleinwinkel zou worden en " ... hoog te paard zou gaan zitten en persoonlijk een cavaleriecharge zou uitvoeren..." ten nadele van de aanstaande plannen van Hawkins. Het woord "cavaleriecharge" was correct en juist. Dat weet ik, want ik heb een paar keer meegemaakt dat Sam zijn juridische verontwaardiging de vrije teugel liet.'

'Ik ben nóóit een stier in een porseleinwinkel,' protesteerde Devereaux.

'Mag ik je herinneren aan een aantal zeer luide kritieken die je in de rechtszaal ten beste hebt gegeven?'

'Die waren volkomen gerechtvaardigd!'

'Ik heb nooit gezegd dat ze dat niet waren; als dat niet het geval was geweest had je nu bij een andere advocatenfirma gezeten. Het strekt je tot eer dat je de pensionering van minstens vier rechters in het district Boston op je kerfstok hebt.'

'Zie je nou wel?'

'De generaal ziet dat ook. Hij beweerde dat je op dat hoge paard van je ging zitten – door piloten om te kopen en helikopters te stelen – van ergens in Zwitserland tot Rome toe en hij ziet het liever niet nog eens gebeuren.'

'Dat moest toen!'

'Waarom, Sam?' vroeg Jennifer kalm. 'Waarom moest dat toen?'

'Omdat het verkeerd was. Moreel en ethisch verkeerd, tegen alle wetten van de beschaafde mensheid.'

'Mijn god, Devereaux, hou daar mee op! Je kunt me inderdaad bekeren – vergeet het maar.'

'Wat?'

'Vergéét het! ... Dus Klapsigaar wil het ons niet zeggen, meneer Pinkus. Wat doen we nu?'

'We wachten af. Hij laat een kopie maken van de band en die brengt Paddy Lafferty ons vanavond. Als we dan binnen vierentwintig uur niets horen van de generaal moet ik de president van de Verenigde Staten bellen en hem de band via de telefoon laten horen.'

'Zwaar geschut,' zei Sam zacht.

'Het allerzwaarste,' stemde Jennifer in.

Ofschoon het gedurende de reis naar het zuiden van Hooksett naar New York City in de limousine van Aaron Pinkus wat benauwd was achterin – het Knettergekke Zestal zat met z'n drieën tegenover elkaar terwijl de Havik voorin reed met Paddy Lafferty – kreeg men verschillende dingen voor elkaar. Het eerste werd mogelijk gemaakt door kort te stoppen bij een winkelcentrum in Lowell, Massachusetts, waar de generaal nog twee bandrecorders kocht en een karton met banden van een uur; hij dacht dat het wel genoeg zou zijn voor de reis naar New York en zo nodig verder. Mac had daarbij een verlengsnoer met een signaalverzwakker gekocht die het hem mogelijk maakte het gesproken materiaal van de ene band over te brengen op een nieuwe in een tweede apparaat, zodat hij de opgeslagen dialoog kon kopiëren.

'Kijk, ik zal het u laten zien hoe je dat doet. Het is heel eenvoudig,' had de bediende in de Radio Shack gezegd.

'Jongen,' had de Havik haastig geantwoord, 'ik heb al voorwereldse zenders tussen grotten van holenmensen met elkaar doorverbonden nog voordat jij een radio kon aanzetten.'

Toen hij weer in de auto zat en de eerste pasgekochte recorder in werking was gesteld, draaide Mac zich om naar de mannen van Brokemichael achter in het voertuig. 'Heren,' begon hij, 'aangezien ik de contactman zal zijn tussen u en die filmmensen waarmee u gaat kennismaken, stelde uw commandant, mijn vriend Brokey, voor dat u me alles zou vertellen wat u hebt meegemaakt, zowel als individuele personen als als leden van uw ongelooflijke, succesvolle Knettergekke Zestal. Dat zal me helpen bij mijn gesprekken met die beroemde producenten. ... En laat u niet weerhouden door de aanwezigheid van meneer Lafferty hier – artilleriesergeant Lafferty. Wij hebben samen in het Ardennenoffensief gevochten.'

'Ik zou hier ter plekke dood kunnen blijven en mijn ziel zou recht naar de hemel gaan!' mompelde Paddy binnensmonds.

'Wat zei je, sergeant?'

'Niets generaal. Ik zal rijden zoals u ons dat hebt geleerd bij de opmars naar Roubaix. Als de gesmeerde bliksem, zei u toen.'

Terwijl de enorme auto voortraasde begon er een ononderbroken verhaal van vier uur, de complete geschiedenis van de eenheid die het Knettergekke Zestal wordt genoemd – dat wil zeggen ononderbroken zolang de leden elkaar niet in de rede vielen, hetgeen vaak het geval was, met explosieve energie. Tegen de tijd dat ze Bruckner Boulevard bereikten, de oprit naar de brug naar de oostkant van Manhattan, stak de Havik zijn linkerhand op en zette met zijn rechter de bandrecorder af. 'Zo is het prima, heren,' had hij gezegd en zijn oren tuitten nog van de schelle melodrama's vanaf de achterbanken. 'Ik heb nu het hele beeld en zowel uw commandant als ik dankt u.'

'Goeie genade,' had sir Larry uitgeroepen. 'Daar schiet me iets te binnen! Onze kleren, de bagage die uw jonge adjudanten gisteravond voor ons hebben afgehaald in het hotel, die moeten allemaal nodig worden gestreken. Het zou nauwelijks gepast zijn als men ons in gekreukelde kleren in het Waldorf zag rondlopen. Of, de hemel beware me, Sardi's zag binnengaan!'

'Goed idee.' Het was een kreukel die Hawkins niet had voorzien en het had niets te maken met kleren. Het laatste wat ze nodig hadden was dat de uitgelaten acteur-commando's overal gingen rondparaderen! Vooral zes goedgemutste toneelspelers die meenden dat ze op het punt stonden een groot succes binnen te slepen. *Christus!* dacht MacKenzie en hij herinnerde zich uit zijn korte periode in Hollywood dat een acteur – vooral een werkloze acteur – niet meer dan een vage hint nodig had dat er een felbegeerde rol in het vooruitzicht was om zijn of haar persoonlijk netwerk op volle toeren te laten draaien. Hij sprak de acteurs nooit tegen, want onbeloond talent had al het vertrouwen nodig dat het kon opbrengen, maar dit was niet de tijd voor het Knettergekke Zestal om terug te vallen in hun rol van vóór hun clandestiene tijd. Sardi's! Een theaterinstelling! 'Weet u wat,' had de Havik gezegd, 'zodra we op de kamers zijn zal ik alles naar de stomerij van het hotel laten sturen.'

'Hoe lang gaat dat duren?' vroeg de Duke, die tevens voorzitter van de Raad was.

'Och, dat doet er niet echt toe,' antwoordde Mac, 'in elk geval niet voor vanavond en misschien niet eens morgen.'

'Wat?' zei Marlon.

'Hé, toe nou!' voegde Sylvester eraan toe.

'Ik ben in jaren niet meer de stad in geweest!' zei Dustin.
'En meneer Sardi is een goede persoonlijke vriend,' zei Telly. 'Hij is de eigenaar, een ex-marinier overigens...'
'Het spijt me, heren,' viel de Havik hen in de rede. 'Ik vrees dat ik niet duidelijk ben geweest over dit bivak, ik dacht eigenlijk dat u het wel zou begrijpen.'
'Wat begrijpen?' herhaalde Sly, niet bijster vriendelijk. 'Jij praat net als een impresario.'
'Voor uw aanstaande besprekingen moet de... grootste geheimhouding in acht worden genomen. Die geweldige commandant van u, generaal Brokemichael, gaat weliswaar voor u een goed woordje doen bij die mensen uit Hollywood, maar u bent nog steeds in het leger en alles zou kunnen mislukken als er iets over bekend wordt. Ik bedoel maar écht mislukken. Daarom hebt u kwartierarrest totdat hij dat verandert.'
'We zullen hem wel bellen,' opperde Marlon.
'Dat kan helemáál niet! ... Ik bedoel, alle communicaties zijn uiterst geheim.'
'Dat is voor noodgevallen,' zei Dustin. 'Dan kunnen ze je golflengte niet te weten komen.'
'En we hebben het nu over een noodgeval. Die smerige politici, die geprobeerd hebben ons tegen elkaar op te zetten, zijn eropuit uw film en uw carrières de grond in te boren. Ze willen alles zelf in hun zak steken.'
'De vuile rotzakken,' riep de Duke. 'Ik zal niet ontkennen dat velen van hen acteurs zijn maar alles wat ze uitkramen is zo onbetekenend!'
'Aan hun motivaties ontbreekt een eerlijke ruggegraat,' voegde Sylvester eraan toe.
'Er steekt geen greintje waarheid achter,' beweerde Marlon nadrukkelijk.
'Je moet toegeven dat ze wel techniek hebben,' zei sir Larry. 'Maar het is Pavloviaans, stuk gerepeteerd als het ware.'
'Als het ís!' bevestigde Telly. 'Citaten, geprogrammeerde uitdrukkingen en gefronste wenkbrauwen wanneer ze hun tekst vergeten zijn – wanneer worden die mensen toch eens wakker?'
'Nou ja, ze kunnen misschien proberen te acteren, maar daarom zijn ze nog geen acteurs!' riep de Duke. 'En ik mag doodvallen als ik mijn werk door hen laat afpakken! ... We zullen onszelf kwartierarrest opleggen en alles doen wat u verder nog wilt, generaal!'

MacKenzie Hawkins, keurig gekleed maar niet erg imposant in zijn grijze pak, fondsbrilletje, rossige pruik en licht gebogen schouders, liep over het vloerkleed van de drukke lobby van het Waldorf, op zoek naar een telefoon. Het was kort na enen in de middag en de strijdende acteurs van het Knettergekke Zestal zaten veilig opgeborgen in aaneengrenzende suites op de elfde verdieping. Nu ze de vrij funeste kost van Desi-Twee niet meer hoefden te slikken en waren opgekikkerd door grote hoeveelheden versterkend voedsel, lichaamsoefeningen en een fatsoenlijke nacht slaap, zonder dat er spinnen tegen de muren opkropen, waren alle leden van de groep volledig hersteld en in een uitgelaten stemming. De mannen hadden hem verzekerd dat ze hun gevechtskleding bij zich hadden – een essentieel onderdeel – en dat ze in hun suites zouden blijven en niet naar buiten zouden bellen, hoe verleidelijk de aandrang ook was. Terwijl ze zich aan het inrichten waren had de Havik de originele bandrecorder te voorschijn gehaald die hij had meegenomen naar Fort Benning, had het hele gesprek met Brokey de Tweede gekopieerd, de kopie aan Paddy Lafferty gegeven en hem opdracht gegeven die naar Swampscott te brengen. Hij was nu met een aantal dingen tegelijk bezig. Hij moest enkele niet na te trekken telefoontjes plegen – het eerste naar Kleine Jozef in Boston; het tweede naar een gepensioneerde admiraal die zijn ziel had verkocht om als stroman te dienen voor Buitenlandse Zaken en die Mac tevens een dienst verschuldigd was omdat die hem had behoed voor een ernstige fout aan boord van een voor de kust liggend slagschip in de Baai van Wonsan in Korea; en ten slotte naar een van zijn dierbaarste oude kameraden, de eerste van zijn vier verrukkelijke vrouwen, Ginny, in Beverly Hills, Californië. Hij draaide het kengetal, stak zijn creditkaart in de gleuf en draaide verder.

'Kleine Jozef, met de generaal.'

'Hé, snijboon, waar bleef je zo lang? De grote baas wil met je praten maar hij wil die plaats waar jullie zitten niet bellen omdat je niet weet wie er meeluistert op de toeter!'

'Dat komt goed uit, Kleine Jozef. Ik wil ook met hem praten.' De Havik keek naar het nummer op het toestel. 'Kun je hem bereiken?'

'Ja. Elk half uur loopt hij voorbij een telefoon aan Collins Avenue in Miami Beach. Dat is over ongeveer tien minuten vanaf nu.'

'Kan ik hem daar rechtstreeks bellen?'

'Vergeet het maar, snijboon. Hij belt jou wel, zo is het afgesproken.'

'Goed dan, zeg tegen hem dat hij dit nummer in New York belt, maar geef me twintig minuten, dan ben ik er.' Mac gaf het nummer van het toestel in het Waldorf en legde de hoorn op. Vervolgens haalde hij een notitieboekje uit zijn jaszak; hij bladerde erin tot hij de juiste pagina had gevonden. Opnieuw gebruikte hij zijn creditkaart.

'Hé, hallo, Angus, hoe gaat het met de stier van de Noordkoreaanse pampa's die toevallig ons geheime radiostation in Wonsan opblies?'

'Wie ben jij, verdomme?' antwoordde de schorre drankstem van de ex-admiraal.

'Eén keer raden, Frank. Wil je de kaartcoördinaten soms nog even nakijken?'

'Hávik? Ben jij het?'

'Wie anders, matroos?'

'Je weet verrekte goed dat mijn inlichtingen verkeerd waren...'

'Of jij hebt de cijfers niet goed gelezen – de cijfers die voor jou geheim waren, Frank.'

'Schei uit, Havik! Hoe kon ik verdomme nu weten dat jij daar zat? Een paar kilometer links of rechts van die plek, wie kon het wat schelen?'

'Mij kon het verdomd veel schelen, Frank, en mijn team ook. We zaten een heel stuk achter de linies.'

'Het is voorbij! Ik ben gepensioneerd!'

'Maar je bent ook consulent, Frank, een belangrijke, gerespecteerde deskundige van Buitenlandse Zaken voor militaire zaken in het Verre Oosten. Al die feestjes, de extraatjes, de privé-toestellen en de vakanties, als gunst van de leveranciers.'

'Ik ben zoiets verdomme waard!'

'Behalve dat je de ene kust niet van de andere kunt onderscheiden – met een paar kilometer naar links of rechts. Is dat een deskundige?'

'Havik, doe me een lol! Ouwe koeien uit de sloot halen doet geen van ons beiden veel goeds. Verrek, ik zag op de televisie dat je een belangrijke Zweedse onderscheiding zou krijgen, wat wil je dan nog van mij? Ik pik wat extraatjes mee en verzorg mijn tuin – ook al heb ik jicht. Wat wil je nog meer?'

'Ik wil dat je met Buitenlandse Zaken praat.'

'Dat doe ik al en ik zet me helemaal voor hen in.'

'Hier komt nog wat inzet die je hun moet geven, Frank, anders zal de Soldaat van de Eeuw uit de school gaan klappen over een van de grootste militaire blunders in Korea.' Vervolgens vertelde de Havik in details wat hij gedaan wilde hebben.

Het gesprek met Beverly Hills begon wat schamel. 'Mag ik alstublieft mevrouw Greenberg?'

'Er woont hier geen mevrouw Greenberg,' sprak de kille manne-

lijke Britse stem vanuit Californië.
'Dan heb ik misschien het verkeerde nummer gedraaid...'
'Nee, u noemde gewoon de verkeerde naam, meneer. Meneer Greenberg is meer dan een jaar geleden vertrokken. Zou u misschien met lady Cavendish willen spreken?'
'Is dat Ginny?'
'Dat is lady Cavendish. Mag ik vragen met wie ik spreek?'
'Zeg maar met Havik.'
'"Havik"? Zoals die walgelijke roofvogel, meneer?'
'Heel erg walgelijk en echt een roofvogel. Zeg nu maar tegen lady Caviaar of hoe ze ook mag heten dat ik aan de lijn ben!'
'Ik zal het haar zeggen maar ik kan niets garanderen.'
De abrupte stilte van een telefoon waarvan de hoorn even werd neergelegd werd onderbroken door de luide, opgewonden stem van de eerste vrouw van Mac. 'Schát, hoe gáát het met je?'
'Het ging een stuk beter met me voordat ik met die clown praatte die nodig eens zijn amandelen moet laten knippen. Verrek, wat is dat voor een vent?'
'Och, die is meegekomen met Chauncey; hij is al jaren de familiebutler.'
'Chauncey? ... Cavendish?'
'Lord Cavendish, schat. Hij bulkt van de centen en iedereen wil met hem kennismaken. Hij staat bij iedereen boven aan de lijst.'
'De lijst?'
'Och, dat weet je best, schat, invitaties.'
'Wat is er met Manny gebeurd?'
'Die begon zich te vervelen bij een oudere vrouw en daarom heb ik hem losgelaten voor heel veel geld.'
'Verrek, Ginny, jij bent helemaal niet oud!'
'Volgens Manny is ieder meisje boven de zestien te oud. ... Maar genoeg over mij, lieveling, we moeten het over jóu hebben. Ik ben zó trots op je, Havik – de Soldaat van de Eeuw! Alle meisjes zijn trots op je!'
'Ja, maar wacht nog even met de feestjes, meid, het zou allemaal weleens een zwendeltje kunnen zijn.'
'Wát? Dat wil ik niet – dat willen wíj niet!'
'Ginny,' viel Mac haar in de rede. 'Ik heb er de tijd niet voor. Die piegems in Washington hebben me weer eens te grazen en ik heb hulp nodig.'
'Ik zal de meisjes vanmiddag bijeenroepen. Wat kunnen we doen en wie kunnen we het aandoen? ... Annie kan ik natuurlijk niet te pakken krijgen; die zit weer in een van die melaatsenkolonies, geloof

ik, en Madge zit aan de Oostkust – New York of Connecticut of zoiets – maar ik praat wel met haar en met Lillian in een verzamelgesprek.'

'Ik belde eigenlijk alleen jou maar, Ginny, omdat ik geloof dat jij degene bent die me kan helpen.'

'Ik, Havik? Luister, ik apprecieer je ridderlijkheid maar ik ben echt de oudste. Ik ben er niet bijster gelukkig mee dat te moeten toegeven, maar Midgey en Lil zijn waarschijnlijk geschikter voor je. Ze zien er alletwee nog verrukkelijk uit. Wat dat betreft blijft Annie natuurlijk de kampioene, maar volgens mij schrikt iedere vent in een kwetsbare broek zich kapot van haar kleren.'

'Je bent een geweldig grootmoedige vrouw, Ginny, maar daar gaat het niet om. ... Sta je nog steeds op goede voet met Manny?'

'We praten via de advocaten. Hij wil een paar van die schilderijen die we hebben gekocht terug hebben, maar ik mag doodvallen als ik die geile rotzak zelfs maar de verf van de goedkoopste lijst laat schrapen.'

'Verdómme, daar gaat de kans waarop ik hoopte!'

'Vertel me eens wat meer, Havik. Wat heb je nodig?'

'Ik heb een van die scenarioschrijvers nodig die hij huurt in de studio om iets voor me op te stellen.'

'Gaan ze weer een film over jou maken?'

'Verrek, nee. Nooit van m'n leven!'

'Ik ben blij dat te horen. Waarvoor heb je dan een schrijver nodig?'

'Voor het nodige vrij ongelooflijke materiaal, allemaal waar, dat ik voor de neuzen wil laten bungelen van die boeddha's in Hollywood, maar het moet er goed uitzien en ik moet het snel hebben. Misschien wel over een dag.'

'Een dag?'

'Verrek, alles bij elkaar hoeft het niet meer dan vijf of zes pagina's te beslaan, maar die moeten wel op scherp staan, Ginny. Ik heb alles op een paar geluidsbanden. Manny zou wel iemand weten die het kon doen...'

'Maar dat weet jij ook, schat! Wat dacht je van Madge?'

'Wie?'

'Jouw nummer drie, *mon général*.'

'Midgey? Wat is er met haar?'

'Lees jij de vakpers niet meer?'

'De wat?'

'De *Hollywood Reporter* en de *Daily Variety*, die bijbels van dit in sinaasappelsap verzopen land.'

'De echte bijbel ligt me ook al niet zo. Wat is er met die andere?'

'Madge is een van de meest gezochte scenarioschrijfsters in de stad! Ze is zo gezocht dat ze zelfs de stad uit kan gaan en in New York of Connecticut kan werken. Haar laatste scenario, *Mutant Homicidal Lesbian Worms*, is een bestseller geworden!'

'Verrek. Ik heb altijd al geweten dat Midgey literaire aanleg had, maar...'

'Gebruik vooral dat woord "literair" niet!' viel lady Cavendish hem in de rede. 'Dat is daar vergif. ... Wacht, ik zal je haar telefoonnummer geven, maar je moet wel een paar minuten wachten dan kan ik haar eerst bellen en zeggen dat ze jouw telefoontje kan verwachten. Ze zal het héél spannend vinden!'

'Ginny, ik zit op dit moment in New York.'

'Zij boft toch maar weer! Ze zit in twee-nul-drie.'

'Wat is dat?'

'Het kengetal, een plaats die Greenwich heet, maar niet in Engeland. Bel haar maar over vijf minuten, schat. En wanneer dit allemaal voorbij is, wat het dan ook is, moet je eens hierheen komen en kennismaken met Chauncey. Dat zou hij echt fijn vinden want hij is een grote bewonderaar van jou – hij diende bij de Vijfde Grenadiers; de Vijfde of de Vijftiende of de Vijftigste, dat heb ik nooit goed begrepen.'

'De Grenadiers behoorden tot de besten, Ginny! Je bent er echt op vooruitgegaan en je kunt er je nylons onder verwedden dat ik jullie beiden een keer op kom zoeken!'

Even scheen de zon op MacKenzie Hawkins toen hij in de lobby van het Waldorf de hoorn oplegde, nadat hij met de punt van zijn zakmes het nummer van zijn derde vrouw in de balie van imitatiemarmer had gekrast. Hij was zo in zijn nopjes met de manier waarop alles verliep dat hij een sigaar uit zijn jaszak haalde, erop kauwde totdat het tabakssap begon te vloeien en ze vervolgens opstak met een lucifer die hij op de balie aanstreek. Een matroneachtige dame in een opvallend gekleurde zomerjurk die links van hem aan het telefoneren was, begon hevig te hoesten. Tussen twee hoestbuien door keek ze de Havik woedend aan en zag ze kans haar gal te spugen.

'Zo'n keurig geklede man met zo'n walgelijke gewoonte!'

'Niet erger dan die van u, mevrouw. De hotelleiding staat erop dat u ophoudt die jonge gewichtsheffers mee naar uw kamer te nemen.'

'Goeie god, wie heeft u dat...?' De keurige dame verbleekte en rende in paniek weg toen de telefoon van Mac rinkelde.

'Commandant Y?' vroeg Hawkins zacht.

'Generaal, het wordt tijd dat we eens samenkomen.'

'Prima, meneer! Maar hoe kan dat, als u nog steeds dood bent?'
'Ik heb zo'n geweldige vermomming dat mijn eigen moeder me nog niet zou herkennen, moge ze rusten in vrede.'
'Het spijt me voor je verlies, kerel. Altijd rot je moeder te moeten verliezen.'
'Ja, ze zit in Lauderdale... Luister, ik heb een boel aan mijn hoofd, daarom moeten we snel praten, vooral over hoe jullie over twee dagen naar die hoorzitting gaan. Heb je een plan?'
'Er begint er een te komen, commandant, daarover wilde ik juist met u praten. Ik ben erg weg van dat bewakingsdetachement dat je ons hebt gestuurd...'
'Detachement? Welk detachement?'
'De huurlingen.'
'Wie?'
'De twee mannen die je hebt aangenomen als extra bescherming van ons.'
'O, ja, ik heb ook zoveel aan mijn kop. Het spijt me van die nazi, ik dacht dat hij zich met varkensstront zou scheren als je hem er opdracht voor gaf.'
'Nazi? Wat voor nazi?'
'Och, ja, dat was ik vergeten, die is kwijtgeraakt. Wat voor plan heb je nu?'
'Ten eerste wil ik je toestemming om het detachement erbij te betrekken.'
'Haal er maar bij wie je wilt – wat voor detachement dan ook.'
'De bewakers, commandant.'
'Och, ja, het spijt me van die mof. Luister, ik heb niet veel tijd en aangezien jouw plan nog niet helemaal rond is zou ik me heel wat beter voelen als jij en die maffe advocaat van je in mijn onmiddellijke nabijheid waren, als je snapt wat ik bedoel.'
'Sám? Heb jij gehoord over Sam Devereaux?'
'Niet op die manier uitgesproken, maar ik begrijp dat die hoge heren op Defensie, toen ze hoorden dat die Devereaux jouw advocaat voor vuile zaakjes was, bloed wilden zien, zoiets als zijn aambeien amputeren met een granaat.
Het schijnt dat hij, toen hij voor de Inlichtingendienst werkte, de verkeerde legerbanaan in Cambodja heeft aangewezen.'
'Dat is allemaal geregeld, commandant, de fout is hersteld.'
'Dat mag jij dan wel denken, maar de Gezamenlijke Chefs van Staven weten daar nog niets van. Er zijn een paar van die Westpointers die de rotzak aan een lantaarnpaal willen ophangen. Hij staat, samen met jou, bovenaan op hun lijst van gezochte personen.'

'Op die complicatie had ik niet gerekend,' zei de Havik kortaf. 'Ze hoeven echt niet zo vijandig te doen, echt niet.'

'Haha,' schreeuwde Vinnie Boem-Boem. 'Misschien vergeet je het uiteindelijke doel van dat zwendeltje van jou! Het *sac* – en in dit geval is dat beslist geen zakje pinda's.'

'Ja, dat begrijp ik, commandant, maar een oplossing zonder geweld is nog steeds mogelijk – niet waarschijnlijk, maar mogelijk. Het is het proberen waard.'

'Ik zal je eens vertellen waaraan ík denk,' viel Mangecavallo hem in de rede. 'Ik wil jou en die mafketel van een advocaat vanavond in Washington spreken. We vliegen er beiden heen en ik berg jullie ergens op totdat we jullie in een pantserwagen naar het Hof brengen. Weet jij soms iets beters?'

'Jij hebt kennelijk weinig ervaring in clandestiene operaties, commandant Y. Het doorbreken van de vijandelijke linie is eenvoudig; maar het komt eropaan hoe je infiltreert. Elk punt naar doel Nul moet worden berekend.'

'Spreek je moerstaal eens, makker!'

'Elke hindernis naar de kamers van de opperrechter moet worden genomen. Er is een manier om dat te doen – misschien.'

'Misschien? We hebben geen tijd voor misschiens!'

'Misschien toch. En ik ben het met je eens dat we elkaar vanavond in Washington moeten spreken, maar ik zal jou zeggen waar. ... Bij het Lincoln Memorial, tweehonderd passen vanaf de voorkant en dan tweehonderd passen naar rechts. Precies om acht uur. Heb je dat, commandant?'

'Heb ik wat? Ik heb een hoop geouwehoer.'

'Ik heb geen tijd voor heetgebakerde burgers,' zei MacKenzie. 'Ik heb ook nog een boel te doen. Zorg dat je er bent!'

'Brokey, met Mac,' zei Hawkins en hij trok zijn creditcard uit de gleuf toen de melodie van 'There's No Business Like Show Business' werd onderbroken door de stem van Brokemichael.

'Jézus, je weet niet wat je me hebt aangedaan, Mac! Die verdomde minister van buitenlandse zaken. Die wil me kielhalen!'

'Vertrouw maar op mij, Brokey, misschien kun je hem dat zelf wel aandoen. Luister naar me en doe precies wat ik je zeg. Neem een vliegtuig naar Washington en...'

'Frank, met de Havik. Heb je het gedaan? Heb je die schele klootzak gebeld of ben je verleden tijd bij de diplomatieke dienst?'

'Ik heb het gedaan, rotzak, en hij wil alleen maar mijn strepen en mijn extraatjes, doerak die je bent! Ik ben zo goed als dood!'

'*Au contraire*, admiraal, misschien heb je je consulentschap wel verbeterd. Hij weet hoe laat en waar?'

'Hij zei me dat ik kon opdonderen en dat ik hem nooit meer moest bellen!'

'Goed zo. Dan zal hij er zijn.'

MacKenzie Hawkins liet de telefoon met rust, stak opnieuw zijn sigaar op en keek naar de openluchtbar aan de andere kant van de drukke lobby. Hij voelde een heftige aandrang om zich naar dat beschaduwde toevluchtsoord te begeven van lang vervlogen herinneringen, toen hij nog een verliefde jonge officier was, altijd tijdelijk maar tot over zijn oren verliefd op iemand, maar hij wist dat hij geen tijd had voor zo'n verzetje – al wilde hij dat hij die wel had. ... Madge, zijn derde vrouw, even lieflijk en belangrijk voor hem als de anderen; hij had van hen allen gehouden, niet alleen om wat ze waren maar om wat ze konden worden. Hij en een luitenant met veel te veel educatie hadden zich eens schuilgehouden in een Noordvietnamese grot langs de Ho Tsji Minh-weg, en omdat ze de uren alleen konden doorbrengen met gefluisterde conversatie, hadden ze hun levensverhalen uitgewisseld. Wilden ze niet ontdekt worden en sterven, dan was er niets anders te doen.

'Weet u wat u hebt, kolonel?'

'Wat heb ik, jongen?'

'Een Galatea-complex. U wilt elk mooi stenen beeld veranderen in iets wat van vlees en bloed en mooi is.'

'Hoe kom je aan dat geouwehoer?'

'Psychologiestudie, Universiteit van Michigan, meneer.'

Was daar dan iets verkeerds aan, of het beeld van steen of van vlees en bloed was? Maar Madge had, zoals de anderen, een bijna onvervulbare droom – ze wilde schrijven. Mac had in het geheim gehuiverd om haar pogingen, maar het viel niet te ontkennen dat ze je kon verbazen met haar fantastische personages en haar wilde verhalen. ... Midgey's tijd was dus aangebroken. Het was dan niet precies Tolstoj, maar *Mutant Homicidal Lesbian Worms* had zich ergens een plaatsje veroverd en hoe kaal die plek ook was, hij wist zeker dat zijn derde vrouw er haar brood mee kon verdienen. MacKenzie pakte de hoorn weer op, stak zijn creditcard in de gleuf en drukte de cijfers in. Het bellen hield op; de hoorn werd van de haak genomen en hij hoorde alleen maar een gegil van afschuw, van doodsangst.

'Help, hélp!' krijste een vrouwenstem over de lijn. 'De wormen kruipen omhoog vanaf de vloer en uit de muren! Duizenden! Ze zitten achter mij aan! Je ziet het aan hun zwaaiende koppen! Ze gaan me pakken!'

Ineens was het stil, een angstige stilte.

'Volhouden, Midgey, ik ben op weg! Geef me je verdomde adres!'

'Och, toe nou, Havik,' zei de rustige stem ineens over de lijn. 'Dat is alleen maar een promoband.'

'Een wát... ?'

'Dat ding dat ze in radio- en televisiespots laten horen. De kinderen zijn er dol op en hun ouders willen mij het land uit laten zetten.'

'Hoe wist je dat ik het was?'

'Ginny belde een paar minuten geleden en niemand heeft dit nummer behalve wij meisjes en mijn agent, die me nooit belt behalve wanneer er problemen zijn, en dat zou jij dolgraag horen, maar die zijn er nooit! Jíj hebt dat voor mij bereikt, Mac, en je weet gewoon niet hoe dankbaar ik jou daarvoor ben.'

'Heeft Ginny je dan niets verteld?'

'O, dat scenarioding, die samenvatting van tien pagina's; dat heeft ze zeker. Ik heb de koeriersdienst al gealarmeerd en ik wacht op je adres. Geef de chauffeur de banden maar mee en dan heb je morgenvroeg iets. Lieve god, dat is het minste dat ik kan doen!'

'Je bent een geweldige meid, Midgey, en ik waardeer het echt.'

' "Geweldige meid" – dat is nou weer echt iets voor jou, Havik. Maar eerlijk gezegd ben jij de geweldigste vent die wij meiden alledrie ooit hebben gekend – alleen vind ik soms dat je te ver bent gegaan met Annie.'

'Dat heb ík niet gedaan...'

'Dat weten we; ze houdt contact en we hebben allemaal beloofd niets te zeggen. Mijn god, wie zou zoiets gelóven?'

'Ze is gelukkig, Madge.'

'Dat weet ik, Mac. Dat is nu eenmaal jouw genie.'

'Ik ben geen genie – behalve misschien in bepaalde militaire situaties.'

'Probeer dat niet vier meisjes wijs te maken die geen kant op konden totdat jij op het toneel verscheen.'

'Ik ben in het Waldorf,' zei Hawkins abrupt en hij pinkte walgend het begin van een traan uit zijn oog weg. 'Zeg maar tegen je koeriersdienst dat ze rechtstreeks naar Suite Twaalf A moeten gaan; die staat op naam van Devereaux, voor het geval hij wordt tegengehouden of ze hem iets vragen.'

'Devereaux? Sám Devereaux? Die heerlijke, knappe jongen?'

'Blijf jij nou maar in twee-nul-drie, Midgey. Hij is knap oud geworden en heeft nu een vrouw en vier kinderen.'

'Verdomme, dat is echt om te huilen!' riep de derde ex-vrouw van MacKenzie Hawkins uit.

26

Iedereen verveelde zich die dag in Swampscott en omdat er niets te doen was belden de drie advocaten voortdurend hun kantoor in de hoop dat iemand verlegen zat om hun inzicht, ervaring, om een beslissing vroeg, of wat dan ook. Helaas voor ieder van hen was het komkommertijd en niemand leek meer nodig te hebben dan wat onbelangrijke informatie over weinig zeggende problemen. Het nietsdoen, nog verergerd door de wetenschap dat ze niet wisten waarmee de Havik bezig was, maakte iedereen wat prikkelbaar, vooral Sam en Jennifer. De laatste was weer bezig heel de krankzinnige situatie te overpeinzen.

'Waarom zijn jij en dat maffe stuk generaal van jou ooit in mijn leven gekomen, in onze levens?'

'Hé, wacht eens even, ik ben niet in jouw leven gekomen, jij hebt een taxi genomen naar mijn huis!'

'Ik kon niet anders...'

'Nee, natuurlijk niet, de taxichauffeur bedreigde je met een revolver en zei dáár ga je heen...'

'Ik moest Hawkins vinden.'

'Als ik het me juist herinner, en dat doe ik, heeft Charlie Zonsondergang hem het eerst gevonden; en in plaats van te zeggen: "Nee, je mag niet in de zandbak van de stam spelen", zei hij: "Natuurlijk, beste kerel, kom op, dan gaan we een kasteel bouwen."'

'Dat is niet eerlijk! Hij werd beduveld.'

'Dan kan hij als advocaat maar beter een reclamebord voor zijn huis zetten, anders krijgt hij nooit cliënten.'

'Ik luister niet meer naar jou... jij bent me te fanatiek.'

'Als anderen niet hard genoeg optreden ben ik dat zeker.'

'Ik ga zwemmen...'

'Beter van niet.'

'Waarom niet? Zijn er daar niet genoeg bloeddorstige haaien voor jou?'

'Als die er zijn, zeg dan adios tegen mijn moeder en Aaron en ook tegen Cyrus en Roman Z.'

'Zijn die allemaal aan het zwemmen?'

'Moeder en Aaron wilden gaan en onze huurlingen zeiden dat ze

niet alleen mochten.'
'Dat is lief.'
'Ik denk niet dat ze hun geld krijgen als er mensen verdrinken.'
'Waarom mag ik niet mee gaan zwemmen?'
'Omdat de juridische reus, Aaron Pinkus uit Boston, zegt dat je de conclusie van eis van Mac moet lezen en herlezen totdat je die uit je hoofd kent. Als "vriend van het Hof" heb je kans dat de rechters je onbevoegd verklaren.'
'Ik heb ze gelezen en herlezen en ik kan uit elke paragraaf citeren.'
'Wat vind je ervan?'
'Ze is briljant... verdomde briljant en daar heb ik de pest aan!'
'Dat was nu precies mijn eerste reactie. Hij had het recht niet zoiets te kunnen doen. ... Is het waar?'
'Weet je, dat zou best eens kunnen. De legenden die we allemaal hebben gehoord in onze jeugd, die van de ene generatie aan de volgende werden doorverteld en die daarbij ongetwijfeld werden overdreven en verwrongen, vertonen een boel melodramatische samenhang. Zelfs symbolisch.'
'Wat bedoel je met "symbolisch"?'
'Fabels over dieren die als mensen zijn voorgesteld. De wrede albinowolf die de geiten met de donkere pelzen misleidde om in een bergpas te gaan grazen, waaruit ze niet konden ontsnappen behalve door de vlammen van een bosbrand, een brand die zich vanuit de pas verbreidde tot over hun akkers en hun voedsel en huizen verwoestte.'
'De bank in Omaha die in brand werd gestoken?' vroeg Devereaux.
'Misschien. Wie zal het weten?'
'Laten we alle twee gaan zwemmen,' stelde Sam voor.
'Sorry dat ik kwaad werd...'
'Zo nu en dan een uitbarsting doet de vulkaan afkoelen. Dat is een oud Indiaans spreekwoord – ik geloof Navajo.'
'Wetman met dubbele tong heeft paardenstaarten in plaats van hersens,' zei Jennifer Redwing, zacht lachend. 'Op de vlakten van de Navajo's vind je geen bergen, laat staan vulkanen.'
'Heb jij nooit een Navajo-krijger woedend gezien omdat zijn vrouw een turkooizen armband gaf aan de blitser in de aangrenzende wigwam?'
'Jij bent echt onverbeterlijk. Kom op, we gaan zwempakken halen.'
'Ik zal je begeleiden naar de *cabañna* – het is niet de kashba, maar het kan ervoor doorgaan.'

'Ik zal je eens een echt indiaans spreekwoord geven. *Wanchogagog manchogagog* – och, verrek, omdat er twee *cabañna's* zijn betekent het in het Engels zoiets als één voor jongens en één voor meisjes. "Jij vist aan jouw kant, ik vis aan mijn kant, en niemand vist in het midden."'

'Wat mysterieus, bijna Victoriaans. Geen lol aan.'

De keukendeur ging open en Desi-Een en -Twee verschenen, beide kennelijk gehaast. 'Waar is die grote zwarte Cyrus?' vroeg Desi-Een. 'We moeten weg!'

'Waarheen? Waarom?'

'Naar Boston, meneer Sam,' antwoordde Desi-Twee. 'We hebben orders van de generaal!'

'Hebben jullie met de generaal gesproken?' vroeg Jenny. 'Ik heb geen telefoon gehoord.'

'Hier heeft geen *téléfono* gebeld,' zei Desi-Een. 'Wij bellen elk uur met hotel om contact te houden met José Bajito. Hij zegt wat we moeten doen.'

'Waarom gaan jullie naar Boston?' vroeg Devereaux.

'Om die maffe acteur op te halen, meneer majoor Soeton, en hem naar het vliegveld te rijden. De grote generaal heeft met hem gesproken en hij verwacht dat we het snel doen.'

'Wat gebeurt er allemaal?' vroeg Jennifer.

'Ik geloof dat je niet al te veel moet vragen,' waarschuwde Sam de advocaat.

'We moeten opschieten,' zei Desi-Een. 'Majoor Soeton zegt dat hij even moet uitstappen bij een grote winkel voor de *correcto* "tooi", en ik denk niet dat hij veren bedoelt. ... Waar is kolonel Cyrus?'

'Op het strand,' antwoordde een stomverbaasde Redwing.

'Pak jij de auto maar, Desi-Twee,' beval Desi-Een. 'Ik zal het tegen de kolonel zeggen en dan zie ik je wel in de garage. *Pronto!*'

'*Sí, amigo!*'

De adjudanten renden weg, de ene naar het strand via het zonneterras, de andere door de hal naar de garage naast de ronde oprit. Sam wendde zich tot Jenny. 'Heb ik niet zoiets gezegd als "Devereaux' profetie"?'

'Waarom vertelt hij ons niets?'

'Dat is het sluwe deel van zijn slinkse plannen.'

'Wat?'

'Hij vertelt je niet wat het is totdat hij zo ver is gegaan dat het niet meer terug te draaien is. Je kunt geen kant meer op.'

'O, wat geweldig!' riep Redwing uit. 'Stel dat hij het helemaal mis heeft?'

'Hij is ervan overtuigd dat zoiets onmogelijk is.'

'En jij?'

'Als je zijn oorspronkelijke uitgangspunt vergeet, dat altijd verkeerd is, dan heeft hij het tot dusver niet slecht gedaan.'

'Dat is niet genoeg!'

'Het is in feite werkelijk geweldig, verdomme.'

'Waarom voel ik me nog steeds niet gerustgesteld?'

'Omdat dat "verdomme" betekent dat hij je tot aan de grens van vernietiging zal drijven en dan zet hij op een goede dag die extra stap en zijn we allemaal het gesjochte haasje.'

'Hij laat meneer Sutton zijn plaats innemen, denk je niet?'

'Waarschijnlijk; hij heeft hem in actie gezien.'

'Ik vraag me af waar.'

'Vergeet het maar gauw. Dat is gemakkelijker.'

Johnny Kalfsneus zat, prachtig gekleed in zijn bukskin broek en jasje vol felgekleurde kralen, terneergeslagen naar de plensregen te kijken achter het loket van de toegangswigwam van de Wopotami's, een groot, bont geschilderd bouwsel in de vorm van een pionierswagen waar uit het midden van de lagen nepzeildoek, de vier kanten van een kleurige Indiaanse wigwam oprezen. Toen opperhoofd Donderkop het bouwsel had ontworpen en timmerlieden uit Omaha had gehaald om het op te trekken, hadden de bewoners van het reservaat stomverbaasd toegekeken. Arendsoog, van de Raad van Ouderen had Kalfsneus gevraagd:

'Wat doet die gek nu? Wat moet dat voorstellen?'

'Volgens hem vertegenwoordigt het de twee beelden die het vaakst met het Wilde Westen worden geassocieerd. De pionierswagen en de symbolische wigwam waaruit de barbaarse stammen kwamen om hen af te slachten.'

'Hij heeft voor geen sikkepit hersens. Zeg hem dat we een stel mechanische schoffels nodig hebben, maaimachines, minimaal tien mustangs en minstens een dozijn werklui.'

'Waarvoor?'

'Hij wil dat we de noorderwei egaliseren en "overvallen" gaan opvoeren.'

'*Mustangs*?'

'Niet de auto's, echte paarden. Als we rond de kring van wagens willen galopperen kunnen we maar beter de jongeren leren paardrijden en die paar knollen die we hebben kunnen niet eens van de ene kant van de wei naar de andere lopen.'

'Oké, maar waarvoor de werklui?'

'We mogen dan barbaren zijn, Kalfsneus, maar als geheel zijn wij de "edele wilden". Dat soort slavenarbeid is niets voor ons.'

Dat was maanden geleden en dit was het heden, een kleddernatte middag, zonder zomertoeristen om een overvloed van souvenirs te kopen, 'Made in Taiwan'. Johnny Kalfsneus stond op van zijn kruk voor het loket en liep door de smalle, met leer beklede ingang naar zijn comfortabele woonruimte naar het televisieapparaat. Hij zette het aan, schakelde in op een footballwedstrijd en ging in zijn Brincusi-stoel zitten om te genieten van een dubbele match. Alles werd echter wreed verstoord door het rinkelen van een telefoon – de *rode* telefoon. Donderkop!

'Ik ben er, baas,' riep Johnny en hij graaide de telefoon van een Adolfo salontafeltje.

'Plan A-Een. *Uitvoeren!*'

'Je méént het – je houdt me voor de gek!'

'Een stafofficier houdt niemand voor de gek wanneer de aanval begonnen is. De code is Helder Groen! Ik heb een vliegtuig klaar op het vliegveld en de busmaatschappijen in Omaha en Washington. Alles is in gereedheid. Jullie vertrekken bij zonsopgang, begin het dus maar door te vertellen. Alle uitrustingsstukken moeten om tweeëntwintighonderd uur gepakt en gecontroleerd zijn en de kroeg is verboden terrein voor heel het Washington-contingent. En dat is een bevèl, soldaat. Ik wil in mijn brigade geen roodhuiden met rode oogjes zien. We trekken op!'

'Weet je zeker dat je er nog niet een paar weken over wilt nadenken, DK?'

'Je hebt je bevelen ontvangen, sergeant Kalfsneus. Een snelle uitvoering gaat boven alles!'

'Dat zit me nou juist zo dwars, grote baas.'

De zon was ondergegaan en het massieve, ontzagwekkende standbeeld van Lincoln baadde in het schijnwerperlicht terwijl gebiologeerde toeristen zwijgend door elkaar liepen om het meesterwerk van verschillende kanten te bekijken. Een uitzondering werd gevormd door een vreemd uitziende man die heimelijk in beslag leek genomen door het donkere gras onder zijn voeten. Hij bleef in een rechte lijn van de trappen van het monument weglopen, binnensmonds scheldend op de toeristen tegen wie hij aanbotste; nu en dan weerde hij met zijn handen de buiken en camera's van de lastposten af, terwijl hij de rode pruik recht schoof die steeds over zijn oren en nek zakte.

Vincent Mangecavallo was niet geboren en getogen in Brooklyns

Mondo Italiano, zonder een paar dingen te leren. Hij wist wanneer het te prefereren was lang vóór de afgesproken tijd op een ontmoetingsplaats te verschijnen, anders kon je weleens in het lijkenhuis belanden. Het probleem van Vinnie Boem-Boem lag in het meervoud 'passen' – wat was nu precies een pas? Was het een voet, een yard, anderhalve yard, of iets daartussen? Hij had de verhalen uit de oude tijd in Sicilië gehoord waar duels werden uitgevochten met *lupo*-geweren, waarbij gevuurd mocht worden na een aantal passen, wanneer de vijanden met korte of lange stappen uit elkaar liepen, geteld door een scheidsrechter of soms door een trom en niemand lette daar eigenlijk op want degene die vals speelde won altijd. Maar dit was Amerika. 'Passen' zouden specifieker moeten zijn, in het belang van eerlijkheid en integriteit.

En hoe kon hij, verdomme, precies tellen terwijl hij in het donker door een mensenmenigte liep? Hij zette, laten we zeggen, drieënzestig stappen en botste dan tegen een paar clowns aan die zijn pruik aan het schuiven brachten en hem in de war maakten zodat hij het aantal passen vergat dat hij gelopen had. Terug dus maar weer naar de trap en opnieuw beginnen! Shít! Bij de zesde poging plaatste hij een directe rechtse om bij het doel te komen en bereikte een grote boom met een koperen plaat op de stam met de datum waarop ze was geplant door een of andere president in het jaar nul en wie kon dat wat schelen; maar er liep een ronde bank om de boom en dat was tenminste iets. Hij kon gaan zitten en zijn gezicht hoefde niet direct te worden gezien door die geschifte generaal bij het uitwisselen van informatie.

Natuurlijk besloot Vincent bij de boom weg te lopen en te wachten in de schaduw van een andere – wie wist hoeveel passen ervandaan. Maar hij wist waarnaar hij moest uitkijken: een lange oude grapjas die in de buurt van die boom met de koperen plaat rondhing en waarschijnlijk veren op zijn hoofd droeg.

De geüniformeerde generaal Ethelred Brokemichael was stomverbaasd toen hij de gezette figuur zag die rond de ontmoetingsplaats bleef lopen! Hij had MacKenzie Hawkins nooit gemogen; het tegendeel eigenlijk, omdat Mac het vriendje was van die verachtelijke Heseltine, maar hij had de bekwaamheden van de stoere oude soldaat altijd gerespecteerd. Op dit moment moest hij zich afvragen waarom hij al die jaren die stille bewondering had gekoesterd. Wat hij zojuist had meegemaakt was een belachelijke uitvoering van de procedures voor een geheime ontmoeting – belachelijk, verrek, het was gewoon grotesk! Hawkins had kennelijk een jasje gekocht of geleend dat voor een gezette man was gemaakt en had het met iets opgevuld; om zijn normale lengte te verbergen liep hij, of liever gezegd, sloop hij half op een onnatuurlijke manier als een aap door de menigte voor het Lincoln Memorial – heen en weer, héén en wéér – een grommende gorilla die in het struikgewas op zoek was naar bessen. Van zoiets werd de schepper van het Knettergekke Zestal misselijk! En Brokey de Tweede kon zich niet vergissen bij het herkennen van de Havik want die droeg nog steeds zijn stomme rode pruik, alleen zakte die hier in de warme, vochtige avond in Washington voortdurend over zijn ogen. Hij had kennelijk nog nooit van vloeibare lijm gehoord, iets wat iedereen die maar een beetje bekend was met het toneel hoorde te weten; over amateurwerk gesproken, die MacKenzie Hawkins was een beginnende nieuweling!

Neem nu Brokey's pruik, door je reinste toeval maar een béétje rood – eigenlijk meer kastanjekleurig – die werd op zijn plaats gehouden door vleeskleurig plakband van Max Factor dat niet te onderscheiden was van de huid, vooral niet in het zachte licht, in toneeltermen een zacht 'gedempt geelbruin'. De profs zouden het vandaag winnen, bedacht Brokemichael en hij besloot de Havik te verrassen die zich had teruggetrokken naar een uitkijkpost in de schaduw van een grote Japanse esdoorn, ongeveer tien meter van de ontmoetingsplaats. De Tweede was uitgelaten; Mac had hem in Benning voor schut gezet en nu waren de rollen omgedraaid.

Hij beschreef een wijde cirkel langs de buitenrand van de mensenmassa en passeerde nu en dan een ander uniform wiens arm onmiddellijk reageerde door voor zijn rang te salueren. Bij het naderen van de esdoorn vanuit het oosten bracht het voortdurend salueren Brokey ertoe zich opnieuw af te vragen waarom de Havik erop had gestaan dat hij zijn uniform zou dragen voor zo'n geheime afspraak. Hij had herhaaldelijk gevraagd waarom en had als enig antwoord gekregen:

'Doe het nu maar en draag elke verdomde medaille die je ooit gekregen hebt of aan jezelf hebt uitgereikt! Denk erom, alles wat we besproken hebben in Benning staat op de band. Mijn band.'

De Tweede bereikte de esdoorn en werkte zich langzaam, met zijn rug tegen de stam, stapje voor stapje om de boom heen tot hij geluidloos naast die échte amateur van een ex-soldaat kwam te staan die hem voor paal had gezet en die nu ingespannen tuurde naar de afgesproken plek. Het echt stómme was dat de idioot, in plaats van rechtop te staan om beter te kunnen zien, door zijn knieën bleef zakken en over zijn opgevulde buik gebogen bleef staan zodat hij de kromme houding van zijn vermomming ook aanhield in het donker van de overhangende esdoorn. Amateurwerk!

'Verwacht u iemand?' vroeg Brokey zacht.

'Holy shít!' schrok de vermomde burger op. Hij keerde zijn hoofd met een ruk om zodat zijn rode pruik negentig graden draaide en de bakkebaarden over zijn voorhoofd hingen. 'Ben jíj het? ... Ja, je bent het inderdaad, je zit onder het koper!'

'Je kunt nu wel opstaan, Mac.'

'Waarop staan?'

'Verrek, niemand kan ons hier zien. Ik kan nauwelijks mijn eigen voeten zien maar ik zie verdomd goed die maffe pruik van jou. Volgens mij staat ze achterstevoren.'

'Nou ja, die van jou is ook niet bepaald perfect, G.I. Joe!' zei de burger en hij zette zijn haarstuk recht. 'Een hoop kale oudere dons dragen die onzin met Max Factor-band die ineens de bovenste rimpels van je voorhoofd wegneemt – je kunt het altijd zien, maar we zeggen natuurlijk niets.'

'Wat bedoel je "zien"? Hoe kun je dat zien in dit licht?'

'Omdat het licht weerkaatst op die gladde band, hufter.'

'Oké, oké, Mac. Ga nu maar recht staan, dan kunnen we praten.'

'Moet ik zo nodig wat eraan doen, omdat jij toevallig een paar centimeter kleiner bent? Moet ik soms in de stad een paar schoenen met hoge hakken gaan kopen, of misschien een paar stelten. Wat mankeert jou?'

'Je bedoelt dat jij...?' Brokey de Tweede boog zich met uitgestoken nek voorover. 'Jij bént Hawkins helemaal niet!'

'Wacht eens even, vriend!' riep Mangecavallo. 'Jíj bent Hawkins niet! Ik heb foto's!'

'Wie ben jij dan?'

'Wie ben jij, verdomme?'

'Ik heb hier een afspraak met de Havik – daarginds!' riep Brokemichael uit.

'Ik ook!'

'Jij draagt een rode pruik...'

'Jij ook...'

'Hij droeg er een in Benning!'

'Ik heb de mijne in Miami Beach gekocht...'

'Ik heb de mijne uit de toneelgarderobe van mijn eenheid.'

'Jij bent zeker ook dol op *pêche*?'

'Waar heb je het over?'

'Waar heb jij het over?'

'Wacht eens even!' De ogen van Brokemichael werden als vertwijfeld naar de afspraakboom met de koperen plaat getrokken.

'Moet je zien! Daarginds! Zie jij wat ik zie?'

'Bedoel je die magere geestelijke in zijn zwarte pak en hoge boord die om de ontmoetingsplaats heen loopt te snuffelen als een dobermann die moet pissen?'

'Die bedoel ik nu precies.'

'Wat dan nog? Misschien wil hij op die bank gaan zitten – er loopt zoiets als een stel latten om die boom heen...'

'Dat weet ik,' zei Brokey de Tweede met zijn halfdichte ogen glurend in de schaduw van de esdoorn. 'Moet je zien,' vervolgde hij toen de geestelijke in het schijnsel van de schijnwerpers in de verte kwam. 'Wat zie je?'

'De boord, het pak en hij heeft rood haar, wat dan nog?'

'Amateurwerk,' concludeerde de schepper van het Knettergekke Zestal. 'Dat is geen haar, dat is een pruik; en net als de jouwe heel slecht opgezet. Te lang in de nek en te breed aan de slapen. ... Gek, het is net of ik hem al eerder heb gezien.'

'Hoezo op zijn nek slapen? Wat heeft slapen er nu mee te maken?'

'Ik heb het niet over slapen, over de pruik. Die past niet goed.'

'O, dat vergat ik, *pêche*. De belangrijkste bespreking van mijn leven en ik krijg met een soldatennicht te maken – niet dat ik daar persoonlijk problemen mee heb, versta me goed – alleen is dit niet de tijd om je tolerant te tonen!'

'Misschien zijn de pruiken symbolen...?'

'Waarvan, in godsnaam? Gaan we soms een protestmars beginnen?'

'Zie je dat dan niet? Hij heeft ons allemaal rode pruiken laten dragen!'

'Daar heeft hij mij niks van gezegd. Ik zei het toch, ik heb de mijne in Miami Beach gehaald in een maffe winkel bij de Fontainebleau.'

'En ik vond de mijne in de kleedkamer van mijn eenheid...'

'Mooie eenheid...'

'Maar híj droeg wel een rode pruik toen hij mij op kwam zoeken. ... Mijn god, het was subliminale motivatie gericht op improv!'

'Sub-wie op wát?'

'Heeft hij bij jou ooit het woord "rood" gebruikt – meer dan eens?'

'Misschien, dat weet ik niet. De hele zaak draait om indianen – roodhuiden, snap je wat ik bedoel? Maar ik heb hem nooit gezien, alleen telefonisch met hem gesproken.'

'Dat is het! Hij gebruikte zijn stem als de onbewust motiverende overredingskracht. Stanislavski heeft daar uitgebreid over geschreven.'

'Is dat een rooie?'

'Nee, *Stanislavski*, een god van het toneel.'

'O, Pools, zeker? Nou ja, je moet overal rekening mee houden.'

'Wat voor zaak?' vroeg Brokey de Tweede eensklaps en hij keerde zijn hoofd met een ruk naar de rood bepruikte vreemdeling. 'Over wat voor "zaak" had je het?'

'Die rechtszaak van die spaghettivretersstam in het Hooggerechtshof, waarover anders?'

'In het leger, meneer,' zei Brokemichael ferm terwijl hij zich in zijn volle lengte oprichtte, 'staan we niet toe dat er codewoorden worden gebruikt waarmee etnische minderheden worden beledigd. De uitmuntende Italiaans-Amerikaanse burgerij van deze natie, de zonen en dochters van Leonardo Michelangelo en Rocco Machiavelli, moeten met het grootst mogelijke respect worden behandeld vanwege hun bijdragen. De Capones en de Valachi's waren afwijkingen.'

'Ik zal morgen naar de mis gaan en voor jou een kaarsje branden, anders overleef je het niet wanneer je de zonen en dochters van die laatstgenoemden ooit ontmoet. Wat doen we intussen nú?'

'Volgens mij moeten we eens gaan praten met onze roodhoofdige priester.'

'Goed idee. Laten we gaan.'

'Nu nog niet!' klonk de diepe, schorre stem achter hen. 'Blij dat u gekomen bent, heren,' vervolgde de Havik. Hij kwam achter de stam van de esdoorn te voorschijn en op zijn bijgeknipte rode pruik glansde het licht dat door de bladeren viel. 'Fijn je weer eens te ontmoeten, Brokey... en u, meneer, mag ik aannemen, bent commandant Y. Het is me een groot genoegen kennis met u te maken, wie u dan ook bent.'

Voorzover zijn angst het toeliet was minister van buitenlandse zaken Warren Pease in zijn nopjes met zichzelf, zelfs geïmponeerd. Toen hij voor het Hay-Adams hotel die priester had zien schelden tegen een taxichauffeur over de ritprijs, kreeg hij een helder idee – hij zou als geestelijke naar de ontmoetingsplaats gaan! Als dat wat hij zag of hoorde hem niet beviel kon hij ongestraft weglopen. Niemand pakt immers in het openbaar een priester of een dominee hardhandig aan, dat hoorde nu eenmaal niet en, wat belangrijker was, zoiets trok de aandacht.

En het zou waanzin zijn als hij niet naar de afgesproken plek ging, ondanks wat hij tegen die afschuwelijke admiraal had gezegd, die voortdurend onkostennota's indiende voor plaatsen waar hij nooit naartoe ging, om met mensen te praten die hij nooit ontmoette over staatszaken die niet bestonden. Pease had hem behoorlijk zijn vet gegeven via de telefoon, niet om de misbruiken van de admiraal recht te zetten maar om erachter te komen hoeveel hij wist... en hoe hij dat wist. De antwoorden op beide vragen waren uiterst weinigzeggend geweest, verward en voldoende verontrustend om Warren ertoe te brengen zijn agenda voor die avond vrij te maken en een priesterboord met *rabat* te kopen. Hij had een zwart pak voor staatsbegrafenissen en de briljant bedachte rossige pruik completeerde het geheel.

Terwijl hij tussen de mensen bij het Lincoln Memorial liep klonken de woorden van de admiraal nog in zijn oren.

'Excellentie, een oude kameraad van vele jaren geleden heeft me gevraagd u een boodschap over te brengen, een boodschap die zou kunnen leiden tot een oplossing van uw meest zorglijke probleem – een crisis, zo beschreef hij het.'

'Waar hebt u het over? Het ministerie van buitenlandse zaken heeft elke dag een aantal crises en aangezien mijn tijd de kostbaarste is in heel Washington zal ik u dankbaar zijn als u wat specifieker bent.'

'Ik vrees dat ik niet specifiek kán zijn. Mijn oude kameraad maakte me duidelijk dat mijn betrouwbaarheidsverklaring daarvoor lang niet hoog genoeg was.'

'Dat zegt me niets. Wees eens wat duidelijker, matroos.'

'Hij zei dat het iets te maken had met een groep oorspronkelijke Amerikanen, wat hij daarmee dan ook bedoelde, en met bepaalde militaire installaties, wat die ook mogen zijn.'

'O, mijn god! Wat zei hij nog meer?'

'Hij deed heel geheimzinnig maar hij zei dat er een oplossing was waarmee u uw ski's zou kunnen invetten.'

'Mijn wát zou kunnen invetten?'

'Ski's. ... Eerlijk gezegd, excellentie, ben ik niet zo thuis in de wintersport, maar militair gesproken moet ik aannemen dat de codeverwijzing betekent dat u uw doel veel sneller kunt bereiken door hem zo spoedig mogelijk te ontmoeten, en daar komt eigenlijk zijn boodschap op neer.'

'Hoe heet hij, admiraal?'

'Als ik dat zou zeggen zou ik betrokken raken bij een situatie waarmee ik niets te maken heb. Ik ben slechts een tussenpersoon, excellentie, meer niet. Hij had wel een dozijn andere ex-militairen kunnen kiezen en ik wilde maar dat hij dat had gedaan.'

'En ik zou kunnen gaan twijfelen aan een groot deel van uw onkostennota's en de juistheid van die snoepreisjes die u maakt met diplomatieke vliegtuigen! Wat dacht je daarvan, matroos?'

'Ik heb er niets mee te maken, excellentie, ik breng alleen een boodschap over!'

'Niets mee te maken, hè? Dat zeg jij, maar waarom zou ik jou geloven? Misschien doe je wel mee met die smerige, kwaadaardige samenzwering.'

'Wat voor samenzwering, in 's hemelsnaam?'

'O, maar dat zou je wel willen, hè? Je zou niets liever willen dan dat ik heel die afschuwelijke rotzooi uit de doeken deed, zodat je er een boek over kunt schrijven, zoals al die voortreffelijke, onzelfzuchtige ambtenaren doen die ten onrechte beschuldigd werden omdat ze niets anders deden dan wat iedereen zou doen, terwijl ze hun aandelenopties opgaven door hier te komen werken.'

'Ik weet echt niet waarover u het hebt!'

'Ik wil weten hoe hij heet, matroos!'

'Zodat u er een boek over kunt schrijven en mij erin kunt noemen? Vergeet het maar!'

'Nou ja, aangezien je mijn tijd al zo lang hebt verknoeit, kun je me evengoed de rest van die smerige boodschap overbrengen. Waar en wanneer verwacht dat ongenoemde wangedrocht dan wel dat ik hem zal ontmoeten?' De admiraal had het hem verteld. 'Goed zo, prima! Ik ben al vergeten wat het dan ook was wat je me hebt verteld. Donder nu maar op, matroos, en bel me nooit meer tenzij je me wilt vertellen dat je onder je contract als consulent uit wilt!'

'Och, toe nou, excellentie, ik wil echt geen rotzooi trappen, echt waar niet! ... Luister, ik zal eens praten met dat vriendje van de president, Subagaloo en hij zal u vertellen...'

'Met Arnold? Nee, ga niet met Arnold praten, je moet nóóit met Arnold praten! Die zet je op een lijst, hij zal je op een lijst zetten – een lijst, een lijst, een afgrijselijke, onverdraaglijke *lijst*!'

'Voelt u zich niet lekker, excellentie?'

'Ik voel me prima, ik voel me prima, ik zal me echt prima voelen, maar bel nooit met Arnold Subagaloo. Hij zal je op zijn lijst zetten, zijn lijst, een gemene, afschuwelijke beulslijst! ... Over en sluiten maar, matroos, of wat jullie stomme soldaten dan ook zeggen!'

Hij had die smerige bloedzuiger mooi de waarheid gezegd, peinsde Pease, en hij glimlachte zoetsappig tegen een te zwaar opgemaakte oude dame die hem bewonderend aankeek toen hij de esdoorn naderde. De ontmoetingsplaats moest die boom daar vóór hem zijn, dacht hij. Het was nauwelijks een briljante lokatie te noemen en Warren vroeg zich af waarom MacKenzie Hawkins, alias opperhoofd Donderkop van die rottige Wopotami's, ze had gekozen. Het licht deugde niet, maar misschien was dat juist wel goed, en er waren veel mensen op nog geen dertig meter afstand... en dat was ook niet zo slecht, veronderstelde hij; in een groep was het veiliger. Die maniak van een Hawkins nam natuurlijk al die voorzorgsmaatregelen voor zijn eigen veiligheid, niet ter bescherming van de minister van buitenlandse zaken. Hij dacht ongetwijfeld dat de regering overal in de buurt soldaten zou hebben, in de hoop hem te vangen, maar dat soort machtsvertoon was wel het laatste dat de mannen van de president wilden. Het zou heel slechte pr zijn als de pers ontdekte dat ze een valstrik hadden gespannen voor iemand die twee keer de Eremedaille van het Congres had gekregen. Pease tuurde in het schemerige licht onder de boom en keek op zijn horloge; hij was bijna een halfuur te vroeg. Goed, prima; hij zou ergens buiten schot gaan staan, wachten en... zijn ogen gebruiken. Hij liep om de stam heen en bleef toen staan. Tot zijn ergernis zag hij dat het oude dametje met de zwaar opgemaakte wangen hem opwachtte.

'Geef me uw zegen, meneer pastoor, want ik heb gezondigd,' zei ze met een hoog bibberstemmetje terwijl ze voor hem bleef staan onder het lover van de esdoorn en hem de weg versperde.

'Ja, nou ja... *vox populi* en dat soort dingen. Sommige van u zijn niet volmaakt, maar zo gaat dat nu eenmaal...'

'Ik zou graag biechten, meneer pastoor. Ik móet biechten!'

'Dat is waarschijnlijk heel prijzenswaardig maar ik geloof niet dat dit de juiste plaats daarvoor is. Bovendien heb ik haast.'

'De bijbel zegt dat in de ogen van de Heer een woestijn het Huis van God kan zijn als de geest van een zondaar dat wil.'

'Afgezien van die onzin heb ik u gezegd dat ik haast had.'

'En ík zeg je dat je als de sodemieter achter die boom moet gaan staan.'

'O, nou ja, goed dan, wat voor zonden u dan ook hebt kunnen doen, ze zijn u vergeven – wát zei u daar?'

'Je hebt me gehoord, kwezel!' fluisterde de nu ineens groteske feeks. Haar stem klonk ineens lager en schor. Ze trok een ouderwets scheermes uit de plooien van haar jurk en klapte het open. 'Zorg dat je achter die boom komt of je hoeft je nooit geen zorgen meer te maken over je gelofte van kuisheid.'

'O, mijn god – jij bent geen vrouw, je bent een mán!'

'Over beide gevallen valt te praten, maar ik ben in elk geval een bekkesnijer – ik ben dol op snijden. Opschieten nu!'

'Alsjeblieft, alsjeblieft, doe me geen pijn. O, mijn god... snij me niet!' Trillend over zijn hele lijf stapte de minister onhandig achteruit in de schaduw van de boom. 'Dat mag je echt niet doen, weet je dat? Een priester met een mes bewerken is een héél erge doodzonde.'

'Ik had je een kwartier geleden al in de smiezen, kwezel,' siste de man/vrouw, met gerimpelde vuurrode lippen en weerzinwekkend gezwollen oogleden in het schemerachtige licht. 'Jij en dat smerige kamerbreed op je kop, je maakt alle eerlijke abnormale mensen te schande!'

'Wat...?'

'Hoe durf je hier zo rond te lopen? Op zoek naar kleine jongetjes, gluiperd die je bent? En in priesterkleren? Dat is walgelijk!'

'Toe nou, mevrouw – meneer, wat u dan ook bent...'

'Wat was dat? Wil je me beledigen, stiekemerd?'

'Ik zwéér het, nooit van mijn leven!' Het linkeroog van Pease dreigde in een baan om de aarde te vliegen. 'Ik zeg je alleen dat je het niet begrijpt...'

'Ik begrijp het maar al te goed! Onderkruipers als jij hebben een boel poen bij zich, voor het geval iemand je verraden wil. Kom er mee voor de dag, kontkruiper!'

'Geld, bedoel je geld? Neem in 's hemelsnaam alles wat ik bij me heb!' De minister stak zijn hand in zijn zak en haalde een bundeltje bankbiljetten te voorschijn. 'Hier, hier, pak het maar!'

'Wat moet ik pakken? Wat is dat voor kloterij? Ik zal je zakken kapot moeten snijden voordat ik met het echte werk begin!' Het monster duwde Pease achter de boom. 'Als je één kik geeft komen je lippen op de grond te liggen, jij stoute, stoute jongen!'

'Alsjeblieft!' smeekte de minister. 'Je weet niet wie ik ben...'

'Maar wíj wel!' kwam een onbekende, diepe stem vanuit de schaduw achter hen tussenbeide. 'Vooruit, Brokey... jij ook, commandant Y, neem hem zijn wapen af! Nu!' Als één man vielen de oudere Westpointer en de gezette *capo supremo* van middelbare leeftijd uit Brooklyn aan; eerstgenoemde rukte het scheermes uit de hand die het vasthield en de andere tackelde de benen onder de wijde bloemetjesrok.

'Het is verdomme een griet!' schreeuwde Mangecavallo.

'Om de verdómmenis niet!' schreeuwde Brokemichael en hij rukte de grijze pruik van de gerimpelde, opgemaakte aanvaller af.

Vinnie Boem-Boem zag zijn fout direct in en begon onmiddellijk in te beuken op de lelijke, opgemaakte gedaante die op de grond viel. 'Jij rottig stuk vreten!' brulde hij.

'Laat hem los, commandant!' beval de Havik.

'Waarom?' vroeg Brokey de Tweede. 'Die rotzak hoort achter de tralies thuis.'

'Met gebroken poten!' voegde de zogenaamd overleden directeur van de CIA eraan toe.

'Gaan we een beschuldiging indienen, heren?'

'Wat...?' Brokemichael zette een stap achteruit terwijl Mangecavallo met een ruk zijn hoofd ophief, met een bakkebaard die nu half over zijn neus hing en ogen die nauwelijks zichtbaar waren. 'Hij heeft gelijk, commandant-wie-u-ook-bent,' zei de Tweede.

'Ja, misschien is dat wel zo,' stemde Vincent in, terwijl hij voor het laatst nog een knie in de ribben van de aanvaller plantte. 'Maak dat je hier wegkomt, stuk verdriet!'

'Hé, lui!' schreeuwde de dader, uitgelaten grijnzend terwijl hij zijn pruik weggraaide en opstond. 'Willen jullie soms naar mijn stekkie komen? Dan wordt het pas echt een feest!'

'Maak dat je wegkomt!'

'Ik ga al, ik ga al.' Met wapperende rok rende de aanvaller over het gras en verdween in de menigte.

'O, mijn god, o, mijn god...!' klonken de trillende woorden van de gedaante die languit op de grond naast Hawkins lag, met zijn gezicht in het gras en zijn handen beschermend op zijn hoofd. 'Dank u, dank u! Het had mijn dood kunnen zijn!'

'Waarom draai je je niet om en sta je niet op, dan kun je zien of je nog wilt leven,' zei de Havik zacht. Hij haalde een bandrecorder uit zijn zak.

'Wat? ... Waar hebt u het over?' Warren Pease drukte zich langzaam omhoog, draaide zich met moeite om op zijn billen en vanuit zijn zittende positie zag hij eerst het schitterende uniform rechts van hem en daarna met schrik het gezicht. 'Brokemichael! Wat doe jíj hier?'

Op dat moment stelde MacKenzie zijn recorder in werking en het geluid van Brokemichaels stem klonk onder de boom. '*De minister van buitenlandse zaken. Hij is degene voor wie mijn Knettergekke Zestal die opdracht in Boston uitvoert! ... Die schele Pease had een waterdichte zaak tegen jou!*'

'Alleen was het geen wettige zaak, nietwaar, excellentie?' zei generaal Brokemichael terwijl de Havik het apparaat afzette. 'Het was een offer. Eén van blaam gezuiverde ex-militair die nooit die mantel van verdachtmaking kon afwerpen, en zijn eenheid van flinke, jonge kerels. We waren evenzeer ten dode opgeschreven als Mac hier, niet mijn allerbeste vriend, maar hij verdient ook niet in de Poolzee te worden gedropt.'

'Waar heb je het toch over?'

'Misschien heb ik hem niet voorgesteld. Dit is ex-generaal MacKenzie Hawkins, tweemaal onderscheiden met de Eremedaille van het Congres, die men, op uw bevel, eerst geprobeerd heeft te... laten we zeggen "neutraliseren"... waarna u mijn eenheid opdracht hebt gegeven hem te ontvoeren, eindpunt LTB, "later te bestemmen", maar in elk geval in het noorden, heel hoog in het noorden.'

'Het doet me verschrikkelijk weinig genoegen kennis met u te maken, excellentie,' zei de Havik. 'U zult het me wel niet kwalijk nemen dat ik u geen hand geef.'

'Dit is waanzin, je reinste wáánzin! Er staan enorme belangen op het spel, de uiteindelijke kracht, de aanvalskracht van het land is in gevaar!'

'En de enige manier om dat recht te zetten is je te ontdoen van de mensen die klagen?' vroeg MacKenzie. 'Je kunt niet praten, je kunt alleen die lastpakken opruimen die overigens zéér wettige argumenten hebben.'

'Je verdraait alles! Er zijn andere belangen, economische belangen, kolossale financiële verliezen – mijn god, mijn bóót, de Metropolitan Club, mijn klassereünie, het leven dat ik verdien, waarvoor ik geboren ben! Jullie begrijpen het niet!'

'Ik snap het best, stinkende schele meloen,' zei Vincent Mangecavallo. Hij stapte naar voren in het vage lichtschijnsel. 'Bepaalde mensen kunnen nuttig zijn voor jou maar jij kunt hen niet gebruiken!'

'Wie ben jíj? Ik heb je eerder gezien, ik ken je stem, maar ik kan niet... ik kan niet...'

'Omdat misschien mijn eigen moeder, moge ze rusten in vrede in Lauderdale, me ook niet zou herkennen, dank zij mijn geweldige vermomming.' Vinnie zette zijn rode pruik af en ging op zijn hurken voor de minister zitten. 'Hallo, snijboon, hoe gaat het met je? Misschien hebben de jongens van je countryclub wel de verkeerde boot opgeblazen, wat zeg je daarvan?'

'*Mangecavallo!* ... Nee, nee! Ik bent gisteren nog naar je herdenkingsdienst geweest! Jij bent er geweest, jij bent dóód! Dit kan niet echt zijn!'

'Misschien is het dat ook wel niet, drol van een diplomaat, misschien is het allemaal wel een boze droom, veroorzaakt door al die rottigheid in je ziel. Misschien ben ik zojuist ontwaakt uit de armen van Morfine...'

'Morfeus, commandant Y, *Morfeus*.'

'Ja, die vent... Zoiets als uit de doden opgestaan aan de andere kant van die grote rivier, teruggekomen om te spoken bij jullie mietjes die denken dat je zo *superióre* bent, zoiets als wat door je maag gaat en eruit komt als vanille-ijs. Ja, snijboon, ik ben weer terug van tussen de visjes en de haaien zijn met me meegekomen. Die tonen respect voor mij; dat heb jij nooit gedaan.'

'Auww!' Ineens kronkelde de minister als een in de val gelopen reptiel, met een gil die door de nacht weerklonk tot aan de menigte onder de schijnwerpers bij het Lincoln Memorial. Hij sprong op en rende hysterisch krijsend weg over het gras.

'Ik moet die klootzak pakken!' schreeuwde Mangecavallo. Door zijn gewicht kwam hij wat moeizaam overeind. 'Hij zal alles verraden!'

'Laat maar!' riep de Havik en hij haakte de directeur van de CIA pootje. 'Het is met hem gedaan, hij kan niets meer doen.'

'Waar heb je het over? Hij heeft mij gezien!'

'Dat doet er niets toe. Niemand zal hem geloven.'

'Mac, dat klopt niet wat je daar zegt!' hield Brokey de Tweede vol. 'Weet je wel wie die man is?'

'Natuurlijk weet ik dat, en het klopt wel wat ik zeg. ... Jij bent dus inderdaad die Italiaanse kerel die de baas is van het Bureau?'

'Ja, het is een lang verhaal en ik hou niet van lange verhalen. Ik liet me even gaan. Shít!'

'Melodramatische, emotionele uitingen vormen een van de beste gaven van uw volk, *signore*. Denk eens aan de grote opera's – die hadden alleen jullie maar kunnen creëren. *Capisce Italiano?*'

'Natuurlijk spreek ik dat.'

'*Lo capisce inoltre.*'

'Dat is heel mooi, maar die oliebol gaat het hele zootje verraden!'

'Nee, dat zal hij niet, *signor*e Mangecavallo. ... Brokey, herinner jij je Frank Heffelfinger nog?'

'"Frankie de Vinger" die de cijfers van zijn kanonnen door elkaar haalde? Wie niet? Hij blies de verkeerde stranden op in Wonsan. Natuurlijk zei niemand van ons daar wat van, vooral nu hij de clownprins is van de president bij de marine.'

'Ik heb met Frank gesproken. Daarom was Pease hier.'

'Wat dan nog?'

'De Vinger zit bij zijn telefoon te wachten. Hij moet nog één keer bellen. Met zijn vriendje, de president.'

'Waarover?'

'Over de geestestoestand van Pease, het resultaat van een heel vreemd telefoongesprek dat Frank vanmiddag met de minister heeft gevoerd. Hij heeft de hele dag nagedacht over dat gesprek en heeft nu besloten zijn vriend in het Witte Huis deelgenoot te maken van zijn bezorgdheid. ... Kom op, we moeten een telefooncel zoeken. En verdomd snel ook, want ik moet het toestel naar New York nog halen.'

'Hé, G.I. Joe!' riep Mangecavallo. 'Hoe zit het met jou en mij en hoe kom je bij die hoorzitting?'

'Dat is geregeld, commandant Y. Jij gaat met de Wopotami's mee. We moeten je natuurlijk de maat nemen, maar dat kunnen we snel doen. De squaws kunnen uitstekend naaien – bijna net zo goed als mevrouw Lafferty.'

'Squaws? Hebben we soms Iers-Amerikaanse indianen? Die vent is *pazzo*!'

'Vertrouw maar op mij, meneer de directeur. De wegen van de Havik zijn niet te doorgronden.'

'Kom, heren,' beval MacKenzie. 'Looppas mars. Er staat een telefooncel aan de rand van het parkeerterrein. Laten we opschieten!'

De drie mannen met hun rode pruiken renden het grasveld over, de ene wat ademlozer dan de andere, maar de enige woorden werden uitgestoten door Vinnie Boem-Boem die bleef herhalen: '*Manage, manage!* Het is allemaal krankjorum! *Pazzo, pazzo, pazzo!*'

THE WASHINGTON POST

MINISTER VAN BUITENLANDSE ZAKEN OPGENOMEN IN ZIEKENHUIS NAAR PSYCHIATRISCHE AFDELING VAN WALTER REED HOSPITAL GEBRACHT

Warren Pease, minister van buitenlandse zaken, werd gisteravond, gekleed in de toog van een katholieke geestelijke, gearresteerd toen hij als een wildeman door de menigte bij het Lincoln Memorial rende. Volgens de politie en ook naar getuigen zeggen, bleef de heer Pease maar schreeuwen dat een of ander 'spook' dat hij niet nader kon identificeren, 'uit de doden herrezen was' en was 'teruggekeerd om zijn verdoemde ziel te halen'. Hij beweerde ook dat een 'beschilderde hermafrodiet uit de hel' gedreigd had 'zijn zakken en zijn keel door te snijden' omdat hij/zij geconcludeerd had dat hij een (krachtterm weggelaten) was en hij bleef maar roepen dat hij dat niet was omdat hij 'haar zonden had vergeven'.

De minister is in het verleden nooit priester gewijd of als dominee beroepen en heeft daarom niet de volmacht een *religieuze absolutie te geven. (Onze redacteuren hebben dit feit nauwkeurig onderzocht.)*

Een bericht dat zojuist van het Witte Huis komt kan misschien enig licht op deze ongelooflijke gebeurtenis werpen. Maurice Fitzpeddler, de persvoorlichter, zei dat het land slechts groot medeleven zou moeten tonen voor de overspannen en gestresste heer Pease en zijn gezin. Toen hem echter vragen hierover

werden gesteld gaf de heer Fitzpeddler toe dat de gescheiden minister Pease geen gezin had. Bovendien gaf de president toe, via de heer Fitzpeddler, dat hij gisteren gebeld was en dat daarbij vraagtekens waren geplaatst bij de aard van de extreme stress van de minister onder de druk van zijn ambt. Hij vroeg de natie te bidden voor het herstel van de heer Pease en 'zijn bevrijding uit een dwangbuis'.
Er moet hierbij worden aangetekend dat de chef-staf van de president, Arnold Subagaloo, gedurende de hele persconferentie zat te glimlachen. Toen hem vragen werden gesteld over zijn gelaatsuitdrukking toonde de chef-staf de pers zijn stijf opgestoken middelvinger.

27

Kort na middernacht liep MacKenzie Hawkins de lobby van het Waldorf-Astoria in en begaf zich, zoals afgesproken, naar de receptie om eventuele boodschappen aan te nemen die waren binnengekomen voor Suite 12A – geen namen, alleen een kamernummer. Er lagen er twee.

Beverly Hills bellen
New York bellen

Aangezien het drie uur vroeger was in Californië besloot hij eerst Madge in Greenwich, Connecticut te bellen. Hij liep de lobby weer door naar een van de telefoons.

'Sorry, Midgey, dat ik zo laat ben, maar ik kom net pas binnen.'

'Maak je niet druk, lieve Mac, ik ben nog steeds bezig met de samenvatting. Over een uur ben ik klaar en de koeriersdienst brengt ze je meteen; tegen half drie moet je ze hebben. Havik, het is geweldig! Kat in het bakkie voor alle bioscopen in het hele land!'

'Toe, Midgey, dat is echte Hollywood-praat, dat past niet helemaal bij jou.'

'Sorry, je hebt gelijk, schat. Maar iedereen praat hier zo om zichzelf op te peppen voor een plan. Hoe meer je het opblaast hoe beter het valt.'

'Daar heb jij te veel klasse voor, meid. Volg je eigen ingevingen maar.'

'Daar kun je de bank mee vullen en dat heb ik gedaan.'

'Maar ik ben blij te horen dat er in die Knettergekke zaak mogelijkheden zitten... eigenlijk dacht ik het wel.'

'Schat, het geld ligt voor het oprapen! ... Het is goud, Mac, puur goud. Acteurs die als een antiterroristische eenheid de hele wereld afreizen en nog waar op de koop toe!'

'Denk je dat ik een paar van die lui van de Westkust ervoor zal kunnen interesseren?'

'Interesseren?' viel ze hem in de rede. 'Je hebt zeker nog niet met Ginny gepraat?'

'Nee, ik bedacht dat het daar vroeger was, daarom belde ik jou het eerst.'

'Ik heb laat in de middag met haar gesproken, nadat ik de banden had afgeluisterd, en we hebben lang gepraat. Er staat je een verrassing te wachten, Mac. Ze is sinds halfvier, Californische tijd, aan het netwerken geweest.'

'"Netwerken"? Midgey, jij hebt wel heel vreemde uitdrukkingen opgepikt en ik weet niet zeker of ik dat wel kan goedkeuren. Het klinkt grof.'

'Nee, schat, dit mag wel, het wordt echt normaal gebruikt. Je neemt gewoon een zelfstandig naamwoord en maakt er een werkwoord van.'

'Dat klinkt al beter...'

'Maar, Havik, luister nou eens naar me,' zei Madge uit de Big Apple. 'Ik weet dat je je soms wat al te bezorgd maakt over ons meisjes, en daarom houden we ook van je, maar je moet me iets beloven.'

'Wat dan?'

'Sla Manny Greenberg niet in de poeier. Geef hem geen contract maar ga ook niet zijn gezicht renoveren.'

'Hé, Midgey, dat is echt grof...'

'Ik moet nu weg, Mac. Ik ben bijna aan de laatste regel toe en mijn tekstverwerker staat te dampen. Bel Ginny, schat. Ik hou van je, zoals steeds.'

'De residentie van lord en lady Cavendish,' kondigde de nasale Engelsman aan op de lijn vanuit Californië. 'Mag ik uw naam, alstublieft?'

'U spreekt met Guy Burgess vanuit Moskou.'

'Het is al goed, ik heb hem!' kwam Ginny er snel tussen. 'Hij is een echte plaaggeest, Basil.'

'Jawel, mevrouw,' zei de butler met een vernietigend monotone stem terwijl hij de hoorn oplegde.

'Mac, lieveling, ik heb uren op je telefoontje gewacht. Ik heb geweldig nieuws!'

'En dat houdt in, naar ik van Madge hoor, dat ik niet met Manny op de vuist moet gaan.'

'O, die – nee, doe dat maar niet, ik kan hem nog gebruiken op een veiling en dat is moeilijk als hij in het ziekenhuis ligt. Om je de waarheid te zeggen ben ik met Manny begonnen en heb daarmee mijn eigen regel overtreden nooit met ex-echtgenoten te praten zolang mijn advocaten met hun advocaten praten en het heeft gewerkt.'

'Wat heeft gewerkt? Wat voor veiling?'

'Midgey zegt dat het idee niet alleen sensationeel is, maar dat er een berg geld mee te verdienen valt! Ze zegt dat er van alles in zit, van alles – en het hééft ook alles! Acteurs – spetters, zes nog wel – die over de hele wereld vliegen om gegijzelden te bevrijden, terroristen te vangen en het is allemaal wáár! Ik heb Manny alleen maar een hint gegeven... nadat hij ermee had ingestemd met zijn vingers van de schilderijen af te blijven, natuurlijk... en toen ik zei dat Chauncey een paar "filmjongens" in Londen zou bellen, brulde Manny naar zijn secretaresse om het vliegtuig van de studio te reserveren.'

'Ginny, doe in godsnaam wat kalmer aan! Je springt van de hak op de tak en ik snap er niks van. ... Wat doet Manny nu en wat heeft die "Chauncey" gedaan en wie is hij dan wel?'

'Mijn man, Mac!'

'O ja, de Grenadier, ja, nu weet ik het weer. Verdomde goede regimenten, allemaal; eersteklas in het gevecht. Wat heeft hij gedaan?'

'Ik zei je toch dat hij een groot bewonderaar was van jou en toen Madge belde en begon uit te leggen wat jij op die banden had, vroeg ik hem in de telefoon te klimmen – omdat hij zo militair is en zo.'

'Wat vond hij ervan?'

'Hij zei dat het net zoiets was als de Vierde of Veertigste Commandotroep, mensen die gerekruteerd werden uit de Old Vic en die, volgens hem, "maar heel weinig succes" hadden omdat ze voortdurend de "radiostilte verbraken". Hij wil er met jou over praten en gegevens uitwisselen.'

'Verrek, geef hem mij maar even, Ginny.'

'Néé, Mac, daar is geen tijd voor. Bovendien is hij er niet. Hij is op het exercitieplein in Santa Barbara polo aan het spelen met de Britse kolonie.'

'Wat heeft hij dan gedaan?'

'Havik je bent vast en zeker moe en iemand moet nodig je schouders eens masseren. Dat heb ik je gezegd. Hij dacht dat die hele zaak die Midgey aan het samenvatten is een megahit kan worden en hij heeft een paar vrienden van hem in Londen gebeld om het hun te vertellen.'

'En?'

'Ze nemen morgenvroeg de Concorde en zullen hier zijn nog voordat ze uit Londen vertrekken.'

'Waar zijn?'

'In New York. Om met jou te praten.'

'Morgen... vandáág?'

'Waar jij bent, ja.'

'En je ex, Greenberg?'

'Morgenochtend – vanmorgen voor jou. En aangezien ik de vrienden van Manny en Chauncey kende – hier controleert iedereen alles, ook passagierslijsten en de vluchtschema's van studiotoestellen – heb ik een paar andere bobo's gebeld die Chauncey graag aan hun dinertafels zien en ik heb wat *inside information* gegeven. Je gaat het druk krijgen, lieverd.'

'Bij Caesar, je hebt recht in de roos geschoten, het is inderdaad geweldig! Maar eerlijk gezegd, Gin-Gin, wist ik dat jullie me zouden helpen alleen dacht ik dat het later zou zijn, zoiets als begin volgende week – niet van vrijdag tot maandag, natuurlijk, want ik heb een paar andere akkefietjes...'

'Mac, je zei zelf, en ik citeer "Binnen een dag"!'

'Nou ja, dat zei ik zeker, maar dat was om het schrijven achter de rug te krijgen en het op de een of andere manier in het weekend in handen te spelen van die Beverly Hills boeddha's en de zaken maandag of dinsdag in gang te zetten.'

'Luister eens, mijn ooit beroemde echtgenoot en liefste vriend die ik ooit heb gehad, wat probeer je me nou verdomme te vertellen?'

'Nou ja, Gin-Gin...'

'Hou op met dat "Gin-Gin"-geouwehoer, Havik. Toen jij Lillian vond in die gammele sportschool en besloot dat ze meer hulp nodig had dan ik, toen begon je zo met ons ook, met dat Gin-Gin. Daarna vertelde Lil me dat je begon met "Lilly-Lilly" te zeggen toen je Midgey aantrof in die coke-overval waar je je afvroeg waar de cola was. Hoe zit het nou, Mac? Wij houden van jou, dat weet je. Waarom is morgen een probleem? Als het een andere vrouw is zullen we dat begrijpen en haar onder onze vleugels nemen wanneer het zover is.'

'Dat is het helemaal niet, Ginny. Maar het is verdomde belangrijk – voor een boel mensen, een boel kansarme mensen.'

'Je bent weer tegen windmolens aan het vechten, nietwaar, mijn liefste vriend?' zei lady Cavendish zacht. 'Ik zal alles wel annuleren als je dat wilt. Dat kan ik doen – jij kunt het eigenlijk zelf doen door de telefoon niet te beantwoorden of de deur niet open te doen. De gieren hebben enkel een kamernummer, Suite Twaalf A, geen naam, geen beschrijving.'

'Nee, nee, ik speel het wel klaar – wij spelen het wel klaar.'

'Wij?'

'Ik heb de jongens allemaal bij elkaar. Ik moest hen alleen hier houden tot mijn andere probleem is opgelost.'

'Het Knettergekke Zestal?' riep Ginny. 'Zijn die daar in het Waldorf?'

'Het hele halve dozijn, meid.'

'Zijn het spetters?'

'Dat zijn het en nog meer, in allerlei maten. Wat belangrijker is, ze verwachten iets van mij.'

'Geef het ze dan, Mac. Je hebt nog nooit iemand van ons in de steek gelaten.'

'Eentje, misschien.'

'Annie? ... Schei toch uit, Havik. Ze heeft me vorige week met een boel geknetter gebeld via de een of andere radiotelefoon. Ze heeft kans gezien een dozijn echt zieke kinderen vanaf een eiland in de Stille Oceaan naar Brisbane te laten vliegen om daar behandeld te worden. Ze is zo gelukkig als maar mogelijk is. Gaat het daar niet allemaal om? Gelukkig zijn met jezelf? Dat heb jij ons geleerd.'

'Zeg me eens, heeft ze het ooit over Sam Devereaux?'

'Sám... ?'

'Je verstaat me wel, Ginny.'

'Nou ja, inderdaad, maar ik geloof niet dat jij dat wilt horen, Mac. Laat het maar.'

'Ik wil het horen. Hij is mijn vriend.'

'Nog steeds?'

'Door de omstandigheden, ja.'

'Goed dan. ... Ze zegt dat ze aan hem denkt als de enige man met wie ze ooit heeft geslapen, want het was een ... "communie van liefde", zo noemde ze dat. Alle anderen zijn vergeten.'

'Komt ze nog ooit terug?'

'Nee, Mac. Ze heeft gevonden wat jij haar wilde laten vinden – wat je ons allemaal wilde laten vinden. Je lekker voelen in je eigen vel, weet je nog dat je dat tegen ons zei?'

'Verrekt psycho-gelul!' riep de Havik uit en hij pinkte opnieuw een traan uit zijn oog. 'Ik ben geen verdomde zieltjesredder, ik weet alleen wie ik mag en wie ik niet mag. Zet me alsjeblieft niet op een verdomd voetstuk!'

'Je zegt het maar, Havik, je zou het trouwens toch verpletteren.'

'Wat verpletteren?'

‘Het voetstuk. Hoe zit het nu met morgenochtend?’

‘Ik speel het wel klaar.’

‘Wees lief voor de gieren, Mac, wees vriendelijk en verbind je tot niets, dat kunnen ze niet uitstaan.’

‘Wat bedoel je?’

‘Hoe aardiger je bent, hoe meer ze gaan zweten, hoe meer ze gaan zweten, hoe beter dat voor jou is.’

‘Zoiets als het vijandelijk inlichtingenpersoneel in Istanboel overbluffen, nietwaar?’

‘Dat is Hollywood, Mac.’

De ochtend brak aan, de zon was eigenlijk nog nauwelijks op, toen de telefoon in Suite 12A begon te rinkelen. Hawkins, die languit op de vloer van het woonkamergedeelte lag, was erop voorbereid. Hij had de ‘filmbehandeling’ van Madge om drie minuten over twee ontvangen en was om drie uur klaar met het lezen, herlezen en in zich opnemen van de achttien pagina’s hoogspanning, geproduceerd door zijn derde vrouw. Daarop had hij de telefoon van het bureau gepakt, die op het vloerkleed naast zijn hoofd gezet en daar gebivakkeerd om een paar uur te slapen. Rust was een wapen voor het komend gevecht, even noodzakelijk als een overmacht aan vuurkracht. Maar Midgey had er zo’n geweldig werk van gemaakt – met een explosief verhaal, elke pagina overvloeiend van dynamische energie, actie en uiteenlopende karakterschetsen – dat de noodzakelijke slaap bijna een half uur was uitgesteld terwijl de Havik erover dacht filmproducent te worden.

Verrek, nee! Ik heb al mijn tijd nodig voor Omaha en de Wopotami’s. Hou je aan je prioriteiten, soldaat! Ineens weerklonk in de kamer een agressief gerinkel.

‘Ja,’ zei Mac, met de hoorn aan zijn linkeroor op de vloer.

‘U spreekt met Andrew Ogilvie, generaal.’

‘Wát?’

‘Jawel, ik zei “generaal”, beste man. Ik vrees dat mijn oude kameraad van de Grenadiers uit de school heeft geklapt en me verteld heeft wie je was. Jij hebt een geweldige oorlog gehad, ouwe jongen. Erg imposant, erg imposant.’

‘Erg vroeg ook,’ zei Hawkins. ‘Was jij werkelijk bij de Grenadiers?’

‘Als onervaren jonkie, jazeker, net als Cavvy.’

‘Cavvy?’

‘Lord Cavendish natuurlijk. Die heeft ook een prima oorlog gehad. Ging in de modder liggen en onder mortiervuur en hij heeft nooit over iemand de baas gespeeld, als je begrijpt wat ik bedoel.’

'Ja, geweldig, werkelijk prima. Het is ook echt vroeg en mijn manschappen zijn nog niet klaar voor inspectie. Drink eerst je thee maar op en kom over een uur hier. Jij bent de eerste, dat kan ik je beloven.'

De hoorn lag weer op de haak toen er snel achtereen op de deur werd geklopt. Mac kwam overeind en liep er in zijn gecamoufleerde ondergoed naartoe. 'Ja?'

'Hé, wie anders?' riep de indringer in de gang. 'Ik wist wel dat jij het was, dat gegrom zou ik overal herkennen!'

'Greenberg?'

'Hé, baby, wie anders? Die aanbiddelijke schat van een vrouw van mij heeft me zomaar het huis uitgezet en me een poot uitgedraaid – maar wie kan dat wat schelen, ze is een schat. Ze heeft me het nodige verteld en ik wist gewoon dat jij het was! Laat me binnen, ouwe gabber, oké, oké? We komen wel tot zaken!'

'Jij bent als tweede aan de beurt, Manny.'

'Heb je daar nú al een paar nepgozers bij je? Hé, moet je luisteren, schat, ik heb een hele studio achter me, de hele *megille*! Waarom wil je zaken doen met tweedehands lui, hé?'

'Omdat ze Engeland in hun zak hebben, daarom.'

'Da's geouwehoer! Ze maken die suffe films waar iedereen praat en niemand weet wat ze zeggen omdat ze *gefilte fisch* in hun mond hebben!'

'Anderen denken daar anders over.'

'Wat voor anderen? Voor elke Jimmy Bond hebben zij vijftig Gandhi's in hun ondergoed waar ze geen rooie rotcent aan verdienen en laat niemand je vertellen dat dat wel zo is.'

'Van anderen heb ik dat anders gehoord.'

'Wie ga je nu geloven? Die smerige rooirokken die krompraten of de echte Paul Reveres?'

'Kom over drie uur maar terug, Manny en bel eerst vanuit de lobby.'

'Mac, kom nou toch! De hele studio heeft het oog op mij gericht!'

'Ik doe je een plezier, geile bok. Misschien vind je wel een niet zo nauw kijkende zestienjarige tippelaarster in de lobby.'

'Hé, dat is laster! Ik doe het kreng een proces aan!'

'Ga nou maar weg, Manny, of doe geen moeite om terug te komen.'

'Goed dan, oké.' De telefoon ging weer over en haalde Hawkins weg bij de deur, al was hij liever blijven wachten om er zeker van te zijn dat Greenberg echt vertrokken was.

'Ja?' zei de Havik en hij nam de telefoon op van de vloer.

'Suite Twaalf A?'

'Ja, en?'

'U spreekt met Arthur Scrimshaw, hoofd van de ontwikkelingsafdeling van Holly Rock Productions, de rots van Hollywood, met wereldwijde opbrengsten die iedereen versteld zouden doen staan als ik de vrijheid had ze bekend te maken en verder de ontvanger van in totaal zestien Oscar-nominaties in de afgelopen... ahum... jaren.'

'Hoeveel Oscars hebt u gewonnen, meneer Scrimshaw?'

'Heel dichtbij, érg dichtbij. Het had iedere keer anders uit kunnen pakken. En nu we het over tijd hebben, ik heb in mijn ongelooflijk drukke agenda tijd gevonden om samen te ontbijten – laten we zeggen een zakenontbijt tussen topmannen.'

'Kom over vier uur maar terug...'

'Párdon, misschien ben ik niet helemaal duidelijk geweest over mijn positie...'

'Je hebt alles volkomen duidelijk gemaakt, Scrimmy en dat heb ik ook. Je bent nummer drie op de lijst en dat betekent vier uur, met een uur voor mijn manschappen om zich klaar te maken voor inspectie.'

'Weet u heel zeker dat u het hoofd van de ontwikkelingsafdeling van Holly Rock op die manier wilt behandelen?'

'Ik kan niet anders, beste Artie. De agenda ligt vast.'

'Nou ja... ahum... in dat geval, en omdat je een suite hebt, heb je misschien ook een bed over?'

'Een béd?'

'Het zijn die verdomde boekhouders, moet je begrijpen. Ik zou ze allemaal moeten ontslaan... Ze lijken afkeurend te staan tegenover spontane reserveringen en ik doe nooit een oog dicht in het vliegtuig uit L.A. Ik zal je zeggen, ik ben kapót!'

'Probeer het Leger des Heils maar in de Bowery. Die nemen alles aan boven een dubbeltje. Vier uur!' De Havik smeet de hoorn op de haak, zette de telefoon op het bureau en toen hij zich omdraaide om naar de dichtstbijzijnde slaapkamer te gaan ging het toestel opnieuw over. 'Verdómme, wat is er?' brulde hij.

'Emerald Cathedral Studios hier,' begon een honingzoete stem met een dik Zuidelijk accent. 'Een Godsvrezende vaderlandslievende vogel heeft hier wat informatie binnengevlogen over een grote vaderlandslievende film die u wilt gaan maken, een film die gebaseerd is op echte feiten! En laat ik je vertellen, jongen, wij hebben niks te maken met die kromneuzen en nikkers die de fillumwereld overheersen. Wij zijn je reinste christelijke, vlaggen zwaaiende, echte Amerikanen die geloven dat macht boven recht gaat en we willen het verhaal vertellen van echte Amerikanen die Gods werk verrichten. We barsten ook van de dollars – een paar miljoen zelfs. Onze zondagse televisieuitzendingen en onze tweedehands auto's waar elke verkoper een christelijke dominee is, zijn echte uraniummijnen.'

'Kom vannacht om twaalf uur maar bij het Lincoln Memorial in Washington, D.C.,' beval Hawkins zacht. 'En draag witte kappen over je hoofden, zodat ik je zal herkennen!'

'Valt dat niet een beetje op?'

'Zijn jullie laffe, antimilitaristische, anti-Amerikaanse, liberale types?'

'Verrek, nee! Bij ons opent geld alle deuren en van beide hebben we zat. Wij zijn de jongens van jezus!'

'Als het de echte jezus is, neem dan een vliegtuig en zorg dat je vanavond in Washington bent. Vierhonderd passen vanaf de voorkant van het standbeeld en zeshonderd schuin naar rechts. Dan kom je bij het gebouw van de erewacht en de mensen daarbinnen zullen je wel vertellen waar we zijn.'

'We doen dus zaken?'

'Zaken waarvan je je geen voorstelling kunt maken. Denk om de kappen. Die zijn essentieel!'

'Afgesproken, jongen!'

Toen de hoorn weer op de haak lag liep MacKenzie naar de dichtstbijzijnde slaapkamerdeur en klopte. 'Reveille, soldaten! Jullie hebben een uur voor het poetsen en voor de menage en dan begint de strijd. Vergeet niet, jullie uniform is gevechtstenue met revolvers. Bestel je eten maar bij de etageservice.'

'Dat hebben we gisteravond al gedaan, generaal,' riep de stem van Sly van binnen. 'Het is over twintig minuten hier.'

'Bedoel je dat jullie al op zijn?'

'Natuurlijk, meneer,' antwoordde Marlon. 'We zijn al buiten geweest en hebben veertig of vijftig blokjes getrimd.'

'Jullie hebben geen deuren die op de gang uitkomen.'

'Dat klopt, meneer,' stemde Sylvester in.

'Ik heb jullie niet horen weggaan en ik hoor álles!'

'We kunnen heel stil doen, generaal,' zei Marlon. 'En u moet heel moe zijn geweest. U bewoog zich niet eens. ... We zijn hier allemaal bij elkaar voor het *petit déjeuner* ... eerste menage, meneer.'

'Verdómme!'

Tot ergernis van de Havik ging de telefoon opnieuw over. Boos maar gelaten liep hij weer naar het bureau en pakte het snerpende instrument op.'Ja?'

'Ahh, het is zeel aangenaam uw plettige stem te holen,' zei de kennelijk oosterse man aan de lijn. 'Deze meest onwaaldige ziel is zeel blij kennis met u te maken.'

'Ook van deze kant aangenaam kennismaken en wie mag u wel zijn?'

'Yakataki Motoboto, maal mijn plettige vlienden in Hollywood noemen mij "Kluisel".'

'Dat kan ik begrijpen. Kom over vijf uur maar terug en bel me eerst vanuit de lobby.'

'Ahh ja, u bent heel flivool, ongetwijfeld, maar ik kan misschien die voolwaalden van u velmijden aangezien ik geloof dat wij nu eigenaals zijn van dit plachtige hotel en van de lobby.'

'Waar heb je het over, Motorboot?'

'Wij zijn ook eigenaals van dlie van de glootste studio's in Hollywood, eelbiedwaaldige pelsoon. Ik stel vool dat u eelst met mij spleekt, andels moeten wij u, elg helaas, uit het hotel laten zetten.'

'Vergeet het maar, Tojo. Jullie receptie heeft een krediet van honderdduizend in onze naam. Zolang dat niet in gevaar is kun jij ons nergens uitgooien. Zo luidt de wet, banzai, ónze wet.'

'Amai! U stelt het geduld van deze onwaaldige ziel op de ploef. Ik veltegenwooldig de *Toyhondahai Entelplises,* U.S.A. Filmindustlie!'

'Fijn voor jou. Ik vertegenwoordig zes krijgers waar jouw samoerai doetjes bij zijn... Vijf uur, Scheefoog, anders bel ik mijn vriendjes in de Diet in Tokio en die zullen je belastingvrije onkostenvergoeding wegnemen vanwege omkoping!'

'Amai!'

'Maar je mag ook over vijf uur terugkomen en dan is alles vergeven.' De Havik legde de hoorn op en liep naar de open plunjezak die op de sofa lag. Het werd tijd dat hij zich kleedde. Het grijze pak, niet de bukskin kleding.

Negentien minuten en tweeëndertig seconden later stonden de manschappen van het Knettergekke Zestal stram in de houding, een rij in prima conditie verkerende volgelingen in imposante, nauwsluitende gecamoufleerde gevechtskleding, met hun .45 revolvers in holsters om hun benijdenswaardig smalle leesten gesnoerd. Verdwenen waren de theatrale uitingen van hun tijdelijk aangenomen 'namen'; de slappe houding, hun gesnoef en hun stemimitaties bestonden niet meer. In plaats daarvan waren er keiharde gezichten, afgebeten, duidelijke taal en de kaarsrechte houding van betrekkelijk jonge maar ervaren soldaten, ieder met opvallende gelaatstrekken en heldere, strak voor zich uit kijkende ogen, waaruit zowel kracht als intelligentie blonk. Ze werden geïnspecteerd door hun tijdelijke commandant.

'Prima, jongens, jullie hebben het pico bello voor elkaar!' riep de Havik goedkeurend uit. 'Denk erom, dit is het beeld dat zij moeten krijgen wanneer ze voor het eerst naar jullie kijken. Hard maar intelligent, door de strijd getekend maar humaan, anders dan anderen maar wel met beide benen op de grond. Mijn god, wat vind ik het heerlijk wanneer kerels eruitzien zoals jullie! Verdómme nogantoe, we hebben helden nodig! We snakken naar dappere mannen die de muil van de dood inrijden, de kaken van de hel...'

'U hebt het achterstevoren, generaal, het hoort net andersom.'

'Komt op hetzelfde neer.'

'Niet echt.'

'Wat hij bedoelt is William Holden in de laatste scènes van *Kwai*.'

'Of John Ireland in *O.K. Corral*.'

'Wat dacht je van Dick Burton en Big Clint in *Eagles Dare*?'

'Of Errol Flynn in wat dan ook?'

'Vergeet Connery niet in *The Untouchables*.'

'Hé, jongens, wat dachten jullie van sir Henry Sutton als de ridder in *Becket*?'

'Helemaal!'

'Hé, hoe zit het met sir Henry, generaal? Wij zijn hier, maar waar zit hij? We beschouwen hem nu als een deel van ons, vooral als het om onze film gaat.'

'Die heeft een andere opdracht, mannen. Een zeer belangrijke opdracht; later komt hij weer bij jullie. ... Laten we het nu weer eens over de strijd hebben die jullie wacht.'

'Kunnen we plaats rust, meneer?'

'Ja, ja, natuurlijk, maar zorg dat je..., dat je...'

'Je collectieve imago behoudt, generaal?' vroeg Telly zacht.

'Ja, dat bedoel ik – geloof ik.'

'En daarmee hebt u helemaal gelijk, meneer,' voegde de op Yale getrainde Sly eraan toe. 'U moet weten dat we in de grond genomen als gezelschap optreden. Het is voornamelijk improv en het hoort bij het totaal op elkaar inspelen, als het ware.'

'Totaal inspelen...? Ja, natuurlijk. Luister nu eens even. De jongens uit Hollywood en de filmjongens uit Londen die jullie gaan ontmoeten weten niet wat ze moeten verwachten, maar wanneer ze zes militaire *spetters* zien – zoals een dierbare vriendin die hun mentaliteit begrijpt het beschreven heeft – dan zien ze emmers vol met geld. Vooral omdat jullie het in het echt ook zijn en dat maakt een belangrijk verschil uit. Jullie hoeven jezelf niet te verkopen, zij moeten zichzelf verkopen. Jullie kunnen kiezen, jullie worden niet gekozen; misschien willen zij kopen, maar misschien willen jullie niet verkopen. Jullie hebben een bepaalde standaard op te houden.'

'Is dat niet een beetje gevaarlijk?' vroeg de Duke. 'Producenten hebben de knip in handen, niet de acteurs, en zeker geen acteurs zoals wij die nou niet precies Broadway op z'n kop hebben gezet, laat staan Hollywood.'

'Héren,' zei de Havik. 'Vergeet nu jullie vorige leven en wat voor sporen je al dan niet hebt verdiend. Vanaf dit moment zetten jullie de hele wereld op z'n kop met wat jullie nú zijn! Dát zullen die mensen in hun kassa's zien stromen. Jullie zijn niet alleen beroepsacteurs, je bent ook soldaten, commando's in allerlei vermommingen om jullie opdrachten uit te voeren!'

'Och, verrek,' zei Dustin schouder ophalend. 'Iemand die een beetje acteren heeft geleerd zou het kunnen doen...'

'Zeg zoiets nóóit meer!' riep MacKenzie.

'Sorry, generaal, maar volgens mij is dat de waarheid.'

'Hou het dan geheim, jongen!' zei de Havik. 'We moeten nu groot denken. We moeten het groot houden, niet klein.'

'Wat betekent dat?' vroeg Sly.

'Praat niet over details; dat brengt hun concentratievermogen niet op.' MacKenzie liep naar het bureau en pakte de aaneengeniete vellen van het literaire werk van zijn derde vrouw. 'Zoiets als dit heet een synopsis, of een "filmbehandeling" of iets wat even stom klinkt en er is maar één kopie van – zo houden we het zo geheim mogelijk. Het is een dynamische samenvatting van jullie activiteiten over de afgelopen paar jaar en ik zal je zeggen dat het een atoomraket is. Wanneer ieder van die gieren hier komt geef ik hem deze ene kopie met de boodschap dat hij een kwartier krijgt om die te lezen en daarna alle vragen te stellen die hij wil; de antwoorden daarop zullen afhankelijk zijn van de nationale veiligheid. Ik wil dat jullie op die stoelen gaan zitten die ik daar in een halve cirkel heb neergezet om dat collectief te bewaren – of hoe jullie het ook noemen.'

'Het collectieve imago van stilzwijgende kracht met een toevoegsel van intelligentie en inzicht?' opperde Telly, de professor.

'Ja, dat. En misschien zou het niet slecht zijn wanneer een paar van jullie op je revolverholsters klappen, telkens wanneer ik zeg "nationale veiligheid".'

'Jij, Sly; daarna jij, Marlon,' beval de Duke.

'Gesnapt.'

'Gesnapt.'

'En nu komt de klap op de vuurpijl,' vervolgde de Havik snel. 'In het begin beantwoorden jullie de vragen van die clowns met jullie normale stemmen, vervolgens knik ik tegen ieder van jullie en dan schakel je over op de impersonaties van de mensen – de acteurs – die jullie voor mij en voor kolonel Cyrus hebben geïmiteerd.'

'We kunnen er nog veel meer doen,' zei Dustin.

'Je kunt met deze volstaan,' antwoordde Hawkins. 'Ze waren verdomd overtuigend.'

'Waartoe dient dat?' vroeg de sceptische Marlon.

'Ik had gedacht dat je dat meteen wel zou begrijpen. We bewijzen dat jullie echte profs zijn, dat jullie gedaan hebben wat jullie gedaan hebben omdat jullie acteurs zijn.'

'Dat kan geen kwaad, Pelgrims,' zei de Duke en hij nam de rol weer aan van de man die hij imiteerde. 'Verrek, er hebben toch al niet zoveel bonzen in de business naar ons geluisterd.'

'Zelfvertrouwen, mannen. Dat hebben jullie allemaal!' De telefoon rinkelde weer. 'Ga maar eten, heren,' vervolgde MacKenzie; hij pakte de hoorn op terwijl het Knettergekke Zestal op de tafels met eten aanviel. 'Ja, met wie?'

'U spreekt met de twaalfde zoon van de sjeik van Tizi Ouzou van zijn tweeëntwintigste vrouw,' sprak de zachte stem over de lijn. 'Dertigduizend kamelen zullen u behoren als ons gesprek vrucht draagt, anders zullen honderdduizend Westerse honden sterven als de afloop geen vruchten oplevert.'

'De pot op! Kom maar terug over zes uur en ga anders je ballen begraven in het woestijnzand!'

Zeven uur later had het goede schip *Haviks Aanval* zich voor het eerst in de woelige wateren van de filmwereld begeven. In zijn verraderlijke kielzog en worstelend om niet te verdrinken bevonden zich een vroegere Britse Grenadier die Ogilvie heette en die bralde over ondankbare spaghetti vretende kolonialen; een zekere Emmanuel Greenberg wiens stortvloed van tranen iedereen ontroerde behalve een zekere MacKenzie Hawkins; een zeker uitgeput hoofd van Holly Rocks ontwikkelingsafdeling die Scrimshaw heette, die ten slotte zei dat hij genoegen zou nemen met een bed waarvoor hij niet hoefde te betalen; een krijsende 'Kruiser' Motoboto die het overduidelijk maakte dat gevangenkampen in Hollywood niet over het hoofd gezien mochten worden; en ten slotte een grauwende sjeik Moestafa Hafaiyabeaka, in een wapperend gewaad, die voortdurend hatelijke vergelijkingen maakte tussen kamelevijgen en de Amerikaanse dollar. Toch hoopten ze, man voor man en onderneming voor onderneming, gekozen te zullen worden als de producerende kracht achter de spectaculairste film aller tijden, en iedereen was sprakeloos van verbazing over de zes opmerkelijke acteurs-commando's en het erover eens dat zij zichzelf moesten uitbeelden in de film over hun heldendaden. Alleen Greenberg kwam met de suggestie: 'Misschien wat vrouwelijk schoon erbij, jongens? Weet je wel, een paar meisjes, zodat er geen vragen worden gesteld, weet je wel?' Het Knettergekke Zestal was het er enthousiast mee eens, vooral Marlon, Sly en Dustin. 'Zesendertig karaats goud!' fluisterde Manny, nog enthousiaster.

Er werden visitekaartjes aangeboden maar Hawkins maakte duidelijk dat er pas volgende week een beslissing zou worden genomen. Toen de laatste van de smekelingen vertrokken was, de grommende twaalfde zoon van de sjeik van Tizi Ouzou van diens tweeëntwintigste vrouw, wendde MacKenzie zich tot zijn elitetroep van commando's die uit het voetlicht waren getreden en gaf zijn oordeel. 'Jullie waren geweldig, ieder van jullie. Ze waren gehypnotiseerd, uit hun schuttersputten geblazen – jullie hebben het geflikt!'

'Behalve dat we een vrij aardige show hebben weggegeven,' zei de erudiete Telly, 'weet ik niet precies wat we eigenlijk hebben geflikt.'

'Ben je soms je kogelvrije vest kwijt, jongen?' zei de verbaasde Hawkins. 'Heb je niet gehoord wat ze zeiden? Iedere geldwolf in dat gezelschap was zo gebeten op dit project dat hij ervan zeverde!'

'Och,' merkte Dustin op, 'ik heb een boel lawaai gehoord, een boel schreeuwen en smeken, vooral die tranen van meneer Greenberg – hij was bijzonder effectief, hij leek wel een Griekse rei – maar ik weet niet zeker wat het allemaal betekende.'

'We hebben niemand met een contract zien zwaaien,' zei Marlon.

'We willen helemaal geen contracten. Nog niet.'

'Wanneer dan wel, generaal?' vroeg sir Larry. 'Weet u, we hebben dit allemaal al eerder meegemaakt. Er wordt altijd heel veel gepraat maar er staat weinig op papier. Papier is een verbintenis, meneer, de rest is, nou ja, alleen maar gepraat.'

'Als ik het goed heb, heren, worden de onderhandelingen overgelaten aan de onderhandelaars. Wij zijn de creatieve kant; wij doen iets en zij pingelen.'

'Wie onderhandelt er voor ons, als iemand ons echt wil hebben... Pelgrim?'

'Goed gezegd, Duke. Misschien kan ik maar beter even telefoneren.'

'Ik zal ervoor betalen,' zei Sly.

In plaats daarvan ging de telefoon van het Waldorf-Astoria over. De Havik liep naar het bureau. 'Ja, met wie, verdomme, nú weer?'

'Schat, ik kon niet langer wachten! Hoe gaat alles?'

'O, hallo, Ginny, alles verliep prima maar zoals de jongens me uitlegden hebben we misschien een probleem.'

'Manny?... Je hebt hem toch niet doodgeslagen, Mac?'
'Verrek, nee. De jongens mochten hem eigenlijk wel.'
'De tranen zeker?'
'Precies.'
'Daar is hij heel goed in, de rotzak. ... Wat voor probleem heb je dan?'
'Nou ja, zoals de mannen zeggen is het werkelijk geweldig dat die gieren ons mochten, of deden alsof ze ons mochten, maar hoe krijgen we nu iets op papier...'
'Dat is al geregeld, Mac. Alles is in handen van het William Morris Agency – het beste wat je krijgen kunt. Robbins en Martin zelf.'
'Robbins en Martin? Dat klinkt als een deftige herenmodezaak.'
'Ze zijn de beste en we mochten willen dat wij hun hersenen hadden. Niet alleen hersenen, ze spreken Engels dat je kunt verstaan, niet dat gelul van Hollywood. Daarom brengen ze iedereen in verwarring en gaan ze strijken met het geld. Ze gaan aan het werk wanneer ik het hun zeg.'
'Maak daar maar begin volgende week van, oké, Ginny?'
'Natuurlijk. Waar kan ik je bereiken en wie waren er nu precies behalve Manny?'
'Wacht even, ik heb hun kaartjes.' De Havik pakte de visitekaartjes op het bureau en las ze voor aan zijn ex-vrouw.
'Was daar niet een of andere geschifte studio uit Georgia of Florida bij? In het Zuiden doet natuurlijk geen enkel fatsoenlijk bedrijf zaken met hen, maar ze hebben verschillende kathedralen vol met geld en ze kunnen het bieden omhoogjagen.'
'Ik heb zo'n idee dat ze vanavond in Washington de nodige moeilijkheden zullen krijgen.'
'Wát?'
'Laat maar, Ginny.'
'Die toon ken ik; het is al geregeld. Hoe zit het nu met jou? Waar zit je ergens?'
'Bel een zekere Johnny Kalfsneus maar in het Wopotami-reservaat buiten Omaha, die weet wel waar hij me kan vinden. Hier is zijn privé-nummer.' Hawkins gaf het door. 'Heb je het?'
'Jazeker, maar wat is een Kalfsneus en wat is in 's hemelsnaam een Wopotami?'
'Hij is een lid die geen rechten meer heeft van die onderdrukte stam.'
'Jouw windmolens, Mac?'
'We doen wat we kunnen, lieve meid.'
'Wie doen we het nu aan, schat?'

'Slechte beschermers van de republiek met hele slechte bedoelingen.'

'O, de mietjes in Washington?'

'En hun voorvaderen, Ginny, tot meer dan honderd jaar geleden.'

'Wat heerlijk! ... Maar hoe heb je Sam erbij kunnen betrekken?'

'Hij is een man van echte principes – veel rijper dan hij vroeger was en hij heeft zeven kinderen – maar hij weet het goede van het slechte te onderscheiden.'

'Dat bedoel ik nou juist! Hoe heb je hem teruggekregen? Die knappe jongen denkt dat jij de veertig dieven van Ali Baba bent op één stel benen.'

'Och, zoals ik al zei, hij is veranderd, milder geworden door de jaren heen. Dat past waarschijnlijk bij zijn verwilderde blik en de jicht waarvan hij een beetje krom loopt... Volgens mij zou iedereen met negen kinderen daar last van hebben.'

'Negen? Ik dacht dat je zeven zei?'

'Ik raak in de war, maar dat doet hij ook. Ik moet echter wel zeggen dat hij veel toleranter is geworden.'

'De hemel zij dank dat hij over Annie heen is. We maakten ons allemaal zorgen over hem. ... Wacht eens even! Zeven kinderen... negen? Wat heeft zijn vrouw gedaan, heeft ze ze met twee of drie tegelijk geworpen?'

'Och, we hebben niet echt...' Gelukkig voor MacKenzie Hawkins klonken er een paar klikken op de lijn, gevolgd door de opgewonden stem van een telefoniste die tussenbeide kwam.

'Suite Twaalf A, er is een dringend gesprek voor u! Wilt u uw huidige gesprek afbreken zodat ik u kan doorverbinden?'

'Tot kijk, Ginny, we bellen later wel weer.' MacKenzie klapte de hoorn op de haak en hield die daar; drie seconden later ging de bel over en hij rukte de hoorn omhoog. 'Met Suite Twaalf A. Met wie spreek ik?'

'Met Redwing, jij prehistorisch monster!' brulde Jennifer vanuit Swampscott, Massachusetts. 'Sam heeft gisteravond de band van Brokemichael gehoord en Cyrus, Roman en onze twee Desi's hadden alle mogelijke moeite om hem in bedwang te houden! Uiteindelijk heeft Cyrus kans gezien zowat een hele fles whisky in zijn lijf te gieten...'

'Wanneer hij nuchter is komt hij wel weer bij zinnen,' viel de Havik in de rede. 'Dat doet hij meestal.'

'Aardig van je om dat te zeggen, maar we weten het natuurlijk nooit zeker.'

'Wat bedoel je?'

'Hij is verdwénen!'

'Dat is onmogelijk! Met mijn adjudanten en Roman Z en de kolonel in de buurt?'

'Hij is een sluwe rotzak, Donderkont. Zijn deur was dicht en we dachten dat hij zijn roes nog aan het uitslapen was. Maar vijf minuten geleden liep Roman patrouille op het strand en hij zag een speedboot tot heel dicht voor de kust varen en een gedaante vanaf de duinen het water inlopen en aan boord gaan!'

'Sam?'

'Een verrekijker liegt niet en Romans ogen moeten verdomd goed zijn, anders was zijn strafblad nog veel langer geweest.'

'Verdomme, daar gaat-ie weer. Het is weer helemaal zoals in Zwitserland!'

'Je bedoelt toen Sam probeerde jou tegen te houden...'

'En dat lukte hem nog bijna ook,' zei MacKenzie terwijl hij koortsachtig zijn zakken doorzocht naar zijn fopspeen, een verfomfaaide sigaar. 'Hij moet een telefoon hebben gebruikt om iemand te bellen.'

'Dat is duidelijk, maar wie?'

'Hoe kan ík dat nou weten? Ik heb hem in jaren niet meer gezien... maar toch, wat kan hij uitrichten?'

'Gisteravond bleef hij maar schreeuwen over kerels op hoog niveau die aan de touwtjes trokken, hoe de omkopers het land aan het verkopen waren en aan de kaak moesten worden gesteld en dat zou hij gaan doen...'

'Ja, daar heeft hij het steeds maar over en hij gelooft het nog ook.'

'Jij dan niet soms? Volgens mij heb ik jou zowat hetzelfde horen zeggen in het Ritz-Carlton, generaal.'

'Ja, ik geloof erin, maar er is een tijd en een plaats voor het uitvoeren van die zaken en dit is noch de tijd, noch de plaats! ... Maar wat kan hij eigenlijk doen? Een hysterische advocaat met bloeddoorlopen ogen en natte kleren die naar een krant loopt, zoals hij opperde, met een verhaal als dat van ons? Hij kan het onmogelijk bevestigen; ze zouden een ambulance van het gekkenhuis bellen.'

'Ik geloof dat ik iets heb overgeslagen,' zei Jennifer.

'Wat?'

'Hij heeft de band van Brokemichael bij zich.'

'Sherman in Atlanta, dat méén je niet, roodhuidendame!'

'Ik wilde uit de grond van mijn roodhuidenhart dat het waar was. We kunnen hem nergens vinden.'

'Bij de pistolen van Georgie Patton! Hij kan de hele onderneming in de soep draaien. We moeten hem tegenhouden!'

'Hoe dan?'

'Bel de kranten in Boston, de radio- en televisiestations en zeg dat er een krankzinnige is ontsnapt uit het grootste gesticht in Massachusetts.'

'Dat zal niet veel helpen wanneer ze de band afluisteren. Het eerste wat ze zullen doen is kopieën maken, dan een stemanalyse en die vergelijken met die van je vriend generaal Brokemichael, ofwel van journaalbanden of gewoon via de telefoon.'

'Ik zal Brokemichael bellen en zeggen dat hij de telefoon niet moet opnemen!'

'De telefoon...?' zei Jennifer peinzend. 'Dat is het! Alle telefoonmaatschappijen hebben computeruitdraaien van alle nummers die worden gebeld; dat is de normale procedure voor het factureren. Ik weet zeker dat meneer Pinkus direct een politiebevel kan krijgen.'

'Waarvoor?'

'Voor het nummer dat Sam heeft gebeld hier vanuit het huis! Behalve jouw gesprek van vroeg in de morgen heeft niemand die telefoon gebruikt.'

'Iemand heeft dat wel gedaan, en die heet Devereaux.'

Dank zij de voorbeeldige relatie van Aaron Pinkus met de autoriteiten leverde Redwings suggestie snel resultaat op. 'Meneer, u spreekt met inspecteur Cafferty van de politie in Boston. We hebben de informatie die u wenst.'

'Dank u hartelijk, inspecteur Cafferty. Als het geen noodgeval was geweest zou ik nooit een beroep hebben gedaan op uw bureau of uw vriendelijkheid.'

'Hè, toe nou, meneer. Uiteindelijk eten we elk jaar op het diner van het bureau "Pinkus' Corn Beef en Kool".'

'Een onbetekenende bijdrage vergeleken met de diensten die u onze mooie stad bewijst.'

'Och, u kunt ons altijd bellen. ... Dit hebben we van de telefoonmaatschappij gekregen. In de afgelopen twaalf uur zijn er maar vier gesprekken gevoerd vanaf het nummer in Swampscott, het laatste zes minuten geleden naar New York City...'

'Ja, van dat laatste zijn we op de hoogte, inspecteur. De andere drie graag.'

'Twee waren naar uw eigen huis, meneer Pinkus. Het eerste om zes uur drieëndertig gisteravond en dan vanmorgen...'

'O ja, ik heb met Shirley gebeld, dat is mijn vrouw. Dat was ik vergeten.'

'We kennen mevrouw allemaal, meneer, en het is een geweldige dame. Zo rijzig en gracieus, meneer.'

'Rijzig? Nee, in werkelijkheid is ze erg klein; dat komt door haar kapsel. Vergeet het maar, wat was het vierde gesprek, alstublieft?'

'Het werd vanmorgen om twaalf over zeven gevoerd met het geheime nummer daar, de residentie van Geoffrey Frazier...'

'*Frazier*?' viel Aaron hem onwillekeurig in de rede. 'Hoe buitengewoon...!'

'Neemt u mij niet kwalijk, meneer Pinkus, hij is een heleboel dingen, waaronder een verschrikkelijke lastpost.'

'Ik weet zeker dat zijn grootvader hem als nog veel erger beschrijft, inspecteur Cafferty.'

'Ja, ik heb hem gehoord, meneer! Telkens wanneer we hem oppakken wegens dronkenschap vraagt de oude heer of we hem niet een paar dagen langer kunnen vasthouden.'

'Heel hartelijk bedankt, inspecteur, u hebt ons reusachtig geholpen.'

'Geen enkele moeite, meneer.'

Aaron legde de hoorn op en keek Jennifer vragend aan. 'We weten nu in elk geval hoe Sam de band heeft gevonden; hij gebruikte Sidney's privé-lijn in de studeerkamer. Daar hebben we hem gisteravond afgeluisterd.'

'Maar daarvan bent u niet geschrokken, nietwaar? Het is iemand die Frazier heet, hè?'

'Precies. Hij is een van de charmantste – ik mag zelfs zeggen een van de beminnelijkste – mannen die je je kunt voorstellen. Een verschrikkelijk aardige man wiens ouders jaren geleden bij een vliegtuigongeluk zijn omgekomen toen de dronken Frazier senior probeerde met zijn watervliegtuig te landen op de Grand Corniche in Monte Carlo. Geoffrey is een studiegenoot van Sam op Andover.'

'Daarom heeft hij hem dus gebeld.'

'Ik betwijfel het. Sam haat niet echt mensen, zo is hij nu eenmaal niet gebouwd, zelfs MacKenzie Hawkins niet, zoals je hebt gemerkt. Maar hij keurt wel af, hij kan iemand uit de grond van zijn hart afkeuren.'

'Afkeuren – op wat voor manier, en waarom die Frazier?'

'Omdat Geoffrey zwaar misbruik maakt van zijn privileges. Hij drinkt aan één stuk door en heeft als enig levensdoel het najagen van pleziertjes en het vermijden van verdriet. ... En Sam kan hem absoluut niet uitstaan.'

'Vandaag wel – zowat tien minuten geleden op het strand.'

'De generaal heeft gelijk, we moeten hem tegenhouden!' zei Aaron ineens en hij keerde zich weer naar de telefoon.

'Hoe?'

'Als we wisten waarheen hij ging in die boot zou dat een begin zijn.'

'Dat kan overal zijn.'

'Nee, niet echt,' zei Aaron. 'De zaken zijn veranderd langs de kust; de kustwacht en de reddingsbrigades zijn in constante alarmtoestand, niet alleen vanwege roekeloze schippers maar ook vanwege mensen die illegale goederen aan land brengen van schepen die verder uit de kust liggen. Er wordt de mensen met huizen aan het strand gevraagd elke verdachte activiteit op het water te rapporteren.'

'Misschien heeft iemand hen al gebeld,' viel Jennifer hem in de rede. 'Die boot kwam tot vlak bij het strand.'

'Ja, maar Sam liep erheen om aan boord te gaan, niemand is uitgestapt.'

'Dan hebben we dus te maken met het waarom-zou-ik-me-ermee-bemoeien-syndroom?' concludeerde Jennifer.

'Precies.'

'Maar waarom zouden we de kustwacht niet bellen?'

'Dat zou ik onmiddellijk doen als ik wist wat voor soort boot het was, zelfs de afmeting, de vorm of de kleur of de jachthaven waar ze thuishoort.' Pinkus pakte de hoorn op en voegde er, onder het draaien aan toe: 'Maar ik herinner me nu iets, ik weet iets anders, ik ken iemand anders.'

Een van de afgezonderde sjieke buurten van Boston is een geïsoleerd stukje grond boven op Beacon Hill dat Louisburg Square heet. Het is een complex van elegante herenhuizen die rond 1840 zijn gebouwd, met een klein, keurig onderhouden park dat aan de noordkant werd bewaakt door een standbeeld van Columbus en aan de zuidkant door een standbeeld van Aristides de Rechtvaardige. Fysiek is het niet geïsoleerd natuurlijk, want de post moet worden bezorgd, de vuilnis moet worden opgehaald en de daghulpen moeten daar zo goed mogelijk kunnen komen zonder hun gammele voertuigen achter te laten tussen de Rolls-Royces, Porsches of wat voor leuke troonopvolgers van de Amerikaanse auto's in de smaak vallen van de landheren van Louisburg. Deze landheren zijn echter demografisch semi-democratisch – het heeft niets met de partij te maken – want er is heel lang geleden geërfd geld, geërfd geld, geld van de eerste generatie en pas verworven pegulanten. Er zijn erfgenamen, effectenhandelaren, advocaten, een aantal topmensen van bedrijven en artsen, vooral één dokter die ook een vooraanstaande Amerikaanse romanschrijver is en die door de medische professie het liefst in coma zou worden gebracht maar daar is hij in beide beroepen te goed voor.

Maar nogmaals, ondanks de demografie, rinkelde er op dit moment slechts één telefoon en wel in het smaakvol ingerichte herenhuis van het oudste geërfde geld in Boston, te weten de residentie van R. Cookson Frazier. Toen de telefoon overging was de krasse oudere heer, in een rood, met zweet doordrenkt sportbroekje, bezig een basketbal nauwkeurig in het net te doen belanden van de sportzaal die hij voor zichzelf had laten aanleggen op de bovenste verdieping van zijn huis. Zijn sportschoenen piepten op de harde houten vloer en hij keek vragend naar de schelle onderbreking. De besluiteloosheid duurde maar even, bij de derde keer overgaan herinnerde hij zich weer dat zijn huishoudster naar de supermarkt was. Hij veegde zijn voorhoofd af, liep naar het toestel aan de muur en pakte de hoorn op. 'Ja?' zei hij een beetje buiten adem.

'Meneer Frazier?'

'In eigen persoon.'

'U spreekt met Aaron Pinkus, meneer Frazier. We hebben elkaar enkele malen ontmoet, de laatste keer op het liefdadigheidsbal van het Fogg Museum, geloof ik.'

'Dat was inderdaad zo, Aaron en waarom dat "meneer Frazier"? Jij bent zowat net zo oud als ik en volgens mij waren we het erover eens dat je er niet zo oud uit zou zien als je meer aan lichaamsbeweging deed.'

'Maar al te waar, Cookson. Er lijkt nooit genoeg tijd voor te zijn.'

'Voor jou niet, al zul je waarschijnlijk wel de rijkste vent zijn op het kerkhof.'

'Die ambities heb ik al lang opgegeven.'

'Dat weet ik, ik pest je alleen maar omdat ik sta te zweten als een otter en dat is geen beste vergelijking omdat ik gehoord heb dat otters niet zweten. ... Wat kan ik voor je doen, beste kerel?'

'Het betreft je kleinzoon, vrees ik...'

'Vréés jij?' viel Frazier hem in de rede. 'Ik doe het in mijn broek! Wat nú weer?' Pinkus begon zijn verhaal te vertellen maar binnen acht seconden, bij het noemen van de speedboot, viel de oude man hem met een triomfantelijke kreet in de rede. 'Dat is het! Nu héb ik hem!'

'Pardon, Cookson?'

'Nu kan ik hem laten opsluiten!'

'Wat...?'

'Het is hem volgens de wet niet toegestaan zijn boot te besturen – of zijn auto of zijn motor of zijn sneeuwkat. Hij wordt als een gevaar beschouwd te land, ter zee en ter sneeuw!'

'Laat je hem naar de gevangenis sturen?'

'Gevangenis? Lieve hemel, nee. Gewoon naar een van die plaatsen waar ze de jongen mores kunnen leren! Mijn advocaten hebben er al voor gezorgd. Als hij wordt betrapt op ook maar één van die overtredingen en er zijn geen verwondingen of schadeloosstellingen aan derden bij betrokken, dan mag ik volgens de rechtbank mijn eigen beschermende maatregelen treffen.'

'Wil je hem in een gesticht laten plaatsen?'

'Ik geef de voorkeur aan een andere term, zoiets als "rehabilitatiecentrum" of hoe ze die dingen ook noemen.'

'Als je zover gaat moet hij je echt last hebben veroorzaakt.'

'Dat heeft hij zeker, maar misschien niet op de manier waaraan jij denkt. Ik ken die jongen en ik mag hem verschrikkelijk graag – mijn god, hij is de laatste van de mannelijke Fraziers!'

'Ik begrijp het, Cookson.'

'Ik denk van niet. Je moet weten dat wij hem, wat hij ook is, zo hebben gemaakt, onze familie heeft dat gedaan, net zoals ik het gedaan heb met mijn eigen zoon en voor mij was het veel erger want ik was er tenminste bij, springlevend. Maar zoals ik zeg, ik ken hem en onder dat met drank doorweekte uiterlijk dat overloopt van charme, zit een stel hersens, Aaron! Onder die verwende jongen zit een andere man, dat voel ik, dat geloof ik echt!'

'Hij is een heel aardige jongen en ik zal je heus niet tegenspreken.'

'Maar je gelooft me ook niet, is 't wel?'

'Zo goed ken ik hem niet, Cookson.'

'De kranten en de televisiemensen denken kennelijk van wel. Bij elk lastig parket waarin hij belandt verschijnen de koppen "Rijke telg opnieuw in ontnuchteringscel", en "Playboy van Boston schande voor de stad", enzovoort, enzovoort enzovoort.'

'Het is dus kennelijk gebeurd...'

'Natuurlijk is het gebeurd! Daarom is jouw nieuws het mooiste cadeau dat ik van je kon krijgen. Nu kan ik die volwassen delinquent in de tang nemen!'

'Hoe? Zijn speedboot is in het water en we weten niet waar hij heengaat.'

'Zei je niet dat hij ongeveer twintig minuten geleden in Swampscott aanlegde...?'

'Of iets minder.'

'Het kost hem minstens veertig tot vijfenveertig minuten om terug te keren naar de jachthaven...'

'Stel dat hij niet op weg is naar de jachthaven? Stel dat hij de andere kant uit vaart?'

'Ten noorden van Swampscott is de dichtstbijzijnde aanlegplaats om te tanken in Gloucester en die speedbootjes zuipen benzine als zes Arabieren met strootjes in één pot thee. Gloucester is zowat een half uur verder.'

'Hoe weet je dat allemaal?'

'Ik ben vijf achtereenvolgende zittingsperioden commandant geweest van de reddingsbrigade van Boston; natuurlijk weet ik dat. We verknoeien onze tijd Aaron! We moeten de patrouilles bellen en onze vrienden van de kustwacht. Die vinden hem wel.'

'Nog één ding, Cookson. Aan boord is een werknemer van mij die Devereaux heet, Samuel Devereaux, en die moet door de autoriteiten absoluut voor mij worden vastgehouden.'

'Kwalijke zaak, zeker?'

'Nee, helemaal niet kwalijk, alleen maar heetgebakerd. Maar het is van het grootste belang dat hij wordt vastgehouden. Ik leg het later wel uit.'

'Devereaux? Familie van Lansing Devereaux?'

'Zijn zoon zelfs.'

'Verrekte fijne kerel, die Lansing. Veel te jong gestorven voor een man met zijn bekwaamheden. Hij heeft mij zelfs op een stel winstgevende investeringen gewezen.'

'Zeg me eens, Cookson. Heb je na zijn dood ooit contact gehad met zijn weduwe?'

'Hoe kon ik anders? Híj had de hersens, ik was niets meer dan wat onbelangrijk geld. Ik heb mijn winsten overgemaakt naar haar rekening. Zoals ik al zei, ik kon toch niet anders?'

'Een stel mensen dacht daar anders over.'

'Verdomde dieven van bloedzuigers... Ik moet opleggen, Aaron, en een paar telefoontjes plegen, maar nu we met elkaar hebben gesproken, laten we eens een avond gaan eten.'

'Met veel plezier.'

'Met jouw knappe vrouw, Shelly – zo'n rijzige, gracieuze dame.'

'Ze heet Shirley en ze is eigenlijk helemaal niet rijzig, dat komt door haar... och, laat maar.'

28

De lucht betrok plotseling en donkere wolken pakten zich samen boven een al even sombere zee daaronder. En voor de kust van Massachusetts klemde Sam Devereaux zich vast aan de roestvrij stalen reling van de speedboot en vroeg zich af wat hem had bezield om Geoff Frazier te bellen, een man aan wie hij een grondige hekel had.

... Nou ja, een hekel was misschien te sterk uitgedrukt. Niemand die 'Gekke Frazie' kende, zoals hij soms vertederend werd genoemd, kon echt een hekel aan hem hebben. De 'Ruimtekadet' zoals hij ook bekend stond, had immers een hart zo groot als de maandelijkse toelage uit zijn erfenis, en hij zou die met liefde aan iemand geven van wie hij wist dat hij in behoeftige omstandigheden verkeerde. Wat Sam op dit moment dwarszat waren Frazies krankzinnige manoeuvres die de ranke, tweemotorige speedboot met opzet met haar neus in de torenhoge golven stuurden.

'Moet ik wel doen, knul!' schreeuwde de grijnzende schipper. 'Deze blikken dingen kunnen omslaan als je de boeg niet in de golven houdt!'

'Bedoel je dat we zouden kunnen zinken?'

'Ik weet het eigenlijk niet zeker; het is nog nooit gebeurd!' Een kolossale golf buiswater sloeg over het windscherm van de boot en doordrenkte beide mannen. 'Verdomd spannend, vind je niet, knul?'

'Geoff, ben jij wel nuchter?'

'Misschien een tikkeltje, ouwe jongen, maar dat wil niets zeggen!' schreeuwde Frazier. 'Door de drank kun je deze plotselinge buien veel beter aan! Zo kun je de natuur de baas worden, als je begrijpt wat ik bedoel. ... Hoor je me wel, Devvy?'

'Helaas wel, Frazie.'

'Maak je geen zorgen. Die windstoten komen snel op maar ze verdwijnen soms weer even vlug!'

'Hoe lang nog?'

'Niet meer dan een uur of zo,' schreeuwde de vrolijk grijnzende Frazier. 'Ons enig probleem zal zijn een kom te vinden tot het zover is.'

'Een kom?'

'We kunnen niet aan land zolang we geen gezellig hoekje hebben gevonden, zogezegd.'

'Spreek je moerstaal eens!'

'Dat doe ik, knul. Een inham die de kracht van de wind en het water breekt en er zijn er maar verdomd weinig langs de kust.'

'Land dan op het strand!'

'Daar zijn een boel rotsen en golfbrekers, Devvy, en je kunt deze notedopjes in zwaar weer moeilijk de baas blijven.'

'Wat nu weer...'

'Laat maar...'

'Verdomme, land toch op het strand! Er ligt een heel stuk vóór ons, er is geen rots te zien en ik heb iets belangrijks te doen!'

'Nou ja, rotsen en zandbanken zijn niet de enige hindernissen, ouwe jongen,' schreeuwde Frazier. 'Als je dit soort boten op een privéstrand neerpoot ben je nou niet precies altijd welkom en als je je ogen gebruikt zie je voor zover je kijken kunt alleen maar zomervilla's!'

'Je bent bijna een halfuur geleden ook bij het strand in Swampscott geweest!'

'Mensen als ik betalen daar voor stukken strand die ze nooit gebruiken zodat de buren ons niet kunnen zien of ons water kunnen vervuilen. Bovendien kent iedereen het huis van de Birnbaums en iedereen die de societyrubrieken leest weet dat ze op een veiling in Londen zitten. Ik heb het risico genomen, Devvy, maar hier doe ik dat niet – niet in deze bui en niet met mijn stommiteiten uit het verleden!'

'Stommiteiten...?'

'Gewoon domme verkeersovertredingen zou je kunnen zeggen, ouwe jongen. Niets om je zorgen over te maken, maar er zitten nu eenmaal rotte appels in elke fatsoenlijke mand, dat weet je.'

'Wat voor appels? Wat voor manden?' brulde Sam, terwijl zwiepende watergordijnen gelijktijdig van stuurboord en bakboord over hem heen spoelden en hem tot op zijn huid doordrenkten.

'Die stomme reddingsbrigade van mijn grootvader – allemaal verlinkers en ze kunnen me niet uitstaan omdat mijn boot sneller is dan die van hen!'

'Waar heb je het in godsnaam over, Frazie?' Een enorme ruk slingerde de boot de lucht in en deed haar met een harde dreun terugvallen in een aanstormende golf, zodat Devereaux zijn houvast verloor; hij viel op het dek, greep het handvat van een bergkastje en rukte het omlaag; door de vaart schoot hij met zijn hoofd naar binnen. 'Hélp!' krijste hij. 'Ik zit ergens vást!'

'Ik kan je niet horen, Devvy, maar maak je geen zorgen, makker! Ik kan de boeien van Gloucester al zien. "Recht zo die gaat" heet dat.'

'Recht... mftt... mfttt!'

'Je zult duidelijker moeten spreken, Devvy! Ik hoor je niet met die wind, maar ik zou je erg dankbaar zijn als je een fles Dom Perry voor me zou willen ontkurken. Er staat een koelkist in het kastje op de achterplecht, als je zo goed wilt zijn! ... Rol de fles maar over het dek, zoals we dat vroeger deden met de meisjes van Holyoke, weet je nog? Door de middelpuntvliedende kracht gaat maar de helft van het kostbare vocht verloren. Natuurkundeles op Andover! Het belangrijkste dat ik ooit heb geleerd!'

'Mfttt... au...owee!' brulde Sam en hij trok zijn hoofd uit het dekkastje met een tros wit touw om zijn schedel. ‘Wil jij een fles champagne terwijl wij midden in een orkáán zitten? Ze moesten jou opsluiten, Frazie, je bent hartstikke gek!’

‘Toe nou, knul, dit is niet meer dan een fikse bui, echt niet.’ De grijnzende kapitein, met de klep van zijn autoritaire pet schuin over zijn rechteroor, draaide zich om en keek naar zijn passagier, die plat op het dek lag met het touw om zijn hoofd. ‘Hé, wat nou weer, ouwe jongen, heb je een tulband op?’ bulderde hij lachend.

‘Ik pak voor jou géén fles champagne en ik eis dat ik aan land word gezet, of ik neem, als gerechtsfunctionaris, jou persoonlijk te grazen vanwege het in onbekwame toestand bevaren van de zee!’

‘Tweehonderd meter van de kust?’

‘Je weet best wat ik bedoel!’ Devereaux krabbelde omhoog tot op zijn knieën en een nieuwe massieve golf sloeg over zijn schouders en deed hem weer op het dek belanden. ‘Frazier!’ schreeuwde Sam en hij klemde zich opnieuw vast aan de roestvrij stalen reling. ‘Ben jij alleen maar geïnteresseerd in jezelf?’

‘Dat is op zich al een enorm terrein, makker, maar natuurlijk geef ik ook om anderen. Ik geef om oude vrienden die me nog steeds vriend noemen. Ik geef om jou omdat je me hebt gebeld toen je in de penarie zat!’

‘Dat kan ik niet ontkennen,’ zei Devereaux en hij besloot de koelkist op de achterplecht toch maar te openen; ineens bedacht hij dat Frazie misschien wel iets nodig had om ‘de natuur de baas te blijven’.

‘O, o,’ riep de kapitein van de reddingsoperatie in Swampscott. ‘We hebben een probleem, Devvy!’

‘Wat dan?’

‘Een van die verlinkers van grootvaders stomme reddingsbrigade moet ons gezien hebben!’

‘Wat?’

‘Er zit een kustwachtboot achter ons aan, ouwe jongen! Draai je maar om dan zie je ze.’

‘Holy shít!’ fluisterde Sam bij zichzelf toen hij de scherpe boeg van een witte patrouilleboot met de rode strepen van de kustwacht een paar honderd meter achter hen over de golven zag dansen. Door een van die grillige windstoten hoorde hij het geluid van een sirene. ‘Proberen die ons te laten stoppen?’ brulde hij.

‘Laten we het zo zeggen, knul, het is geen beleefdheidsbezoekje!’

‘Maar ze mogen mij niet tegenhouden!’ schreeuwde Devereaux terwijl hij een fles ontkurkte en die over het natte dek liet rollen. ‘Ik moet naar de autoriteiten – de politie, de FBI, *The Boston Globe*, wat dan ook! Ik moet een van de machtigste mannen in Washington aan de kaak stellen die iets afschuwelijks heeft gedaan! Dat móet ik doen! Als de kustwacht of iemand in de regering mijn bewijsmateriaal vindt zullen ze me tegenhouden!'

'Dat klinkt nogal vervaarlijk, ouwe jongen!' schreeuwde Frazier en zijn woorden overstemden de wind en het overvliegend schuim terwijl hij de fles oppakte. 'Maar ik moet je wel even iets vragen! Je hebt toch geen pilletjes of pakjes poeder of zoiets bij je, knul?'

'Verrek, nee!'

'Ik moet het absoluut zeker weten, Devvy, dat zul je begrijpen!'

'Gelóóf me maar, Frazie,' riep Sam boven het gebulder van de bui voor de kust van New England uit. 'We praten over een man die vormgeeft aan de politiek van het hele land, die naast de president wordt beschouwd als de machtigste man in de regering! Hij is een leugenaar en een schurk en neemt huurmoordenaars in dienst! Ik heb het allemaal in mijn zak!'

'Iemands bekentenis?'

'Nee, een geluidsband die het hele komplot bevestigt!'

'Dat is echt de moeite waard, nietwaar?'

'Zie dat je me aan land krijgt, Frazie!'

'Dan stel ik voor dat je je goed vasthoudt, knul!'

De minuten die volgden en die een hysterische Devereaux nooit van zijn leven kon tellen, waren als duikende, zwalkende, vallende onderdompelingen in alle kringen van Dantes hel. Gekke Frazie werd plotseling een waanzinnige Ahab, maar in plaats van te proberen het grote beest te doden deed hij zijn uiterste best de massale kaken te ontwijken. Als een satanische kapitein uit de onderwereld dwong een grijnzende Geoffrey Frazier, met nu en dan de fles Dom Perignon aan zijn mond, de draaiende en stampende machine onder zijn bevel zijn commando's te gehoorzamen, het roer herhaaldelijk heen en weer zwaaiend om dan deskundig in de hen omringende woeste golven te duiken en zich er weer aan te onttrekken.

De minder wendbare patrouilleboot achter hen werd kennelijk bestuurd door een woedende kustwachtofficier. Naast de korte stoten van de loeiende sirene klonken verontwaardigde, bevelende woorden door een luidspreker. '*Ga langzamer varen en zet koers naar boei zeven, recht naar het noordwesten! Ik herhaal, maniak, boei zeven en schei uit met dat gesodemieter!*'

'We hadden het niet beter kunnen treffen,' schreeuwde kapitein Gekke Frazie tegen zijn verbijsterde passagier. 'Een prima kerel!'

'Waar heb je het nou weer over?' schreeuwde Sam. 'Ze zullen ons enteren met kortelassen en messen en geweren en ons gevangennemen!'

'Mij zullen ze ongetwijfeld vangen, knul, maar jou niet als je doet wat ik zeg.' Frazier bleef op volle kracht doorvaren, maar hij manoeuvreerde net zolang tegen de wind in tot zijn koers ongeveer noordwest lag. 'Luister goed naar me, Devvy! Ik ben hier al een tijdje niet meer geweest, maar die "boei zeven" deed een lichtje bij me branden. Ze ligt zowat honderdvijftig meter links van een tamelijk grote rotsformatie die uit het water steekt, een kleine kaap die de wind tegenhoudt – zeilboten klagen vaak dat het ruim honderd meter lij is.'

'Rotsen? Lij! ... In godsnaam, Frazie, ik vecht om mijn gezond verstand te behouden, ik vecht voor de integriteit van mijn land!'

'Heel even, ouwe jongen!' riep Devereaux' reddende engel terwijl hij met de champagnefles tegen de bovenkant van zijn dashboard klopte. 'Je hebt de kurk gebroken, knul, en die zit nu vast in de hals!' Met de Dom Perignon weer aan zijn mond voegde hij eraan toe: 'Zie-zo, dat is beter! Wat zei je eigenlijk, knul?'

'O, mijn god, jij bent onmogelijk!'

'Ik geloof dat ik dat vaker heb gehoord...' Fraziers woorden werden onderbroken door een ruk naar stuurboord en een daaropvolgend schuimgordijn dat recht in zijn gezicht sloeg. 'Verdómme! Zout water is helemaal niet lekker samen met bubbeltjesdrank!'

'Frazie...!'

'O ja, luister goed, Devvy! ... Wanneer we bij boei zeven komen minder ik vaart in rustiger water en dat is een teken voor jou om je klaar te maken het schip te verlaten, zullen we maar zeggen.'

'Bedoel je zoiets als "man overboord" zodat die marinefascisten achter me me oppikken?'

'Ik zei "klaarmaken", niet springen...'

'Ik kan niet springen, ik heb geen parachute!'

'Wanneer ik langzamer ga varen ga je naar stuurboord maar je blijft onder het dolboord, dan geef ik ineens vol gas en trek een wijde boog naar bakboord zodat je op veertig of vijftig meter van het strand komt. Dán laat je je overboord glijden – het watergordijn maskeert dat – en ik vaar verder om onze watercommando's lekker op me te laten jagen!'

'Goeie god, Frazier! Wil je dat voor mij doen?'

'Je hebt me om hulp gevraagd, Devvy...'

'Jazeker, maar dat kwam omdat ik wist dat jij een snelle boot had en... en... nou ja, ik dacht zo...'

'Dat "Gekke Frazie" je man zou kunnen zijn, gezien de man die hij was?'

'Het spijt me, Geoff. Ik weet echt niet wat ik moet zeggen.'

'Maak je geen zorgen, knul, ik vermaak me uitstekend!'

'Je kunt zwaar in de moeilijkheden komen, Geoff, en daar had ik helemaal niet op gerekend, echt niet!'

'Natuurlijk heb je dat niet. Jij bent de meest irriterend eerlijke vent die ik ooit heb gekend! Hou je vast, Devvy, we gaan eropaf.'

Ze voeren het smalle kanaal in waarin de rode boei zeven lag en de ranke speedboot ging abrupt langzamer varen in het rustiger water. De patrouilleboot van de kustwacht kwam tot dertig meter achter hen.

'*Luister goed!*' klonk de geagiteerde stem over de luidspreker. '*U bent geïdentificeerd als een zekere Geoffrey Frazier en uw passagier is iemand die Samuel Devereaux heet en u staat nu beiden onder arrest. U moet stoppen en drie van mijn bemanningsleden zullen aan boord van uw vaartuig gaan en het roer overnemen.*'

'Geoff!' riep Sam Devereaux die languit op het stuurboorddek lag. 'Ik had echt niet verwacht dat er zoiets zou gebeuren...'

'Och, hou toch je kop, ouwe jongen! Nog even – zo gauw ze hun rubberboot te water laten – en dan stuur ik in een boog naar het strand. Ik geef je wel een teken wanneer ik denk dat we niet dichterbij kunnen komen en dan ga jij overboord. Begrepen?'

'Begrepen en ik zal het nooit vergeten! Dat niet alleen, maar ik zal je voor de rechtbank verdedigen met alle juridische kennis die Aaron Pinkus Associates in huis heeft!'

'Dat is verschrikkelijk attent van je, knul... Oké, Devvy, daar gaan we dan!' Met die woorden schoot de krachtige speedboot met zoveel kracht vooruit dat haar boeg uit het water oprees als een opstijgende reiger. Het gebrul van de motoren overstemde alle andere geluiden terwijl het vaartuig uit de inham schoot die even bescherming had geboden en terugvoer naar de woeste golven voorbij boei zeven. Vervolgens hield Frazier zich aan zijn woord en beschreef hij een wijde bocht naar links, daarbij een enorm watergordijn opwerpend naar stuurboord, één muur van schuim en zeewater die volledige bescherming bood voor alles wat er daarvoor en daarachter gebeurde – zoals bijvoorbeeld een vooroverliggende gedaante die zich over het dolboord in het water liet glijden.

En dat was precies wat een vastberaden maar wel wat angstige Sam Devereaux deed, nauwelijks opgemonterd door de laatste woorden van zijn kapitein die hij met een zwaai van zijn hand uitschreeuwde. 'Nú, knul, en ik weet dat je het kunt. Je was op school lid van de zwemploeg!'

'Nee, Frazie. De tennisploeg! Ik zwom niet goed genoeg voor de zwemploeg!'

'O, sorry... over de muur met jou!'

Heen en weer geslingerd door de golven hield Sam zijn hoofd half onder water terwijl de patrouilleboot met bulderende luidspreker naar links zwaaide, achter zijn vroegere klasgenoot aan. '*Je kunt wel weglopen maar je kunt je niet verbergen, zuipschuit! Dit keer hebben we je te grazen – verzet tegen arrestatie, drinken aan het roer van een vaartuig, roekeloos het leven in gevaar brengen van je passagier die ook onder arrest staat! Sjonges, wat zal ik jou op je lazer geven!*'

Ineens hoorde een dobberende Devereaux, die herhaaldelijk naar adem snakte, tot zijn verdere verbijstering het geluid van een veel krachtiger luidspreker – van Frazies boot. Het geluid dat werd voortgebracht kon het best worden beschreven als zo'n rubberkussen waarop je gaat zitten en dat dan een knots van een wind laat.

'*...die ook onder arrest staat... iemand die Samuel Devereaux heet en u staat beiden onder arrest.*' Onder arrest? *Hij* stond onder arrest? Hij had die woorden vaag gehoord terwijl hij op het dek lag maar het was in zijn hysterische toestand niet tot hem doorgedrongen. Arrestatie! Met naam en toenaam! O, mijn god, ik ben op de vlucht voor de wet! Ze zochten naar hem; er was waarschijnlijk een opsporingsbevel uitgevaardigd! Dat moest betekenen dat Aaron en Jenny en Cyrus en Roman en de twee Desi's gevangen waren genomen – gevangengenomen en gebroken, gedwongen alles te bekennen! En Mac – die zou waarschijnlijk terechtgesteld worden! ... En Jenny, de nieuwe liefde in zijn leven – ze zouden haar pijn doen, haar misschien afschuwelijke dingen aandoen. Die wanhopige kerels in Washington zouden voor niets terugdeinzen!

Maar wacht eens, ze hadden geen rekening gehouden met Samuel Lansing Devereaux, vooraanstaand advocaat, wreker van de misdeelden en de gesel van alle omkopers! En hij had het geleerd van een meester – een verblinde, voorwereldse meester weliswaar – maar toch een mééster! Van leugens en diefstal en bedrog, al die prachtige attributen die hem tot Soldaat van de Eeuw hadden gemaakt! Sam zou elke sluwe truc toepassen, elk snood bedrog dat de Havik hem had geleerd om de waarheid aan het licht te brengen en zijn kameraden te bevrijden. Niet alleen zijn kameraden te bevrijden maar zijn land te redden uit de klauwen van de arglistige manipulatoren. Niet alleen zijn kameraden bevrijden en zijn land redden, maar die magnifieke Zonsopgang Jennifer Redwing voor goed tot de zijne maken! Dat alles zou hij doen met een geluidsband die veilig zat opgesloten in een met waterdicht plakband verzegelde plastic zak, gevonden in de keuken van Birnbaum, die nu in zijn diepste zak zat. Proestend en zeewater slikkend worstelde Devereaux zich uit alle macht tegen het getij en de korte golfslag naar het strand. Hij pijnigde het inventieve deel van zijn hersenen en was, zoals Mac het vaak duidelijk had gemaakt, erop voorbereid onmiddellijk elke fictie te creëren die hij kon bedenken om de valse feiten te ondersteunen. Zoiets als: 'Sjonges, ben ik even blij dat ik aan land ben! Mijn boot is omgeslagen!'

'Hé, meneer!' riep het tienermeisje dat uit het huis was komen hollen om hem te begroeten aan de rand van het water. 'Wat zult u blij zijn hier te zijn, op de vaste wal bedoel ik. Is uw boot omgeslagen in de bui?'

'Ja, nou ja, inderdaad. Het is daar vrij ruw.'

'Niet als u een behoorlijke kiel hebt. Of als u een zoete bent moet u zorgen bij boei zeven te komen.'

'Jongedame, ik ben niet gewend voor zo'n verachtelijk iemand te worden aangezien.'

'Wat?'

'Eenvoudig gezegd, ik ben geen zoeteneur, zoals u dat noemt.'

'Zoet...? Nee, ik bedoel "zoet" als in zoetwatermatroos. Weet u wel, motoren en olielekken die het water vervuilen.'

'Och, ja, natuurlijk! Ik ben gewoon een beetje van de kaart door het zwemmen.' Sam kwam moeizaam overeind en voelde met zijn rechterhand in zijn broekzak. De verzegelde band was er nog. 'Ik heb eigenlijk verschrikkelijk veel haast...'

'Dat kan ik me voorstellen,' zei het meisje. 'U wilt uw jachthaven bellen of de kustwacht of misschien uw verzekeringsmaatschappij. U kunt onze telefoon wel gebruiken.'

'Bent u niet een beetje te goedgelovig?' vroeg Devereaux, een vraag die hij als advocaat niet kon nalaten te stellen. 'Ik ben een onbekende die op uw strand is aangespoeld.'

'En mijn oudste broer is kampioen worstelen van New England. Daar is hij!'

'O?' Sam keek naar het huis. Een knappe gorilla met kortgeknipt haar, wiens gespierde armen uitzonderlijk lang waren en bijna tot onder zijn knieën reikten, kwam de trap aflopen naar het strand. 'Knappe jongeman.'

'Jazeker, alle meisjes zijn gek op hem maar wacht maar tot ze erachter komen!'

'Erachter komen?' Devereaux had het afschuwelijke gevoel dat er een verschrikkelijk intiem familiegeheim onthuld ging worden. 'Sommige mensen zijn gewoon anders, beste meid, maar we zijn allemaal kinderen van God, zoals de profeten zeggen. Je moet verdraagzaam zijn.'

'Waarom? Hij wil advocáát worden! Ik bedoel maar, dat is toch depri in het kwadraat, of niet soms?'

'In het kwadraat,' mompelde Sam toen de kampioen worstelen van New England dichterbij kwam. 'Het spijt me u te moeten lastig vallen,' zei Devereaux. 'Mijn hiel – *kiel* – was niet goed genoeg en ik ben gekapseisd.'

'Waarschijnlijk gegijpt door een onverwachte windstoot,' zei de jongeman vriendelijk, 'en het is volgens mij ook uw eerste boot.'

'Hoe wist u dat?'

'Ligt nogal voor de hand. Lange broek, deftig overhemd, zwarte sokken en één bruine schoen – hoe die is aangebleven is me een raadsel.'

Devereaux keek naar zijn voeten. De worstelaar had inderdaad gelijk, hij had maar één schoen aan. 'Ik denk dat het dwaas van me was. Ik had gymschoenen moeten dragen.'

'Bootschoenen, meneer,' verbeterde het meisje hem.

'Natuurlijk, dat vergat ik en het was inderdaad mijn eerste boot.'

'Zeilboot?' vroeg de jongeman.

'Ja, zeil – twee zeilen, een groot en een klein aan de voorkant.'

'O, wów,' zei de tienerzus. 'Dan was het zeker zijn eerste boot, Boomer!'

'Je moet verdraagzaam zijn, meid. Iedereen heeft een eerste boot. Ik moest de zee inzwemmen om jou bij boei Drie uit je eerste Comet te halen, weet je nog?'

'Jij grothoofd, je hebt belóófd...'

'Kalm aan maar. ... Komt u maar binnen, meneer. U kunt zich afdrogen en de telefoon gebruiken.'

'Eigenlijk heb ik verschrikkelijk veel haast. ... Ik moet contact opnemen met de autoriteiten over een zeer dringende zaak en aan de telefoon heb ik niet veel. Ik moet daar persoonlijk zijn.'

'Bent u van de drugbrigade?' vroeg de jongeman pienter. 'U bent om de verdommenis geen zeiler.'

'Nee, ik ben niet van de drugbrigade. Ik ben gewoon iemand met informatie die ik dringend moet overbrengen.'

'Hebt u iets om u te identificeren...?'

'Moet dat? Ik betaal u wel om me te brengen waar ik heen wil.'

'Onder identificatie komt u niet uit. Ik ben eerstejaars rechten op Tufts en het hoort bij de beginprocedure. Wie bent u?'

'Oké, oké!' Sam zag kans zijn natte, gezwollen portefeuille uit zijn doorweekte, dichtgeknoopte linkerachterzak te halen. Het was niet waarschijnlijk dat de jacht op hem al openbaar was gemaakt; die vuile rotzakken in Washington moesten daar voorzichtig mee zijn. 'Hier is mijn rijbewijs,' zei hij en hij viste de plastic kaart uit haar gleuf en overhandigde die aan de worstelaar.

'*Devereaux!*' riep de jongeman uit. 'U bent Samuel Devereaux!'

'Is het dan al op de radio geweest?' vroeg Sam. Hij hield zijn adem in en probeerde vertwijfeld iets te verzinnen à la de Havik. 'Dan moet ik u de andere kant van het verhaal uitleggen en u móet naar me luisteren.'

'Ik weet niets over een radio, meneer, maar ik zal luisteren naar alles wat u zegt! U bent die man die die rottige rechters eruit hebt laten gooien. U bent een legende – een soort nieuwe legende – voor alle eerstejaars rechten bij ons. Ik bedoel maar, u hebt die beschuldigingen van ambtsmisbruik opgebouwd tegen die juridische gluipers als echte schoolvoorbeelden! En ze bleven allemaal overeind, tot de laatste veroordeling!'

'Nou ja, ik was nogal nijdig...'

'Zus, jij blijft thuis. Wanneer pa en ma komen zeg dan maar dat ik chauffeur ben voor een man die op een goede dag in het Hooggerechtshof zal zitten en dat ik hem breng waarheen hij maar wil.'

'De FBI is waarschijnlijk het beste,' opperde Sam snel. 'Weet u het dichtstbijzijnde kantoor?'

'Er is er een in Cape Ann. Het komt vaak in de krant – weet u wel, de drugboten.'

'Hoe lang duurt het voordat we daar zijn?'

'Ongeveer tien of vijftien minuten.'

'Kom op, we gaan!'

'Weet u zeker dat u niet in huis wat droge kleren wilt aantrekken? Mijn vader is een beetje mager, net als u.'

'Daar is geen tijd voor. De zaken die op het spel staan zijn van het allerhoogste belang, neem dat maar van mij aan!'

'Sjonges, laten we dan maar gaan! De Jeep staat voor.'

'Ongelofeloos,' zei het meisje.

'Hatsjie!'

'Proost,' zei Tadeusz Mikoelski, Speciaal Agent, FBI, en zijn vlakke stem en knorrige uitdrukking pasten niet erg bij die heilwens. In werkelijkheid zat agent Mikoelski te denken, terwijl hij naar de vreemde figuur keek die voor zijn bureau zat, een man met één schoen die duidelijk onder zware druk stond en wiens natte kleren plasjes maakten op de vloer, dat zijn pensioen nog maar acht maanden, vier dagen en zes uur verwijderd was, al telde hij nu niet bepaald af. 'Oké, meneer Deverooox,' vervolgde hij terwijl hij naar de verschillende doorweekte identificatiemiddelen keek die uit de portefeuille van de man waren getrokken. 'Laten we nog eens opnieuw beginnen.'

'Ik heet Devereaux,' zei Sam.

'Luister, meneer Devereaux, ik spreek Engels, Pools, Russisch, Litouws, Tsjechisch en u kunt het geloven of niet, ook Fins omdat die taal verwant is aan het Estlands, maar Frans is me altijd ontgaan. Misschien is het een natuurlijke afkeer; mijn vrouw en ik hebben een week in Parijs doorgebracht en zij heeft kans gezien het grootste deel van mijn jaarsalaris kapot te slaan terwijl we daar waren. ... Nu mijn vergissing is verklaard, kunnen we nu verder gaan?'

'U bedoelt dat u mijn naam niet kent?'

'Ik weet zeker dat dat mijn schuld is maar ik betwijfel ook of u ooit hebt gehoord van Kazimierz de Derde, ook bekend als Kazimierz de Grote, koning van Polen in de veertiende eeuw.'

'Bent u gek?' riep Sam uit. 'Hij was een van de grootste diplomatieke heersers van zijn tijd! Zijn zuster zat op de troon van Hongarije en van haar hof leerde hij de know-how die hij nodig had om Polen te verenigen. Zijn verdragen met Silezië en Pommeren zijn schoolvoorbeelden van juridische gematigdheid.'

'Oké, oké! Dan heb ik misschien uw naam gehoord of in de krant gelezen, is het zo goed?'

'Dat vraag ik niet, agent Mikoelski.' Devereaux boog zich voorover op zijn stoel waarbij er ongelukkigerwijs een waterbelletje door een knoopsgat barstte. 'Ik heb het over het *dragnet*,' fluisterde hij.

'Die vroegere televisieshow?'

'Nee, ik! ... Ik moet aannemen dat het verspreid is door die rotzakken in Washington omdat mijn metgezellen kennelijk gevangen zijn genomen – waarschijnlijk gefolterd om iets los te laten over de boot van Frazie – maar het wordt tijd dat ondergeschikten de les eens leren van "Ik volgde alleen maar bevelen op"! ... U kunt mij niet arresteren, Mikoelski, u moet luisteren naar wat ik u te zeggen heb en naar de bandopname die alles wat ik zeg bevestigt!'

'U hebt me nog niets verteld. U hebt alleen maar mijn vloer natgemaakt en me gevraagd of er afluisterapparatuur in mijn kantoor zit.'

'Omdat deze samenzweerdersregering-binnen-de-regering als de baarlijke duivel is! Ze staan voor niets! Ze hebben half Nebraska gestolen!'

'Nebraska?'

'Meer dan honderd jaar geleden!'

'Meer dan honderd... echt waar?'

'Op een tragische, smerige manier, Mikoelski! Wij hebben het bewijs en ze zullen alles doen om ons te verhinderen morgen in hoogsteigen persoon in het Hooggerechtshof te verschijnen!'

'O, ja, zoiets,' zei de FBI-agent en drukte een knopje op zijn telefoonpaneel in. 'Bereid een psychiatrische opname voor,' zei hij zacht in de intercom.

'Néé!' schreeuwde Sam en hij rukte de dichtgeplakte plastic zak te voorschijn. 'Luister hier eens naar!' eiste hij.

Agent Mikoelski nam de plastic zak aan, die droop van het water en zijn schone vloeiblad totaal doorweekte, haalde de band eruit en schoof die in zijn bureaurecorder. Hij drukte op de knop; er weerklonk een abrupt geknetter, gevolgd door een ronddraaiende waterkring die op de gezichten van beide mannen spetterde toen het smalle zwarte lint uit de machine plofte en in stukken door het vertrek vloog. Alles wat er op de band had gestaan was uitgewist.

'Dat kan ik niet gelóven!' riep Devereaux. 'Ik heb speciaal waterdicht plakband gebruikt voor die zak! Die televisiereclame deugt van geen kanten!'

'Misschien hebt u niet al te beste ogen,' zei Mikoelski, 'al moet ik wel zeggen dat het mij ook nooit is gelukt.'

'Het stond erop – alles! De generaal, de minister van buitenlandse zaken, het hele komplot!'

'Om Nebraska te stelen?'

'Nee, dat was honderdtwaalf jaar geleden. Federale agenten hebben de bank in brand gestoken waar de verdragen van de Wopotami's werden bewaard.'

'Ik niet, makker. Mijn grootouders mepten toen nog met koeienvlaaien in Poznán. ... Woppa-wie?'

'Een andere generaal, *mijn* generaal heeft alles ontdekt in de dossiers in het archief – dossiers en vermiste dossiers waarvan hij wist dat ze vermist waren!'

'Archief...?'

'Het Bureau van Indiaanse Zaken, natuurlijk.'

'O, natuurlijk.'

'Ziet u, hij kon dat doen omdat er een andere generaal met dezelfde naam was dan de generaal die op een smerige manier door de minister van buitenlandse zaken werd ingeschakeld. Hij nam ontslag uit dienst omdat de namen verward werden toen ik een aanklacht wegens drugvervoer instelde tegen zijn neef...'

'Nu we het daarover hebben,' viel Mikoelski hem in de rede. 'Welk merk sigaretten rookt u?'

'Ik probeer te stoppen, dat hoort u ook te doen. ... Hoe dan ook, het was een grote vergissing en die andere generaal kreeg die baan bij Indiaanse Zaken en *mijn* generaal, een vriend van hem, kreeg toegang tot het verzegeld archief en heeft de conclusie van eis geschreven op basis van die documenten. Het is echt heel eenvoudig.'

'Heel simpel,' zei Mikoelski op monotone toon. Hij knikte langzaam met zijn hoofd, keek Sam met opengesperde ogen aan en zijn hand kroop weer langzaam naar zijn telefoonpaneel en de intercom.

'Weet u, de Wopotami-stam is eigenlijk eigenaar van het hele gebied in en rond Omaha.'

'Natuurlijk... Omaha.'

'Het *sac*, agent Mikoelski! Het Strategic Air Command! Volgens de wet hebben, wanneer onwettig verkregen land door de rechtmatige eigenaars wordt teruggeëist, waarbij genoemde eigenaars op misdadige wijze benadeeld werden, deze eigenaars recht op alles wat gebouwd is op het genoemde onwettig verkregen land. Zo luidt de wet nu eenmaal.'

'Zo luidt de wet, o, jazeker.'

'En omdat bepaalde corrupte personen in de regering weigeren te onderhandelen, zijn ze van plan het hele probleem uit de weg te ruimen door de eisers uit de weg te ruimen voor het Hooggerechtshof, dat de conclusie van de Wopotami's heeft erkend en dat mogelijkerwijs een uitspraak in het voordeel ervan zal doen.'

'Zou het dat echt doen... ?'

'Het is zeer goed mogelijk – de kans is klein, maar mogelijk. Die vuile rotzakken in Washington schakelden iemand in die Goldfarb heet en stuurden de Smerige Vier op ons af en het Knettergekke Zestal om ons tegen te houden!'

'Iemand die Goldfarb heet...?' mompelde de verbijsterde Mikoelski en zijn grote trieste ogen gingen even dicht. '... de Smerige Vier en het Knettergekke-wat-dan-ook?'

'We hebben de Smerige Vier teruggestuurd naar hun basis in lijkzakken.'

'Hebt u ze vermoord?'

'Nee, Desi Arnaz de Tweede heeft slaapverwekkende middelen door hun eten gedaan en er zaten luchtgaten in de lijkzakken.'

'Desi Arnaz de...?' Speciaal Agent Mikoelski kon niet verder; hij was een verslagen man.

'Het is u nu heel duidelijk, of dat moet het zijn, dat we snel en prompt moeten optreden om de minister van buitenlandse zaken aan de kaak te stellen en al die mensen in zijn omgeving die met geweld de fundamentele rechten aan de Wopotami-stam willen ontnemen!'

Stilte.

Ten slotte:

'Ik zal u eens iets zeggen, meneer Devereaux,' zei de FBI-man zacht en hij zette alle middelen in die hij nog ter beschikking had. 'Het is mij duidelijk dat u een getroebleerd man bent en ik kan u niet helpen. Nu staan er drie wegen voor ons open. Eén, ik kan het ziekenhuis in Gloucester bellen en een psychiatrisch consult aanbevelen; twee, ik kan onze vrienden op het politiebureau bellen en hen vragen u in verzekerde bewaring te nemen tot datgene wat u mankeert is verdwenen; of, drie, ik kan vergeten dat u doornat met één schoen mijn kantoor bent binnengelopen en mijn vloer onder water hebt gezet en u laten gaan, erop vertrouwend dat uw verbeeldingskracht u zal leiden naar vrienden die u kunnen helpen.'

'U gelóóft me niet!' schreeuwde Sam.

'Waar wilt u beginnen? Met Desi Arnaz de Tweede en iemand die Goldfarb heet? Of lijkzakken met luchtgaten en drie generaals die het in het Pentagon geen drie minuten zouden uithouden voordat ze in een dwangbuis gestopt zouden worden?'

'Alles wat ik u heb verteld is de waarheid!'

'Ik weet zeker dat u dat denkt en ik wens u het beste. Als u wilt kan ik ook een taxi bellen. U hebt voldoende geld op zak om u naar Rhode Island te laten brengen en naar een ander FBI-kantoor buiten deze staat.'

'U verzuimt uw plicht, agent Mikoelski.'

'Dat zegt mijn vrouw ook wanneer het om de rekeningen gaat. Wat kan ik zeggen? Ik ben een mislukkeling.'

'U bent een jammerende ambtenaar die bang is de mensen te trotseren die de wetten en de constitutionele rechten van ons land met voeten treden!'

'Hé, u hebt Desi Arnaz de Tweede, die vent Goldfarb en drie knotse generaals aan uw kant. Waar hebt u mij dan nog voor nodig?'

'U maakt uw bureau te schande!'

'Daar kan ik mee leven. ... Wilt u nu, tenzij u mijn vloer wilt dweilen en mijn bureau wilt schoonmaken, als de sodemieter maken dat u hier wegkomt, hè? Ik moet aan het werk. De brugklas van de middelbare school in Cape Ann gaat protesteren bij het gemeentehuis om gelijke stemrechten te eisen.'

'Héél leuk!'

'Ik dacht wel dat het erg grappig was.'

'Dat was het niet en ik heb uw hulp niet nodig om vervoer te krijgen. Mijn chauffeur is toevallig de kampioen worstelen van New England!'

'Als u kaartjes verkoopt neem ik er een, als u nu alstublieft maar wilt vertrekken,' zei de FBI-agent. Hij pakte Devereauxs eigendommen bijeen en gaf ze hem.

'Ik zal dit niet vergeten, Mikoelski,' zei Sam. Hij stond op met alle druipende waardigheid die hij op kon brengen met één schoen aan zijn voet. 'Als rechtsfunctionaris zal ik een aanklacht indienen bij het ministerie van justitie. Uw plichtsverzuim kan niet worden getolereerd.'

'Doe dat vooral, makker, maar wil je er wel op letten dat je de naam juist schrijft? Ik bedoel maar, we moeten niet dat geklungel krijgen zoals jij hebt gehad met die twee generaals, vind je niet? Er zijn hier een heleboel Mikoelski's.'

'U denkt dat ik gek ben, nietwaar?'

'Dat moeten de doktoren maar uitmaken, dat kan ik niet, maar eerlijk gezegd hel ik daar wel toe over.'

'Wácht maar!' zei Sam de Wreker. Hij draaide zich om en strompelde naar de deur, waarbij hij twee keer op de natte vloer uitgleed. 'U hóórt nog van me!' voegde hij eraan toe. Hij liep het voorvertrek in en klapte de deur achter zich dicht.

Helaas hoorde Speciaal Agent Mikoelski inderdaad van Sam, precies drie minuten en eenentwintig seconden na diens vertrek. Terwijl de FBI-man een vierde slok van zijn maagdrank nam rinkelde de prioriteitslijn op zijn telefoonpaneel; hij drukte de knop in en nam de hoorn op. 'Mikoelski, FBI.'

'Hé, Teddy, met Gerard op de basis,' zei de commandant van het 10de district van de kustwacht van Massachusetts.

'Wat kan ik voor je doen, matroos?'

'Ik heb zo'n voorgevoel dat jij me iets zou kunnen vertellen over het Frazier-Devereaux-alarm.'

'Wat...?' vroeg de Speciaal Agent, nauwelijks hoorbaar. 'Zei je daar Devereaux?'

'Ja, we hebben die kurketrekker van een Frazier, maar geen Devereaux en Frazier heeft ons niets verteld. Hij zat daar maar breed te grijnzen en voerde zijn ene telefoongesprek.'

' "Heeft"? "Zat"? ... Verleden tijd?'

'Het is krankzinnig, Teddy. We moesten hem laten gaan en dat begrijpen we nou juist niet. Waar was dat stomme alarm dan voor? We hebben onze motor zowat over de kop gedraaid, hebben drie man in een rubberboot in de steek moeten laten en vijf jachthavenboeien naar de barrebiesjes geholpen, waarvoor we moeten betalen, alles voor niks! Devereaux is verdwenen en we weten niet eens waarvoor hij werd gezocht. Ik dacht dat jullie bij de FBI misschien wat meer wisten.'

'Wij hebben dat alarm niet eens gekregen,' zei Mikoelski troosteloos. 'Vertel me eens wat er gebeurd is, Gere.' Dat deed commandant Gerard en de Speciaal Agent werd bleek en pakte zijn drankje weer. 'Die klootzak van een Devereaux is hier een paar minuten geleden vertrokken. Hij is rijp voor het gesticht! Wat heb ik, verdomme, gedaan?'

'Als je het alarm niet hebt gekregen heb je ook niets gedaan, Teddy. We hebben ons rapport op de telex gezet en meer konden wij niet doen. ... Wacht even, ik krijg net een bericht. Een gozer die Cafferty heet van de politie in Boston is aan de lijn. Ken jij hem?'

'Nooit van hem gehoord.'

'Wácht eens! Dat verrekte alarm kwam oorspronkelijk van de politie in Boston! Ik ga die rotzak een dreun verkopen die hij nooit zal vergeten! Ik spreek je later nog wel, Teddy.'

'Acht maanden, vier dagen en vijfenhalf uur,' mompelde Mikoelski, terwijl hij zijn bovenste la opentrok en naar zijn kalender keek waarop hij de dagen tot zijn pensioen afstreepte.

29

De kampioen worstelen van New England reed met zijn Jeep de oprit van het huis van Birnbaum in Swampscott op. 'We zijn er, meneer Devereaux. Ik heb dit huis vanaf het water gezien maar nooit vanaf het land. Mooie tent, hè?'

'Ik zou je wel binnen vragen, Boomer, maar het gesprek wordt vrij belangrijk en het is strikt vertrouwelijk.'

'Dat kan ik me voorstellen! U komt op ons strand terecht, dan de FBI en vervolgens hier – wów. Maar begrijp me niet verkeerd, meneer, ik was niet aan het vissen, echt niet. Ik ga er gauw vandoor en als iemand zonder de juiste autoriteit me iets vraagt heb ik u nooit gezien.'

'Juridisch gesproken heel goed uitgedrukt. Maar ik sta erop je te betalen.'

'Vergeet het maar, meneer Devereaux, het was me een eer. Maar als u het niet erg vindt, ik heb de vrijheid genomen mijn naam op te schrijven, voor het geval u zou willen overwegen – over een paar jaar misschien – mij een administratieve functie te bezorgen. Geen speciale privileges, dat zou ik niet willen.'

'Nee, dat geloof ik ook niet, Boomer,' zei Sam. Hij nam het papiertje aan en keek in de heldere, enthousiaste ogen van de eerstejaars rechten. 'Maar als ik die wil verlenen, dan zul je er niets aan kunnen doen.'

'Het spijt me, meneer, ik moet echt zelf goed genoeg zijn. Dat leer je bij worstelen vrije stijl.'

'Laten we het zo zeggen. Door die uitspraak hoef je niet naar ons te zoeken, wij zullen jou wel vinden. ... Bedankt, Boomer.'

'Veel succes, meneer!' Devereaux stapte uit de Jeep; die reed de ronde oprit af en verdween door de poort. Sam keek naar de imposante bakstenen ingang van het zomerhuis van de Birnbaums, haalde diep adem en hinkte het flagstonepad op naar de deur. Alles zou veel eenvoudiger zijn als hij zijn beide schoenen nog had bedacht hij terwijl hij aanbelde.

'Ik mag ter plekke doodvallen!' brulde de enorme zwarte huurling-scheikundige Cyrus terwijl hij de deur opentrok. 'Ik weet niet of ik je moet omarmen of je een rechtse verkopen, maar kom gauw binnen, Sam!'

Devereaux drentelde schaapachtig de hal in, zodat iedereen zijn doorweekte kleren, zijn aaneengeklitte haren en zijn ene schoen zag. 'Iedereen' bestond uit Cyrus, Aaron Pinkus... en zijn eeuwige liefde, Jennifer Redwing, die in een hoek van de kamer naar hem stond te staren. Hij kon de uitdrukking niet lezen in haar levendige – boze? – ogen.

'Sammy, we hebben alles gehoord!' schreeuwde Aaron die maar heel zelden schreeuwde. Hij stond op van de sofa en liep er vief omheen om zijn werknemer te begroeten. Hij pakte Devereaux bij zijn beide armen en legde zijn hoofd tegen Sams linkerwang. 'Abraham zij gedankt, je leeft nog!'

'Zo moeilijk was dat niet,' zei Devereaux. 'Frazie mag dan een maniak zijn, maar hij weet hoe hij met een boot om moet gaan en dan had je ook nog die jongen, die kampioen worstelen is van New England...'

'We weten wat je hebt doorgemaakt, Sammy,' riep Pinkus uit. 'Wat een moed, wat een gotspe. En allemaal omdat je uit principe handelde!'

'Het was een stomme streek, Devereaux,' zei Cyrus, 'maar je hebt lef, man, dat moet ik toegeven.'

'Waar is moeder?' vroeg de wreker en hij vermeed Jenny's blik.

'Zij en Erin zijn teruggegaan naar Weston,' antwoordde Aaron. 'Nicht Cora is klaarblijkelijk in een paar theepotten gevallen.'

'En Desi-Een en Twee lopen patrouille op het strand, met Roman Z,' voegde Cyrus eraan toe.

'Ze lieten de Jeep van Boomer – de auto waarin ik zat – doorrijden,' zei Sam met iets van afkeuring in zijn stem.

'Dat niet precies,' antwoordde de huurling. 'Waarom denk je dat ik al bij de deur stond? Desi-Een gaf over de radio door dat de lange *gringo loco* weer terug was.'

'Hij kan het altijd zo leuk zeggen,' zei Devereaux. Hij draaide langzaam zijn hoofd om en keek naar Jenny. 'Hallo,' zei hij voorzichtig.

Het leek op een *pavane* die in slow motion wordt gefilmd, toen Aaron Pinkus en Cyrus M gracieus uit de rechte lijn tussen die twee stapten. De tranen stroomden over het gezicht van Zonsopgang Jennifer Redwing toen zij over het vloerkleed aan kwam rennen en Sam statig, zij het wat wankel ter been, vanaf de marmeren treden de woonkamer inliep. Devereaux bleef staan toen zij hem in de armen vloog; ze kusten elkaar met lippen die gretig en blij naar elkaar zochten.

'Sám!' riep ze en hield hem stevig vast. 'O, Sam, Sam, Sam! Het was weer helemaal Zwitserland, nietwaar? Mac heeft het me verteld! Je deed wat je deed omdat je wist dat het het juiste was. De wet eiste het van je en het was ethisch, en daarom deed je het! Je sprong van een boot en zwom kilometers ver door een storm om onrecht goed te maken! O, god, wat houd ik toch veel van je!'

'Nou ja, zoveel kilometer was het nou ook weer niet, misschien vier of vijf...'

'Maar je hebt het gedaan! Ik ben zó trots op je!'

'Het stelde niks voor.'

'Het stelde álles voor!'

'Ik heb gefaald. Er is water bij de band gekomen.'

'Maar jij bent niet verdronken, schat, jíj niet!'

Ineens werden ze onderbroken door een elektronisch geknetter en klonk er een schrille Zuidamerikaanse stem over de radio van Cyrus. 'Hé, man! Er scheurt een grote limousine op het huis af! Moet ik 'm opblazen?'

'Nog niet, Desi!' beval de huurling. 'Dek de deur; en jij, Roman, kom naar de voorkant en hou je wapen in de aanslag!'

Even later was het Middeneuropese accent van Roman Z hoorbaar. 'Het is alleen maar één oude man met wit haar die naar de deur loopt. De chauffeur zet de radio aan. Rotmuziek.'

'Hou je gereed,' beval Cyrus terwijl hij zijn pistool uit zijn schouderholster haalde. 'Als ik moet schieten, dek me dan.'

'Wa's dat? "Dekken" is een vies woord... Geen probleem. Oude man voelt niet in zakken en pakt geen wapen.'

'Blijf op je hoede!'

'Wat voor hoed...?'

'Over en sluiten!'

'Wat...?'

De deurbel rinkelde terwijl Cyrus gebaarde dat Pinkus, Jenny en Devereaux uit de vuurlinie moesten gaan. Hij rukte de deur open, met zijn pistool in de aanslag, maar stond enkel tegenover een rijzige, slanke, oudere heer.

'Ik neem aan dat u de butler bent,' zei R. Cookson Frazier; zijn aangeboren beleefdheid won het van zijn vrees. 'Ik moet direct uw principaal spreken voor een zeer dringende zaak.'

'Cookson!' riep Aaron Pinkus terwijl hij van achter een gordijn te voorschijn kwam. 'Wat doe jij hier?'

'Het is ongelooflijk, Aaron, absoluut ongelóóflijk!' zei Frazier. Met een stuk papier in zijn hand rende hij de marmeren treden af, zijn armen ongelovig opgestoken. 'Jij en ik en iedereen in Boston zijn erin gestonken, beste kerel, van a tot z belazerd!'

'Wat betekent dat in klare taal, Cookson?'

'Hier, moet je zien!' Onverwacht doken de ineengestrengelde gestalten van Jennifer en Sam op uit een schemerige hoek rechts. 'Wie zijn dát nu weer?' riep Frazier uit.

'De jongeman met één schoen, die eruitziet als een verzopen kat, is Samuel Devereaux, Cookson...'

'O, ben jij de zoon van Lansing. Verrekte fijne kerel, die vader van jou. Verdomd jammer dat hij ons zo vroeg moest ontvallen.'

'En onze vriendin hier is Jennifer, Jennifer Redwing. ... Cookson Frazier.'

'Je bent prachtig bruin, kind. Zeker de Caribische Zee. Ik heb een huis op Barbados – geloof ik. Jij en Lansings zoon moeten je daar maar eens gaan vermaken – ik ben er in jaren niet meer geweest.'

'Wat is er zo ongelooflijk, Cookson?'

'Zoals ik al zei, hier... moet je zien!' De oude heer stak het papier naar voren. 'Dit kwam thuis bij mij binnen via het faxapparaat, dat met een niet te onderscheppen lijn, zonder geheugen, is verbonden met Washington – wacht even, beste kerel, is iedereen hier te vertrouwen?'

'Dat kun je van mij aannemen, Cookson. Wat staat erin?'

'Lees jíj het maar. Ik ben er nog helemaal ondersteboven van.'

Aaron nam het dunne faxpapier aan, las het bericht door en liet zich toen langzaam en verbijsterd in de dichtstbijzijnde stoel zakken. 'Ik kan er met mijn pet niet bij,' zei hij.

'Wat is het dan?' vroeg Devereaux, met zijn arm beschermend om Jennifer geslagen.

'Er staat, en ik citeer: "Dit communiqué is hoogst geheim en moet na doorlezen worden vernietigd. De inhoud is alleen bestemd voor de hoogste politieautoriteiten. Geoffrey C. Frazier, codenaam Rumdum, is een uiterst doeltreffend en vaak gedecoreerd geheim agent voor de federale regering. Er moet worden gehandeld met de allergrootste consideratie voor de dekmantel, de geloofwaardigheid en de veiligheid van agent Frazier." ... Het is ondertekend door de directeur van de drugbrigade. Asjemenou!'

'Die jongen is een echte Rode Pimpernel!' riep Cookson Frazier en hij wierp zich in de stoel naast Aaron. 'Wat moet ik nu in hemelsnaam doen?'

'Om te beginnen zou ik zeggen dat je enorm trots en ook opgelucht moet zijn. Je hebt zelf gezegd dat er een andere man schuilt achter je kleinzoon en je had gelijk. In plaats van een nietsnut is hij een zeer succesvolle, vaak gedecoreerde specialist.'

'Ja maar, goeie god, beste kerel, de enige manier waarop hij succes kan blijven behalen zonder zijn hachje erbij in te schieten, is door de familie nog meer te schande te maken!'

'Daar had ik niet aan gedacht,' zei Pinkus, instemmend knikkend met gefronste wenkbrauwen. 'Maar op een goede dag zal de waarheid toch zeker bekend worden gemaakt en dan zullen de Fraziers uit Boston bedolven worden onder de eerbewijzen.'

'Als die dag komt, Aaron, dan zal de laatste mannelijke nakomeling van de Fraziers in Boston naar Tasmanië of Tierra del Fuego moeten vluchten en een andere naam aannemen. Iedereen zal hem dan op zijn huid zitten!'

'Ook daaraan had ik niet gedacht.'

'Bescherming,' zei Cyrus terwijl hij de trap kwam aflopen, 'en zeer degelijke bescherming, kan worden gekocht, meneer Frazier.'

'O, neem me niet kwalijk, Cookson, dit is... kolonel Cyrus, een beveiligingsdeskundige.'

'Goeie god, neem *mij* niet kwalijk, kolonel! Verdomd stom van mij daarstraks bij de deur. Mijn excuses!'

'Geeft niets. In deze buurt is dat een heel begrijpelijke vergissing. Maar ik ben geen echte kolonel.'

'Pardon?'

'Wat hij bedoelt,' riep Sam en hij keek de huurling strak aan, 'is dat hij gepensioneerd is. Hij is niet meer in dienst – dat wil zeggen niet meer in het leger.'

'O, ik snap het,' zei Frazier en hij wendde zich tot een verbijsterde Cyrus. 'Nou ja, uw know-how in beveiligingszaken komt u kennelijk goed van pas. Aaron neemt altijd alleen de beste mensen in dienst. Nu we het er toch over hebben, al vindt u dat misschien onbetekenend, ik heb thuis een alarmsysteem waar ik geen sikkepit van snap. Ik laat het steeds maar afgaan.'

'Ik denk dat de punten van de pennetjes vuil zijn of dat ze elkaar raken in de bedrading,' zei Cyrus achteloos en hij keek Devereaux fronsend aan. 'U moet de serviceafdeling van de firma die het alarm heeft geleverd bellen en zeggen dat ze de schakelingen na moeten kijken.'

'Echt waar? Meer niet?'

'Dat komt veel voor in huissystemen,' antwoordde de huurling en hij probeerde erachter te komen wat Sam bedoelde met zijn geknik. 'Bij de minste stroomonderbreking draait zo'n gevoelig circuit in de soep.'

'Ik weet zeker dat de kolonel er graag eens naar zal kijken, nietwáár, kolonel?' zei Devereaux die nu achter de rug van Frazier heftig stond te knikken.

'Wanneer mijn beveiligingswerk voor meneer Pinkus voorbij is... zeker,' antwoordde de avonturier-scheikundige aarzelend en duidelijk in de war. 'Misschien volgende week een keer,' zei hij ten slotte weifelend.

'Prima kerel!' riep Frazier uit. Hij klapte met zijn hand op de stoelleuning en werd toen plotseling weer onzeker. 'Ik kan het maar niet begrijpen van mijn kleinzoon. Het is gewoon ongelóóflijk.'

'Waarom krijg ik toch maar steeds dat beeld voor ogen van een knipogende Gekke Frazie, met zijn kapiteinspet scheef op zijn kop en drinkend uit een champagnefles die waarschijnlijk gevuld is met bronwater,' zei Sam. 'Maar ik heb ook nooit iemand zo met een boot om zien gaan, zelfs niet op de film.'

En toen, alsof hij in werking kwam door het noemen van het woord film, ging de telefoon over. Hij werd direct beantwoord door kolonel Cyrus die naast het antieke, witte tafeltje stond. 'Ja?' zei de huurling zacht.

'We gaan beginnen, soldaat,' klonk de stem van MacKenzie Hawkins vanuit New York. 'We hebben Plan A opgegeven – het is nu te riskant – en we volgen Plan B zoals we dat een uur geleden hebben besproken. Nog nieuws over luitenant Devereaux?'

'Hij is hier, generaal,' antwoordde Cyrus zacht, met zijn hand beschermend over het mondstuk, terwijl de anderen opgewonden Sams zeeavonturen met geheim agent Geoffrey Frazier bespraken. 'Hij is een paar minuten geleden binnengekomen en hij ziet eruit om op te schieten. Wilt u met hem praten?'

'Verrek, nee! Ik weet in wat voor fase hij nu is; ik noem hem dan de Rechtschapen Jacob. Wat is de schade?'

'Voor zover we kunnen zien niets; niemand geloofde hem. De band was kennelijk onklaar.'

'Hannibal zij gedankt, voor grote en kleine gunsten, maar ik wist dat hij weer zou opduiken; zoiets kan hij nooit echt goed doen. ... Je hebt dus ook nog geen van de plannen met hem besproken?'

'Ik heb ze nog met niemand besproken; geen tijd. Meneer Pinkus heeft voortdurend met de politie in Boston getelefoneerd vanaf het moment dat de kustwacht over de radio doorgaf dat ze de boot waarop Sam zat in de smiezen hadden.'

'Een boot? De kustwacht?'

'Voorzover we kunnen nagaan is het een pracht van een achtervolging geweest en het zien van uw luitenant bevestigt dat, natte kleren, één schoen en meer van die dingen.'

'Net als in Zwitserland, verdómme!'

'Dat dachten wij ook, tenminste zijn vriendin deed dat. Ze heeft hem ontvangen als een verloren zoon die op één been naar huis terughinkt – waarschijnlijk vanwege die ene schoen van hem.'

'Goed! Praat eerst maar eens met dat meisje voordat je het plan uitlegt. Zij zal hem overtuigen als jij haar hebt overtuigd. Ik ken die jongen wanneer hij verliefd is, al mijn vrouwen hebben me dat verteld.'

'Ik kan u niet volgen, generaal.'

'Het is niet belangrijk. Denk er alleen maar aan dat onze vijanden vertwijfeld zijn en dat ze ons alleen maar kunnen tegenhouden door ons te verhinderen in het Hooggerechtshof te komen. Dáár kan Sam dan op zijn kansel klimmen en daar kan hij vertellen wat hij kwijt wil, daar kan hij iedereen die hij maar wil aan de kaak stellen en naar hartelust schreeuwen. Maar alleen dáár, kolonel. Hij kan met niemand anders in Washington iets beginnen. Ze vechten voor hun straatje en ze blazen hem van de Beltway af, al was het alleen maar omdat hij te veel lawaai maakt.'

'Aangezien ik persoonlijk kan instaan voor die reactie van Washington zal het niet moeilijk zijn overtuigend te klinken,' zei Cyrus. 'Maar waarom Plan B? Ik dacht dat u en ik het erover eens waren dat Plan A volmaakt uitvoerbaar was.'

'Ik weet niet wie hij als contactman in hun gelederen heeft, maar mijn informant, de man over wie ik je heb verteld...'

'Die regeringsbobo van wie iedereen denkt dat hij dood is,' viel de huurling hem in de rede.

'Precies, en ik zal je wel vertellen dat hij bloed wil zien. Nu we het daarover hebben, hij heeft het verdomd duidelijk gemaakt dat we te maken krijgen met een eind zonder enig voorbehoud – en ik bedoel echt zonder ook maar het minste, kolonel.'

'Mijn god, zouden ze zó ver gaan?'

'Ze kunnen niet anders, soldaat. Via fusies en verzelfstandigingen hebben die lui zeventig procent van de defensie-industrie in handen gekregen en ze steken zich voor zoveel miljarden in de schuld dat er een Derde Wereldoorlog voor nodig is om er van af te komen, als die zo lang zou duren, wat niet het geval zal zijn.'

'Wat denkt u dat ze van plan zijn, generaal?'

'Ik hoef niet te denken, ik weet het! Ze hebben het schuim der aarde in dienst genomen om ons tegen te houden: scherpschutters, zware jongens, waarschijnlijk ook huurlingen zoals jij, die geld ruiken.'

'Het is een vrije economie,' zei Cyrus, die nu fluisterde terwijl hij naar Aaron, Jenny en Sam keek, die op hun beurt hun ogen op hem hadden gericht. 'En er is nogal wat economie bij betrokken. ... Ik kan niet veel langer meer praten. Heeft die zogenaamd overleden informant van u u gezegd wanneer en hoe al die slechteriken klaar zullen staan?'

'Ze zullen overal zitten! Tussen de mensen, tussen de griffiers, tot zelfs in de kamers van het Hof!'

'Dat ziet er niet best uit, generaal.'

'Met Plan B krijgen we de afleidingsmanoeuvres die we nodig hebben, kolonel. Niemand is er gelukkig mee, vooral de Wopotami's niet, maar alles is geregeld. Ze staan allemaal klaar om hun opdracht uit te voeren.'

'Hoe vat die lefgozer van een Sutton dit allemaal op?' vroeg Cyrus. 'Ik heb het niet zo op die klootzak, maar ik moet toegeven dat hij een verdomd goede acteur is.'

'Wat kan ik je zeggen? Volgens hem zal hij de beste show van zijn hele leven weggeven!'

'Als hij maar lang genoeg leeft om de kritieken te kunnen lezen. ... Over en sluiten maar, generaal, ik zie u morgen wel.'

'Hoe zit het met de Desi's en Roman Z?' vroeg Hawkins ineens. 'Ik heb het zo druk gehad met dat Knettergekke Zestal dat ik er helemaal niet meer aan heb gedacht hen bij het plan te betrekken.'

'Als u denkt dat ik hen erbuiten laat, dan hoort u latrines schoon te maken, generaal.'

'Jouw antwoord bevalt me wel, kolonel.'

'Over en uit.'

Een totaal verbijsterde R. Cookson Frazier keerde in zijn limousine terug naar Louisburg Square en in het zomerhuis stond Cyrus, naast het antieke witte tafeltje, tegenover een perplex zestal. Jennifer Redwing zat tussen Aaron Pinkus en Sam Devereaux op de sofa, terwijl Desi-Een en -Twee achter hen stonden, aan weerszijden van hun nieuwe vriend Roman Z. Alle monden hingen open, aller ogen waren gericht op de pas benoemde kolonel.

'Zo ziet het draaiboek eruit,' zei de imposante zwarte huurling, 'en, sprekend als liaisonofficier van de generaal, kan ik u zeggen dat iedereen die eruit wil stappen dat nu nog doen kan. Ik kan u echter wel vertellen dat ik al heel wat infiltratieoperaties heb meegemaakt, maar nooit zulke uitstekende als deze. Generaal Hawkins is geen legende geworden door de persberichten – hij is goud waard en hij is verdomd goed en dat zeg ik niet zomaar.'

'Hé, juffrouw Erin zei het al, hij heeft een vlotte babbel voor een zwarte broeder, hè, Desi-Een?'

'Kop dicht, Desi-Twee.'

'Bedankt voor het compliment, Desi.'

'Zie je wat ik bedoel?'

'Mag ik even?' zei Aaron Pinkus en hij schoof wat naar voren op de sofa. 'Deze zeer gecompliceerde poppenkast, hoe vernuftig die ook is, komt me voor als – nou ja, te gecompliceerd, te theatraal als het ware. Is die echt noodzakelijk?'

'Om uw vragen in algemene termen te beantwoorden, meneer Pinkus, gecompliceerde toneeleffecten vormen de beste afleidingsmanoeuvre.'

'Dat kunnen we begrijpen, Cyrus,' zei Jennifer, met haar linkerhand in de rechter van Sam gestrengeld. 'Maar meneer Pinkus vraagt of het echt noodzakelijk is? Volgens mij is het idee van Sam, gewoon uit het vliegtuig te stappen en een taxi naar het Hooggerechtshof te nemen – geen limousine, geen aandacht op ons vestigen – meer dan voldoende.'

'Onder normale omstandigheden zou het dat ook zijn, maar dit zijn geen normale omstandigheden. U hebt machtige en zeer capabele vijanden. Héél capabel, het soort dat uw vriend Sam uit de regering verwijderd wil zien, zelfs met gevaar voor eigen leven, zoals we vandaag allemaal hebben gemerkt.'

'Hij was geweldig!' riep Jennifer en ze drukte haar lippen op Devereaux' rechterwang. 'Al die kilometers in een storm zwemmen...'

'Het stelde niets voor,' zei Sam. 'Maar zes of zeven, misschien acht. ... Als ik je goed begrijp, Cyrus, zeg je dat die "afleidingsmanoeuvre" noodzakelijk is omdat die zeer capabele vijanden van ons van plan zijn ons fysiek te onderscheppen voordat we het gebouw in kunnen gaan, klopt dat?'

'In feite wel.'

'In feite? Wat is er dan nog meer?'

'Er zijn nog andere dingen,' antwoordde de huurling kortaf.

'Ik doe maar niet of ik dat begrijp, maar als we moeten aannemen dat we bedreigd worden, dan kunnen we toch om politiebescherming vragen. Samen met jullie – als jullie tenminste meedoen – hebben we toch niets anders meer nodig?'

'Een paar dingen die ik nog niet heb genoemd.'

'Wat dan?'

'Luister, u bent alledrie advocaat, dat ben ik niet en Washington is Boston niet waar meneer Pinkus door zijn cornedbeef en kool nogal wat invloed heeft op het politiebureau. Wanneer je in Washington om politiebescherming vraagt kun je maar beter met een gerechtvaardigde zaak op de proppen komen. Verrek, die smerissen kunnen niet eens aan wat ze nu op hun boterham hebben.'

'En "gerechtvaardigde zaak" zou natuurlijk inhouden dat we de namen van hooggeplaatste personen noemen,' zei Jenny, 'en zelfs wanneer we nog een kopie van die band hadden zouden we die niet durven afdraaien als bewijsmateriaal.'

'Waarom niet?' riep Devereaux woedend uit. 'Ik heb schoon genoeg van dat aanpakken met zijden handschoentjes! Het openbare vertrouwen is geschonden, wetten zijn overtreden – waarom, verdomme, niet?'

'Zijden handschoentjes kunnen om een ijzeren vuist zitten, Sam,' zei Pinkus.

'Och, dáár zat ik nou net op te wachten. Mijn baas, de Punjabiprofeet uit de Himalaja! Zou je misschien van je berg af willen komen, Aaron, en dat nader verklaren?'

'Je bent in de war, schat...'

'Vertel me eens iets wat ik nog niet weet! ... Misschien kwam het door die tien kilometer en was die storm eigenlijk meer een orkaan – laten we zeggen windkracht negenennegentig of hoe ze dat ook noemen.'

'Ik probeer je bij te brengen,' zei Pinkus met rustige stem en met zijn ogen gespannen op Devereaux gericht, 'dat een geruisloze benadering om een prooi te vangen gewoonlijk meer effect heeft dan het laten rinkelen van alarmsignalen.'

'Ik zal het eens anders zeggen,' voegde Cyrus eraan toe. 'Er is geen politiebureau in Washington – band of geen band – dat iemand als de minister van buitenlandse zaken aanpakt.'

'Hij zit in een gekkenhuis!'

'Des te meer reden voor Buitenlandse Zaken om de zaak koel te houden,' zei de huurling-scheikundige. 'Geloof mij maar, ik weet dat.'

'Ze zijn allemaal corrupt!' brulde Sam.

'Maar een paar,' hield Jennifer vol. 'De grote meerderheid bestaat uit overwerkte, te laag betaalde, toegewijde ambtenaren – ambtenaren in de beste zin van het woord, mannen en vrouwen die hun best doen de problemen op te lossen van hun talloze afdelingen die veroorzaakt worden door politici die op stemmen uit zijn. Het is niet zo gemakkelijk, schat.'

Devereaux trok zijn hand uit die van Red, legde die op zijn voorhoofd en leunde achterover op de sofa. 'Goed dan,' zei hij vermoeid. 'Ik heb ze niet alle vijf op een rijtje. Mensen doen afschuwelijke dingen en iedereen houdt zijn mond; verantwoordelijkheid bestaat niet meer!'

'Nietwaar, Sam,' verbeterde Aaron hem. 'Jij zou op die manier nooit een zaak aanpakken, ik ken jou. Je zou alle ontsnappingsclausules afgrendelen voordat je ze ofwel voor het eerst voorlegt aan een jury of voordat je daarna met tegenargumenten komt. Daarom ben je dan ook de beste advocaat van mijn firma – althans wanneer je ze allemaal op een rijtje hebt.'

'Oké, oké. Morgen zijn we dus clowns in een circus met drie pistes! ... Wat waren die dingen die je nog niet had genoemd, Cyrus?'

'Kogelvrije vesten en stalen helmen onder je hoofdbedekking,' antwoordde de huurling, alsof hij zojuist de ingrediënten had opgesomd voor het bakken van chocoladekoekjes.

'Wat?'

'Je hebt me wel gehoord. We hebben het nu over ernstige zaken, meester. Er hangen meer miljarden – jazeker, miljarden – af van jouw verschijnen morgenmiddag dan jij je in je stoutste dromen kunt voorstellen.'

'*Caramba!*' riep Desi-Twee. 'Heeft hij geen geweldige babbel?'

'Hou je kop! We kunnen wel *muerto* zijn!'

'Kan me niks schelen! Zo is het goed!'

'En als ik het nou 'ns met jou eens ben? Dan zijn we maar *loco*!'

'Het staat in de tarotkaarten van de zigeuners, vrienden!' riep Roman Z. Hij draaide een pirouet waarbij de zwaaiende blauwe sjerp op zijn oranje hemd het trekken van zijn mes met het lange lemmet camoufleerde.'Het mes van de zigeuners zal de keel doorsnijden van iedereen die onze heilige zaak aanvalt – wat die dan ook is.'

'Hé, toe nou, Cyrus!' brulde Devereaux. 'Onder die omstandigheden zal ik niet toestaan dat Jenny of Aaron eraan deelneemt!'

'Dat maak ik zelf wel uit!' riep de Aphrodite van Sam's dromen.

'En ik ook, jongeman!' zei Pinkus terwijl hij van de sofa opstond. 'Je bent vergeten dat ik op Omaha Beach ben geweest. Ik heb er misschien niet veel bijzonders gedaan, maar ik heb als bewijs nog steeds een granaatscherf in mijn lijf. Toen was het inderdaad een heilige zaak en hierin zit een duidelijke parallel. Wanneer mensen met geweld aan anderen hun rechten ontnemen dan komt daar alleen maar tirannie uit voort. En zoiets zal ik niet toestaan voor ons land!'

'Hatsjie, hatsjie, *hatsjie!*'

30

5.45 v.m. Het eerste ochtendgloren hing als een roodbruine mantel boven het silhouet van Washington, en de stille marmeren gangen van het Hooggerechtshof kwamen langzaam tot leven, toen ploegen schoonmaaksters hun karretjes van de ene deur naar de andere duwden. In de vakken van de karretjes lagen nieuwe stukken toiletzeep, schone handdoeken, rollen toiletpapier en aan de voorkant hing een plastic zak om het afval van gisteren in te doen.

Er was echter één karretje bij dat anders was dan alle andere in dat imposante bouwwerk, gewijd aan de wetten van God en van het land. Ook de oudere, grijze dame die het voortduwde was anders; ze verschilde duidelijk van haar collega's in het gebouw. Bij nader inzien bleken haar grijze lokken volmaakt gekapt, haar blauwe oogschaduw was subtiel aangebracht en per vergissing droeg ze om haar pols een armband met diamanten en smaragden die vele malen meer waard was dan het jaarloon van de andere dames. Ze had ook een plastic schildje op haar uniform waarop stond: *Tijdelijke werkkracht. Toegelaten.*

Wat haar karretje anders maakte was de hangende plastic zak die bestemd was voor het afval. Die was al vol nog voordat ze aan het eerste kantoor op haar voorgeschreven route kwam – een kantoor dat ze beneden haar waardigheid achtte om binnen te gaan, zoals bevestigd werd door de woorden die ze mompelde bij het voorbijlopen van de deur.

'*Escremento!...* Vincenzo, jij *pazzo*. Mijn beste en meest geliefde kind van mijn liefste zuster hoort in een *istituzione* thuis! Ik zou elk standbeeld in dit hele gebouw kunnen kopen! ... En waarom doe ik het dan? ... Omdat mijn geliefde neef vindt dat die rotvent van mij niet hoeft te werken. *Manage!* ... O, hier is ze, de kast. *Bène!* Ik laat alles hier, ga naar huis, kijk wat televisie en ga dan met de meiden wat winkelen. *Mólto bène!*'

8.15 v.m. Vier onopvallende bruinzwarte auto's stopten snel in First Street, op de hoek van Capitol Street. Uit elke wagen stapten drie mannen in donkere pakken, met gefronste wenkbrauwen, als robots recht voor zich uit kijkend; zij waren de 'revolverhelden' die waren aangenomen om een karwei op te knappen. Falen betekende een terugkeer naar hun vroegere werk in de vakbonden – iets wat ze verafschuwden. Twaalf toegewijde beroepslui, die geen idee hadden waaraan ze toegewijd waren, behalve dat de twee mannen op de foto's die ze in hun zakken hadden nooit het Hooggerechtshof aan de overkant van de straat mochten binnengaan. Een makkie. Niemand had ooit Jimmy Hoffa gevonden.

9.12 v.m. Twee voertuigen met officiële nummerborden stopten kort voor het Hooggerechtshof. Op instructie van de minister van justitie moesten de acht mannen die uitstapten twee personen in verzekerde bewaring nemen die werden gezocht wegens ongehoorde misdaden tegen het land. Elke FBI-agent had een foto van de vroegere, totaal in diskrediet geraakte generaal MacKenzie Hawkins en zijn handlanger, een advocaat voor de onderwereld Samuel Lansing Devereaux, die nog steeds werd gezocht wegens verraderlijke activiteiten tijdens zijn diensttijd in de laatste dagen van de oorlog in Vietnam. Zijn misdaden konden niet verjaren. Hij had de reputaties aangevochten van zijn meerderen en had profijt getrokken van hun ongenade. Federale agenten háátten zulke kerels – hoe speelden ze het in hemelsnaam klaar?

10.22 v.m. Een donkerblauwe bestelwagen kwam tot stilstand langs de trottoirrand in Capitol Street, opzij van het Hooggerechtshof. De achterdeuren gingen open en zeven commando's in groen-zwart gecamoufleerde gevechtspakken sprongen eruit, hun wapens in hun ruime zakken verborgen. Ze mochten immers niet opvallen. Hun geheime opdracht was omschreven door de onaanzienlijke minister van defensie zelf – mondeling, niet schriftelijk. 'Heren, deze twee schurken willen de eerste linie van Amerika's luchtstrijdkrachten uitschakelen, meer kan ik u niet vertellen. Ze moeten ten koste van alles worden tegengehouden. In de woorden van die grote commandant, "Lazerstraal ze omhoog, Scotty" – helemaal omhoog tot ze niet meer te zien zijn!' ... Commando's háátten zulk geteisem! Als er iemand die vliegers te grazen nam zouden zij dat wel doen. Die hufters kwamen voortdurend in het nieuws en konden toch naar huis vliegen voor hun biefstuk, terwijl zij nog in de modder rondkropen! Néé! Als iemand de luchtmacht aanpakte dan zouden zij dat zijn!

12.03 v.m. MacKenzie Hawkins bekeek, met de vuisten in de zij, de gestalte van Henry Irving Sutton in de hotelkamer en knikte goedkeurend. 'Verdomme, meneer de acteur, ik zou het zelf kunnen zijn!'

'Het was niet zo moeilijk, *mon général*,' zei Sutton. Hij zette zijn officierspet af zodat een hoofd met kortgeknipt grijs haar zichtbaar werd. 'Het uniform zit als gegoten en de onderscheidingstekens zijn inderdaad imponerend. De rest is een kwestie van stembuiging en dat is eenvoudig. Van de tv-reclames die ik heb ingesproken, waaronder een voor een rotkat, heeft een van mijn kinderen kunnen studeren – ik mag doodvallen als ik nog weet welk precies.'

'Ik wil toch graag dat je een gevechtshelm draagt...'

'Doe niet zo belachelijk, dat zou het effect en het doel tenietdoen. Het is mijn rol mannen uit hun tent te lokken, niet hen af te schrikken. Een gevechtshelm wijst op een komend gewapend conflict en dat betekent verdedigingsmaatregelen zoals gewapend personeel dat zich schuilhoudt ter bescherming. Je motivatie moet duidelijk en consequent zijn, generaal, niet verward, anders verlies je zo je publiek.'

'Je zou ook heel goed je leven... nou ja, je zou ook een doelwit kunnen worden.'

'Ik denk echt van niet,' zei de acteur en zijn ogen twinkelden bij de onafgemaakte woorden van de Havik. 'Niet met wat jij daar hebt voorbereid. Vergeleken met de woestijn van Noord-Afrika is dit praktisch kinderspel. Hoe dan ook, het is een onbelangrijk risico waarvoor ik ruimschoots word gecompenseerd. ... Hoe staat het overigens met onze Stanislavski-krijgers van het Knettergekke Zestal?'

'De plannen zijn enigszins gewijzigd...'

'O?' vroeg sir Henry fel en wantrouwig.

'In ieders voordeel,' zei de Havik snel. Hij herkende direct de quasi-paniekerige gezichtsuitdrukking van de acteur, een beroepsgewoonte waarbij *je hebt het helemaal, schat, je bent opti!* vaak betekent *die sukkel kan er niks van, geef mij maar een echte prof*. 'Die zijn vanmiddag om vier uur in Los Angeles. Mijn vrouw, mijn ex-vrouw – een van hen eigenlijk, in feite de eerste – wil hen daar hebben zodat ze een moederlijk oogje kan houden op alle zes.'

'Wat verschrikkelijk lief.' De acteur raakte even de twee sterren op zijn kraag aan. 'Maar om het recht voor z'n raap te zeggen, er is niets veranderd wat betreft mijn optreden in de film?'

'Verrek, nee. De jongens willen jou en ze zullen krijgen wat ze maar willen.'

'Weet je dat zeker? Hun herkenningsquotiënt is zowat nul, dat weet je.'

'Wat dat dan ook is, ze hebben het niet nodig. Zij hebben het voor het zeggen in de "grootste kassa-megaproduktie" – wat dát dan ook is – die iemand in Hollywood zich kan herinneren. In elk geval is alles in handen van het William Morris Agency en...'

'William *Morris*?'

'Heet het dan niet zo?'

'Zo heet het zeker! Ik geloof dat een van mijn dochters advocaat is op hun juridische afdeling – kreeg waarschijnlijk die baan omdat ze mijn dochter is. Hoe héét ze nu ook weer; ik zie haar elke kerst.'

'De zaak wordt behandeld door twee mannen die Robbins en Martin heten en mijn vrouw, mijn ex – u weet wat ik bedoel – zegt dat zij de besten zijn.'

'Ja, ja, natuurlijk, ik heb over hen gelezen in de vakbladen. Ik geloof dat mijn dochter – Becky of Betty... wat dan ook – verloofd is geweest met die Robbins, of was het Martin? Ja, die moeten echt geweldig zijn, want zij is een heel intelligente meid – *Antoinette*, zo heet ze! Ze geeft me altijd een trui die drie maten te groot is, maar ik lijk dan ook op het toneel enorm groot – zoiets heet uitstraling, weet je.'

'Ik geloof dat ik het nu weet. De jongens vliegen naar de Westkust, alles eersteklas heeft mijn Ginny me gezegd.'

'Natuurlijk. Je stuurt nu eenmaal geen zes zuivere diamanten zonder toezicht met de ondergrondse. Het verbaast me dat ze hun eigen jet niet hebben gehuurd.'

'Dat heeft mijn ex-vrouw uitgelegd. Ze zei dat alle studio's en de agenten daarginds mensen in dienst hebben die alleen maar een oogje houden op bedrijfsvliegtuigen en als iets er verdacht uitziet kopen ze de piloten om. Ze vertelde me dat er drie weken geleden een Lear jet vermist werd in de toendra van Alaska en pas gisteren werd ontdekt, twee uur nadat een concurrerende studio een contract had afgesloten met een vent die Warner Batty heet.'

De bel van de hotelkamer rinkelde en beide mannen schrokken. 'Wie kan dat nu weer zijn?' fluisterde de Havik. 'Henry, heb jij tegen iemand gezegd...'

'Absoluut niemand!' antwoordde de acteur, ook op fluisterende toon, maar met veel meer nadruk. 'Ik heb het draaiboek gevolgd, beste kerel, en ben nergens afgeweken van de toneelaanwijzingen! Ik heb me heel respectabel laten inschrijven als een pijpenvertegenwoordiger uit Akron – polyester pak, wat krom lopend van vermoeidheid... Verdomd goeie show, al zeg ik het zelf.'

'Wie kan het dan zijn?'

'Laat dat maar aan mij over, *mon général*.' Sutton liep naar de deur en nam de wankele houding aan van een dronken man; hij trok zijn das los en opende gedeeltelijk zijn uniformjasje. 'Verberg je in de kast, MacKenzie!' zei hij zacht. Vervolgens sprak hij harder met een wat lallende stem: 'Ja, wattiser? Dit is een privé-feestje en ik en mijn griet kunnen geen extra gasten gebruiken!'

'Hé, flapdrol!' klonk het schorre antwoord door de deur. 'Als je soms denkt dat je een van je spelletjes speelt net als toen we in Boston waren, dan kun je dat wel vergeten! Laat me binnen!'

Sir Henry draaide met een ruk zijn hoofd om; tegelijkertijd ging de kastdeur open en het gezicht van MacKenzie Hawkins was vertrokken van schrik. 'O, mijn god, het is Kleine Jozef! ... Laat hem binnen, verdomme.'

'Zo?' zei Joey. Hij had zijn handen op zijn rug toen de deur dichtging en stond zo recht als zijn één meter zevenenvijftighalf dat toestond. 'Als het hoofd van die snijboon die daar uit de kast loert jouw griet is, soldaat, dan krijg jij grote sores in het leger.'

'Wie is deze dwerg die kennelijk dwergentaal spreekt?' vroeg de acteur met vernietigende verontwaardiging.

'Jij bent gemakkelijk te herkennen, flapdrol nummer twee. Toen je eenmaal contact maakte met die lange snijboon op de hoek van F Street en Tenth Street, met een schokkende rechterschouder en je linkerhand zwaaiend alsof je delirium had, wist ik dat jij het contact was. Je kon niemand voor de gek houden.'

'Twijfelt u aan mijn techniek, meneer? Ik, die ben overstelpt met de goedkeuring van duizend critici in het hele land?'

'Wie is die druktemaker?' vroeg Kleine Joey toen een verbijsterde Havik uit de kleerkast stapte. 'Ik geloof dat Boem-Boem en ik dat horen te weten, snapt u wat ik bedoel?'

'Jozef, wat doe jij hier?' brulde MacKenzie. Zijn verbazing maakte plaats voor dreiging.

'Kalm aan maar, flapdrol. Vinnie heeft het beste met jou voor, dat moet je weten. Vergeet niet, ik ben de Smurf. Ik kan overal zijn, me overal bewegen en niemand ziet me. Net zoals jij me niet zag toen je vanmorgen op National Airport aankwam vanuit New York en ik vlak achter je zat.'

'Wat dan nog?'

'Misschien een paar dingen. Boem-Boem wil weten of hij een stelletje zware jongens uit Toronto erbij moet halen.'

'Beslist niet!'

'Dat dacht hij al; er is geen tijd voor. ... Oké, verder wil hij je laten weten dat zijn lieve tante Angelina heeft gedaan wat jij wilde, omdat haar man, Rocco, een klootzak van een vent is en zij dol is op haar neefje Vincenzo. Het spul dat je hebben wilde ligt in de tweede kast van rechts in de gang.'

'Prima!'

'Alles is niet zo prima. Boem-Boem is een trotse man, flapdrol, en die oorspronkelijke Amerikaanse vriendjes van jou zijn niet lief voor hem. Hij zegt dat ze hem behandelen als rotte vis en de veren op zijn hoofd passen niet!'

12.18 n.m. De manager van het Embassy Row hotel aan Massachusetts Avenue was niet voorbereid op het gedrag van een van zijn favoriete gasten, ene Aaron Pinkus, advocaat. Zoals gewoonlijk wanneer de bekende advocaat naar Washington reisde was het een vast gegeven dat zijn verblijf vertrouwelijk was. Dat gold trouwens voor elke gast die om zoiets verzocht, maar deze middag had meneer Pinkus het wel heel erg bont gemaakt met die geheimhouding. Hij had erop gestaan dat hij en zijn gast de dienstingang zouden gebruiken en met de vrachtlift naar hun aangrenzende suites zouden gaan. Verder mocht alleen de manager zelf op de hoogte zijn van de aanwezigheid van de advocaat; verzonnen namen moesten in het gastenboek worden ingeschreven en daarom moest bij telefoongesprekken die voor hem binnenkwamen aan de mensen die belden natuurlijk worden verteld dat er geen Aaron Pinkus was geregistreerd, want dat was hij ook niet. Maar als er gesprekken kwamen die alleen om een kamernummer vroegen dan moesten ze worden doorverbonden.

Het was niets voor Pinkus om zo behoedzaam te doen, dacht de manager, maar hij meende te weten waarom het was. Washington was tegenwoordig net een dierentuin en een jurist van zijn standing was waarschijnlijk opgeroepen om voor het Congres te getuigen over een paar ingewikkelde juridische kwesties over een wetsvoorstel dat stikte van de speciale belangen. Pinkus had natuurlijk een heel stel van de knapste advocaten van zijn kantoor meegebracht om hem te adviseren bij de hoorzittingen.

Daarom was de manager stomverbaasd toen, bij het routinematig controleren van de receptiebalie, een man in een oranje hemd, een blauwe zijden sjerp en een gouden oorring die aan zijn linkeroor bungelde, aan de balie kwam en vroeg waar de drogist was.

'Bent u gast van dit hotel, meneer?' vroeg de wantrouwige receptionist.

'Wat dacht je?' antwoordde Roman Z en hij liet zijn kamersleutel zien. De manager keek ernaar. Het was het nummer van de suite van Pinkus.

'Daarginds, meneer,' zei de gekwetste receptionist en hij wees naar de overkant van de lobby.

'Prima! Ik heb nieuwe eau de cologne nodig! Ik kan het toch wel op de rekening laten zetten?'

Slechts enkele seconden later kwamen twee donkere mannen, gekleed in uniformen die de manager niet thuis kon brengen, kennelijk uit een of andere Zuidamerikaanse revolutie, naar de balie rennen.

'Waar is hij heen, man?' riep de grootste van de twee, met een paar gaten in zijn gebit.

'Wie?' vroeg de receptionist en hij ging wat achteruit.

'De *gitano* met de gouden oorring!' zei de tweede Zuidamerikaan. 'Hij heeft de sleutel van de kamer maar mijn amigo heeft in de lift op de verkeerde knop gedrukt. Wij gingen omhoog, hij omlaag!'

'Twee liften?'

'Vanwege de *securidad*, snap je wat ik bedoel?'

'Veiligheid?'

'Precies, *gringo*,' antwoordde de man met de ontbrekende tanden en hij bekeek de deftig geklede receptionist in zijn rokkostuum. 'Jij hebt net zulke mooie kleren als ik *vispera* had – eergisteren. Als je ze 's morgens terugbrengt hoef je niet zoveel huur te betalen. Dat las ik op een bord.'

'Ja, maar dit pak is niet gehuurd, meneer.'

'Kóóp jij zoiets? *Madre de Dios*, jij hebt ook een goeie baan!'

'Een prachtbaan, meneer,' zei de verbaasde receptionist en hij keek even de al even verbaasde manager aan. 'Uw vriend is naar de drogist gegaan, meneer. Daar, aan de overkant.'

'*Gracias*, amigo. Hou die mooie baan maar goed vast!'

'Zeker meneer,' mompelde de receptionist terwijl Desi-Een en -Twee de lobby doorholden achter Roman Z aan. 'Wat zijn dat voor mensen?' vroeg de receptionist aan de manager. 'Die kamersleutel was van een van onze betere suites.'

'Getuigen?' zei de verbijsterde manager, met een sprankje hoop in zijn antwoord. 'Ja, natuurlijk, dat kunnen alleen maar getuigen zijn. Het is waarschijnlijk een hoorzitting over geestelijk gestoorden.'

'Wat voor hoorzitting?'

'Vergeet het maar, ze zullen overmorgen wel vertrokken zijn.'

Boven, in de suite die Aaron Pinkus had gereserveerd voor Jennifer, Sam en hemzelf legde de advocaat uit waarom hij dit hotel had gekozen. 'Je kunt gewoonlijk nieuwsgierigheid voorkomen door ze onder ogen te zien en ze te ontmoedigen,' zei hij, 'vooral als je te maken hebt met een instituut dat geld verdient aan je clientèle. Als ik ons verzoek had gedaan aan een onbekend hotel zou het nu gonzen van de geruchten.'

'En jij bent geen onbekende in deze stad,' voegde Devereaux eraan toe. 'Kun je de manager vertrouwen?'

'Dat zou ik hoe dan ook doen; hij is een prima kerel. Maar aangezien alle vlees zwak is en de schandaaljournalisten in deze stad net gieren zijn die voortdurend speuren naar informatieeaas, heb ik het duidelijk gemaakt dat hij de enige persoon is die weet dat we hier zijn. Ik voelde me niet lekker daarbij; het was niet nodig.'

'Je kunt "voorkomen" en je kunt "genezen", meneer Pinkus,' zei Jennifer terwijl ze naar het raam liep en de straat beneden haar afkeek. 'We zijn zo dichtbij – waarbij weet ik niet, maar het maakt me bang. Binnen een paar dagen zal mijn volk ofwel bestaan uit patriotten of uit paria's en op dit moment houd ik het op paria's.'

'Jenny,' begon Aaron en zijn stem klonk wat somber. 'Ik wilde je niet ongerust maken maar bij nader inzien denk ik dat je het me nooit zou vergeven als ik het je nu niet vertelde.'

'Me wat vertelde?' Jennifer draaide zich om van het raam, staarde Pinkus aan en keek vervolgens naar Sam die zijn hoofd schudde om aan te geven dat hij niet wist waar Aaron het over had.

'Ik heb vanmorgen met een oude vriend van me gesproken, een collega van vroeger eigenlijk, die nu lid is van het Hof.'

'Aáron!' riep Devereaux. 'Je hebt toch niets gezegd over vanmiddag, is 't wel?'

'Natuurlijk niet. Het was een beleefdheidsgesprek. Ik zei dat ik hier was voor zaken en dat we misschien samen een keer konden dineren.'

'De hemel zij dank!' zei Jenny.

'Hij was degene die over vanmiddag begon,' zei Pinkus kalm.

'Wat?'

'Wát?'

'Niet met zoveel woorden, natuurlijk, alleen met betrekking tot ons voorgestelde diner. ... Hij zei dat het heel goed mogelijk was dat hij het niet zou halen, want misschien zat hij wel ondergedoken en werd hij bewaakt in de kelders van het Hooggerechtshof.'

'Wat?'

'Dat zei hij...'

'En?'

'Hij zei dat het vandaag een van de vreemdste dagen in de annalen van het Hooggerechtshof was. Ze hebben een speciale zitting achter gesloten deuren met eisers in een zaak die voor felle verdeeldheid onder de rechters heeft gezorgd. Geen van hen weet hoe de ander uiteindelijk zal stemmen, maar ze zijn vastbesloten zich van hun verantwoordelijkheid te kwijten, hetgeen betekent het openbaar maken van een zaak tegen de regering van het grootste belang. Ze zullen dat doen direct na de behandeling.'

'Wát?' schreeuwde Redwing. 'Vanmiddag nog?'

'Aanvankelijk hebben ze het van de rol van het Hof gehouden vanwege de nationale veiligheid en de mogelijkheid van represailles tegen de eisers – de Wopotami's, neem ik aan; vervolgens heeft de regering kennelijk geëist dat het nieuws van het proces geheim zou worden gehouden voor een langere periode.'

'De hemel zij dank dat iemand dat heeft gedaan!' riep Jennifer.

'Opperrechter Reebock,' legde Aaron uit, 'is niet de aardigste man in de hele wereld maar hij is erg intelligent. Op onverklaarbare wijze en tegen zijn normale aard in, heeft Reebock ingestemd met het Witte Huis. Toen de rest van de rechters dat hoorde is de meerderheid eenvoudig in opstand gekomen, ook mijn vriend. Hij maakte het duidelijk, samen met de anderen, zelfs degenen die ideologisch tegen hem waren, dat het hoogste gezag niet het constitutionele recht heeft restricties op te leggen aan de rechterlijke macht. ... Soms is het alleen maar een kwestie van ego, nietwaar? Vergeet het evenwicht tussen de drie machten maar, waar het om gaat is het ego.'

'Meneer Pinkus, mijn mensen zullen op straat zijn, op de trappen van het Hooggerechtshof! Ze zullen worden afgeslacht!'

'Niet als de generaal zijn kaarten goed speelt, beste meid.'

'Als er ook maar één verkeerde kaart was die hij kon spelen dan zou hij dat doen!' gilde Jenny. 'Je kunt die man alleen maar haten! Er is niemand op de hele wereld die hij niet kan beledigen!'

'Maar jíj hebt het spel in handen,' kwam Devereaux tussenbeide. 'Juridisch kan hij geen zak doen zonder jouw toestemming; jouw contract met hem is bindend.'

'Is dat vroeger ooit een belemmering voor hem geweest? Van alles wat ik heb gehoord over jouw prehistorische dinosaurus marcheert hij met zijn lompe laarzen over de internationale gedragsregels heen, over zijn eigen regering, de Gezamenlijke Chefs van Staven, de katholieke Kerk, de universele ethische beginselen en zelfs over jou, Sam, van wie hij zegt dat hij van je houdt als van zijn eigen zoon! Jij bent niet de man die op die allerheiligste kansel zal klimmen om onrechtvaardigheid aan de kaak te stellen, dat zal híj doen en om zijn zaak duidelijk te maken is hij bereid heel het verdomde systeem op zijn kop te zetten en van de Wopotami's de grootste bedreiging te maken die dit land ooit onder ogen heeft gezien sinds München in negenendertig! Hij werkt als een bliksemstraal die moet worden afgeleid, de grond in, voordat zo'n honderd andere minderheden gaan bedenken hoe zij belazerd zijn door de regering en er overal rellen uitbreken. ... We kunnen die zaken rechtzetten met tijd en tact, maar niet op zijn manier, die leidt tot chaos!'

'Daar zit iets in, Aaron.'

'Ook dit is weer een briljante samenvatting, beste meid, maar je vergeet een fundamentele natuurwet.'

'Welke dan wel, meneer Pinkus?'

'In een notedop, hij kan worden tegengehouden.'

'Hoe dan, in 's hemelsnaam?'

Op dat moment vloog de deur van de suite open, klapte met een dreun tegen de muur en in de deuropening stond een ziedende Cyrus. Maar het was een andere Cyrus; hij ging gekleed in een buitensporig duur streepjespak, met Ballyschoenen aan en een brede stropdas. 'Die rotzakken zijn ontsnapt!' brulde hij. 'Zijn ze soms hier?'

'Bedoel je Roman en onze twee Desi's?' vroeg Sam met ingehouden adem. 'Zijn ze gedeserteerd?'

'Verrek, nee, het zijn net kleine kinderen in Disneyland; ze moeten op ontdekking uit. Ze zullen wel terugkomen maar ze hebben bevelen genegeerd.'

'Wat bedoel je, kolonel?' vroeg Pinkus.

'Nou ja, ik ging naar – ik ging naar de wc en zei dat ze op hun plaatsen moesten blijven en toen ik terugkwam waren ze weg!'

'Je zei net dat ze wel weer terug zouden komen,' opperde Devereaux. 'Wat is dan je probleem?'

'Wil jij die orgeldraaiersapen zien rondrennen in de lobby?'

'Dat zou eigenlijk heel verfrissend werken,' zei Aaron grinnikend. 'Dat zou wat leven blazen in het leger van diplomaten die hier zo stijf rondlopen alsof ze elk moment naar de wc moeten – neem me niet kwalijk, beste meid.'

'Ook dit keer hoeft u zich niet te excuseren, meneer Pinkus,' zei Jennifer en ze keek de enorme huurling aan. 'Cyrus,' vervolgde ze, 'je ziet er zo – o, ik weet niet hoe ik het moet zeggen – maar zo... ik geloof *voornaam* uit.'

'Dat komt door het pak, Jenny. Ik heb zo'n pak niet meer gedragen sinds zesenveertig familieleden in Georgia bijeenkwamen en er een voor me kochten in het Peachtree Center toen ik promoveerde. Tot dan toe konden ze zich er geen veroorloven en daarna zeker niet meer. Ik ben blij dat u het mooi vindt; ik ook. Ik heb het te danken aan meneer Pinkus, wiens kleermakers door het oog van een naald springen wanneer hij niest.'

'Niet waar, beste vriend,' zei Aaron. 'Ze begrijpen gewoon wat het betekent wanneer iets dringend is. ... Ziet onze kolonel er niet magnifiek uit?'

'Indrukwekkend,' stemde Sam schoorvoetend in.

'De Colossus van Rhodos, gekleed voor een vergadering van de raad van bestuur van IBM,' voegde Redwing eraan toe, goedkeurend knikkend.

'Dan mag ik jullie nu misschien voorstellen aan jullie nieuwe collega tijdens de zitting van vanmiddag. ... Mag ik jullie voorstellen aan rechter Cornelius Oldsmobile, die jullie in de kamers zal begeleiden als bezoekend, buitengewoon *amicus curiae*, bij de gratie van mijn oude vriend die lid is van het Hof. Hij mag niet spreken, alleen observeren, maar hij zal naast generaal Hawkins zitten, die logischerwijs denkt dat hij daar is als militaire beveiliging. Mocht onze generaal, aan het eind van de zitting, zich geroepen voelen nog enig opruiend commentaar te leveren, dan heeft "rechter Oldsmobile" mij verzekerd dat er vele manieren zijn om dat te verhinderen, waaronder een aanval van darmkrampen die iemand van de leeftijd van de generaal zou dwingen onmiddellijk van het toneel te verdwijnen.'

'Aaron, jij sluwe vos!' riep Sam, van zijn stoel springend.

'Het deed me pijn zelfs maar te moeten denken aan zo'n actie, maar je moet nu eenmaal het alternatief onder ogen zien, zoals de lieflijke Jennifer heeft gezegd.'

'Mijn god, ik wilde dat u dertig jaar jonger was!' riep Jenny uit. 'Verrek, zelfs twintig!'

'Dat zou ik ook wel willen, lieve meid, maar ik zal je dankbaar zijn als je zo'n gedachte nooit hardop uitspreekt waar Shirley bij is.'

'Misschien doe ik dat wel, als Pocahontas zich niet beter gedraagt,' zei Devereaux. 'Weet je, misschien was het wel tien of vijftien kilometer in de storm, maar ik ben te bescheiden om daarover te praten.'

Arnold Subagaloo wrong zijn brede achterwerk in de leunstoel, zeker in de wetenschap dat de nauwsluitende leuningen zijn lijf onbeweeglijk zouden houden terwijl hij zich overgaf aan zijn favoriete tijdsbesteding op kantoor. Want wanneer hij zijn arm ophief om zijn darts te gooien, werd zijn peervormig lichaam stevig op zijn plaats gehouden waardoor het mikken gemakkelijker werd omdat er een minimum aan zijwaartse beweging was. Hij was tenslotte een ingenieur *par excellence*, met een I.Q. van 785 en hij wist alles wat er te weten viel, behalve over realpolitiek, beleefdheid en een dieet.

Hij had op de knop gedrukt die het gordijn tegen de muur opzij deed schuiven, zodat er een reusachtig fotografisch tableau zichtbaar werd dat zich van de ene muur tot de andere uitstrekte met de vergrote gezichten van honderdzes mannen en vrouwen – allemaal vijanden! Liberalen in beide partijen, milieufreaks die nooit een verlies- en winstrekening zouden begrijpen, feministen die steeds aan het proberen waren Gods bevel van mannelijke superioriteit te ondergraven en vooral die senatoren en Congresleden die de brutaliteit hadden tegen hem te zeggen dat hij *niet* de president was! ... Nou ja, misschien was hij dat ook niet, maar wie dachten ze dan, verdomme, dat er dácht voor de president? Elk uur, iedere minuut!

Toen Subagaloo zijn eerste dart wilde gooien rinkelde zijn privételefoon zodat het scherpe, gepunte projectiel een afwijking kreeg en links door een raam verdween, gevolgd door een luide gil van een tuinman in de Rozentuin.

'Die boerenhufter is weer aan de gang! Ik neem mijn ontslag!'

Arnold negeerde de ongegronde opmerking nonchalant; hij had de man tussen de ogen moeten raken – kennelijk een lid van de een of andere socialistisch communistische partij die twee weken ontslaguitkering verwachtte voor hooguit twintig jaar werken. Helaas kon Subagaloo niet uit zijn stoel komen; zijn ampele heupen konden de nauwsluitende leuningen niet de baas. Omdat er niets anders opzat schommelde hij over de vloer, met de stoel tijdelijk aan zijn achterwerk, naar de onophoudelijk rinkelende telefoon.

'Wie ben jij en hoe kwam je aan dit nummer?' schreeuwde de stafchef.

'Rustig, Arnold, met Reebock en dit keer staan we aan dezelfde kant.'

'Och, meneer de opperrechter! Ga je me weer een groot probleem in de schoenen schuiven dat ik kan missen als kiespijn?'

'Nee, ik heb het grootste dat je hebt opgelost.'

'De Wopotami's?'

'Ze kunnen verhongeren in dat stomme reservaat van hen, wie kan het wat schelen? Ik heb gisteravond het hele Hof op een kleine barbecue gehad bij me thuis. Omdat mijn wijnkelder de beste is in heel Washington zijn ze allemaal straal bezopen geworden behalve de dame, en die telt niet mee. We hebben een heel Amerikaanse, intellectuele conversatie gehad rond het zwembad. Heel erudiet, heel juridisch.'

'En?'

'Zes tegen drie zijn gegarandeerd tegen de Wopotami's. Twee van onze broeders twijfelden nog, maar ze zagen het licht toen onze ranke vrouwelijke bedienden hun kleren uittrokken en gingen zwemmen. Onze slapjanussen beweerden dat ze in het zwembad werden geduwd maar de foto's laten dat anders zien. Wat een onbezonnen gedrag – de schandaalpers zou op zijn kop staan, dat heb ik vrij duidelijk gemaakt.'

'Reebock, je bent een genie! Natuurlijk niet op mijn niveau, maar niet slecht, helemaal niet slecht. ... Maar laten we daar met niemand over praten, oké?'

'We spreken dezelfde taal, Subagaloo. Het is ons werk de on-Amerikaanse activiteiten in te dammen. Ze zijn gevaarlijk, allemaal. Kun jij je voorstellen waar we allemaal zouden zijn zonder de inkomstenbelasting en die wetten voor de burgerrechten?'

'In de hemel, Reebock, in de hemel! ... Denk erom, we hebben nooit met elkaar gesproken.'

'Waarom dacht je anders dat ik dit nummer gebeld heb?'

'Hoe ben je eraan gekomen?'

'Ik heb een spion in het Witte Huis.'

'Wie, in hemelsnaam?'

'Toe nou, Arnold, dat is niet eerlijk.'

'Ik geloof van niet, want ik heb er een bij het Hooggerechtshof.'

'Geen slapende honden wakker maken, beste vriend.'

'Wat is er verder nog voor nieuws?' vroeg Arnold Subagaloo.

12.37 n.m. De enorme touringcar, gehuurd en betaald door iemand die totaal onbekend was bij het gezelschap, stopte voor de imposante ingang van het Hooggerechtshof. De chauffeur liet zich voorover op het grote stuurwiel vallen en barstte in tranen uit, dankbaar dat zijn volledige lading passagiers op het punt stond uit te stappen. Kilometers terug had hij gegild, gebruld en ten slotte in paniek gekrijst: 'Het maken van vuur – en kóken – is in de bus niet toegestaan!'

'We zijn niet aan het koken, man,' had een harde stem achter hem gezegd. 'We mengen de kleuren en dat betekent dat je eerst de was moet smelten.'

'Wat?'

'Kijk eens!' Ineens verscheen er een grotesk beschilderd gezicht voor zijn ogen, zodat de chauffeur een slipper maakte over de snelweg in Virginia en tussen de aanstormende voertuigen door laveerde totdat hij weer op zijn eigen baan kwam.

Wat volgde kon alleen worden beschreven als een serie gebeurtenissen die de woedende kreten van de eigenaar van het Last Ditch Motel buiten Arlington rechtvaardigde, toen hij vanachter een hele berg plunjezakken had gegild:

'Ik blaas deze koleretent nog liever op dan dat ik hen nog eens binnenlaat! *Holy shít!* Oorlogsdansen rond een kampvuur op de parkeerplaats! Iedereen in alle andere kamers is vertrokken – op een draf – zonder een cent te betalen!'

'Dat zie je verkeerd, man. Dat waren smeekzangen. Weet je wel, zoals bidden om regen en verlossing, soms zelfs om meiden.'

'Weg, weg, weg!'

Toen de plunjezakken waren ingeladen, sommige noodzakelijkerwijs boven op de bus, bleef de reeks onverdraaglijke gebeurtenissen voortduren tussen de rook en de stank van de gesmolten waskrijtjes. 'Zie je, man, wanneer je het mengt met paraffine en het op je huid drukt, trekt het erin en druipt het door je lichaamswarmte langzaam langs je gezicht. De bleekgezichten doen ervan in hun broek... zie je wel?' De chauffeur zag het. Afdruipende strepen helder rood kropen langzaam over het gezicht van iemand die Kalfsneus werd genoemd. De bus was bijna tegen de achterbumper van een diplomatenlimousine gebotst die de vlaggen van Tanzanië voerde; in plaats daarvan deukte ze de bumper alleen maar in, schoof toen naar links, reed voorbij en rukte een buitenspiegel af terwijl een paar zwarte gezichten met wijd opengesperde ogen naar hun kleurrijker tegenhangers in de busraampjes staarden.

Daarop volgde het audiogedeelte, eerst het langzame, bassende boem-boem van minstens een dozijn trommen. *Boem-boem, boem-boem, boem-boem – boem-boem, boem-boem! 'Hijja, hijja, hijja!'* Het fanatieke gezang rees tot een hysterisch crescendo terwijl het hoofd van de chauffeur als van een geile haan heen en weer schoot boven zijn stuurwiel op de maat van de trommen. Ineens kwam er een verademing toen de trommen en het gezang plotseling ophielden, kennelijk op bevel.

'Volgens mij doen we dat niet goed, meisjes en jongens!' schreeuwde de terrorist die Kalfsneus heette. 'Is dat niet de Viering van de huwelijksnacht?'

'Een heel stuk beter dan de "Bolero" van Ravel!' antwoordde een mannenstem achter in de volle bus.

'Wie zou het verschil weten?' gilde een andere stem, nu die van een vrouw.

'Ik weet het niet,' antwoordde Kalfsneus, 'maar Donderkop zei dat Indiaanse Zaken misschien een paar deskundigen zou sturen omdat niemand ons verwacht of weet waarom we er zijn.'

'Als het Mohikanen zijn, gaan ze met stront gooien!' riep weer iemand anders, naar zijn stem te oordelen een ouder stamlid. 'Volgens de legende hebben ze ons uit onze wigwams gegooid wanneer het sneeuwde!'

'Nou ja, voor het geval dat, laten we die dans maar eens oefenen waarmee we de zonsopgang begroeten; die is wel toepasselijk.'

'Welke is dat, Johnny?' Weer een vrouw.

'Die klinkt als een tarantella...'

'Alleen wanneer het *vivace* wordt gezongen, Kalfje,' verbeterde een beschilderde krijger voorin hem. 'Wanneer het *adagio* is klinkt het als een dodenmars van Sibelius.'

'Laten we dat stukje *balachy* maar eens doen. Vooruit, meisjes, in het gangpad en repeteren. En denk erom, Donderkop wil wel wat benen zien voor de tv-camera's maar niet tot aan je jarretels. We moeten het helemaal netjes houden.'

'Ah, ah, ah... shit!' klonken de mannenstemmen.

'Daar gaan we – nú!'

De trommen en het gezang waren weer begonnen, nog versterkt door het stampen van vrouwenvoeten in het gangpad, terwijl de bestuurder zich probeerde te concentreren op het toenemende verkeer in het District of Columbia. Helaas viel er een gasfles om onder een kokende pot vuurrode waskrijtjes waardoor het kralenrokje van een danseres vlamvatte. Verschillende krijgers waren er snel bij om de vlammen te doven.

'Blijf daar met je poten af!' krijste de beledigde indiaanse schone.

De chauffeur had met een ruk zijn hoofd omgedraaid en de bus slipte tegen een brandkraan aan, rukte de bovenkant eraf zodat er een dikke waterstraal Independence Avenue opschoot en alle auto's en voetgangers in de buurt doorweekte. Volgens de regels van het busbedrijf moest de bestuurder van elk voertuig dat bij zo'n incident betrokken raakte onmiddellijk stoppen, het via de radio melden aan zijn verkeersleider en op de politie wachten. Het was een bedrijfsregel die absoluut en positief geen betrekking had op hem! concludeerde de chauffeur van de bus vol wilde terroristen die druipende oorlogskleuren op hun gezicht hadden. Hij was nog vijf straten verwijderd van zijn bestemming en op het moment dat zijn lading verfkokende, hossende barbaren in hun leer en hun kralen uit zijn voertuig stapte met hun plunjezakken en hun kartonnen borden, zou hij als een haas terugrijden naar zijn depot, een haastig gekrabbelde ontslagbrief indienen, naar huis rijden, zijn vrouw grijpen en samen zouden ze het eerstvolgende vliegtuig nemen zo ver als ze maar weg konden komen. Gelukkig was hun zoon jurist; die eigenwijze advocaat kon de rommel wel achter hem opruimen. Verrek, hij had die verwaande rotzak rechten laten studeren! ... Zesendertig jaar achter het stuur met het schuim der aarde als lading, dan moest een man onderhand weten wanneer je verder niets meer kon verdragen. Het was net als vroeger in Frankrijk, in de Tweede Wereldoorlog, en ze door de moffen tot moes werden gebombardeerd en die geweldige man, generaal Hawkins, de divisie had overgenomen en de woorden had uitgeschreeuwd:

'Er komt een tijd, soldaten, dat we of ons aas laten schieten of achter de grote jongens aan gaan! Ik zeg, we gaan erachter aan! Ik zeg dat we gaan aanvallen!'

En, mijn god, dat hadden ze gedaan. De grote man had toen gelijk gehad, maar op dit ogenblik viel er niets aan te vallen, geen gewapende vijand die eropuit was je koud te maken, alleen maar legers halve garen die in je bus wilden klimmen en je gek wilden maken! Zesendertig jaar; een goed leven, een produktief leven – buiten de bus. Maar nu, op dit kritieke moment, was er niets meer over, niets om aan te vallen. Het werd tijd het aas te laten schieten. ... Hij vroeg zich af wat de grote generaal Hawkins zou zeggen. Hij dacht dat hij dat wist.

'Als de vijand niet de moeite waard is, dan ga je een andere zoeken!'

De chauffeur zou het aas laten schieten. De vijand was het niet waard.

De laatste terrorist die uitstapte was de vent die ze Kalfsneus noemden, de maniak met die groteske strepen heldere kleuren op zijn gezicht. 'Hier, man,' zei de wilde en hij overhandigde de bestuurder een metalen munt zonder bepaalde waarde. 'Opperhoofd Donderkop wilde dit aanbieden aan de man die ons naar ons "punt van bestemming" bracht. Ik mag hangen als ik weet wat hij bedoelde, maar je mag hem hebben, makker.' Kalfsneus sprong vanaf de trede op het trottoir, met zijn kartonnen bord dat op een boomtak was gespijkerd over zijn rechterschouder.

'*...ons punt van bestemming. Niets zal meer zijn zoals het was na het gevecht dat we gaan leveren. We vallen aan!*' Generaal MacKenzie Hawkins veertig jaar geleden in Frankrijk.

De chauffeur staarde naar de metalen munt in zijn hand en hield zijn adem in. Het was een kopie van hun divisie-insigne... veertig jaar geleden. Een teken uit de hemel? Nauwelijks waarschijnlijk, want hij en zijn vrouw hadden al lang geleden de Kerk vaarwel gezegd. De zondagmorgens waren voor al die televisieprogramma's waarin politici zijn woede voedsel gaven en zijn vrouw olie op de golven goot met een kan Bloody Mary's met tabascosaus. Prima meid, die vrouw van hem. ... Maar dit! Zijn oude divisie en de woorden van de beste bevelvoerende officier die er ooit had bestaan! Verrek, hij moest zien hier weg te komen. Het was gewoon eng!

De chauffeur startte opnieuw de motor, stampte zijn voet op het gaspedaal en scheurde First Street op. In zijn spiegel zag hij een groep beschilderde gezichten achter hem aanhollen. 'Val maar dood!' schreeuwde hij hardop. 'Ik ga ervandoor, ik heb er genoeg van! Ik en mijn meid vertrekken naar het westen – misschien zo ver naar het westen dat het het oosten wordt, misschien wel een plek als Amerikaans Samoa!'

Wat de bestuurder niet in de gaten had was dat er nog zevenendertig plunjezakken op zijn dak gebonden zaten.

31

1.06 n.m. De deurbel van de suite ging over. Aaron en Sam glipten een slaapkamer in om te voorkomen dat ze herkend werden en Jennifer liep het vertrek door, keek even achter zich en vroeg: 'Ja, wie is daar?'

'Alsjeblief, juffrouw Jenny!' antwoordde de onmiskenbare stem van Roman Z. 'Dit ding is zwaar!'

Redwing opende de deur en zag daar Roman staan voor de twee Desi's, die met het zweet op hun voorhoofd de handvatten vasthielden van een enorme hutkoffer. 'Goeie genade, waarom lieten jullie die niet door een bagagist naar boven brengen?'

'Mijn beste vriend, die toevallig ook een wrede en getikte "kolonel" is, zei dat we het zelf moesten doen.' De zigeuner liep de kamer in. 'En als de kist zou opengaan moest ik de keel afsnijden van iedereen die zag wat erin zat. ... Kom, mijn tweede en derde beste vrienden. Naar binnen!'

'Ik kan me niet voorstellen dat Cyrus zo'n bevel heeft gegeven,' protesteerde Jennifer terwijl Desi-Een en Twee worstelden om de bovenmaatse koffer de suite in te slepen en hem rechtop zetten. 'Je zou op z'n minst een plateau gebruikt kunnen hebben.'

'Wat is dat?' vroeg Desi-Twee terwijl hij het zweet van zijn voorhoofd veegde.

'Een platformpje met wieltjes dat stevig genoeg is voor zware bagage.'

'Jij zei dat we zo'n ding niet mochten gebruiken!' riep Desi-Een tegen Roman.

'Omdat die kei van een kolonel aan het praten was met die maffe lui op die vrachtwagen en hij zei alleen maar dat we "ze zo snel mogelijk naar boven moesten brengen"! Hij zei niet "breng ze zo snel mogelijk naar boven op zo'n ding". Mijn beste vriend is slim; je weet maar nooit of zo'n ding je niet verraadt. Hebt je ooit geprobeerd, zonder te betalen, uit een grote supermarkt te lopen met zo'n karretje? Dan gaan er bellen rinkelen, nietwaar, juffrouw Jenny?'

'Ja, er staan codes op de artikelen die geneutraliseerd worden wanneer ze niet via de kassa naar buiten gaan...'

'Zie je wel! Mijn beste vriend heeft ons het leven gered!'

'Jullie zullen goed beloond worden voor je moeite,' zei Aaron Pinkus terwijl hij met Devereaux achter zich aan de slaapkamer uit kwam lopen. 'Laat iemand die koffer openmaken,' voegde hij eraan toe.

'Er is geen sleutel,' zei Roman. 'Alleen maar cijfertjes op het slot.'

'Ik heb de cijfers,' kondigde de onberispelijk en duur geklede Cyrus aan. Hij kwam binnen en sloot de openstaande deur direct achter zich. 'Ik vrees dat ik een extra vrachtbrief heb moeten tekenen voor mijn firma, meneer Pinkus.'

'Heb je hun míjn naam gegeven?'

'Heel zeker niet, maar de oorspronkelijke leverancier kan achter u aan gaan wanneer de hele zaak scheefloopt.'

'Dat zal ik wel aanpakken!' riep Sam uit. 'Ontsnapte gevangenen en gezochte huurlingen in dienst nemen om hun vuile werk te doen. Há! Een kind kan de was doen!'

'Schat, wij doen hetzelfde,' zei Jennifer.

'O?'

'Doe in hemelsnaam die koffer open! Ik kan Shirley al vlak achter me voelen en erg prettig is dat niet. Ik heb haar sinds gistermorgen niet meer gebeld.'

'Geef me haar nummer maar,' zei Roman Z en hij hield zijn rechterarm, gewikkeld in zijn blauwzijden sjerp voor zijn oranje hemd. 'Er zijn vrouwen en er zijn vrouwen en er zijn er maar weinigen die mijn charme kunnen weerstaan. Waar of niet, beste vrienden?'

'Shirley zou je laten opsluiten,' antwoordde Pinkus. 'Ik betwijfel of jouw omgangstaal zou voldoen aan haar normen.'

'Ziezo!' zei Cyrus die het slot de baas was geworden en de koffer opentrok.

'Mijn god!' riep Zonsopgang Jennifer Redwing. 'Al dat ijzer!'

'Ik heb je toch gezegd, Jenny,' zei Cyrus terwijl hij de verzameling metalen borstplaten en hoofdbedekkingen bekeek die op hangers voor hele rekken met vreemde kleding hingen. 'Het wordt ménens!'

1.32 n.m. De inhoud van de enorme hutkoffer was uitgedeeld en het proces van het camoufleren om te kunnen infiltreren begon. Volgens de bevelen van de Havik (een paar punten werden eraan toegevoegd en nader verklaard door zijn militaire adjudant Cyrus), was het eerste doel de vijandelijke verkenners, die naar hen zochten tussen de mensen buiten om de tuin te leiden en door dat te doen toegang te krijgen tot de grote hal van het Hooggerechtshof. Eenmaal binnen was het tweede doel de veiligheidsbeambten te passeren zonder dat

Sam, Aaron, de Havik en zeer waarschijnlijk ook Jenny hun identiteit verrieden. MacKenzie was ervan overtuigd dat de bewakers foto's hadden gekregen om hen te identificeren, in elk geval hem en Devereaux en aangezien Sam de werknemer was van Pinkus waarschijnlijk ook Aaron; en ook Z.J. Redwing zou op de lijst kunnen staan omdat zij al eerder had gepleit voor het Hooggerechtshof. Bovendien kon iemand zijn huiswerk hebben gedaan en ontdekt hebben dat zij lid was van de Wopotami-stam. Dat Jenny erbij zou horen was misschien wat vergezocht, maar dat waren de ontelbare miljarden ook waarvoor de hebzuchtige vijanden van de 'overleden' Vincent Mangecavallo in het krijt stonden.

De derde hindernis hing uitsluitend af van het feit of Sam, Aaron en Hawkins een herentoilet en Jennifer een damestoilet konden vinden voordat ze werden toegelaten tot de verheven kamers. Volgens de gedetailleerde bouwplannen, op de een of andere manier versierd door 'familieleden' van Vinnie Boem-Boem en bevestigd door zijn lievelingstante, Blitse Angelina, waren er in de gang op de eerste verdieping, waar de kamers zich bevonden, twee van zulke toiletten, links en rechts van de marmeren hal. Het gebruik van de toiletten was noodzakelijk omdat het eerste doel was de bewakers van het Hooggerechtshof om de tuin te leiden en toegang te krijgen tot de kamers. Maar de inhoud van de hutkoffer bracht Jenny ertoe vanuit haar slaapkamer te gillen: 'Sam, dit kán helemaal niet!'

'Wat kan niet?' zei Devereaux. Hij kwam onhandig uit de tweede slaapkamer lopen, gekleed in een ruim zittend geruit pak en een broek met wijde pijpen, zodat hij de indruk wekte zo'n vijfentwintig kilo te zijn aangekomen. Zijn hoofd zag er helemaal bizar uit. Zijn schedel werd bedekt door een bruine pruik vol klitten, waarvan de loshangende krulletjes onder een plat hoedje met smalle rand uit kwamen, de favoriete hoofdbedekking van de in jassen van wasbeerbont gehulde studenten uit de jaren twintig. Hij duwde tegen de half geopende deur van Jennifer en bleef in de opening staan. 'Kan ik helpen?'

'Jèsses!'

'Je gilt. Betekent dat ja of nee?'

'Wie moet jij voorstellen?'

'Volgens het rijbewijs en de lidmaatschapskaart van de bond die bij de kleren zaten, heet ik Alby-Joe Scrubb en heb ik ergens een kippenfokkerij. ... Wie ben jij in 's hemelsnaam?'

'Een ex-revuedanseres!' antwoordde Jenny en ze probeerde opnieuw de metalen plaat vast te maken die niet precies om haar royale borsten paste. 'Ziezo! Laat maar, die zit al! ... Nu die stomme mosgroene blouse waarvan een geile gorilla nog niet opgewonden zou raken.'

'Ik anders wel,' zei Sam.

'Jij staat maar één trapje onder een gorilla en je raakt gauw opgewonden.'

'Hè, toe nou, we staan aan dezelfde kant. Maar echt, wie stel jij nu eigenlijk voor?'

'Laten we zeggen een losbandige vrouw van wie de uitstulpende bovenkant onder dit kogelvrije korset hopelijk de aandacht van de bewakers zal afleiden bij de toelatingsprocedure.'

'De Havik denkt ook overal aan.'

'Zelfs aan de lustgevoelens,' stemde Redwing in. Ze trok de mosgroene blouse over haar hoofd en stopte die in haar gele minirokje. Ze bukte zich half naar voren en inspecteerde haar opbollende borsten onder de loshangende blouse. 'Meer kan ik er niet aan doen,' zei ze zuchtend.

'Laat ik het nog eens proberen...'

'*Af*, Fikkie. ... Nu komt het ergste. Het "paardehoofdstel" zoals een vriend van me van de Fortyniners het noemt.'

'Dát is wat ik niet thuis kan brengen,' merkte Devereaux op. 'Je haar ziet er gek uit; het zit strak naar achteren getrokken.'

'Als voorbereiding op dat prehistorische bedenksel van jouw Neanderthaler.' Jenny haalde uit een grote vierkante doos op haar bed een platinablonde pruik waaronder een metalen helm zat. 'Die kogelvrije pet is zo zwaar dat ik de rest van het jaar een stijve nek zal hebben, als ik het eind van het jaar nog haal tenminste.'

'Ja, zo een heb ik er ook,' zei Sam terwijl Red de gehelmde pruik op haar hoofd zette. 'Je kunt wel met je hoofd schudden maar als je knikt kun je je neus breken.'

'Mijn hoofd schudden past niet bij wat ik moet voorstellen.'

'Ik snap wat je bedoelt. Als dit het prehistorisch bedenksel is van Mac, wat zal hij dan in deze tijd verzinnen?'

'Dat ligt, dunkt me, nogal voor de hand. Hij brengt me in contact met een stille van de zedenpolitie en ik word gearresteerd wegens tippelen.'

'Sám!' riep Aaron Pinkus vanuit de zitkamer. 'Ik heb hulp nodig!'

'Ik ben erg gewild.' Devereaux haastte zich de slaapkamer uit met Jenny achter zich aan. Wat ze zagen was zo onwaarschijnlijk dat ze het zich onmogelijk zouden kunnen voorstellen, tenzij ze misschien in de spiegel naar zichzelf keken. Verdwenen was de tengere maar toch voorname gestalte van Bostons meest vooraanstaande advocaat. In plaats daarvan stond er een chassidische rabbi, gekleed in een lange zwarte jas, met een platte hoed op waaronder twee vlechtjes van zwart haar uitkwamen. 'Wil je soms dat we bij je komen biechten of doen die lui bij jullie zoiets niet?' vroeg Sam.

'Je bent helemaal niet leuk,' antwoordde Aaron. Hij zette een paar voorzichtige stappen, begon toen te wankelen en greep de rand van een schemerlamp vast die natuurlijk op de vloer viel. 'Straks heb ik een blikopener nodig om me uit te kleden!' riep hij kwaad uit.

'Dat is voor uw eigen veiligheid, meneer Pinkus,' zei Jennifer die om Devereaux heen rende en de armen van de oude man vastpakte. 'Cyrus heeft dat duidelijk gezegd, u moet uzelf beschermen.'

'Deze bescherming zal mijn dood zijn, kindje. Op Omaha Beach droeg ik een bepakking van twintig kilo op mijn rug zodat ik zowat verdronk in iets meer dan een meter water en toen was ik veel jonger. Dit metalen ondergoed is veel zwaarder en ik ben een heel stuk ouder.'

'Het zal alleen echt moeilijk zijn wanneer u de trappen voor het Hof op moet en aangezien we niet bij elkaar zijn zal ik zorgen dat Johnny Kalfsneus iemand versiert om u te helpen.'

'Kalfsneus? Ik herinner me die naam, geloof ik; zo'n naam vergeet je niet zo gauw.'

'Hij is de verbindingsman van Mac bij de stam,' zei Sam.

'O ja, hij belde Sidney's huis en naar ik me herinner gingen Jennifer en onze generaal toen tegen elkaar staan gillen.'

'Johnny Kalfsneus en MacKenzie Hawkins vormden een volmaakt team. Jut en Jul. Ik krijg nog steeds geld voor een borgtocht van Johnny en Hawkins heeft zowel mijn ziel als mijn carrière in handen. ... Maar Johnny zal wel iemand vinden om u te helpen. Dat is hem geraden anders zal ik hem aanklagen voor het achteroverdrukken van duizenden dollars van het omkoopgeld voor de Raad van generaal Donderknar.'

'Heeft hij dat echt gedaan?' vroeg Devereaux.

'Eigenlijk weet ik dat helemaal niet, maar voor hem zou het heel natuurlijk zijn zoiets te proberen.'

Er werd snel achtereen op de deur geklopt. Sam deed open en verbaasde zich opnieuw over het elegante uiterlijk van Cyrus. 'Kom binnen, kolonel, al zie je er eerlijk gezegd meer uit als een donkere versie van een Ezeltje Schijtgeld.'

'Dat moet ook, Sam, en om je horizon nog wat verder te verbreden zou ik je graag willen voorstellen aan twee vrienden van me, of moet ik zeggen van "rechter Oldsmobile".' Cyrus liep naar binnen en gebaarde Desi-Een en Twee hetzelfde te doen. Maar ze leken niet op de Desi's Arnaz die iemand in het vertrek eerder had gezien. Desi-Een, met zijn valse tanden weer op hun plaats, was gekleed in een conservatief grijs pak en een blauw overhemd dat zijn witte opstaande boord goed deed uitkomen. Desi-Twee, een geestverwant maar van een ander geloof, droeg een zwart pak en een priesterboord met een gouden kruis dat op zijn borst hing. 'Mag ik u voorstellen, de eerwaarde Elmer Pristin, een episcopaals dominee, en zijn mededemonstrant, monsignor Hector Alizongo uit een katholiek diocees in de Rocky Mountains.'

'Goeie genade!' zei Aaron en hij liet zich rammelend in een stoel vallen.

'Mijn god!' voegde de platinablonde tippelaarster die Janny was eraan toe.

'Hij hoort u,' zei Desi-Twee en hij sloeg een kruis; daarna corrigeerde hij zijn zegening en beschreef achterstevoren een breed kruis over alle aanwezigen.

'Geen godslasteringen, alsjeblieft,' mompelde Desi-Een.

'Ben jij *loco*? Ik zegen jou ook en jij bent een stomme *protestante*!'

'Het is prima, jongens,' zei Devereaux. 'We snappen het helemaal. ... Cyrus, wat stelt dit allemaal voor?'

'Laat ik eerst eens vragen of jullie alles hebben gevonden. Er zat een controlelijst bij al jullie spullen.' Jennifer, Sam en Aaron knikten, maar hun gezichten stonden twijfelachtig. 'Goed,' vervolgde de huurling. 'Nog moeilijkheden gehad met de ex-camo uitrusting?'

'Wat is dat?' vroeg Pinkus vanaf zijn stoel.

'Een afkorting voor externe camouflage – onze vermommingen. We willen dat jullie je onder de omstandigheden zo comfortabel mogelijk voelen. Nog problemen?'

'Om het eerlijk te zeggen, kolonel,' antwoordde Aaron, 'kun je misschien beter een kraanwagen huren om mij te verplaatsen.'

'Dat is geen probleem, Cyrus,' zei Redwind. 'Ik zal zorgen dat een lid van de stam meneer Pinkus helpt.'

'Sorry, Jenny, maar we mogen geen enkel contact met de Wopotami's hebben. Het is ook niet nodig.'

'Hé, wacht eens even,' kwam Devereaux tussenbeide. 'Mijn geëerde baas kan nauwelijks lopen in dat middeleeuws kogelvrij vest!'

'Onze twee geestelijken zullen het hele stuk aan weerskanten van hem lopen.'

'Onze Desi's?' vroeg Jennifer.

'Precies. Het is een idee van Hawkins en het is een prima idee. ... De "eerwaarde Pristin" en "monsignor Alizongo" hebben zich aangesloten bij "hoofdrabbi Rabinowitz" in een religieuze protestactie tegen het Hooggerechtshof wegens recente beslissingen die zij beschouwen als antichristelijk en antisemitisch. Beter kun je het niet hebben, tenzij je er nog antizwart tegenaan gooit maar dat zou natuurlijk de televisiejongens afschrikken.'

'Het is in elk geval uniek,' moest Sam toegeven. 'Tussen haakjes, waar is Roman Z?'

'Ik durf er bijna niet aan te denken,' antwoordde Cyrus.

'Hij is toch niet gedeserteerd?' vroeg Jenny.

'Helemaal niet. Er is een oud zigeunerspreekwoord, gestolen van de Chinezen, dat een man die het leven redt van een ander voor de rest van zijn leven van die man of mannen kan leven.'

'Ik geloof niet dat hij dat goed zegt,' zei Aaron. 'Volgens mij is het net andersom.'

'Natuurlijk,' gaf Cyrus toe, 'maar de zigeuners hebben het omgedraaid en meer hoeft hij niet te weten.'

'Waar is hij dan?' wilde Redwing weten.

'Ik heb hem geld gegeven om een videocamera te huren. Op dit moment vermoed ik zo dat hij er eentje aan het stelen is van een argeloze verkoper door hem te zeggen dat hij de brekingsindex van de lens wil controleren in het zonlicht. Ik kan het fout hebben maar dat betwijfel ik. Hij heeft er de pest aan voor iets te betalen – volgens mij denkt hij echt dat zoiets niet etisch is.'

'Hij moet zich verkiesbaar stellen voor het Congres,' zei Sam.

'Maar waarom een camera?' vroeg Jenny.

'Dat is mijn idee. Volgens mij moeten we een audiovisuele opname hebben van het protest van de Wopotami's, zo uitgebreid mogelijk, inclusief alle mogelijke pogingen door bepaalde personen om tussenbeide te komen, burgers te pesten of te verhinderen hun recht van openbaar vergaderen uit te oefenen en hun recht om een petitie in te dienen.'

'Ik wist het wel,' zei Pinkus met zwakke stem. 'Hij mag dan een beroepssoldaat zijn en een scheikundige, maar hij is ook jurist.'

'Nee, meneer,' sprak Cyrus hem tegen. 'Omdat mijn vroege, turbulente jeugd nogal wanordelijk was, moest ik – moesten wij – bepaalde fundamentele constitutionele rechten heel goed kennen.'

'Wacht eens even,' zei Devereaux en zijn rustige stem klonk enigszins sceptisch. 'Laten we dat "Hand in hand kameraden" eens vergeten en even goed doordenken. Een ongeredigeerde videoband, waarop de datum en de tijd in elk beeldje in seconden worden afgeteld, wordt over het algemeen beschouwd als onweerlegbaar bewijsmateriaal, nietwaar?'

'Ik denk dat een aantal Congresleden en senatoren en een paar burgemeesters het wel met je eens zullen zijn, Sam,' stemde de huurling in met een vage glimlach op zijn gezicht. 'Vooral wanneer ze tijdelijk hun kaviaar moeten opgeven voor sardientjes op blikken bordjes.'

'Ja, en wanneer we zo'n band hebben waar "bepaalde personen" op staan, betrapt op onwettig gedrag, met gebruik van geweld, tijdens het protest van de Wopotami's...'

'En,' kwam Redwing tussenbeide, met een korte blik op Devereaux, die knikte alsof hij zeggen wilde, ga gerust je gang, 'als die slechteriken geïdentificeerd zouden worden als handelend in opdracht van een of ander regeringsbureau, dan zouden we juridisch gezien aardig uit de voeten kunnen.'

'Niet alleen regeringsbureaus,' zei Cyrus. 'Er zit tussen die mensen een stelletje gorilla's dat betaald heeft gekregen om jullie tegen te houden. Hun werkgevers steken zo diep in de schuld dat ze in hun broek doen terwijl ze hun tapijten opvreten, alleen al bij het denken aan jullie.'

'Gewelddadige obstructie van een wettig proces,' voegde Sam eraan toe. 'Als ze tien jaar gevangenisstraf kunnen krijgen is er niet één van die bullebakken die niet gaat praten.'

'Kolonel, mijn complimenten!' zei Aaron. Hij kwam met moeite naar voren in zijn stoel en door de kamer klonk het geluid van metaal op metaal. 'Als alles fout loopt hebben we een verdedigingslinie waarop we kunnen terugvallen.'

'In mijn boekje heet dat mensen een oor aannaaien die dat eerst bij ons willen doen, meneer Pinkus.'

'Goed gezegd! Weet u, rechtenstudie of niet, ik wilde dat u een betrekking bij mijn firma zou willen overwegen, laten we zeggen als plannenberamer op de afdeling strafrecht.'

'Ik voel me vereerd, meneer, maar volgens mij kunt u beter eerst eens praten met uw vriend Cookson Frazier. Die heeft kennelijk een huis in het Caribische gebied, twee in Frankrijk, een flat in Londen en een paar die hij zich niet meer kan herinneren in het skigebied van Utah of Colorado. In alle huizen is ingebroken en hij wil dat ik daar overal zijn beveiliging ga regelen.'

'Dat is prachtig voor jou! Je zult verschrikkelijk goed worden betaald. Je neemt het natuurlijk aan.'

'Misschien voor een paar weken, maar als ik het op de een of andere manier voor elkaar kan krijgen zou ik terug willen gaan naar het laboratorium. Ik ben scheikundige; voor mij gebeurt het daar allemaal.'

'Nou breekt mijn klomp,' zei Devereaux hoofdschuddend, waarbij zijn gekke hoedje boven zijn geruite pak heen en weer bewoog.

Er werd heftig op de deur geklopt. 'Blijf waar je bent,' zei Cyrus kalm toen de anderen schrokken van het geluid. 'Dat is Roman. Hij denkt dat elke opkomst van hem, in wat voor kamer dan ook, een première is – vooral wanneer de politie achter hem aan zit.' De huurling opende de deur; de gedaante in de gang was inderdaad Roman Z, maar in plaats van één enkele videocamera hield hij er twee in elke hand, terwijl er aan een stevige band een grote nylon tas over zijn brede schouders hing. Ook het zijden oranje hemd was verdwenen, de blauwzijden sjerp, de strakke zwarte broek en de bungelende gouden oorring. In plaats daarvan was hij een klassiek voorbeeld van een lid van een televisieploeg, zo'n type dat je bij een ongeluk of een brand uit een televisiewagen ziet klimmen. Hij droeg een nette maar versleten spijkerbroek onder een wit T-shirt waarop in grote letters stond:

WFOG-TV
pers

'De opdracht is uitgevoerd, mijn beste vri... kolonel,' meldde Roman en zijn woorden stierven weg toen hij de kamer inliep en Sam, Jenny en Aaron in de gaten kreeg. 'Is er soms ook nog ergens een dansende beer?'

'Als dat zo is ben jij het,' zei Cyrus. 'Beren snuffelen rond naar voedsel. ... Waarom vier videocamera's?'

'Misschien gaat er eentje kapot,' antwoordde de zigeuner grijnzend. 'Ook volop band,' voegde hij eraan toe en hij gebaarde naar zijn tas.

'Waar is de bon?'

'De wat?'

'Het papiertje waar het huurbedrag op staat en de borgsom die je in de winkel hebt gestort.'

'O, dat wilden ze niet. Ze zijn blij te kunnen helpen.'

'Waar heb je het over, Roman?' vroeg Jenny.

'Ik heb het op de rekening laten zetten, juffrouw Jenny – als u juffrouw Jenny bent onder die prachtige jurk.'

'Wiens rekening?' vroeg Devereaux.

'Deze lui!' De zigeuner wees trots op zijn T-shirt. 'Ik had veel haast, en zij begrepen het.'

'Die lui bestáán niet eens!' riep Cyrus.

'Ik schrijf ze nog weleens een brief. Ik zal ze zeggen dat ik er veel spijt van heb.'

'Toe nou, kolonel,' zei Pinkus en hij worstelde zich met Jenny's hulp uit zijn stoel. 'We hebben geen tijd voor een accountantsonderzoek. Wat gaan we nu doen?'

'Dat is eenvoudig,' antwoordde Cyrus.

Dat was het dus niet.

2.16 n.m. *Boem-boem, boem-boem, boem-boem, boem-boem, boem-boem, boem-boem! ... Hija, hija, hija-hija, hija, hija!* De trommen dreunden terwijl de dansers zongen en de borden gingen omhoog en de mensen raakten van de wijs en op de trappen naar het Hooggerechtshof was het één chaos van Wopotami's. De toeristen waren woedend, vrouwen nog meer dan hun mannen omdat alle dansmeisjes buitengewoon aantrekkelijk waren en hun rokjes hoog omhoog vlogen.

'Jebediah, we kunnen er niet dóór!'

'Wat je zegt.'

'Waar is de politie?'

'Wat je zegt.'

'Olaf, die dwaze mensen willen ons niet doorlaten!'

'Wat je zegt.'

'Daar moest een wet tegen bestaan!'

'Wat je zegt.'

'Stavros, zoiets zou nooit gebeuren in de tempel van Athene!'

'Wat je zegt.'

'Sta daar niet zo te staren!'

'Dat zeg je fout – O, sorry, Olympia.'

Om de hoek in Capitol Street stonden twee grote mannen, verborgen in een portiek. De ene zag er oogverblindend uit in het groot tenue van een legergeneraal, de andere ging gekleed in rafelige zwerverskleren. De zwerver rende hun schuilplaats uit, tuurde om de hoek van het gebouw en vloog terug naar de generaal.

'Het schiet al op, Henry,' zei MacKenzie Hawkins. 'Ze beginnen al aardig op te warmen!'

'Is de pers er al?' vroeg Sutton, de acteur. 'Ik heb het heel duidelijk gezegd, ik kom pas op wanneer de camera's er zijn.'

'Er zijn een paar radiostations. Dat zie je aan de mensen met de microfoons.'

'Da's niet voldoende, beste jongen. Ik heb heel nadrukkelijk *camera's* gezegd.'

'Oké, oké!' De Havik rende weer naar buiten, keek opnieuw en holde terug. 'Er is net een tv-ploeg gearriveerd!'

'Wat voor station? Is het een netwerk?'

'Hoe kan ik dat nou weten?'

'Zie erachter te komen *mon général*. Ik heb zo mijn normen.'

'Je zuster op een houtvlot!'

'Laat mijn zuster er maar buiten, MacKenzie. Ga maar weer eens kijken.'

'Jij bent onmogelijk, Henry!'

'Dat mag ik hopen. Dat is de enige manier om in dit beroep vooruit te komen. Schiet nou op. Ik voel de aandrang om op te treden; die wordt gestimuleerd door de aanzwellende geluiden van het publiek wanneer je hen de schouwburg in hoort komen.'

'Heb jij nooit plankenkoorts?'

'Beste kerel, ik heb nog nooit koorts gekregen van de planken, zij krijgen koorts van mij. Ik loop eroverheen als het rollen van de donder.'

'Shít!' De Havik stormde weer naar buiten maar in plaats van terug te lopen naar de acteur bleef hij staan en zag wat hij hoopte te zien. Aan de overkant van First Street stopten vier taxi's, kort na elkaar. Uit de eerste stapten drie geestelijken: een priester, een dominee en een oudere rabbi die door de twee christenen werd geholpen. Uit de tweede kwam de Marilyn Monroe van de tippelaarsters te voorschijn, met wiegende heupen – niet al te vast ter been – maar wie lette daar op? De derde taxi deponeerde de grootste boerenkinkel uit de provincie, met imaginaire kippestront druipend van zijn platte hoedje en over zijn bolle geruite pak. De vierde maakte goed wat er aan banaals uit de eerste drie was gestapt. Een reusachtige, elegant geklede neger stapte op het trottoir en het voertuig zonk bijna in het niet bij zijn markante gebeeldhouwde kop en zijn gigantisch lijf.

Zoals afgesproken liepen Jennifer, Sam en Cyrus verschillende kanten op, zonder elkaar te groeten, maar niemand stak de straat over naar het Hof. De drie religieuze zeloten bleven op het trottoir ruzie staan maken, waarbij het hoofd van de rabbi op en neer bewoog terwijl de beide christenen tegenover hem nu eens knikten en dan weer afkeurend het hoofd schudden. De Havik haalde zijn walkie-talkie uit de zak van zijn sjofele overjas. 'Kalfsneus, meld je. Meld je, Kalfsneus!' (Een codenaam was niet nodig.)

'Niet zo schreeuwen, D.K., dat ding zit in mijn oor!'

'Onze groep is aangekomen...'

'Dat is de halve bevolking van Washington ook! En ik bedoel echt de halve – de andere helft zou het liefst onze meisjes scalperen!'

'Zeg dat ze door moeten gaan.'

'Hoe ver? Zijn we al aan de jarretels toe?'

'Dat bedoel ik niet! Laat ze doorgaan met zingen en laat de trommen harder klinken. Ik heb de volgende tien minuten nodig.'

'Die krijg je, D.K.!'

De Havik rende terug naar het portiek. 'Nog tien minuten, Henry, en dan kun je opkomen!'

'Zó lang?'

'Ik moet nog een paar dingen regelen en wanneer ik terugkom gaan we samen.'

'Wat moet je nog regelen?'

'Een paar vijanden uitschakelen.'

'Wát?'

'Niets om je zorgen over te maken. Ze zijn jong en onervaren.' MacKenzie holde weg in zijn zwerverskleren.

En vervolgens werden vier van de commando's een voor een op de schouder getikt door een oude zwerver en bewusteloos geslagen. Ieder van hen werd naar een trottoirrand gesleept, kreeg een paar fikse scheuten whisky over zijn gezicht en werd te ruste gelegd totdat ze weer bijkwamen.

Maar tot grote bezorgdheid van sir Henry rekten de 'tien minuten' zich uit tot twaalf, vervolgens tot twintig en ten slotte, tot zijn sputterende ergernis, tot bijna een halfuur. De Havik had vijf keurig geklede, streng kijkende federale agenten in het oog gekregen en zes heren die met hun fronsend kijkende ogen en hoge voorhoofden meer op gorilla's-in-de-mist leken. Hij verzorgde hen op dezelfde manier. 'Amateurs!' fluisterde de Havik bij zichzelf. 'Wat voor commandanten hebben die lui wel?' ... Wie ze dan ook waren, ze hadden zeker voor hun pr gezorgd! Een of andere klootzak in een T-shirt bleef maar opnemen met zijn videocamera, gericht op de mensen die tegen de protestactie waren, kennelijk ten behoeve van degenen die hun hun bevelen hadden gegeven. Há! Een grapjas! Maar telkens wanneer Mac probeerde de rotzak met de camera te grijpen, pirouetteerde die als een balletdanser en verdween hij in de menigte.

En de menigte was en masse aanwezig toen Mac terugrende naar het portiek. Sir Henry Sutton was er niet! Waar zat hij, verdomme! ... De acteur stond tien stappen verder aan de zijkant van het gebouw naar het gewoel op de trappen van het Hooggerechtshof te kijken. Vóór de ruim veertig hossende, zingende, trommelende, met borden zwaaiende Wopotami-demonstranten werd gevochten, maar het heftige gekrakeel leek niets te maken te hebben met de indianen.

'O, mijn god!' zei Hawkins met zijn hand op Suttons schouder. 'Ik ben niet zo jong meer als ik vroeger was!'

'Ik ook niet. Wat dan nog?'

'Een paar jaar geleden zou geen van die rotzakken nog zijn opgestaan. Of misschien waren er veel meer dan ik heb gezien.'

'Wie?'

'Die clowns die elkaar voor verrot staan te slaan tussen die toeristen.'

En dat stonden ze inderdaad. De keurige boorden brulden tegen de gecamoufleerde commando's die hen vervolgens over hun schouder wierpen, terwijl de bullebakken, met het idee dat elk gevecht betekende dat zij moesten winnen of anders terug zouden moeten naar de vakbonden, ertussen sprongen met boksbeugels en loden pijpen. Een complete rel stond niet alleen op het punt uit te barsten, hij was al volop aan de gang. Woedende toeristen krijsten, geslagen en getrapt door de vechtersbazen; degenen die in een strijd op leven en dood waren gewikkeld en die verward waren door het gebrek aan uniformen of andere herkenningstekenen van hun vijanden, bonkten lustig los op alles wat in hun buurt bewoog en de idioot met de videocamera bleef maar gillen '*glorioso!*' terwijl hij in het rond sprong.

'Vertrekken, Boterbloem!' schreeuwde de Havik in zijn radio.

'Oké, Narcis, maar we hebben een probleem,' klonk de stem van kolonel Cyrus.

'Wat voor probleem?'

'Met het religieuze trio klopt het wel maar we zijn de tippelaarster en de kinkel kwijt!'

'Wat is er gebeurd?'

'Pocahontas werd woest toen een toeriste een stel voetzoekers tussen de benen van de dansers gooide en iets in het Grieks schreeuwde. Onze meid ging achter het kreng aan en Sam ging weer achter haar aan!'

'Zie ze in godsnaam terug te krijgen!'

'Wil je echt dat rechter Oldsmobile zich in dat gewoel begeeft en op koppen gaat hameren?'

'Verdómme, we hebben niet veel tijd meer! Het is bijna kwart voor drie en om drie uur moeten we binnen zijn, ons verkleden en ons melden bij de griffiers van de kamers!'

'Misschien hebben we wel een paar minuten speling,' zei Cyrus. 'Zelfs de rechters moeten weten wat voor chaos het hier buiten is.'

'Een Wopotami-chaos, Boterbloem! Laten we zeggen dat het niet in ons voordeel is, ook al is het nodig.'

'Wacht even! Onze kippenboer brengt Pocahontas terug – in een houdgreep kan ik eraan toevoegen.'

'Zo nu en dan doet die jongen wel iets goeds! ... Breng ze op de hoogte van de situatie en laten we beginnen!'

'Uitstekend. Wanneer komt onze generaal op?'

'Zo gauw ik de kinkel en de prinses de straat zie oversteken en zorg ervoor dat zij voorop loopt...Waar zijn die heilige drie koningen? Ik zie ze niet.'

'Dat kun je ook niet. Ze zijn aan deze kant en worstelen zich door het gewoel heen. Je zou denken dat men meer respect zou hebben voor geestelijken. Desi-Een en Twee hebben al een dozijn hufters afgetuigd en ik weet zeker dat ik Desi-Een al vijf horloges heb zien gappen!'

'Daar zitten we nou net op te wachten, een gappende dominee!'

'Die hebben we nu eenmaal, Narcis. ... Over en sluiten, hier komen onze Jan Klaassen en Katrijn.'

'Zorg dat ze zich gedragen, kolonel. Dat is een bevel!'

'Luister, massa, je hebt geluk dat ik slimmer ben dan jij, anders zou ik me beledigd voelen.'

'Huh?'

'Laat maar, je instinct voelt het juist aan. Over en sluiten.'

De Havik stak zijn walkie-talkie weer in de zak van zijn gerafelde overjas en wendde zich tot Sutton. 'Nog maar een paar minuten, Henry. Ben je klaar?'

'Kláár?' zei de acteur, met onderdrukte woede in zijn stem. 'Idioot die je bent! Hoe kan ik in hemelsnaam schitteren op het toneel met al dat gedonder daar?'

'Toe nou, Hank, je zei me een paar uur geleden nog dat dit kinderspel voor je was.'

'Dat was een objectieve analyse, geen subjectieve interpretatie. Er zijn geen bijrollen, alleen maar bijrolspelers.'

'Hè?'

'Jij bent uiterst ongevoelig waar het de schone kunsten betreft, MacKenzie.'

'O ja?'

'Die lieflijke Jennifer steekt de straat over – mijn Gód, die costumière moet onmiddellijk ontslagen worden! Ze is een hoer!'

'Dat is juist het idee. ... Daar gaat Sam...'

'Waar?'

'Die vent in dat geruite pak...'

'Met die belachelijke hoed op?'

'Hij ziet er heel anders uit, nietwaar?'

'Hij ziet er gewoon stom uit!'

'Dat willen we ook. Dat is geen slimme advocaat.'

'Goeie god!' riep de acteur uit. 'Heb je dát gezien?'

'Wat gezien?'

'Die dominee in het grijze pak – daarginds – die de trappen opklimt met een priester en tussen hen in iemand die op een oude rabbi lijkt.'

'O, o. ... Wat is er gebeurd?'

'Ik zou zweren dat de dominee zojuist een vent een oplawaai gaf en zijn horloge stal. Trok het zo van zijn pols!'

'Verdómme! Ik zei nog tegen de kolonel dat we daar op zaten te wachten, een predikant die zijn gemeente besteelt.'

'Je weet...? Och, natuurlijk weet je dat. De oudere man in de rabbikleren is Aaron! En de twee anderen zijn die twee kerels uit Argentinië of Mexico!'

'Portorico, maar dat is niet belangrijk. Ze zijn boven, ze gaan naar binnen! ... Het toneel op, generaal!'

Uit de radio van de Havik weerklonk geknetter; hij rukte hem uit zijn zak terwijl de stem van Cyrus galmde: 'Ik steek de straat over. Duim maar voor me!'

'Alle signalen staan op groen, kolonel. ... Kalfsneus, meld je!'

'Ik ben hier. Niet zo schreeuwen. Wat is er?'

'Schei uit met dat indianengedoe en begin aan het volkslied.'

'Het onze is beter, daar kun je op walsen.'

'Nú, Johnny! Onze generaal komt op!'

'Komt in de bus, bleekgezicht.'

'Nu gaat het gebeuren, Henry! Maak er iets moois van!'

'Ik heb nog nooit iets slechts gedaan op het toneel, sufkop,' zei de acteur. Hij haalde een paar keer diep adem en schreed op de roerige menigte af, terwijl de Wopotami's plotseling 'The Star Spangled Banner' aanhieven. Het koor klonk in één woord oorverdovend. Stemmen stegen ten hemel en het zien van veertig beschilderde, betraande gezichten van Amerika's oorspronkelijke bewoners had een overtuigend effect op de menigte. Zelfs de fel agressieve commando's, in dodelijk gevecht gewikkeld met de stakingbrekers, hielden hun tegenstanders op afstand met strakke armen en handen om kelen. De gorilla's lieten hun boksbeugels vallen en hun loden pijpen en allen staarden ze naar de tragische figuren die uit volle borst zongen voor een land dat hun was ontstolen. Vele tranen begonnen het zicht van de toeschouwers te belemmeren.

'Dít is de winter van ons misnoegen!' bulderde sir Henry Sutton Irving met zijn beste stentorstem terwijl hij naar de vierde trede klom en zich tot de menigte wendde. 'Honden kunnen ons aanblaffen maar ons doel is duidelijk. Er is verschrikkelijk onrecht aangedaan en wij zijn hier om dat goed te maken! Te zijn of niet te zijn, dat is de kwestie...'

'Die klootzak kan wel een uur zo doorgaan,' fluisterde MacKenzie in zijn radio. 'Waar is iedereen? Geef één voor één antwoord!'

'Wij zijn in de grote stenen hal, maar je begrijpt het niet, generaal...'

'Ik heb de prinses en de kinkel bij me,' zei Cyrus, 'en je begrijpt er echt niks van!'

'Waar hebben jullie het in godsnaam over?'

'Een kleinigheid waarop je niet hebt gerekend,' legde de huurling uit. 'Ze hebben hier metaaldetectoren en als Jenny of Sam of meneer Pinkus daar langs loopt stellen ze elk alarm in het gebouw en waarschijnlijk in heel Washington in werking.'

'O, mijn god. Wat gebeurt er toch met dit land van ons?'

'Ik geloof dat ik zoiets zou kunnen zeggen als "kijk naar de bron", maar op dit moment zijn we verneukt.'

'Nog niet, Boterbloem,' schreeuwde de Havik. 'Kalfsneus, ben je aan de lijn?'

'Jazeker, D.K. en ik heb ook een probleem. Onze mensen hebben genoeg van je vriend Vinnie. Ik bedoel maar, hij gooit alles in de war.'

'Wat heeft hij dan gedaan? Jullie hebben hem pas sinds vanmorgen – wat heeft hij kúnnen doen?'

'Aan één stuk door mekkeren, dat doet hij! Dan komt zijn vriend op het toneel, dat kereltje dat praat als een kip, en voordat je het weet zitten ze in het hele motel overal te dobbelen en loopt die Joey-en-hoe-hij-verder-heten-mag van de ene kamer naar de andere om overal mee te doen. Meedoen moet ik zeggen met een stel heel rare dobbelstenen. Hij won aan één stuk door en een heel stel van onze krijgers is blut.'

'Daar hebben we allemaal geen tijd voor!'

'Maak dan maar tijd, D.K., terwijl jouw generaal, van wie ik moet toegeven dat hij op jou lijkt, nog steeds staat te gillen als een mager speenvarken. Onze jongens en meisjes zijn woedend en ze nemen het niet langer. Ze willen dat die twee klootviolen opdonderen en ze willen hun geld terug!'

'Ze krijgen hun geld vijftigvoudig terug, dat belóóf ik je!'

'Verrek! Zie jij wat ik zie, D.K.?'

'Ik sta hier aan de zijkant van dit gebouw en er gebeurt zoveel...'

'Een stel kerels in rare groen-zwarte kleren breekt door onze rangen heen... wacht eens even! Nu komen er nog een paar anderen bij – ofwel vleugelverdedigers of apen in nette pakken. Ze hebben het op jouw generaal gemunt!'

'Voer Plan B uit, zo snel als je kunt! Zorg dat hij daar weg komt! We mogen hem niets laten overkomen. ... Begin met dansen en zingen. Nú!'

'Hoe zit het met die klootviolen, Vinnie en die kip?'

'Ga maar boven op hen zitten!'

'Dat hebben we in de bus al gedaan. Dat kleine kereltje heeft Arendsoog in zijn kont gebeten.'

'Voer het plan uit. Ik kom eraan!'

Kolonel Tom Vliegend Hert, een van de beste officieren van de Amerikaanse luchtmacht en zeker op de nominatie om ooit voorzitter van de Gezamenlijke Chefs van Staven te worden, wandelde met zijn neef en nicht door de straten van Washington om de bekende bezienswaardigheden te laten zien. Toen het trio vanaf Constitution Avenue rechtsaf sloeg naar het Hooggerechtshof hoorde Vliegend Hert een aantal vertrouwde geluiden die ergens in zijn geheugen lagen opgeslagen; gezangen die teruggingen tot zijn kindertijd, ruim veertig jaar geleden in het noorden van de staat New York, bij de Canadese grens. Want Tom Vliegend Hert was een volbloed Mohikaan en de woorden en ritmen die hij hoorde verschilden maar weinig van de taal van zijn eigen stam.

'Hé, oom Tommy!' riep de neef, een jongen van zestien. 'Er is daar een rel aan de gang!'

'Misschien kunnen we maar beter teruggaan naar het hotel,' opperde zijn nichtje, een jongedame van veertien.

'Nee, jullie zijn hier volkomen veilig,' zei de oom. 'Wacht hier maar even, ik ben zo terug. Er gebeurt daar iets geks.' Vliegend Hert, zoals zijn naam suggereerde, was een uitstekende hardloper en hij bereikte in minder dan een halve minuut de rand van de woelige, opstandige menigte onder aan de trappen van het Hooggerechtshof. Het was waanzinnig! Indianen – hún indianen – dansten en hosten in volle oorlogskleuren en gilden hun longen uit hun lijf bij een of ander fanatiek protest, waartegen precies was moeilijk uit te maken.

Toen kwamen de herinneringen weer bij hem op, de oude legenden die werden overgeleverd van de ene generatie op de andere door de oude mannen van de stam. De taal die hij hoorde was dezelfde, alleen niet precies, het gestamp van de voeten leek heel echt, maar was het net niet. Lieve hemel, het waren de Wopotami's van vroeger! De oude verhalen stonden er bol van hoe ze alles wat los en vast zat stalen, waarbij dus ook het grootste deel van hun taal en ze kwamen nooit hun wigwams uit wanneer het sneeuwde! Kolonel Vliegend Hert lag dubbel van het lachen, hij moest zijn buik vasthouden om niet in een hysterische lachbui op het trottoir te vallen. De woeste razernij van de protestdans met de zeer gewaagde danspassen was de 'Viering van de huwelijksnacht'.

De Wopotami's konden ook nooit iets goed doen!

'Kalfsneus, luister en voer mijn bevel uit!' fluisterde Hawkins schor in zijn radio terwijl hij zich een weg zocht door de dansers naar de ingang van het Hof.

'Wat nú weer? We hebben jouw generaal eruit gehaald, maar hij bleef schreeuwen dat hij "nog niet klaar was"! Kleine Joey heeft gelijk, hij is een bal gehakt!'

'Kleine Joey? ... Bal gehakt?'

'Nou ja, we hebben het op een akkoordje gegooid. Hij geeft de helft van het geld terug en ik krijg twintig procent van zijn winst vanwege mijn arbitrage.'

'Johnny, we zitten midden in een crisis!'

'Nee, dat zitten we niet, die twee slijmballen zitten in een bar, verderop in de straat. Weet je, die rode pruik van Vinnie doet afbreuk aan onze goede naam. Echt slonzig, snap je wat ik bedoel?'

'Verrek, nou begin je ook al te praten zoals hij!'

'Hij is eigenlijk geen kwaaie vent wanneer je hem leert kennen. Wist jij dat oorspronkelijke indianen in Las Vegas heel erg worden gerespecteerd? Nevada was een groot roodhuidengebied, moet je weten.'

'Ik heb het over nú! Plan B, prioriteit Twee – het vreedzaam bestormen van het Hof!'

'Ben jij van de ratten besnuffeld! Ze kunnen ons wel dóódschieten!'

'Niet als jullie allemaal op je knieën vallen en een beetje gaan weeklagen zo gauw jullie binnen zijn. Het is on-Amerikaans om op iemand te schieten die geknield ligt.'

'Wie zegt dat?'

'Dat staat in de grondwet. Je schiet niet op iemand die op de knieën ligt omdat hij aan het bidden is en in staat van genade zal sterven terwijl jij door God te grazen wordt genomen.'

'Echt waar?'

'Echt waar. Gá nu maar!'

De Havik stak zijn radio terug in de zak van zijn overjas. Hij stond in de grote hal van het Hooggerechtshof en Cyrus hield Aaron, Jenny, Sam en de twee Desi's aan de kant, uit de buurt van de metaaldetectoren. 'Luister goed, lui,' zei de huurling-scheikundige. 'Wanneer de Wopotami's hier komen binnenstormen zullen Desi-Een en

Twee de koorden omhoog tillen en jullie – Sam, Jenny en meneer Pinkus – glippen eronderdoor en gaan naar de eerste verdieping. Neem de trap of de lift, dat doet er niet toe, en loop naar de tweede kast rechts. Jullie andere kleren zitten daar in een plastic zak. Kleed je om in het dames- en herentoilet en kom bijeen bij de kamers aan de westzijde van de hal, daar wacht ik op jullie.'

'Hoe zit het met Mac?' vroeg Devereaux.

'Als ik hem ken, en ik geloof dat ik hem onderhand ken, dan zal hij vóór jullie bij die kast zijn en de kleren uitdelen. Verrek, ik wou maar dat die knakker aan het hoofd had gestaan van een paar campagnes waarin ik heb gevochten. Ik ben goed, maar hij overtreft alles – ik bedoel maar, echt doortrapt!'

'Is dat een compliment, Cyrus?' vroeg Pinkus.

'Neemt u dat maar van mij aan, rabbi. Ik zou hem volgen tot in de hel en terug omdat ik zou weten dat ik zou terugkomen.'

'Och, hij heeft nog nooit twintig kilometer gezwommen in een orkaan...'

'Toe nou, stil, Sam. ... O, o, daar heb je ze!'

'Abraham wees mij genadig!' fluisterde Aaron Pinkus, toen een horde Wopotami's, bij wie was en verf grotesk van de gezichten droop, door de deuren stormde en zich direct op de knieën liet vallen, eenstemmig zingend met hun hoofden naar het plafond geheven en hun goden om verlossing smekend. (Niemand wist het, zijzelf ook niet, maar het was nog steeds de 'Viering van de huwelijksnacht'.)

Een dozijn bewakers had de wapens getrokken en gericht op de hoofden van de demonstranten. Er werd er niet één afgevuurd. Op de een of andere manier stond in de grondwet, of dat dacht de politie van het Hooggerechtshof in elk geval, dat je niet schoot op mensen die aan het bidden waren. Wel weerklonken er alarmbellen, niet van de detectoren, maar vanuit het gebouw zelf. Binnen enkele tellen stroomden nog meer bewakers, griffiers en onderhoudspersoneel de grote hal binnen. Alom heerste chaos.

'Nú!' fluisterde Cyrus. Desi-Een en -Twee tilden de dikke fluwelen koorden op en Aaron, Sam en Jenny glipten eronderdoor onder de dekmantel van de waanzin waar tegenover de politie van het Hooggerechtshof en de stafleden zich zagen geplaatst.

En tijdens deze nieuwe, totaal onverwachte chaos, wandelde MacKenzie Hawkins langs de metaaldetectoren, groette allerlei mensen die er niet waren en rende naar de trap die naar de eerste verdieping leidde.

Een probleem. Natuurlijk. Vinnie Boem-Boems tante, Blitse Angelina, had de tweede kast rechts verwisseld met de machinekamer van de air-conditioning en het duurde enkele minuten voordat ze de zwarte plastic zak met hun kleren vonden. Plotseling weerklonk er een doffe plof die niemand eigenlijk opmerkte.

'Ik heb hem!' schreeuwde Sam en in zijn opwinding haalde hij een hefboom over die de airconditioning lamlegde. 'Alles is gestopt,' voegde hij eraan toe, geschrokken door het ophouden van de enorme machine.

'Wie kan dat wat schelen?' riep Jennifer die Pinkus in de weg stond terwijl de Havik de gang kwam afrennen en intussen zijn zwerversjas uitgooide.

'Dáár zijn jullie!' brulde hij. 'Die verdomde trap was aan de buitenkant gesloten!'

'Hoe ben je dan binnengekomen?' vroeg Devereaux terwijl hij Jennifers kleren uit de zak trok.

'Ik heb altijd wat plastic springstof bij me – je weet nooit waar die goed voor is.'

'Ik dacht al dat ik een plof hoorde,' zei de uitgeputte Pinkus.

'Dat heb je goed gehoord,' gaf Hawkins toe. 'Laten we maken dat we hier wegkomen.'

'Waar is het damestoilet?' vroeg Jenny.

'Daarginds,' antwoordde MacKenzie en hij wees naar het eind van de gang.

'Waar is onze kleedkamer?' vroeg Sam.

'Veel dichterbij, daar links.'

Ze renden uiteen en ineens draaide Jennifer zich om en riep: 'Sam! Mag ik me bij jullie omkleden? We hebben maar drie minuten en die deur is nog twee football-velden hier vandaan!'

'Sjonges, wat heb ik lang op die woorden gewacht!'

De platinagehelmde tippelaarster rende terug naar de kippenfokkende 'Alby-Joe Scrubb' en samen liepen ze achter Pinkus en de Havik het toilet in. Jenny ging haastig een hokje binnen terwijl de mannen zich ontdeden van hun kleren en pruiken en hun deftiger kleding te voorschijn kwam vanonder hun vreemde 'ex-cam uitrusting'.

Behalve de Havik. Want onder in de grote vuilniszak, keurig opgevouwen om gemakkelijk eruit gehaald te kunnen worden, lagen de ceremoniële kleren van Donderkop, opperhoofd van de Wopotami's, inclusief de langste, flamboyantste verentooi sinds de Okeechobees een verblinde schoonheidsspecialist, genaamd Ponce de León, begroetten op de kust van wat later Miami Beach zou heten. Snel trok hij zijn zwerversbroek en zijn smerige hemd uit en verving die door zijn bukskin broek en zijn jasje van buffelhuid met kralen. Vervolgens plaatste hij, onder de verbijsterde blikken van Aaron en Sam, voorzichtig de gigantische verentooi op zijn hoofd. Hij hing langs zijn volle lengte van één meter zevenentachtighalf tot op de betegelde vloer.

Een minuut later kwam Redwing uit haar hokje in een keurig donker mantelpak, het toonbeeld van een beheerste, succesvolle advocate, zonder een greintje angst voor het door mannen gedomineerde Hooggerechtshof. Wat haar echter heel even doodsangst aanjoeg was het zien van MacKenzie Hawkins. 'Amai!' gilde ze.

'Ik denk er precies zo over,' zei Devereaux.

'Generaal,' zei Pinkus en in de aanspreektitel klonk een zachte, maar ernstig gemeende smeekbede. 'Dit is geen gekostumeerde optocht in de Rose Bowl in Pasadena. Deze gerechtelijke actie is een van de meest serieuze en plechtigste van ons rechtssysteem en uw kleding, hoe prachtig ook, is nauwelijks geschikt voor deze gelegenheid.'

'Wat voor gelegenheid, commandant?'

'Niets meer dan de toekomst van de Wopotami-stam en een groot deel van de defensieopbouw van het land.'

'Met dat eerste deel ben ik het eens. Zaak afgedaan. Bovendien is het alles wat ik heb, tenzij u me wilt laten binnenwandelen als lid van het zwerversgilde – wat vanuit een ander gezichtspunt helemaal niet zo'n slecht idee is.'

'We nemen de veren wel, generaal,' zei Jennifer snel.

'Die smerige overjas ligt waarschijnlijk nog in de gang,' peinsde Hawkins. 'Er is hier boven niemand die hem zal vinden; iedereen is beneden. ... Moet je nagaan, een onderdrukte misdeelde van een ontheemd volk – in lompen en met mijn handen op mijn maag van de honger.'

'Nee, Mac!' riep Sam. 'Ze zouden je naar buiten slepen om je te ontluizen.'

'Dat zou heel goed kunnen,' zei de Havik met gefronste wenkbrauwen. 'Dit is een harteloze stad.'

'Vijfendertig seconden,' kondigde Jenny aan met een blik op haar horloge. 'We moeten gaan.'

'Ik kan me moeilijk voorstellen dat een minuut of twee te laat komen van belang zou zijn,' zei Aaron. 'Ik bedoel maar, dat is een echte volksopstand daar beneden, het lijkt wel of de menigte de barricaden bestormt.'

'Ze stormen niet, commandant, ze bidden. Dat is een verschil.'

'Hij heeft gelijk, Aaron, en het is niet in ons voordeel,' zei Devereaux. 'Zodra de bewakers beseffen dat het in de grond genomen een vreedzame demonstratie is zal het alarm worden opgeheven en alle anderen zullen terugkeren naar hun posten. ... Jij bent al eerder bij dergelijke hoorzittingen geweest, nietwaar, baas?'

'Drie of vier keer,' antwoordde Pinkus. 'De identiteit van de eiser wordt vastgesteld en ook die van zijn advocaat en bovendien die van wat voor *amicus curiae* er ook bij is. Vervolgens wordt het pleidooi gehouden.'

'Wie staat er aan de deur van de kamers, commandant?'

'Een bewaker die dienst heeft en een griffier, generaal.'

'Hébbes!' brulde de Havik. 'Een van hen of beiden zal onze namen op een lijst hebben. Ze klimmen in hun radio en trekken een blik kerels open die ons wegslepen. We komen er nooit in!'

'Dat kun je niet menen,' zei Jennifer. 'Dit is het Hooggerechtshof. Niemand kan bewakers en griffiers omkopen om zoiets te doen.'

'Wat dacht je van een miljardenschuld en rode gezichten in het Pentagon, bij Buitenlandse Zaken en enkele tientallen bloedzuigers in het Congres, die vakantie houden op kosten van een ander, tegen een paar honderdduizend dollar die in deze heilige hallen worden uitgedeeld!'

'Er zit iets in wat Mac zegt,' zei Sam.

'Het vlees is zwak,' merkte Aaron op.

'Laten we hier als de donder wegwezen!' besloot Redwing.

Dat deden ze en allevier haastten ze zich, met zoveel mogelijk decorum, naar de reusachtige, van houtsnijwerk voorziene deuren van de kamers. Tot hun opluchting kwamen ze tegenover de omvangrijke gestalte van Cyrus te staan; tot hun stomme verbazing zagen ze ook de twee Desi's die in hun kleding van geestelijken links en rechts van hem knielden.

'Kolonel, wat doen mijn adjudanten hier?'

'Generaal, wat heb jij in hemelsnaam aan?'

'Mijn ambtsgewaad, natuurlijk. Geef antwoord op mijn vraag!'

'Het was het idee van Desi-Een. Hij zei dat ze al zo ver waren gevorderd en ze dachten, ofschoon ze niet zeker weten waarom het allemaal gaat, dat je best wat extra bescherming kon gebruiken. Het was voor hen niet moeilijk hierboven te komen – daarbeneden is het nog steeds een gekkenhuis.'

'Wat fijn,' zei Jennifer.

'Wat stom!' riep Devereaux. 'Ze zullen ontdekt worden, gearresteerd en ondervraagd en onze hele illegale binnenkomst komt op de voorpagina's!'

'Je begrijpt het niet,' zei Desi-Een. Hij hief zijn hoofd op, zijn handen nog steeds gevouwen in gebed. '*Número uno*, we zeggen nooit één woord. *Número dos*, wij zijn *misioneros* die de arme *bárbaros* bekeren tot het christendom. Wie kan zulke *padres* arresteren? Bovendien, als ze het proberen kunnen ze een paar maanden niet meer lopen en niemand komt naar binnen behalve jullie.'

'Ik mag doodvallen,' mompelde Hawkins en zijn ogen rustten liefdevol op zijn twee adjudanten. 'Ik heb jullie goed opgevoed. Bij geheime operaties moet je altijd mensen hebben die je ontsnappingsweg dekken; zij trekken meestal als eersten het vuur aan. We aarzelen hun die opdracht te geven omdat we weten hoe gevaarlijk die is, maar jullie hebben je vrijwillig gemeld. Prima werk, mannen!'

'Da's leuk, generaal,' zei Desi-Twee, 'maar jullie lopen geen gevaar. Daar kan ik zelf voor zorgen, niet mijn amigo. Je moet weten dat ik *católico* ben en hij is alleen maar *protestante* – dat telt niet mee.'

Het denderend lawaai van stampende voetstappen in de lange gang deed ze allen verschrikt hun hoofden met een ruk omdraaien. Die schrik was spoedig over toen de rennende gedaante van Roman Z, met een videocamera in elke hand en zijn nylon schoudertas stuiterend op zijn heup, op hen af kwam stormen. Zijn WFOG T-shirt was doorweekt van het zweet. 'Mijn liefste, mijn allerbeste vrienden!' riep hij uit terwijl hij buiten adem bleef staan. 'Jullie zullen niet geloven hoe geweldig ik was! Ik heb van iedereen beelden, ook van drie mensen die door mijn mes werden overgehaald te zeggen dat ze hierheen waren gestuurd door een "minister van justitie" en door een ministertje in iets wat ze "defensie" noemden. Verder nog beelden van een grote voetballer die me zei dat hij alleen maar een onwetende vertegenwoordiger was van iets wat hij noemde de "Fanny Hill Society" – mooie sociëteit, in Servo-Kroatië hebben we betere.'

'Dat is geweldig!' zei Sam. 'Maar hoe kom je hier boven?'

'Heel gemakkelijk. Beneden in de grote marmeren hal staat iedereen te dansen en te zingen en te lachen en te huilen zoals mijn zigeunervoorouders het niet kunnen verbeteren. Mannen in gekke kleren en beschilderde gezichten delen flessen uit met pittige drank en iedereen is zo gelukkig en zo triest dat ik moet denken aan onze kampen in de Moravische bergen. Het is allemaal *glorioso*!'

'O, mijn god!' riep Jennifer uit. 'De distilleervaten met yaw-yaw!'

'De wat, beste meid?'

'Distilleervaten, meneer Pinkus. De sterkste drank die er ooit is gebrouwen door de beschaafde of onbeschaafde mens. De mohikanen beweren dat zij die hebben uitgevonden maar wij hebben hem verfijnd en twintig keer sterker gemaakt. Hij is absoluut verboden in het reservaat, maar als iemand die oude distilleervaten kon vinden en kon gebruiken, dan is het die rotzak van een Johnny Kalfsneus!'

'Wat mij betreft had hij het niet beter kunnen bedenken,' zei Devereaux.

'Zo hebben jullie – wij – dus de westerse kolonisten bezwendeld,' zei de Havik.

'Dat heeft er niets mee te maken, generaal.'

'Ja, maar het is wel interessant...'

'Laten we naar binnen gaan,' zei Cyrus met een commandostem. 'Dat soort drank heeft twee uitwerkingen – vergetelheid en het plotseling herinneren van verantwoordelijkheden die paniek oproepen en die kunnen we missen. Ik zal de deur openen.' Dat deed hij en hij voegde eraan toe: 'Gaat u voor, generaal.'

'Precies zoals het hoort, kolonel.'

MacKenzie Hawkins schreed met wapperende veren de met mahoniehout gelambrizeerde zaal binnen. Zijn ondersteuningsgroep volgde waardig toen eensklaps het geheiligde vertrek weergalmde van de schelle, oorverdovende klanken van een bezeten indiaanse oorlogsdans, begeleid door trommen en gezang. Op het halfronde podium reageerden de voorheen streng kijkende rechters in paniek. Als één man en vrouw verdwenen ze achter de tafel en hun hoofden kwamen vervolgens weer een voor een te voorschijn met wijd opengesperde ogen, opgelucht dat er nog geen geweld was uitgebarsten. Met open mond keken ze naar het gevederde monster onder hen; ze kwamen niet overeind, maar bleven met dodelijk verschrikte gezichten knielen.

'Wat heb je in 's hemelsnaam gedaan,' fluisterde Sam achter de Havik.

'Een trucje dat ik in Hollywood heb geleerd,' antwoordde MacKenzie, eveneens fluisterend. 'Een geluidsband verhoogt een climax beter dan je met woorden kunt doen. Ik heb een bandrecorder met drievoudig volume en hoge impedantie in mijn zak.'

'Zet dat verrekte ding af!'

'Dat doe ik zodra die bibberende droogpruimen erkennen dat Donderkop, opperhoofd van de Wopotami's, in hun midden is en dat zijn positie in de stam respect vereist.'

En opnieuw kwamen de verdwaasde rechters van het Hooggerechtshof één voor één omhoog uit hun knielende houding, niemand echter hoger dan zijn of haar borst. De muziek verzwakte en hield op. De rechters keken elkaar vragend aan en gingen weer op hun stoelen zitten.

'Luister naar me, gij wijze oudsten van de gerechtigheid in dit land!' bulderde Donderkop en de muren weerkaatsten zijn stemgeluid. 'Uw volk is betrapt in een vuig komplot om ons onze eigendomsrechten te ontnemen, om ons te beroven van onze prairies en onze bergen en onze rivieren die in onze levensbehoeften voorzien. Gij hebt ons opgesloten in de getto's van onvruchtbare bossen en dorre gronden waarop niets anders groeit dan waardeloos onkruid. Was dit niet óns land? Ons land waarin duizenden stammen leefden zowel in vrede als in oorlog, zoals gij leefde met ons en zoals gij leefde met de Spanjaarden en daarna de Fransen en vervolgens de Engelsen en ten slotte onder uzelve? Hebben wij niet meer privileges dan die welke gij veroverde en opnam in uw cultuur? De negers van dit land hebben tweehonderd jaar slavernij moeten doorstaan; wij hebben er vijfhonderd doorstaan. Zult gij nu vandaag de dag nog toestaan dat dit verdergaat?'

'Ik niet,' zei een rechter snel.

'Ik ook niet,' zei een andere, nog sneller.

'Ik heel zeker niet,' protesteerde weer een andere, heftig zijn hoofd schuddend zodat zijn hangwangen bibberden.

'Och, lieve god, ik heb die conclusie tien keer gelezen en telkens was ik tot tranen toe geroerd,' zei de vrouwelijke rechter.

'Zoiets hoort niet,' zei de opperrechter woedend tegen de vrouw. Daarop schakelde hij direct de microfoons uit zodat het Hof in stilte kon overleggen.

'Ik vind hem gewéldig,' fluisterde Jennifer in Sams oor. 'Mac heeft alles in een paar zinnen gezegd!'

'Hij heeft nog nooit zevenendertig kilometer door een orkaan gezwommen!'

'Onze generaal is zeer welsprekend,' fluisterde Pinkus. 'Hij kent zijn onderwerp goed.'

'Ik ben niet erg gelukkig over zijn vergelijking met negers,' zei Cyrus, eveneens prevelend. 'Verrek, zijn indiaanse broeders en zusters werden niet geketend en verkocht, maar zijn opmerking was juist.'

'Nee, Cyrus, dat werden we inderdaad niet,' zei Jennifer. 'We werden alleen maar afgeslacht en naar plaatsen gedreven waar we verhongerden.'

'Oké, Jenny. Schaakmat.'

De microfoons werden weer ingeschakeld. 'Jazeker, ahum!' zei een rechter vanaf de rechterkant van het Hof. 'Aangezien de geëerde advocaat uit Boston, de hooggeachte heer Pinkus, zich in uw gezelschap bevindt, aanvaarden wij natuurlijk uw kwalificatie, maar bent u zich bewust van de omvang van uw eis?'

'Wij willen alleen wat van ons is. Over al het andere kan worden onderhandeld en al het andere verwerpen wij.'

'Dat werd niet met evenveel woorden duidelijk gemaakt in de conclusie van eis, opperhoofd Donderkop,' zei de zwarte rechter en zijn ogen stonden fel afkeurend terwijl hij een vel papier oppakte. 'Uw advocaat is een zekere Samuel Lansing Devereaux, is dat juist?'

'Dat is juist en ik ben hier, edelachtbare,' antwoordde Sam terwijl hij naar voren stapte en naast Hawkins ging staan.

'Een geweldige conclusie, jongeman.'

'Dank u, edelachtbare, maar eerlijk gezegd...'

'Zal het u waarschijnlijk uw kop kosten,' vervolgde de rechter, alsof Devereaux niet had gesproken. 'Ik heb echter, in het hele document, een onderliggende toon van venijn opgemerkt, alsof u niet zozeer geïnteresseerd bent in gerechtigheid als wel in wraak.'

'Achteraf bekeken, edelachtbare, voelde ik me beledigd over de onrechtvaardigheid.'

'U wordt niet betaald om u beledigd te voelen, meneer,' zei een rechter aan de linkerkant. 'U wordt betaald om de waarheid van uw petitie voor te leggen. Nu de vele zo lang geleden overledenen er niet meer zijn om zichzelf te verdedigen, hebt u opzienbarende insinuaties naar voren gebracht.'

'Gebaseerd op later ontdekt bewijsmateriaal, edelachtbare, en het waren inderdaad insinuaties of, als u wilt, speculaties. Er is er echter niet eentje bij zonder confirmerende historische gronden.'

'Bent u geschiedkundige van beroep, meneer Devereaux?' vroeg iemand anders.

'Nee, edelachtbare, ik ben advocaat van beroep en ik kan lezen en een bewijsvoering volgen, en ik weet zeker dat u dat ook kunt, edelachtbare.'

'Aardig van u om dat van onze collega aan te nemen,' zei weer iemand anders.

'Ik heb het niet als belediging bedoeld, edelachtbare.'

'Toch hebt u zelf gezegd dat u beledigd kunt worden, meneer,' merkte de vrouwelijke rechter op. 'Dan mag ik dus aannemen dat daaruit volgt dat u ook kunt beledigen.'

'Wanneer ik geloof dat zoiets gerechtvaardigd is, edelachtbare.'

'Dat bedoelde ik nu juist, meneer Devereaux, toen ik het had over die toon van venijn in uw conclusie. Het viel me op dat u niets meer of minder wilde dan totale overgave van de kant van de regering, een algehele capitulatie die een uitzonderlijk grote last zou leggen op elke belastingbetaler in dit land. Dat is een verantwoordelijkheid die dit land onmogelijk op kan brengen.'

'Als het Hof mij toestaat in de rede te vallen,' kwam Donderkop, opperhoofd van de Wopotami's, tussenbeide, 'mijn briljante jonge advocaat hier heeft een reputatie van gerechtvaardigde verontwaardiging wanneer hij meent dat hij voor een juiste zaak pleit...'

'Wat?' fluisterde Sam en hij beukte zijn elleboog in Hawkins ribben. 'Wáág het niet...'

'Hij waagt het zijn nek uit te steken, maar wie onder ons kan een waarlijk eerlijk mens bekritiseren die hartstochtelijk gelooft in gerechtigheid voor de ontheemden? U, edelachtbare, merkte op dat hij niet wordt betaald om beledigd te worden – u hebt maar half gelijk, edelachtbare, want hij wordt helemaal niet betaald, hij voelt zich beledigd in zijn eigen tijd, hem wacht geen beloning voor zijn hartstochtelijke overtuiging. ... En wat is die overtuiging die hem zo aanspoort ten behoeve van ons? Ik zal proberen het uit te leggen. Of het ware nog beter, in plaats van een uitleg, als ieder van u eens een tiental reservaten bezocht waarin onze mensen wonen. Dan kunt u zelf zien wat de blanke onze eens zo trotse indianenstammen heeft aangedaan. Kijk eens naar onze armoede, onze ellende, onze – ja, onze onmacht. Vraag u af of u zo zou kunnen leven zonder u beledigd te voelen. Dit land was óns land en toen u het ons ontnam begrepen wij op de een of andere manier dat zich zelfs een grotere, op zichzelf staande natie daaruit kon ontwikkelen en dat wij daarvan deel zouden uitmaken. ... Maar nee, zo mocht het niet zijn. U hebt ons verworpen, opzij gezet, ons verwezen naar geïsoleerde reservaten zonder enige deelname aan uw vooruitgang. Dit is geschiedenis die door documenten wordt gestaafd en niemand kan dat aanvechten. ... Als dus onze hooggeachte advocaat een bepaalde woede – "venijn", zo u wilt – heeft laten doorklinken in zijn conclusie, dan zal hij in de annalen van de twintigste-eeuwse rechtspraak worden bijgeschreven als een voorvechter van de rechten der onderdrukten. Wanneer ik mag spreken voor de onderdrukte Wopotami's, wij *aanbidden* hem.'

'Aanbidding, opperhoofd Donderkop, behoort niet tot dit Hof,' zei de grote zwarte rechter met gefronste wenkbrauwen. 'Men kan zijn god aanbidden of een stier of een icoon of de nieuwste goeroe, maar dat heeft geen invloed in een gerechtshof en dat mag het ook niet hebben. Hier aanbidden wij alleen de wet. Wij oordelen over een zaak op basis van bewijsbare feiten, niet op basis van overtuigende speculatie die berust op ongefundeerde dossiers van meer dan honderd jaar geleden.'

'Hé, wacht nu eens even!' riep Sam. 'Ik heb die conclusie gelezen...'

'Wij dachten dat u die had geschréven, meneer!' viel de vrouwelijke rechter hem in de rede. 'Of niet soms?'

'Ja, nou ja, dat is een ander verhaal, ik ben best een prima advocaat en ik heb die conclusie van voor tot achter gelezen en het historisch bewijsmateriaal dat eraan ten grondslag ligt is zo goed als onweerlegbaar! Bovendien, als het Hof om pragmatische redenen dat bewijsmateriaal negeert, dan bent u een stelletje... '

'Een stelletje wát, meneer?' vroeg een rechter aan de linkerkant van de tafel.

'Verdomme, laat ik het maar zeggen – lafaards!'

'Ik hou van je, Sam!' fluisterde Jennifer.

De rumoerige verbazing van het hele Hof werd onderbroken door de stentorstem van opperhoofd Donderkop, alias MacKenzie Lochinvar Hawkins. 'Alstublieft, grote beraadslagers van de gerechtigheid in dit ons ontstolen land, mag ik het woord?'

'Wat, jij gevederde aardworm?' krijste opperrechter Reebock.

'U bent zojuist getuige geweest van de woede van een eerlijke man, een uitstekende advocaat die een briljante carrière op het spel wil zetten omdat hij de waarheid heeft gevonden in de verborgen documenten die nooit het daglicht mochten zien. Zulke onverzettelijke mannen hebben dit land groot gemaakt want zij zagen de waarheid onder ogen en begrepen haar majesteit. De waarheid, zowel goed als slecht, moest worden aanvaard in al haar glorie en met alle offers die ze eiste, een helder licht dat een nieuwe natie leidde naar haar eigen majesteit, haar eigen glorie. Alles wat hij wil, alles wat wij willen, alles wat de indianenstammen willen, is deel uitmaken van dat grootse land dat wij eens het onze mochten noemen. Is dat zo moeilijk voor u?'

'Er zijn ernstige nationale overwegingen, meneer,' zei de zwarte rechter en zijn gezicht was weer opgeklaard. 'Uitzonderlijke kosten, zware belastingen op de staat die ontoelaatbaar zijn. Zoals velen vóór ons hebben gezegd, de wereld is maar al te vaak oneerlijk.'

'Ga dan onderhandelen, edelachtbare!' riep opperhoofd Donderkop. 'De adelaar verwaardigt zich niet de gewonde mus te doden. Nee, zoals onze jonge advocaat het heeft uitgedrukt, die machtige adelaar stijgt hemelwaarts, een vliegend wonder maar wat veel belangrijker is, een blijvend symbool van de macht van de vrijheid.'

'Dat heb ík gezegd...'

'Hou je kop! ... O, hoogmogende rechters, laat die gewonde mus een straaltje hoop vinden in de schaduw van de machtige adelaar. Verwerp ons niet opnieuw want er is geen plaats meer waarheen we kunnen gaan. Toon ons het respect dat we al zo lang ontberen – geef ons de hoop die we nodig hebben om in leven te blijven. Zonder dat zullen we sterven en is onze afslachting compleet. Wilt u dat op uw geweten hebben – zijn uw handen nog niet bloedig genoeg?'

Stilte. Overal. Behalve:

'Hé, Mac, niet slecht,' prevelde Sam uit zijn linkermondhoek. En:

'Magnifiek!' fluisterde Jennifer achter hem.

'Even wachten, meid,' antwoordde de Havik op zachte toon en hij draaide zijn hoofd om. 'Nu gaat het komen, net als toen mijn makker generaal McAuliffe "Nuts" zei tegen de moffen in het Ardennenoffensief.'

'Wat bedoel je?' vroeg Aaron Pinkus.

'Luister maar,' fluisterde Cyrus. 'Ik weet wat de generaal van plan is. Nu gaat hij hen te grazen nemen waar het echt pijn doet. Recht in hun eigen portemonnee. Nu krijgt dat geouwehoer handen en voeten.'

'Het was geen geouwehoer,' protesteerde Jennifer. 'Het is de waarheid!'

'Voor hen is het onontkoombaar waarheidsgetrouw geouwehoer, Jenny, omdat ze met hun kont tegen de krib zitten.'

De microfoons werden opnieuw uitgeschakeld terwijl de rechters overleg pleegden. Uiteindelijk nam de schijnbaar uitgemergelde rechter uit New England het woord. 'Dat was een ontroerende peroratie, opperhoofd Donderkop,' zei hij rustig, 'maar dergelijke beschuldigingen kunnen worden uitgesproken namens een groot aantal minderheden in het hele land. Zoals een van onze presidenten zei: "Het leven is niet eerlijk", maar het moet verdergaan ten voordele van de meerderheid, niet die ongelukkige minderheden die te lijden hebben. We wensen allemaal, uit de grond van ons hart, dat we daaraan iets konden veranderen, maar dat ligt niet in ons vermogen. Schopenhauer beschreef het als de "wreedheid van de historie". Ik veracht zijn conclusie maar ik erken haar realiteit. U zou sluizen openen die complete bevolkingsgroepen in het hele land zouden verdrinken, veel en veel meer dan de eisers.'

'Wat wilt u daarmee zeggen, edelachtbare?'

'Gezien alles wat hierbij betrokken is, wat zou uw reactie zijn als het Hof in haar wijsheid in uw nadeel zou beslissen?'

'Heel eenvoudig,' antwoordde opperhoofd Donderkop. 'Wij zouden de Verenigde Staten van Amerika de oorlog verklaren, in de wetenschap dat we de sympathie hebben van onze Indiaanse broeders in het hele land. Vele duizenden blanken zouden het niet overleven. We zouden verliezen maar u eveneens.'

'*Holy shit*!' klaagde opperrechter Reebock nasaal. 'Ik heb een huis in New Mexico...'

'Het land van de oorlogszuchtige apachen, edelachtbare?' vroeg de Havik onschuldig.

'Vier kilometer van het reservaat,' antwoordde de rechter, moeizaam slikkend.

'De Apache is onze bloedbroeder. Moge de Grote Geest u een snelle en betrekkelijk pijnloze dood toestaan.'

'Hoe zit het met Palm Beach?' vroeg een ander lid van het Hof met opgetrokken wenkbrauwen.

'De Seminolen zijn onze neven. Ze koken het bloed van de blanke om de onreinheden eruit te verwijderen – terwijl het bloed nog in het lichaam zit, natuurlijk; het vlees wordt er mals van.'

'Aspen...?' vroeg weer een ander aarzelend. 'Wie zitten daar?'

'De onstuimige Cherokezen, edelachtbare. Zij zijn zelfs als neven nog meer verwant, gezien de geografie. Maar wij hebben vaak onze afkeuring uitgesproken over hun primitieve manier van wraak nemen. Zij binden de gezichten van hun vijanden vast op mierenhopen.'

'Auw!' hijgde Jennifer.

'Lake... Lake George?' vroeg een bleke rechter links en op zijn gezicht was plotseling schrik te lezen. 'Ik heb daar een prachtig zomerhuis.'

'Het noorden van de staat New York, edelachtbare? Moet u dat nog vragen?' MacKenzie ging zachter spreken alsof hij de onuitsprekelijke terreur wilde bevestigen. 'De jachtvelden en de *begraafplaatsen* van de mohikanen?'

'Zoiets... geloof ik.'

'Onze stam is verwant aan de mohikanen, edelachtbare, maar eerlijk gezegd meenden wij naar het westen te moeten vluchten, ver weg van onze bloedbroeders.'

'Waarom?'

'De mohikanenkrijger is misschien de woestste en dapperste van ons allen – maar ja, ik weet zeker dat u het begrijpt.'

'Wat... begrijpt?'

'Wanneer ze kwaad worden steken ze 's nachts de wigwams van hun vijanden in brand en branden alles plat wat behoort aan hun vijanden. Het is een politiek van verschroeide aarde die wij te streng vonden naar onze smaak. Natuurlijk beschouwen de mohikanen ons nog steeds als één van hun stammen. De banden des bloeds worden niet zo gemakkelijk verbroken. Ze zouden zich ongetwijfeld aan onze zijde scharen.'

'Ik geloof dat we opnieuw moeten overleggen!' snauwde de opperrechter. Weer werden de microfoons uitgeschakeld en het hele Hof zat fluisterend te beraadslagen, met heen en weer schietende hoofden.

'Mác!' siste Jenny. 'Er is niets van waar wat je daar allemaal zegt! De apachen behoren tot de stam van de Athabasken en ze horen niet bij ons, en de Cherokezen zouden niemand vastbinden op een mierenhoop, dat is belachelijk, en de Seminolen zijn de vreedzaamste van alle stammen! ... De mohikanen, nou ja, die dobbelen graag omdat het geld oplevert, maar ze hebben nog niemand aangevallen die niet eerst van hen stal of hen aanviel en ze zouden zeker nooit het land verschroeien omdat je er dan niets meer op kunt laten groeien!'

'Alsjeblieft, dochter van de Wopotami's,' zei de Havik, in zijn vorstelijke houding met verentooi neerkijkend op Jennifer. 'Wat weten die stomme bleekgezichten daar nou van?'

'Je belastert alle indianenstammen!'

'Wat hebben die lui ons al die jaren aangedaan?'

'Ons?'

De microfoons kraakten opnieuw en weer klonk de verstopte neusstem van de opperrechter uit de luidsprekers. 'Er zal worden genotuleerd dat het Hof zal aanbevelen aan de regering van de Verenigde Staten dat deze onmiddellijk onderhandelingen aan moet gaan met de Wopotami-stammen om een redelijke oplossing te vinden voor ambtsmisdrijven in het verleden. Het Hof staat als één man achter de zaak van de eiser. Dit zal onmiddellijk bekend worden gemaakt. *Sine die*, het Hof gaat uiteen!' En toen, zonder zich te realiseren dat de microfoons nog openstonden, voegde de opperrechter eraan toe: 'Laat iemand het Witte Huis bellen en tegen Subagaloo zeggen dat hij kan oprotten! Die klootzak heeft ons in deze rotzooi doen belanden, zoiets doet hij nu altijd! Hij heeft waarschijnlijk ook onze verdomde airconditioning laten afsluiten. Het zweet druipt tussen mijn bilspleet! ... Neemt u me niet kwalijk, mevrouw.'

Het nieuws over de triomf van de Wopotami's bereikte binnen enkele minuten de hal en de trappen van het Hooggerechtshof. Opperhoofd Donderkop schreed in vol ornaat door de marmeren gang naar de grote hal, verwachtend door zijn volk bewierookt en gevierd te worden. Er werd inderdaad iets gevierd, maar wát ontging de vierders enigszins. De enorme galerij was vol dansende en hossende mannen en vrouwen van alle leeftijden, van onhandig uitgevoerde walsen tot hard rock, en de deelnemers tolden en wiegden op de maat van op volle kracht blèrende luidsprekers, op versnelde versies van originele Indiaanse gezangen. Zelfs de bewakers, de toeristen en de politie van Washington vonden links en rechts partners; de heilige hal was het toneel van een wilde orgie.

'O, goeie god!' riep Zonsopgang Jennifer Redwing uit toen ze met

Sam en Aaron op de begane grond uit de lift stapte.
'Het is een gelegenheid om feest te vieren,' zei Pinkus. 'Uw volk is terecht uitbundig.'
'Mijn volk? Dit is mijn volk niet!'
'Wat bedoel je?' vroeg Devereaux.
'Kijk maar! Zie je één enkele Wopotami, één beschilderd gezicht of indiaans rokje dat danst of zingt of roept?'
'Nee, maar ik zie wel een heleboel Wopotami's op de vloer.'
'Dat zie ik ook, maar ik begrijp niet wat ze daar doen.'
'Nou ja, ze lijken van de ene groep naar de andere te kruipen om ze aan te moedigen... O, o, ze dragen...'
'Papieren bekers! En plastic flessen – dat vertelde Roman ons. Ze delen de yaw-yawdrank uit!'
'Kleine correctie,' zei Sam. 'Ze verkopen die.'
'Die Kalfsneus vermóórd ik nog eens!'
'Tweede suggestie, Jennifer,' zei Aaron grinnikend. 'Je kunt hem beter lid maken van jullie financiële commissie.'

Epiloog

De *Daily News* uit New York

SPAGHETTIVRETERS VEROVEREN SAC

Washington D.C., vrijdag – In een opzienbarende uitspraak heeft het Hooggerechtshof een aanklacht ontvankelijk verklaard die is ingediend door de Wopotami-stam in Nebraska tegen de regering van de Verenigde Staten. Het Hof besloot eenstemmig dat een gebied van enkele honderden kilometers in en om Omaha het rechtmatig eigendom is van de Wopotami's, volgens een verdrag dat door het veertiende Congres in 1878 werd geratificeerd. Tot dit land behoort het hoofdkwartier van het Strategic Air Command. De Senaat en het Huis van Afgevaardigden zijn teruggeroepen voor een spoedvergadering en juristen van enkele duizenden advocatenkantoren hebben aangekondigd interesse te hebben voor de komende onderhandelingen.

Il Progresso Italiano

Deze krant neemt zwaar aanstoot aan de lompe manieren van de Daily News *die in haar kop van gisteren een vernederende etnische belastering gebruikte. Wij zijn geen barbaarse roodhuiden!*

Hollywood Variety

Beverly Hills, woensdag – De heren Robbins en Martin, topfunctionarissen van het William Morris Agency, hebben aangekondigd dat een belangrijk contract is afgesloten tussen hun cliënten, van wie op dit moment alleen bekend is dat het zes opti acteurs zijn die zes jaar lang voor de regering hebben geploeterd als een antiterroristische eenheid, en Emmanuel Greenberg, producent van Consolidated-Colossal Studios, voor een film van $ 100 000 000, met in de hoofdrollen hun cliënten die zichzelf zullen uitbeelden. Tijdens de persconferentie die in Merv's Place werd gehouden, verscheen ook die beroemde karakterspeler, Henry Irving Sutton. Hij vertelde dat hij *zo werd gegrepen door de rekwisieten dat hij, ondanks zijn pensionering, een van de hoofdrollen voor zijn rekening zou nemen. Ook Greenberg was kennelijk mucho aangedaan want hij weende voortdurend, te zeer overstuur om iets te zeggen. Op de persconferentie zeiden velen dat het kwam omdat hij zo trots was, maar anderen beweerden dat het kwam door de onderhandelingen. Greenbergs exvrouw, lady Cavendish, was ook aanwezig. Ze glimlachte aan één stuk.*

The New York Times

DIRECTEUR CIA LEVEND AANGETROFFEN
GERED VAN EEN VAN DE DRY TORTUGAS EILANDEN

Miami, donderdag – Een jacht, de Contessa, *eigendom van de internationale industrieel Smythington-Fontini, ontdekte rook op het strand van een onbewoond eiland in de Dry Tortugas. Toen de* Contessa *de kust naderde hoorden bemanning en passagiers luide kreten om hulp, zowel in het Engels als in het Spaans. Ze zagen drie mannen het water inrennen, de hemel dankend dat ze waren gered. Een van de drie was Vincent F.A. Mangecavallo, directeur van de* CIA, *van wie tot vanmorgen werd aangenomen dat hij verleden week was verdronken. Die veronderstelling was gebaseerd op de wrakstukken van het jacht* Gotcha Baby, *waarop de heer Mangecavallo een van de passagiers was en dat is vergaan in een tropische storm. Onder de wrakstukken bevonden zich verschillende persoonlijke bezittingen van de directeur.*

Dat de drie het overleefden is voornamelijk te danken aan de buitengewone heldhaftigheid van de heer Mangecavallo. Volgens de twee Argentijnse bemanningsleden, die per vliegtuig zijn overgebracht naar hun familieleden in Rio de Janeiro, heeft de directeur hen letterlijk door de van haaien vergeven wateren gesleept door naar het onbewoonde eiland te zwemmen terwijl zij zich vastklampten aan zijn benen. Bij het vernemen van het nieuws zei de president: 'Ik wist wel dat mijn oude vriend uit de marine het zou halen!' Zoals reeds eerder gemeld luidde het enige commentaar van de marine: 'Heel aardig.'

In Brooklyn, New York, zei een zekere Rocco Sabatini, bij het lezen van het verslag van de redding, aan de ontbijttafel tegen zijn vrouw:

'Hé, wat zullen we nou krijgen? Boem-Boem kan niet eens zwemmen.'

The Wall Street Journal

SERIE FAILLISSEMENTEN SCHOKT FINANCIEEL AMERIKA

New York, vrijdag – De kantoorgangen van een groot aantal Amerikaanse bedrijven zijn vergeven van juristen die directiekamers en directievergaderingen in en uit stuiven in een poging ontelbare bedrijfs-Humpty Dumpties weer in elkaar te zetten. Het is algemeen bekend dat zoiets onmogelijk is, aangezien de massale en te grote financiële schuldenrisico's, aangegaan in de recente vloedgolf van verzelfstandigingen en massale aankopen van aandelen, velen van de industriële reuzen van dit land met lege zakken hebben achtergelaten, met rode gezichten en in een aantal gevallen met een plotselinge aandrang het land te verlaten.

Naar wordt gemeld hoorde men een van deze topmensen op Kennedy International Airport hysterisch uitroepen: 'Alles liever dan Cairo! Ik ga geen pisbakken schoonmaken!' De betekenis van die opmerking ontgaat ons.

Stars and Stripes
De krant van het Amerikaanse leger

OVERLOPERS UIT CUBA BEËDIGD ALS OFFICIER

Fort Benning, zaterdag – Voor het eerst in de geschiedenis van het Amerikaanse leger werden op deze basis twee vooraanstaande vroegere officieren van het militaire apparaat van Castro, experts op het gebied van sabotage, spionage, contraspionage, geheime operaties en inlichtingen, beëdigd als officier in de rang van eerste luitenant, kondigde generaal Ethelred Brokemichael aan, hoofd van de afdeling Informatie en PR.

Desi Romero en zijn neef, Desi Gonzalez, die zijn overgelopen vanwege 'de ondraaglijke situatie in ons vaderland', zullen aan het hoofd worden geplaatst van een Speciale Brigade die in Benning wordt samengesteld, nadat ze de taal hebben geleerd en aan hun gebit zijn behandeld.

Het leger verwelkomt zulke dappere en ervaren mannen die hun leven op het spel hebben gezet om vrijheid en eer te vinden. Zoals generaal Brokemichael het zei: 'Over hun daden zou een geweldige film gemaakt kunnen worden, daar moet iemand eens naar kijken.'

De zomer liep ten einde en de loomheid nam af, beide een voorspel op de opwekkende invloed van de herfst. De noordenwind werd killer in de ochtenden en herinnerde de bewoners van Nebraska eraan dat ze het spoedig kouder zouden krijgen, vervolgens heel erg koud en dat ten slotte hun huid gevoelloos zou worden; en dat was weer een voorspel op de sneeuw van de winter. Maar de Wopotami-stam dacht daar helemaal niet aan, want terwijl de onderhandelingen met de Amerikaanse regering nog aan de gang waren, achtte Washington het juist om tweehonderd van de allermodernste, grote caravans naar het reservaat te sturen, ter vervanging van de wigwams en de gammele bouwsels die voorheen werden gebruikt voor bijeenkomsten en voor onderdak van velen tijdens de wintersneeuw. Wat Washington natuurlijk niet wist was dat slechts enkele weken eerder een paar honderd uiterst geschikte bungalows door bulldozers met de grond gelijk waren gemaakt en dat wigwams tot voorheen haast niet voorkwamen in het reservaat, op een paar na in de buurt van de toeristeningang. Van MacKenzie Hawkins kon nu eenmaal niet worden verwacht dat hij ofwel de fijne punten of de inconsistenties van het waarneembare terrein over het hoofd zag, dat zou geen enkele getrainde militair doen. Het hoorde allemaal tot de strategie en er werd geen veldslag gewonnen zonder een plan.

'Ik kan het nog steeds niet geloven,' zei Jennifer terwijl ze hand in hand met Sam over een zandweg in het reservaat liep. De wei rechts van hen stond vol enorme, extravagante caravans, elk met een satellietschotel op het dak. 'Het gebeurt allemaal zoals Mac dacht dat het zou verlopen.'

'De onderhandelingen verlopen dus naar wens?'

'Ongelooflijk. Als we maar even onze wenkbrauwen fronsen omdat iets niet duidelijk is, beginnen ze met veel drukte terug te krabbelen en komen ze met een beter aanbod. Ik moest de regeringsmensen een paar maal onderbreken om uit te leggen dat de financiële regelingen helemaal naar onze tevredenheid waren, dat ik alleen maar opheldering wilde hebben over een juridisch punt. Een jurist van het ministerie van justitie schreeuwde op een gegeven moment: "Als het jullie niet bevalt, maak je dan geen zorgen, dan schrappen we het!"'

'Zo verkeer je wel in een leuke positie.'

'Ik verontschuldigde me alleen maar om even naar het toilet te gaan.'

'Vergeet maar wat ik zei. ... Maar waarom ben je zo vriendelijk?'

'Toe nou, Sam, wat zij hebben aangeboden overtreft zodanig onze stoutste verwachtingen dat het misdadig zou zijn er ruzie over te maken.'

'Waarom onderhandelen jullie dan nog? Wat wil je bereiken?'

'Om te beginnen een wettig bindend, gegarandeerd tijdschema voor onze primaire levensbehoeften, zoals goede behuizing, prima scholen, geplaveide wegen, een echt en onvervalst dorp met beginkapitaal voor winkels en werkplaatsen, zodat de mensen hier ter plekke fatsoenlijk hun brood kunnen verdienen. Verder misschien nog wat extra's zoals een paar zwembaden en wat bomen kappen op Eagle Eye Mountain voor skiliften en een restaurant – maar dat laatste kan natuurlijk worden beschouwd als deel van onze handel. Het was een idee van Charlie; hij is dol op skiën.'

'Hoe gaat het met hem?'

'Schat, ik heb bij die jongen nog luiers verschoond en nu voel ik me soms alsof ik bloedschennis pleeg.'

'Hè?'

'Hij lijkt zo enorm op jou! Hij is kwiek en slim en, ja, grappig...'

'Ik ben een serieus rechtsgeleerde,' zei Devereaux grijnzend.

'Jij bent geschift en dat is hij ook, maar jullie getikt zijn wordt verzacht door snelle inzichten, een ergerlijk goed geheugen en de vaardigheid ingewikkeldheden terug te brengen tot eenvoudige zaken.'

'Ik weet niet eens wat dat betekent.'

'Dat weet hij ook niet, maar jullie doen het beiden. Wist je dat hij een waanzinnig en onbetekenend vlekje heeft ontdekt op onze geschiedenis van de jurisprudentie, dat *non nomen amicus curiae* genoemd wordt, toen Hawkins zijn conclusie indiende? Wie zou zelfs maar weten wat het is, laat staan het zich herinneren?'

'Ik wel. Achttienhonderdzevenentwintig, Jackson versus Buckley, de ene had varkens gestolen van de andere...'

'Och, hou toch op!' Jenny liet zijn hand los en greep die onmiddellijk weer terug.

'Wat gaat Charlie doen wanneer dit allemaal voorbij is?'

'Ik benoem hem tot officiële advocaat van de stam. Hij kan dan tegelijkertijd in de winter het skigebied runnen.'

'Is dat niet verschrikkelijk beperkt?'

'Misschien, maar ik denk van niet. Er moet hier iemand zijn die er verdomd goed voor zorgt dat Washington elke verplichting van de renovatie-overeenkomst nakomt. Wanneer je op deze schaal aan het bouwen bent kun je maar beter zorgen dat je een advocaat achter de hand hebt. Heb jij ooit iets aan je huis laten verbouwen dat op tijd klaar was? En ik moet eraan toevoegen dat ik zware boetes heb verbonden aan elk aspect van de bouw.'

'Charlie zal zijn handen vol hebben. Wat heb je nog meer losgepeuterd van Washington? Ik bedoel naast je "primaire levensbehoeften"?'

'Heel eenvoudig. Een waterdichte, onherroepelijke trust, gebaseerd op onveranderbare garanties door het ministerie van financiën, dat de stam per jaar minstens twee miljoen dollar zal ontvangen, bijgesteld voor inflatie, over de komende twintig jaar.'

'Dat is kattenpis, Jenny!' riep Sam uit.

'Nee, dat is het niet, lieverd. Als we het dan nog niet hebben gehaald verdienen we het niet. We willen niet op de zak van anderen teren, we willen alleen maar dezelfde kansen als iedereen. En omdat ik mijn Wopotami's ken zullen we jullie bleekgezichten zowat elke cent afhandig maken die jullie hebben. Als ik mijn stam ook ken, en dat doe ik zeker, zal jullie president over twintig jaar waarschijnlijk een voornaam hebben als "Zonsondergang" of "Manestraal", neem dat maar van mij aan. We hebben de yaw-yawdrank niet voor niets verfijnd.'

'En wat nu?' vroeg Devereaux.

'En wat nu wát?'

'Hoe zit het met ons?'

'Moest je daar over beginnen?'

'Is het onderhand geen tijd?'

'Natuurlijk is het dat, maar ik ben bang.'

'Ik zal je wel beschermen.'

'Tegen wie? Tegen jou?'

'Als dat nodig is. Het is eigenlijk heel eenvoudig en zoals je al zei kunnen Charlie en ik ingewikkelde zaken terugbrengen tot eenvoudige kwesties die iedereen kan begrijpen.'

'Waar heb je het in godsnaam over, Sam?'

'Over het terugbrengen van een ingewikkelde situatie tot een heel eenvoudig probleem.'

'En mag ik vragen wat dat is?'

'Ik weiger de rest van mijn tijd zonder jou te leven en op de een of andere manier heb ik de indruk gekregen dat dat met jou ook het geval is.'

'Laten we zeggen dat er een greintje waarheid in steekt, niet meer dan een greintje, zelfs een grote kern, maar hoe is het mogelijk? Ik zit in San Francisco en jij in Boston. Dat is geen beste regeling.'

'Met jouw reputatie zou Aaron je zo aannemen tegen een enorm salaris.'

'Met jouw achtergrond zouden Springtree, Basl en Karpas uit San Francisco jou nog eerder partner maken dan mij.'

'Ik zou nooit weg kunnen gaan bij Aaron maar jij hebt al een firma in Omaha verlaten. Je ziet dus dat het is teruggebracht tot een eenvoudig of/of, gebaseerd op de veronderstelling dat we beiden onze kop in het gasfornuis zouden steken als we niet samen konden zijn.'

'Zo ver ben ik niet gegaan.'

'Ik wel. Kun jij dat niet?'

'Ik weiger daarop te antwoorden op grond van het feit dat het tegen mij gebruikt kan worden.'

'Toch heb ik een oplossing.'

'Welke dan wel?'

'Mac gaf me een insigne van zijn oude divisie uit de Tweede Wereldoorlog, de divisie die in de Ardennen is doorgebroken, en dat heb ik altijd bij me gehouden als talisman.' Devereaux haalde uit zijn zak een grote, lichte namaakmunt met het gezicht van MacKenzie Hawkins erop gegraveerd. 'Die gooi ik op en laat ik op de weg vallen. Ik neem kruis, jij neemt munt. Als het munt is ga jij terug naar San Francisco en beiden ondergaan we verder de kwellingen van de verdoemden. Als het kruis is ga jij met mij naar Boston.'

'Oké.' Het insigne draaide in de lucht en viel op de zandweg. Jennifer bukte zich. 'Lieve hemel, het is kruis.' Ze maakte aanstalten de namaakmunt op te pakken toen Sams hand zich over de hare sloot.

'Néé, Jenny, je moet je niet zo vooroverbuigen!'

'Hoe niet vooroverbuigen?'

'Het is heel slecht voor je bekken!' Devereaux trok haar omhoog terwijl hij het insigne in zijn rechterhand klemde.

'Sam, waar heb je het in hemelsnaam over?'

'De eerste taak van de echtgenoot is zijn vrouw te beschermen.'

'Waartegen?'

'Tegen een slecht bekken.' Devereaux manipuleerde het insigne tussen zijn vingers en keilde het de wei aan hun linkerkant in. 'Ik heb geen talisman meer nodig,' zei hij en hij omarmde Jenny. 'Ik heb jou en dat is al het geluk van de wereld.'

'Misschien wilde je me de andere kant van de munt niet laten zien,' fluisterde Redwing in zijn oor terwijl ze zachtjes in het lelletje beet. 'De Havik heeft me er ook zo eentje gegeven in Hooksett. Zijn gezicht staat op beide kanten. Als jij munt had gezegd had ik je vermoord.'

'Wulpse meid,' fluisterde Sam en hij knabbelde aan haar lippen als een chimpansee die pinda's had gevonden. 'Is er een afgelegen wei waarin we zouden kunnen verdwalen?'

'Nu niet, Fikkie, Mac verwacht ons.'

'Hij bestáát niet meer in mijn leven; dit is definitief het einde!'

'Dat hoop ik van ganser harte, lieveling, maar omdat ik een realist ben vraag ik me af voor hoe lang?'

Ze rondden de bocht van de zandweg waar de reusachtige, veelkleurige wigwam stond met vele lagen polyester namaakdierenhuiden die van de top omlaag flapperden tot aan de ver uiteen in de grond gegraven palen. Uit de opening boven kronkelde rook.

'Hij is er,' zei Devereaux. 'Laten we hem vlug goedendag zeggen, zoiets als leuk-kennis-met-je-te-hebben-gemaakt-en-blijf-in godsnaam-verder-bij-ons-uit-de-buurt!'

'Dat is nogal cru, Sam. Moet je kijken wat hij heeft gedaan voor mijn stam.'

'Voor hem is het alleen maar eèn spelletje, Jenny, begrijp je dat dan niet?'

'Dan heeft hij een goed spelletje gespeeld, schat, zie jij dat dan niet in?'

'Ik weet het niet, hij brengt me altijd in de war...'

'Laat maar,' zei Jennifer. 'Hij komt al naar buiten. Lieve hemel, moet je hém zien!'

Sams ogen sperden zich vol ongeloof open. Generaal MacKenzie Lochinvar Hawkins, alias Donderkop, opperhoofd van de Wopotami's, leek niet in het minst op een van beide personages. Er was geen spat te bekennen van een militair, laat staan van de majesteit van de Amerikaanse indiaan; er was in feite geen enkele waardigheid meer te bespeuren. In plaats daarvan was het vorstelijk voorkomen vervangen door lompheid, door de pronkzucht van een oppervlakkig iemand, maar op de een of andere manier solieder, overtuigender. Zijn kortgeknipte grijze haren werden gedeeltelijk bedekt door een gele baret, onder zijn krachtige neus pronkte een smal, zwart snorretje en daaronder een paarse foulard die fel contrasteerde met zijn roze zijden hemd, dat in kleur paste bij zijn nauwe, helder rode broek waarvan de omslagen over een paar witte Gucci mocassins flapten. De koffer die hij droeg was natuurlijk een Louis Vuitton.

'Mac, wie ben je nu in godsnaam weer?' schreeuwde Devereaux.

'O, daar zijn jullie dan,' zei de Havik zonder op de vraag te antwoorden. 'Ik dacht al dat ik moest vertrekken zonder jullie nog te zien. Ik heb verschrikkelijke haast.'

'"Verschrikkelijke haast"?' vroeg Jennifer.

'Mac, wie bén je?'

'Mackintosh Quartermain,' antwoordde de Havik schaapachtig,

'oudgediende van de Schotse Grenadiers. Dat was een idee van Gin-Gin.'

'Wát?'

'Ik ben op weg naar Hollywood,' mompelde Hawkins. 'Ik ben co-producent en technisch adviseur voor de film van Greenberg.'

'Film...?'

'Alleen om een oogje te houden op Manny's financiële verbeeldingskracht... en misschien nog een paar dingen als die voorkomen. Hollywood ligt op z'n gat, weet je. Ze hebben daar een paar helder denkende vernieuwers nodig. ... Luister, het was optimaal jullie twee schatten te zien, maar ik heb echt haast. Ik heb op het vliegveld een afspraak met mijn nieuwe adjudant-assistent – kolonel Roman Zabritski, onlangs nog behorend tot de sovjetfilmploeg. Ons vliegtuig gaat rechtstreeks naar de Westkust.'

'Roman Z?' vroeg een verbijsterde Redwing.

'Wat is er met Cyrus gebeurd?' vroeg Sam.

'Die zit ergens in Zuid-Frankrijk en stelt een onderzoek in naar een van Fraziers châteaus. Dat was gekraakt.'

'Ik dacht dat hij weer in een laboratorium wilde gaan werken.'

'Nou ja, met zijn strafblad en zo... och, en Cookson is een chemische fabriek aan het kopen. ... Luister, het was geweldig dat jullie lieverds me kwamen opzoeken maar ik moet nu echt rennen. Kus me maar, schat, en als je ooit een proefopname wilt weet je waar je me kunt bellen.' De verbaasde Jennifer accepteerde de kus van de Havik. 'En jij, luitenant,' vervolgde MacKenzie, terwijl hij Devereaux omarmde, 'jij hebt nog steeds het beste stel juridische hersens op de hele planeet, op die van commandant Pinkus en van die lieve meid hier na.'

'Mac!' riep Sam. 'Zie je dat dan niet? Je begint weer helemaal opnieuw! Er blijft niets over van Los Angeles!'

'Nee, beste kerel, niet waar, helemaal niet waar. We brengen de glorieuze tijd weer terug.' De Havik pakte zijn Louis Vuitton koffer op en pinkte een traan weg. '*Ciao*, baby's,' zei hij. Hij draaide zich snel om en holde de zandweg op, een man met een missie.

'Waarom heb ik zo het gevoel dat op zekere tijd, ergens in Boston, de telefoon zal rinkelen en dat Mackintosh Quartermain aan de lijn zal zijn?' zei Devereaux, met zijn arm om Jennifer geslagen terwijl ze de gestalte van de Havik in de verte zagen verdwijnen.

'Omdat het onvermijdelijk is, lieverd, en we zouden het niet anders willen.'

Het Halidon Komplot

Alex McAuliff, beroemd wetenschapper, krijgt het aanbod een geologisch onderzoek in de binnenlanden van Jamaica te leiden. Als Alex ontdekt dat zijn expeditie niet de eerste is en dat van zijn voorgangers nooit meer iets is vernomen, beseft Alex dat hij gebruikt wordt in een smerig, gecompliceerd spel.

De Scorpio Obsessie

Amaya Bajaratt is een van de gevaarlijkste terroristen ter wereld, en onwaarschijnlijk mooi. Gedreven door wraak bereidt zij een aanslag op de president van de Verenigde Staten voor. Op de kantoren van het Deuxième Bureau in Parijs en van MI6 in Londen worden haar overlevingskansen geanalyseerd. Een 42-jarige ex-marinier wordt het Caribisch gebied ingestuurd om deze ongrijpbare vrouw te elimineren.

Het Rhinemann Spel

Herfst 1943. Zowel de Amerikanen als de Duitsers ontwikkelen koortsachtig wapens die de overwinning moeten brengen.
De Duitsers hebben voor hun langeafstandsraketten diamanten nodig uit het door de geallieerden overheerste Afrika.
De Amerikanen missen voor hun bommenwerpers een gyroscoop, waarvan de Duitsers een geperfectioneerde versie bezitten. In het diepste geheim wordt een ruil voorbereid.

Het Parsifal Mozaïek

Michael Havelock werd geboren met de naam Havlicek. Met het veranderen van zijn naam is het helaas niet gelukt de geliefde te vergeten die hij op een maanverlichte nacht in de branding van de Costa Brava heeft moeten doodschieten. De demonen die hem nimmer met rust laten, komen pas goed tot leven als hij haar op een dag in Rome meent te zien.
Of achtervolgt zij hem?!